BREEKPUNT

Van Jonathan Kellerman zijn verschenen:

Doodgezwegen*
Domein van de beul*
Het scherp van de snede*
Tijdbom*
Oog in oog*
Duivelsdans*
Gesmoord*
Noodgreep*
Breekpunt*
Het web*
De kliniek*
Bloedband*
Handicap*
Billy Straight*
Boze tongen*
Engel des doods*
Vlees en bloed*
Moordboek*
Doorbraak*
Lege plek*
Dubbele doodslag *(met Faye Kellerman)*
Therapie*
De juni moorden*
Razernij
Ontknoping
Misdadigers *(met Faye Kellerman)*
Stoornis

*In POEMA-POCKET verschenen

JONATHAN KELLERMAN

BREEKPUNT

Voor Faye, Jesse en Rachel

Dit is fictie. Namen, personen, plaatsen en gebeurtenissen zijn of het product van verbeelding van de auteur, of zijn fictief gebruikt. Elke overeenkomst met bestaande personen, in leven of overleden, is zuiver toeval.

Vijfde druk

Published by agreement with Lennart Sane Agency AB

Oorspronkelijke titel: *When the Bough Breaks*
Vertaling: Mariëlla Snel
Omslagontwerp: Pete Teboskins
Omslagfotografie: Image Store

ISBN 978 90 210 0736 6

www.boekenwereld.com & www.poemapocket.com

I

Het leek een schitterende morgen te worden en het laatste waar ik iets over wilde horen, was een moord.

Er waaide al twee dagen een koele zeewind, die de luchtvervuiling naar Pasadena had geblazen. Mijn huis staat in de lage heuvels even ten noorden van Bel Air, aan het eind van een oud ruiterpad dat zich rond Beverly Glen kronkelt, waar rijkdom het veld moet ruimen voor zelfbewuste funk. Het is een buurt vol Porsches en prairiewolven, slechte rioleringen en verscholen beekjes.

Het huis zelf, met een oppervlakte van zo'n honderdvijftig vierkante meter, is opgetrokken uit zilverkleurig verweerd roodhout, versleten dakspanen en getint glas. In de voorsteden zou men het misschien een schuur noemen. Hier in de heuvels is het een landelijk toevluchtsoord: niet luxueus, maar wel met veel terrassen, veranda's en verrassende hoekjes en uitzichten. Het huis was ontworpen door en voor een Hongaarse kunstenaar die failliet was gegaan toen hij te grote polychrome driehoeken aan de galerieën aan La Cienega probeerde te slijten. Dank zij een hof voor erfrecht in Los Angeles was het verlies van de kunst voor míj in winst omgezet. Op een mooie dag, zoals vandaag, kon je de oceaan zien: een hemelsblauwe streep die vaag boven de Palisades uitstak.

Ik had alleen geslapen en met het raam open, zonder me iets aan te trekken van inbrekers en psychopaten. Ik werd om tien uur wakker, naakt, het bovenlaken en de deken op de grond gewoeld tijdens de een of andere vergeten droom. Ik voelde me lui en voldaan, kwam steunend op mijn ellebogen overeind, trok het beddegoed weer omhoog en staarde naar de karamelkleurige strepen zonlicht die door de openslaande deuren naar binnen kwamen. Ik besloot uiteindelijk op te staan toen een lastige vlieg tussen mijn lakens op zoek ging naar een lekker hapje en die bezigheid afwisselde met duikvluchten naar mijn hoofd.

Ik schuifelde naar de badkamer, draaide de kranen open om het bad vol te laten lopen en liep daarna naar de keuken, op strooptocht naar eten. De vlieg ging met me mee. Ik zette koffie en de vlieg en ik deelden een stuk stokbrood met ui. Tien voor halfelf op een maandagmorgen, ik hoefde nergens heen en had niets te doen. O, wat een heerlijke decadentie!

Het was bijna een halfjaar geleden dat ik vroegtijdig met pensioen was gegaan en het verbaasde me nog steeds hoe gemakkelijk het was om van iemand die dwangmatig wilde presteren, te veranderen in een genotzuchtige luilak. Ik had het duidelijk al vanaf mijn geboorte in me gehad.

Ik liep terug naar de badkamer, ging kauwend op de rand van het bad zitten en maakte vage plannen voor die dag: lekker lui een bad nemen, de ochtendkrant doorkijken, misschien even door het ravijn joggen, een douche, een bezoekje aan...

De bel haalde me uit mijn overpeinzingen.

Ik wikkelde een handdoek om mijn middel en was net op tijd bij de voordeur om te zien dat Milo zichzelf binnenliet.

'Hij was open,' zei hij, terwijl hij de deur met een klap dichtdeed en de *Times* op de bank smeet. Hij staarde me aan en ik wikkelde de handdoek wat steviger om me heen.

'Goeiemorgen, naturist.'

Ik gaf hem een teken dat hij door moest lopen.

'Je zou die deur echt op slot moeten doen, hoor. Op het bureau heb ik dossiers die je er een aardig idee van geven wat er kan gebeuren met mensen die dat niet doen.'

'Goeiemorgen, Milo.'

Ik liep naar de keuken en schonk twee koppen koffie in. Milo kwam als een schaduw achter me aan, maakte de koelkast open en haalde er een bord met een koude pizza uit, waarvan ik me niet kon herinneren dat ik die had gekocht. Toen liep hij achter me aan naar de huiskamer, liet zich op mijn oude leren bank ploffen – een kunstwerk uit het door mij verlaten kantoor aan Wilshire – zette het bord op zijn schoot en strekte zijn benen.

Ik draaide de kranen in de badkamer dicht en ging op een bank met een kamelevacht tegenover hem zitten.

Milo is een forse kerel – een meter achtentachtig en ruim honderd kilo – die de gewoonte heeft om alles te laten hangen en zwieberen wanneer hij eenmaal is gaan zitten. Vanmorgen zag hij eruit als een te grote lappenpop: een pop met een breed, aangenaam gezicht, bijna jongensachtig met uitzondering van de acneputten in zijn huid en de vermoeide ogen. Die ogen waren opvallend groen, rood omrand, met borstelige donkere wenkbrauwen erboven en een bos dik, zwart haar die je aan Kennedy deed denken. Zijn neus was groot en had een hoge

brug, zijn lippen waren vol, kinderlijk zacht. Langs de wangen vol littekens zaten bakkebaarden die al vijf jaar uit de mode waren.
Zoals gewoonlijk had hij imitatie Brooks Brothers-kleding aan: een olijfgroen pak van gabardine, een geel overhemd, een mintgroen en goudkleurig gestreepte das, wijnrode schoenen. Het geheel was even flatteus als W.C. Fields in rood ondergoed.
Hij negeerde mij en concentreerde zich op de pizza.
'Ik ben blij dat je nog op tijd voor het ontbijt hier kon zijn.'
Toen het bord leeg was, vroeg hij: 'En hoe gaat het met jou?'
'Het gìng geweldig met me. Milo, wat kan ik voor je doen?'
'Wie zegt dat ik wil dat je iets voor me doet?' Hij veegde kruimeltjes van zijn schoot op het kleed. 'Misschien ben ik wel gewoon voor de gezelligheid langsgekomen.'
'Je komt hier onaangekondigd naar binnen stuiven, met een smoel als dat van een bloedhond, en dan wil je nog beweren dat je gewoon voor de gezelligheid langs bent gekomen?'
'Mijn hemel, wat een intuïtie!' Hij streek met zijn handen over zijn gezicht alsof hij zich zonder water aan het wassen was. 'Ik wil je dringend om een gunst vragen,' zei hij.
'Pak rustig mijn auto. Ik heb hem toch pas laat in de middag nodig.'
'Nee, daar gaat het nu niet om. Ik heb behoefte aan je vakkennis.'
Dat gaf me reden tot nadenken.
'Jij behoort niet tot mijn doelgroep,' zei ik. 'En ik oefen mijn vak niet meer uit.'
'Alex, ik maak geen grapje. Een van jouw collega's ligt op een tafel in het lijkenhuis. Een zekere Morton Handler.'
Ik kende de naam, maar niet het daarbij behorende gezicht.
'Handler is een psychiater.'
'Psychiater of psycholoog, dat kleine verschil doet er op dit moment niet toe. Hij is dood. Keel doorgesneden en ook wat darmen buiten boord. Samen met een vriendin, die nog erger is behandeld. Geslachtsorganen verminkt, de neus afgesneden. Het is bij hem thuis gebeurd en daar leek het wel een abattoir.'
Ik zette mijn koffiekop neer.
'Oké, Milo. Ik heb nergens meer trek in. Vertel me nou maar eens wat dat allemaal met mij te maken heeft.'
Hij ging door alsof hij me niet had gehoord.
'Ik ben er om vijf uur vanmorgen bij gehaald en vanaf dat moment

heb ik tot mijn knieën in het bloed en de troep rondgelopen. Het stonk er. Mensen stinken als ze doodgaan. Ik heb het niet over verrotting, maar over de stank die daarvóór ontstaat. Ik dacht dat ik daaraan gewend was, maar telkens wanneer ik die lucht ruik, krijg ik hier problemen.' Hij porde in zijn buik. 'Om vijf uur 's morgens. Ik heb een nijdige minnaar in bed achtergelaten en mijn hoofd lijkt elk moment te kunnen ontploffen. Hompen vlees om vijf uur 's morgens. Jezus!'
Hij ging staan en keek door het raam naar de toppen van de naaldbomen en eucalyptussen. Vanaf de plaats waar ik zat kon ik rook traag zien opkringelen uit een schoorsteen in de verte.
'Alex, je woont hier echt mooi. Gaat het je nooit vervelen in een paradijs te verblijven zonder iets om handen te hebben?'
'Niet in het minst.'
'Dat zal ook wel niet. Ik neem aan dat je verder niets meer wilt horen over Handler en die vrouw.'
'Milo, maak van je hart geen moordkuil en kom met je probleem voor de draad.'
Hij draaide zich om en keek naar me. Het grote, lelijke gezicht vertoonde nieuwe tekenen van vermoeidheid.
'Alex, ik ben depressief.' Hij stak me zijn lege kopje toe als een uit z'n krachten gegroeide Oliver Twist. 'Daarom ben ik bereid nog meer van dit walgelijke spul tot me te nemen.'
Ik pakte het kopje aan en schonk het nog eens vol. Hij slokte de koffie hoorbaar op.
'We hebben een mogelijke getuige. Een kind dat in hetzelfde gebouw woont. Ze is behoorlijk in de war en weet niet zeker wat ze heeft gezien. Toen ik naar haar keek, moest ik meteen aan jou denken. Jij zou met haar kunnen praten en haar misschien onder hypnose kunnen brengen om haar geheugen op te frissen.'
'Bestaat daar de afdeling gedragswetenschappen van de politie niet voor?'
Uit zijn zak haalde hij een handvol polaroidfoto's te voorschijn. 'Kijk hier eens naar.'
Dat deed ik, heel even. Mijn maag draaide zich om. Ik gaf ze hem snel weer terug.
'Laat me dat soort foto's alsjeblieft niet zien.'
'Smerig hè? Dat bloed en die andere troep.' Hij hield zijn kop schuin om ook de laatste druppel op te kunnen drinken. 'We hebben nog maar

één man in dienst die gedragswetenschappen heeft gestudeerd en die is druk bezig met het signaleren van gekken binnen ons eigen apparaat. De tijd die hij dan nog overheeft, gebruikt hij voor de therapeutische behandeling van de gekken die door de mazen van het net zijn geglipt. Als ik een verzoek om hulp indien voor zoiets als dit, krijg ik het verzoek om nòg een formulier in te vullen. Ze hebben geen zin in zo'n klus en bovendien weten ze niks van kinderen af. Jij wel.'
'Ik weet niks van moordzaken af.'
'Daar hoef jij je hoofd niet over te breken. Dat is mijn probleem. Jij moet met een zevenjarig kind gaan praten.'
Ik aarzelde. Hij stak zijn handen uit. Ze waren wit en brandschoon geschrobd.
'Ik verwacht niet van je dat je het helemaal voor niets doet. Ik zal je op een lunch trakteren. Ik ken een redelijk Italiaans restaurant met verbazingwekkend goede gnocchi, niet ver van...'
'Niet ver van het abattoir vandaan?' Ik trok een grimas. 'Nee, dank je. Verder ben ik overigens niet voor gnocchi te koop.'
'Waarmee zou ik je dan kunnen omkopen? Je hebt alles al: een huis in de heuvels, een fraaie auto, een joggingpak van Ralph Lauren met bijpassende gympen. Jezus! Je bent met je drieëndertigste al met pensioen en zo te zien lig je de hele dag in de zon. Ik word al pissig als ik erover praat.'
'Dat kan best zo zijn, maar ben ik ook gelukkig?'
'Dat vermoed ik wel.'
'Je hebt gelijk.' Ik dacht aan de afschuwelijke foto's. 'En ik heb zeker geen gratis pasje nodig voor de Grand Guignol.'
'Ik durf mijn kop eronder te verwedden dat er onder dat zachtaardige uiterlijk een verveelde jongeman schuilgaat.'
'Onzin.'
'Helemaal geen onzin. Hoe lang is het nu geleden? Zes maanden?'
'Vijfeneenhalve maand.'
'Vijfeneenhalve maand dan. Toen ik je leerde kennen... herstel: kort nadat ik je had leren kennen was je een levendige vent met veel energie en een heleboel uitgesproken meningen. Je géést was aan het werk. Nu hoor ik alleen verhalen over hete baden, hoe lang je over een kilometer hardlopen doet en over de verschillende zonsondergangen die je vanaf je veranda kunt zien. Om jouw jargon te gebruiken: er is sprake van een regressie. Van die aanstellerige korte broeken dragen,

rollerskaten, in en met water spelen. Net als de helft van de inwoners van deze stad functioneer je op het niveau van een zesjarige.'
Ik lachte.
'En jij geeft me de kans me in te laten met bloed en andere troep, als een vorm van bezigheidstherapie.'
'Alex, je kunt als een gek blijven proberen het nirwana in ledigheid te bereiken, maar dat zal je niet lukken. Zoals Woody Allen ooit heeft gezegd: als je te week wordt, word je ook rijp en rot.'
Ik klopte op mijn blote borst.
'Nog geen tekenen van verval.'
'Het komt van binnen uit en breekt door wanneer je het 't minst verwacht.'
'Dank u, dokter Sturgis.'
Hij keek me vol afkeer aan, liep naar de keuken en kwam terug met een peer in zijn mond.
'Lekker.'
'Ga gerust je gang.'
'Oké, Alex. Vergeet het verder maar. Ik zit met een dooie psychiater, die in mootjes gehakte mevrouw Gutierrez en een zevenjarig kind dat denkt dat ze wat kan hebben gezien of gehoord, maar te bang is om er iets zinnigs van te maken. Ik vraag je om twee uur van je tijd – en tijd heb je in overvloed – en word op geouwehoer getrakteerd.'
'Wacht even! Ik heb niet gezegd dat ik het niet zou doen. Je moet me de tijd geven om dit te verwerken. Ik ben net wakker en dan kom jij binnen om een dubbele moord in mijn schoot te deponeren.'
Hij stak zijn pols uit de manchet van zijn overhemd en keek op zijn Timex. 'Halfelf. Arme stakker.' Hij keek me nijdig aan en nam zo'n grote hap van de peer dat er sap op zijn kin drupte.
'Misschien herinner je je nog wel dat de laatste ervaring die ik met politiewerk heb gehad, nogal traumatisch voor me is geweest.'
'Hickle was een gek. En jij was een soort slachtoffer. Ik wil je hier niet echt bij betrekken. Ik vraag je alleen een uur of twee met een klein kind te praten. Als je denkt dat het helpt, zou je haar onder hypnose kunnen brengen, zoals ik al heb gezegd. Daarna gaan we gnocchi eten. Vervolgens ga ik naar huis om te proberen mijn geliefde weer op te eisen, en kun jij teruggaan naar dit kasteel. En dat is dan dat. Over een week kunnen we nog eens puur voor de gezelligheid samen sashimi gaan eten in Japtown. Oké?'

'Wat heeft dat meisje gezien?' vroeg ik, terwijl ik mijn ontspannen dagje in rook op zag gaan.
'Schaduwen, stemmen, twee kerels, misschien drie. Wie zal het met zekerheid zeggen? Ze is een klein kind dat een ernstig trauma heeft opgelopen. De moeder is al even bang en ik heb niet de indruk dat ze bijzonder intelligent is. Ik wist niet hoe ik het kind moest benaderen, Alex. Ik heb geprobeerd aardig tegen haar te zijn en het rustig aan te doen. Het zou misschien hebben geholpen wanneer ik iemand van de kinderpolitie bij me had gehad, maar ook die zijn schaars geworden. Ze houden liever tientallen hoger gesalarieerde bureaufuncties in stand.'
Hij hapte de peer af tot op het klokhuis.
'Schaduwen, stemmen. Dat is alles. Jij bent de taalspecialist, niet-waar? Jij weet hoe je met kleintjes moet communiceren. Als je haar zover kunt krijgen dat ze gaat praten, is dat geweldig. Als ze met iets wat op een persoonsbeschrijving lijkt kan komen, zou dat fantastisch zijn. Zo niet, hebben we het in elk geval geprobeerd.'
Taalspecialist. Het was een tijd geleden dat ik die term had gebruikt: tijdens de nasleep van de affaire-Hickle, toen ik mezelf opeens niet meer onder controle had kunnen houden en in gedachten voortdurend de gezichten zag van Stuart Hickle en alle kinderen die hij kwaad had berokkend. Milo had me meegenomen om een borrel te drinken. Rond een uur of twee 's nachts had hij zich hardop afgevraagd waarom de kinderen het zo lang hadden laten doorgaan.
'Ze hebben er niets over gezegd omdat niemand wist hoe er naar hen geluisterd moest worden,' had ik gezegd. 'En verder dachten ze dat het hun schuld was.'
'O ja?' Hij had me met waterige ogen aangekeken terwijl hij zijn glas met twee handen vasthield. 'Dat soort opmerkingen krijg ik te horen van de meiden van de kinderpolitie.'
'Zo denken ze wanneer ze klein en egocentrisch zijn. Ze hebben het gevoel dat zij het middelpunt van de wereld vormen. Als mama uitglijdt en een been breekt, denken ze dat het hun schuld is.'
'Hoe lang duurt zoiets?'
'Bij sommige mensen gaat het nooit over. Bij de rest van ons is het een geleidelijk proces. Wanneer we een jaar of acht, negen zijn, zien we de dingen wat duidelijker. Maar een volwassene kan kinderen altijd manipuleren en ze ervan overtuigen dat iets hun schuld is.'

'Klootzakken,' had Milo gezegd. 'Hoe kun je ze tot andere gedachten brengen?'
'Je moet weten hoe kinderen op een bepaalde leeftijd denken. Je moet de diverse ontwikkelingsstadia kennen. Je spreekt hun taal en wordt dan een taalspecialist.'
'Doe jij dat?'
'Ja.'
Een paar minuten later had hij gevraagd: 'Denk je dat schuldgevoelens slecht zijn?'
'Niet noodzakelijk. Ze horen bij het leven. Maar een teveel kan verlammend werken.'
Hij had geknikt. 'Die redenering staat me wel aan. Het lijkt wel alsof zieleknijpers altijd beweren dat schuldgevoelens uit den boze zijn, maar in jouw benadering kan ik wel geloven. Eigenlijk zouden we méér schuldgevoelens best kunnen gebruiken. De wereld zit vol met verknipte wilden.'
Op dat moment sprak ik hem niet tegen.
We spraken nog een tijdje verder. We raakten beneveld door de alcohol, begonnen te lachen en toen te huilen. De barkeeper was opgehouden met het poetsen van de glazen en had naar ons gestaard.

Het was een heel deprimerende periode in mijn leven geweest en ik herinnerde me nog wie er toen was geweest om me erdoorheen te helpen.
Ik keek toe hoe Milo de laatste hapjes peer met merkwaardig kleine, scherpe tanden verorberde.
'Twee uur?' vroeg ik.
'Op z'n hoogst.'
'Geef me een uurtje de tijd om wat andere zaken af te handelen.'
Het feit dat hij me ertoe had overgehaald hem te helpen, leek hem niet op te vrolijken. Hij knikte en zuchtte vermoeid.
'Oké. Dan ga ik op het bureau ook nog even een paar zaken regelen.'
Hij keek nogmaals op zijn Timex. 'Twaalf uur?'
'Prima.'
Hij liep naar de deur, maakte die open, stapte de veranda op en gooide het klokhuis over het hek in de groene struiken eronder. Halverwege het trapje bleef hij staan en keek me aan. Door de felle zon kon ik zijn pokdalige gezicht niet zien. Het was veranderd in een bleek masker. Even was ik bang dat hij sentimenteel zou worden.

Daar had ik me geen zorgen over hoeven maken.
'Alex, mag ik de Caddy lenen nu jij toch thuisblijft? Dat ding,' zei hij, beschuldigend op de Fiat wijzend, 'kan er elk moment de brui aan geven. Nu heeft hij weer startproblemen.'
'Geouwehoer. Je bent alleen gek op mijn auto.' Ik liep naar binnen, pakte de reservesleutels en gooide ze hem toe.
Hij ving ze als was hij Dusty Baker, maakte het portier van de Seville open, wurmde zich achter het stuur en schoof de stoel naar achteren om zijn lange benen wat meer ruimte te geven. De motor startte meteen en begon pittig te snorren. Hij reed de heuvel af als een zestienjarig joch dat met de auto van papa naar zijn eerste schoolfeest gaat.

2

Vanaf mijn puberteit had ik een druk leven geleid. Ik haalde altijd hoge cijfers, ging op mijn zestiende studeren, verdiende bij als gitarist en was op mijn vierentwintigste aan de Universiteit van Californië in Los Angeles afgestudeerd als klinisch psycholoog. Vervolgens had ik in het noorden bij het Langley Porter Institute een assistentschap geaccepteerd, waarna ik naar Los Angeles was teruggegaan om in het Western Pediatric Medical Center een postdoctorale opleiding te volgen. Daarna was ik in dat ziekenhuis tot staflid benoemd, wat ik combineerde met werk als wetenschappelijk medewerker aan de medische faculteit, die nauwe banden met Western Peds onderhield. Ik had in die tijd veel patiënten behandeld en veel artikelen gepubliceerd.
Op mijn achtentwintigste was ik lector in de kindergeneeskunde en de psychologie en leider van een ondersteunend programma voor lichamelijk zieke kinderen. Ik had een titel die zo lang was dat mijn secretaressen hem niet konden onthouden. Ik bleef publiceren en bouwde een papieren toren, waarin ik woonde. Casussen, nauwkeurig in de hand gehouden experimenten, overzichten, monografieën, hoofdstukken voor studieboeken en een eigen esoterisch boek over de psychische effecten van een chronische ziekte op kinderen.
Mijn status was geweldig, mijn salaris minder. Ik ging bijklussen, behandelde particuliere patiënten in een kantoor dat ik had gehuurd van een collega-psycholoog in Beverly Hills. Ik kreeg steeds meer patiënten, tot ik zeventig uur per week werkte en als een krankzinnige werk-

mier heen en weer racete tussen het ziekenhuis en mijn particuliere praktijk.
Toen ik had ontdekt dat ik zonder belastingparadijzen méér belasting zou moeten betalen dan wat ik eens een gezond jaarinkomen had gevonden, ging ik deel uitmaken van het aparte wereldje waarin zo weinig mogelijk belasting werd betaald. Ik nam accountants in dienst, ontsloeg hen weer, kocht in Californië onroerend goed voordat de prijzen de pan uitrezen, verkocht het met een schandalige winst, kocht opnieuw. Ik werd manager van een appartementengebouw, wat me nog eens vijf tot tien uur per week kostte. Ik had een bataljon onderhoudspersoneel: tuinmannen, loodgieters, schilders en elektriciens. Rond de kerstdagen kreeg ik veel kalenders.
Toen ik tweeëndertig was werkte ik vrijwel non-stop en was de uitputting nabij. Ik sliep een paar uur onrustig en stond dan op om nog meer werk te doen. Wanneer ik me herinnerde dat ik iets moest eten, nam ik zo'n kant-en-klare hap uit een automaat in het ziekenhuis. Ik at terwijl ik met de flapperende panden van mijn witte jas en een aantekenboekje in mijn hand als een dolle stier door de gangen racete. Ik was een man met een missie, al was het een stompzinnige.
Ik had succes.
In zo'n leven hou je weinig tijd over voor romantiek. Af en toe gaf ik me over aan een hevige, betekenisloze, puur lichamelijke liaison met een verpleegster, een vrouwelijke arts, een co-assistente of een maatschappelijk werkster. En, niet te vergeten, met een blonde secretaresse van een jaar of veertig met mooie benen – helemaal mijn type niet als ik de tijd had genomen om erover na te denken – met wie ik twintig minuten lang tekeerging achter de planken vol medische dossiers in de archiefkamer.
Mijn dagen werden gevuld met commissievergaderingen, administratieve bezigheden, pogingen om ruzietjes tussen stafleden te sussen en nog meer administratief werk. Tegen het vallen van de avond moest ik de stroom ouderlijke klachten het hoofd bieden waaraan een kinderpsycholoog gewend raakt, en troost en steun bieden aan de kleintjes die in het kruisvuur terechtkwamen.
In mijn vrije tijd las ik klaagbrieven van huurders, bekeek de *Wall Street Journal* om te zien hoeveel rijker of armer ik was geworden en sorteerde bergen post die meestal afkomstig leken te zijn van gladde jongens met een witte boord en een parelwit gebit, die manieren wis-

ten om me binnen de kortste keren schatrijk te maken. Ik werd gekozen tot Heel Bijzondere Jongeman door een bedrijf dat hoopte me hun honderd dollar kostende, in leer gebonden agenda te kunnen verkopen die alleen aan Heel Bijzondere Jongemannen werd aangeboden. Soms kostte het me midden op de dag opeens moeite om adem te halen, maar daar besteedde ik geen aandacht aan, omdat ik het te druk had voor introspectie.

Toen kwam Stuart Hickle die maalstroom ingestapt.

Hickle was een rustige man, een gepensioneerde laboratoriumtechnicus. Hij zag eruit als de stereotiepe vriendelijke buurman uit een komische serie: lang, gebogen schouders, ergens rond de vijftig, dol op truien en oude bruyèrepijpen. Zijn bril met schildpadmontuur stond op een dunne, kromme neus, voor vriendelijke ogen met de kleur van afwaswater. Hij had een welwillende glimlach en vaderlijke maniertjes.

Hij had ook de ongezonde behoefte om aan de geslachtsdelen van kleine kinderen te zitten.

Toen de politie hem eindelijk te grazen kon nemen, vonden ze ook meer dan vijfhonderd kleurenfoto's van Hickle, die zijn gang ging met tientallen blanke, zwarte en Latijns-Amerikaanse jongens en meisjes van twee, drie, vier en vijf jaar. Hij was niet kieskeurig ten aanzien van sekse of ras. Hij interesseerde zich alleen voor leeftijd en hulpeloosheid.

Toen ik de foto's zag werd ik niet zozeer geraakt door hun grafische grimmigheid, hoewel ze op zich al weerzinwekkend genoeg waren. Wel door de blik in de ogen van de kinderen: doodsbang, kwetsbaar, wetend. Het was een blik die duidelijk maakte dat ze wisten dat het fout was en zich afvroegen waarom hun zoiets overkwam. Die blik was op elke foto te zien, ook in de ogen van het allerjongste slachtoffertje.

Het was de verpersoonlijking van ontering.

Ik kreeg er nachtmerries van.

Hickle had een unieke kans om dicht in de buurt van kleine kinderen te komen. Zijn vrouw, een Koreaanse wees die hij als soldaat in Seoel had leren kennen, had een goed lopend kinderdagverblijf in het welvarende Brentwood: Kim's Korner.

Dat dagverblijf genoot de solide reputatie een van de beste plaatsen te zijn om je kinderen achter te laten wanneer je moest werken, wilde sporten of uitgaan of gewoon even alleen wilde zijn. Het draaide al

tien jaar toen het schandaal boven water kwam en ondanks het bewijsmateriaal waren er heel wat mensen die weigerden te geloven dat het had gediend als een plaats waar een man zijn pedofiele rituelen ongestoord had kunnen voltrekken.
Het dagverblijf had er vrolijk uitgezien en was ondergebracht in een groot huis aan een rustige straat niet ver van de UCLA. In het laatste jaar van zijn bestaan had het meer dan veertig kinderen onder zijn hoede gehad, de meeste uit welgestelde families. Een groot deel van de kinderen die aan de zorgen van Kim Hickle waren toevertrouwd, was heel jong geweest, omdat zij een van de weinige dagverblijven runde waar kleintjes werden aangenomen die nog niet zindelijk waren. Het huis had een kelder – een zeldzaamheid in een gebied waar veel aardbevingen voorkomen – en de politie was geruime tijd bezig geweest in die vochtige ruimte. Ze vonden daar een oude legerbrits, een koelkast, een roestend aanrecht en fotoapparatuur met een totale waarde van vijfduizend dollar. Er werd met name veel aandacht geschonken aan de brits, omdat die een schat aan forensisch materiaal opleverde: haar, bloed, zweet en zaad.
De media stortten zich met voorspelbare verve op de affaire-Hickle. Het was een smeuïge zaak, die inspeelde op de oerangsten van ieder mens en herinneringen opriep aan de Grote Boze Heks uit je jeugd. Het avondjournaal liet beelden zien van Kim Hickle die met haar handen voor haar gezicht voor een meute verslaggevers vluchtte. Men kon niet bewijzen dat zij medeplichtig was geweest. Het kinderdagverblijf werd gesloten, haar vergunning werd ingetrokken en daar lieten ze het verder bij. Ze vroeg een echtscheiding aan en vertrok met onbekende bestemming.
Ik had mijn twijfels over haar onschuld. Ik had genoeg van dat soort zaken gezien om te weten dat de echtgenotes van mannen die kinderen seksueel misbruiken, daar vaak een im- of expliciete rol bij speelden door het scheppen van de noodzakelijke ambiance. Gewoonlijk waren het vrouwen die sex en lichamelijke intimiteit verafschuwden en hielpen substituut-partners voor hun man te vinden om onder hun echtelijke plichten uit te kunnen komen. Het kon een koude, wrede parodie zijn van een haremgrap: ik kende een zaak waarbij de vader met zijn drie dochters naar bed ging volgens een schema dat door mama werd opgesteld.
Het was ook moeilijk te geloven dat Kim Hickle met de kinderen met

lego aan het spelen was geweest terwijl Stuart hen in de kelder seksueel misbruikte. Toch hadden ze haar laten gaan.
Hickle zelf werd voor de wolven gegooid. De televisiecamera's registreerden alles. Er werden allerlei minispecials uitgezonden, gevuld met gesprekken met mijn beter van de tongriem gesneden collega's, en in redactionele commentaren werd gehamerd op de rechten van kinderen.
De heisa duurde twee weken. Toen verloor het verhaal zijn aantrekkingskracht en werd het vervangen door verslagen van andere wreedheden, want daar bestond in L.A. geen gebrek aan.

Drie weken na de arrestatie werd mij om advies gevraagd. Het verhaal was naar de achterpagina's verbannen en iemand was over de slachtoffers gaan nadenken.
Die gingen door een hel.
De kinderen werden midden in de nacht krijsend wakker. Peuters die zindelijk waren geweest, gingen weer in hun broek plassen en poepen. Kinderen die vroeger rustig waren geweest en zich netjes hadden gedragen, begonnen zonder aanleiding te slaan, te trappen en te bijten. Veel kinderen klaagden over buikpijn of hadden onduidelijke lichamelijke klachten. Ze vertoonden ook de klassieke symptomen van een depressie: gebrek aan eetlust, lusteloosheid, teruggetrokkenheid, minderwaardigheidsgevoelens.
De ouders voelden zich ontzettend schuldig en beschaamd, zagen de beschuldigende blikken van familieleden en vrienden of meenden die te zien. Echtelieden keerden zich tegen elkaar. Sommigen verwenden de slachtoffertjes, waardoor de onzekerheid van die kinderen nog groter werd en jongere broertjes en zusjes op tilt sloegen. Later waren diverse broertjes en zusjes in staat toe te geven dat ze af en toe wilden dat zij seksueel misbruikt waren om ook voor een speciale behandeling in aanmerking te kunnen komen. Daarna voelden ze zich dan schuldig omdat ze dergelijke gedachten hadden gehad.
Hele gezinnen vielen uit elkaar, maar een groot deel van hun lijden bleef vrijwel onopgemerkt omdat het publiek Hickles hoofd eiste. De families zouden voor altijd gemeden zijn, opgezadeld met hun verwarring, schuldgevoelens en angsten, als de oudtante van een van de slachtoffertjes geen filantropisch lid was geweest van de raad van bestuur van het Western Pediatric Medical Center. Zij vroeg zich hardop

af waarom het ziekenhuis verdomme niets deed en of men soms was vergeten dat het een hulpverlenende instantie diende te zijn. De voorzitter van de raad van bestuur was dat met haar eens en zag tegelijkertijd zijn kans om een goede pers te krijgen. De laatste keer dat men over Western Peds had geschreven, was dat om melding te maken van een salmonellabacterie in de koolsla die in de kantine werd geserveerd, dus was wat positieve p.r. zeer welkom.
De medisch directeur gaf een persbericht uit waarin hij een psychologisch rehabilitatieprogramma aankondigde voor de jeugdige slachtoffers van Stuart Hickle, met mij als therapeut. Ik kreeg voor het eerst het vermoeden dat ik als zodanig benoemd zou worden door een artikel in de *Times*.
Toen ik de volgende morgen naar zijn kantoor ging, kon ik meteen doorlopen naar binnen. De directeur, een kinderchirurg die al in twintig jaar niet meer had geopereerd en een weldoorvoede, zelfvoldane bureaucraat was geworden, zat achter een glanzend bureau met de afmetingen van een hockeyveld en glimlachte.
'Henry, wat is er gaande?' Ik hield de krant omhoog.
'Alex, ga zitten. Ik was net van plan contact met je op te nemen. De raad van bestuur is tot de conclusie gekomen dat jij perfect... méér dan perfect voor dat werk bent. De knoop moest snel worden doorgehakt.'
'Ik voel me gevleid.'
'De raad van bestuur herinnerde zich het schitterende werk dat je met de Brownings hebt gedaan.'
'De Brownells.'
'Ook goed.'
De vijf kinderen Brownell hadden een vliegtuigongeluk in de Sierra's overleefd, dat hun ouders het leven had gekost. Ze hadden er lichamelijke en psychische trauma's aan overgehouden. Ze waren te lang aan de zon blootgesteld geweest, waren half uitgehongerd, leden aan geheugenverlies en weigerden hun mond open te doen. Ik was twee maanden met hen aan het werk geweest en de kranten hadden daar melding van gemaakt.
'Weet je, Alex,' zei de directeur, 'wanneer je druk bezig bent met pogingen om de ver ontwikkelde technologie en de heldendaden die zo onlosmakelijk met de moderne geneeskunde verbonden zijn met elkaar te integreren, verlies je de menselijke factor wel eens uit het oog.'

Dat was een schitterend speechje. Ik hoopte dat hij het zich zou herinneren wanneer het budget voor het volgend jaar moest worden vastgesteld. Hij bleef me vleien, sprak over de noodzaak dat het ziekenhuis zich bewoog in 'de frontlinie van het humanitaire streven', glimlachte toen en boog zich naar voren.

'Ik neem aan dat dit alles voor het verrichten van wetenschappelijk onderzoek ook zijn waarde heeft. Minstens twee of drie publikaties tegen het begin van juni?'

In juni zou ik in aanmerking kunnen komen voor een professoraat en de directeur zat in de benoemingscommissie van de medische faculteit.

'Henry, ik geloof dat je een beroep doet op mijn lagere instincten.'

'Daar zou ik niet eens over durven denken.' Hij knipoogde sluw. 'Het belangrijkste is dat die arme, arme kinderen worden geholpen.' Hij schudde zijn hoofd. 'Een werkelijk walgelijke zaak. De man zou gecastreerd moeten worden.'

De visie van een chirurg op gerechtigheid.

Met de gebruikelijke monomanie stortte ik me op het opstellen van het behandelingsprogramma. Ik kreeg toestemming om de therapeutische sessies in mijn particuliere praktijk te houden nadat ik had beloofd dat Western Peds met alle eer mocht gaan strijken.

Ik had me ten doel gesteld de families te helpen hun opgekropte gevoelens te uiten en met elkaar te delen, om te beseffen dat ze niet alleen stonden. Ik zou hen zes weken lang intensief behandelen, zowel in groepsverband – de kinderen, de ouders, de jongere broertjes en zusjes, de voltallige gezinnen – als individueel wanneer dat nodig was. Tachtig procent van de gezinnen wilde meedoen en niemand trok zich later terug. We zagen elkaar 's avonds in mijn suite aan Wilshire, wanneer het gebouw stil en verlaten was.

Er waren avonden dat ik na zo'n sessie lichamelijk en emotioneel uitgeput was van het luisteren naar alle ellende die als bloed uit een gapende wond naar buiten kwam. Laat u nooit iets anders wijsmaken. Het geven van psychotherapie is een van de meest inspannende dingen die een mens kan doen. Ik heb allerlei werk gedaan, van wortels plukken in een gloeiend hete zon tot deelnemen aan vergaderingen van nationale commissies in statige directiekamers, maar niets laat zich vergelijken met het uur na uur luisteren naar menselijke misère en het gevoel dat je ervoor moet zorgen dat die wat minder wordt, in het besef dat je alleen gebruik kunt maken van je geest en je stembanden. Op z'n best ga je je eindeloos veel beter voelen wanneer je ziet dat een patiënt zich openstelt, weer vrijuit kan ademen, de pijn en het verdriet kan loslaten. Op z'n slechtst lijkt het op surfen in een beerput, waarbij je vecht om je evenwicht niet te verliezen terwijl je de ene na de andere smerige golf over je heen krijgt.

De behandeling werkte. De ogen van de kinderen kregen weer wat glans. De gezinnen hielpen elkaar. Geleidelijk aan werd mijn rol gereduceerd tot die van zwijgende waarnemer.

Een paar dagen voor de laatste sessie kreeg ik een telefoontje van een verslaggever van de *National Medical News*, een blad dat artsen meestal meteen in de prullenbak gooien. Hij heette Bill Roberts, hij was in de stad en hij wilde me interviewen. Het artikel was bedoeld voor praktizerende kinderartsen, om hen attent te maken op de kwestie van seksueel misbruik van kinderen. Het project leek me de moeite waard en ik stemde toe in een gesprek.

Toen ik het parkeerterrein van het ziekenhuis afreed en in westelijke richting koerste, was het halfacht 's avonds. Er was weinig verkeer op de weg en om acht uur was ik bij de toren van zwart graniet en glas waarin mijn particuliere praktijk was gehuisvest. Ik parkeerde in de ondergrondse garage en liep de dubbele glazen deuren door naar de hal. Daar was het stil, afgezien van wat achtergrondmuziek. Ik nam de lift naar de vijfde verdieping. De liftdeuren schoven open, ik liep de gang door, ging een bocht om en bleef staan.

Er zat niemand op me te wachten en dat was ongebruikelijk, omdat ik uit ervaring wist dat verslaggevers altijd punctueel zijn.

Ik liep naar mijn kantoor en zag een schuine streep licht op de grond. De deur stond op een kiertje van een centimeter of twee, drie. Ik vroeg me af of de schoonmaakploeg Roberts binnen had gelaten. Zo ja, dan zou ik daar de conciërge over moeten aanspreken.

Toen ik bij de deur stond wist ik dat er iets mis was. Ik zag krassen rond de kruk en metaalslijpsel op het tapijt. Toch ging ik naar binnen, alsof ik een bepaald scenario gewoon moest volgen.

'Meneer Roberts?'

De wachtkamer was leeg. Ik liep de spreekkamer in. De man die op de bank zat was niet Bill Roberts. Ik had hem nog nooit ontmoet, maar ik kende hem heel goed.

Stuart Hickle hing tegen de zachte, katoenen kussens. Zijn hoofd of,

liever gezegd, wat daar nog van over was, rustte tegen de muur en de ogen staarden nietsziend naar het plafond. Zijn benen waren spastisch gespreid. Een hand lag op een natte plek bij zijn kruis. Hij had een erectie gehad. De aderen in zijn nek waren opgezwollen. Zijn andere hand lag slap op zijn borst. Een vinger was om de trekker van een lelijk, blauw pistooltje gehaakt, waarvan de loop op een paar centimeter van Hickles mond lag. Op de muur achter het hoofd stukjes hersenen, botdelen en bloed. Een rode vlek sierde het zachtgroen bedrukte behang op als een vingerverfschilderij van een kind. Nog meer rood bij zijn neus, zijn oren en zijn mond. De kamer rook naar voetzoekers en menselijke uitwerpselen.
Ik draaide een telefoonnummer.

Zelfmoord, concludeerde de lijkschouwer. De uiteindelijke versie luidde ongeveer zo: Hickle was sinds zijn arrestatie erg depressief geweest en omdat hij de vernedering van een proces niet kon verdragen had hij voor zelfmoord gekozen. Hij had, als Bill Roberts, die afspraak met me gemaakt. Hij had het slot geforceerd en zich zijn hersens uit zijn kop geschoten. Toen de politie banden voor me afdraaide waarop zijn bekentenis was opgenomen, leek zijn stem dezelfde als die van Roberts. In elk geval leek hij er zoveel op dat ik niet kon zeggen dat het een andere stem was.
Op de vraag waarom hij mijn spreekkamer voor zijn zwanezang had uitgekozen, hadden de geraadpleegde zieleknijpers een makkelijk antwoord: omdat ik de slachtoffers in therapie had genomen was ik een symbolische vaderfiguur, die de door hem aangebrachte schade ongedaan maakte. Zijn dood was een even symbolisch gebaar van berouw. Finito.
Maar zelfs zelfmoorden, zeker als ze verband houden met ernstige vergrijpen, moeten worden onderzocht en er mogen geen losse draden blijven hangen. De politie van Beverly Hills en die van L.A. begonnen elkaar de bal toe te spelen. Beverly Hills erkende dat de zelfmoord op hun terrein had plaatsgevonden, maar stelde dat die een uitvloeisel was van de eerdere misdaden, die in het westelijk deel van L.A. waren gepleegd. Punt uit. De politie van het westelijk deel van L.A. zou de bal graag weer hebben teruggespeeld, maar de kranten besteedden nog steeds aandacht aan de zaak en het laatste dat men wilde was een verhaal over plichtsverzuim.

Dus zat de politie van West-L.A. eraan vast en met name rechercheur Milo Bernard Sturgis van de afdeling moordzaken.

Pas een week nadat ik Hickles lichaam had gevonden kreeg ik problemen. Dat was eigenlijk normaal, want ik negeerde de hele kwestie en was behoorlijk verdoofd. Omdat ik als psycholoog geacht werd dergelijke dingen te kunnen verwerken, dacht niemand erover mij eens te vragen hoe het met me ging.
Ik beheerste mezelf in aanwezigheid van de kinderen en hun familieleden en nam als façade een kalme, verstandige en aanvaardende houding aan. Het leek alsof ik alles in de hand had. Tijdens de therapeutische sessies spraken we over Hickles dood en legden daarbij de nadruk op hèn en op de manier waarop zíj die dood verwerkten.
De laatste sessie was een feestje waarbij iedereen me bedankte en een arm om me heen sloeg. Ik kreeg een ingelijst exemplaar van Braggs' *De psycholoog*. Het was een mooi feest, er werd veel gelachen en er kwam veel troep op de vloerbedekking terecht. Ze waren blij omdat ze zich beter voelden en deels ook omdat hun kwelgeest dood was.
Tegen middernacht was ik thuis en kroop tussen de lakens. Ik voelde me leeg, koud en hulpeloos, als een weeskind op een verlaten weg. De volgende morgen dienden de symptomen zich aan.
Ik was onrustig en kon me moeilijk concentreren. Ik kreeg steeds vaker en steeds ernstiger ademhalingsproblemen. Ik maakte me onverklaarbare zorgen over van alles en nog wat, had voortdurend last van mijn maag en af en toe het voorgevoel dat ik binnenkort dood zou gaan.
Patiënten begonnen me te vragen of alles met me in orde was. In die tijd moet ik dus merkbaar van streek zijn geweest, want er is veel voor nodig om de aandacht van een patiënt op iets anders gericht te krijgen dan op hem- of haarzelf.
Ik was goed genoeg opgeleid om te weten wat er gaande was, maar had niet voldoende inzicht om er iets zinnigs van te kunnen maken.
Het kwam niet omdat ik het lijk had gevonden, want ik was gewend aan schokkende gebeurtenissen. De ontdekking van Hickles lijk had wel als een katalysator gewerkt, waardoor ik regelrecht op een crisis afstevende. Nu ik op die periode kan terugzien, besef ik dat ik door het behandelen van zijn slachtoffers zes weken lang niet in de tredmolen had hoeven lopen en daarna de tijd had gekregen om me over te

geven aan de gevaarlijke bezigheid van een evaluatie van mijn eigen persoontje. Wat ik over mezelf te weten kwam, stond me niet aan.
Ik was alleen en geïsoleerd. Ik had geen enkele echte vriend. Bijna tien jaar lang was ik alleen met patiënten omgegaan en patiënten zijn per definitie mensen die niet geven, maar nemen.
Het gevoel van eenzaamheid werd pijnlijk. Ik werd nog introverter en raakte ernstig depressief. Ik meldde me ziek bij het ziekenhuis, annuleerde afspraken met particuliere patiënten en lag dagen in bed naar soaps te kijken.
Het geluid en het beeld van de televisie spoelden als een gemene, verlammende drug over me heen: verdovend, maar niet genezend.
Ik at weinig, sliep te veel, voelde me loom, slap en nutteloos. Ik liet de hoorn van de telefoon naast de haak liggen en ging alleen de deur uit om reclamemateriaal naar binnen te halen. Daarna trok ik me weer terug in de eenzaamheid.
Op de achtste dag van dat begrafenisachtige bestaan stond Milo voor de deur, die me het een en ander wilde vragen. Hij had een aantekenboekje in zijn hand, net als een psycholoog, maar hij zag er niet uit als zo iemand. Het was een grote kerel met een wilde bos haar, gekleed in kleren waarin hij leek te slapen.
'Alex Delaware?' Hij hield zijn legitimatiebewijs omhoog.
'Ja.'
Hij stelde zich voor en staarde me aan. Ik had een rafelige gele badjas aan. Mijn ongetrimde baard was zo lang geworden als die van een rabbijn en mijn hoofdhaar leek op onder stroom gezette Brillo. Ondanks het feit dat ik dertien uur had geslapen, zag ik er slaperig uit en zo voelde ik me ook.
'Ik hoop dat ik u niet stoor. Het ziekenhuis heeft me uw privé-telefoonnummer gegeven, maar ik kon u maar niet bereiken,' zei Milo.
Ik liet hem binnen. Hij ging zitten en keek om zich heen. Op de tafel in de eetkamer lagen stapels ongeopende post. Het was donker binnen, de gordijnen waren dicht, en het rook muf. Op de televisie was een soap bezig.
Hij legde zijn aantekenboekje op een knie en zei dat het gesprek een formaliteit was in verband met het onderzoek van de lijkschouwer. Toen liet hij me de avond dat ik het lijk had gevonden nog eens doornemen, onderbrak me af en toe wanneer hij ergens meer duidelijkheid over wilde hebben, maakte aantekeningen en staarde. Het was een

saaie procedure en mijn gedachten dwaalden vaak af, waardoor hij zijn vragen nog eens moest stellen. Soms sprak ik zo zacht dat hij mij vroeg mijn antwoorden te herhalen.
Na ongeveer twintig minuten vroeg hij: 'Is alles in orde met u?'
'Ja.' Ik klonk niet overtuigend.
'Oké.' Hij schudde zijn hoofd, stelde nog een paar vragen, legde toen zijn pen neer en lachte zenuwachtig.
'Weet u dat ik het een beetje raar vind om een psycholoog te vragen hoe hij zich voelt?'
'Maakt u zich daar alstublieft geen zorgen over.'
Hij ging weer verder en hoe verdoofd ik ook was, ik merkte wel dat hij een merkwaardige techniek had. Hij sprong van het ene onderwerp op het andere over zonder een vaste lijn in zijn vragen te volgen. Dat bracht me uit mijn evenwicht en maakte me alerter.
'U bent docent op de medische faculteit?'
'Lector.'
'Bent u daar niet wat jong voor?'
'Ik ben tweeëndertig. Ik ben jong begonnen.'
'Hmmm. Hoeveel kinderen hebt u in het kader van dat speciale programma behandeld?'
'Ongeveer dertig.'
'Ouders?'
'Misschien zo'n tien, elf echtparen en een stuk of vijf alleenstaande ouders.'
'Is er tijdens die sessies over de heer Hickle gesproken?'
'Dat is vertrouwelijke informatie.'
'Natuurlijk. U hebt dat programma gerealiseerd als onderdeel van uw werk in het...' – hij raadpleegde zijn aantekeningen – '... Western Pediatric Hospital.'
'Het was vrijwilligerswerk, in opdracht van het ziekenhuis.'
'U bent er niet voor betaald?'
'Ik ben mijn vaste salaris blijven ontvangen en het ziekenhuis heeft me van andere verplichtingen vrijgesteld.'
'U hebt ook vaders behandeld?'
'Ja.' Ik meende me te herinneren dat ik het over echtparen had gehad.
'Een paar van die kerels waren behoorlijk kwaad op de heer Hickle, denk ik zo?'
De héér Hickle. Alleen een politieman kon zo gemaakt beleefd zijn

om een perverse, dode man 'de heer' te noemen. Onderling gebruikten ze andere termen, veronderstelde ik. Onuitstaanbare etiquette was een manier om de barrière tussen smeris en burger in stand te houden.
'Ook dat is vertrouwelijke informatie, rechercheur.'
Hij grinnikte alsof hij me duidelijk wilde maken dat ik het een arme man niet kwalijk kon nemen dat hij het probeerde, en maakte een aantekening.
'Waarom zoveel vragen over een zelfmoord?'
'Gewoon een routinekwestie,' zei hij automatisch en zonder op te kijken. 'Ik doe mijn werk graag grondig.'
Hij staarde me afwezig aan en vroeg toen: 'Hebt u bij de therapie assistentie van anderen gehad?'
'Ik heb familieleden aangemoedigd er actief aan deel te nemen, om elkaar te helpen. Ik was de enig aanwezige psycholoog.'
'Een vorm van groepstherapie?'
'Dat klopt.'
'Dat doen we bij de politie tegenwoordig ook,' reageerde hij neutraal.
'Dus hebben zij het zo'n beetje van u overgenomen?'
'Geleidelijk aan, ja. Ik was er wel altijd bij.'
'Had een van hen een sleutel van uw kantoor?'
Aha.
'Zeker niet! U denkt dat een van die mensen Hickle heeft vermoord en het toen heeft doen voorkomen als een geval van zelfmoord?' Natuurlijk dacht hij dat. Dezelfde gedachte was al een paar keer bij mij opgekomen.
'Ik trek geen conclusies. Ik ben alleen met een onderzoek bezig.' Deze kerel kon zo ontwijkend reageren dat hij inderdaad een analyticus had kunnen zijn.
'O.'
Opeens ging hij staan, klapte zijn aantekenboekje dicht en borg zijn pen op.
Ik kwam overeind om hem naar de deur te brengen, wankelde op mijn benen en viel flauw.

Het eerste dat ik zag toen ik weer een beetje bij mijn positieven kwam, was zijn grote, lelijke gezicht vlak boven het mijne. Ik was bezweet en had het koud. Hij hield een washandje vast en liet water op mijn gezicht druppen.

'U bent flauwgevallen. Hoe voelt u zich nu?'
'Prima.' Ik voelde me allesbehalve prima.
'U ziet er niet al te florissant uit. Misschien moet ik een arts bellen?'
'Nee.'
'Weet u dat zeker?'
'Ja. Het heeft niets te betekenen. Ik heb een paar dagen griep gehad en nu heb ik alleen iets in mijn maag nodig.'
Hij liep naar de keuken en kwam terug met een glas sinaasappelsap. Ik nam kleine sokjes en voelde me wat opknappen.
Ik ging rechtop zitten en hield het glas zelf vast.
'Dank u,' zei ik.
'We zijn er om te beschermen en te dienen.'
'Het gaat nu echt weer goed met me. Als u verder geen vragen meer hebt...'
'Op dit moment in elk geval niet.' Hij ging staan en zette een paar ramen open. Het licht deed pijn aan mijn ogen. Hij deed de televisie uit.
'Wilt u nog iets eten voordat ik wegga?'
Wat een vreemde, bemoederende man.
'Ik red me verder wel.'
'Oké. Pas goed op uzelf.'
Ik wilde graag dat hij wegging, maar toen ik het geluid van de motor van zijn auto niet meer kon horen, voelde ik me gedesoriënteerd. Niet langer depressief, wel geagiteerd en rusteloos. Ik probeerde naar *As the World Turns* te kijken, maar kon me er niet op concentreren. Nu ergerden de maffe dialogen me. Ik pakte een boek, maar kon de woorden niet duidelijk lezen. Ik nam een grote slok sinaasappelsap en die liet een vieze smaak in mijn mond en een prikkende pijn in mijn keel achter.
Ik liep de patio op en keek naar de lucht tot ik sterretjes begon te zien. Mijn huid jeukte. Het gezang van de vogels irriteerde me. Ik kon niet stilzitten.
Zo ging het de hele middag door. Ik voelde me ellendig.
Om halfvijf belde hij op.
'Meneer Delaware? U spreekt met Milo Sturgis. Rechercheur Sturgis.'
'Wat kan ik voor u doen, rechercheur?'
'Hoe voelt u zich?'
'Veel beter. Dank u.'

'Goed dat te horen.'
Er volgde een stilte.
'Meneer Delaware, ik weet niet of ik het recht heb zo'n opmerking te maken, maar...'
'Wat wilde u zeggen?'
'Ik heb in Vietnam als hospik gediend. Daar hebben we vaak symptomen gezien van iets wat wij een acute stressreactie noemden. Ik vroeg me af of...'
'U denkt dat ik daar ook last van heb?'
'Nou...'
'Wat was de voorgeschreven behandeling in Vietnam?'
'We hebben die lui zo snel mogelijk terug laten gaan in actieve dienst. Hoe langer ze op non-actief stonden, hoe beroerder het met hen ging.'
'Denkt u dat ik meteen weer hard aan de slag zou moeten gaan?'
'Dat kan ik niet zeggen. Ik ben geen psycholoog.'
'U bent bereid een diagnose te stellen, maar niet om te behandelen.'
'U hebt gelijk. Ik wilde alleen even weten of...'
'Nee, wacht. Sorry. Ik waardeer uw telefoontje.' Ik was in de war en vroeg me af welk altruïstisch motief hij in vredesnaam voor dit gesprek kon hebben.
'Graag gedaan.'
'Ik wil u er echt voor bedanken. U zou een uitstekende zieleknijper zijn, rechercheur.'
Hij lachte. 'Dat hoort soms bij mijn werk.'
Nadat hij had opgehangen, voelde ik me beter dan in dagen het geval was geweest. De volgende morgen belde ik hem op zijn bureau en bood aan op mijn kosten samen iets te gaan drinken.
We spraken af bij Angela's, tegenover zijn bureau aan de Santa Monica Boulevard. Het was een coffee-shop met een rokerige cocktaillounge achterin, waar een aantal grote, plechtig ogende mannen zich ophield. Het viel me op dat Milo door weinigen werd gegroet en dat leek me niet normaal. Ik had altijd gedacht dat smerissen elkaar na diensttijd veelvuldig op de schouders sloegen en gezellig op hun werk kankerden. Maar deze mannen namen het drinken serieus. En ze hielden zich koest.
Hij had een grote aanleg voor therapie. Hij nam kleine slokjes Chivas, zat achterovergeleund in zijn stoel en liet mij praten. Geen vragen meer. Hij luisterde terwijl ik mijn hart luchtte.

Maar tegen het eind van de avond praatte hij ook.

De eerste weken daarna merkten Milo en ik dat we veel gemeen hadden. We waren ongeveer van dezelfde leeftijd – hij was tien maanden ouder – en kwamen beiden uit een arbeidersgezin in een middelgrote stad. Zijn vader was staalarbeider geweest, de mijne had als elektromonteur gewerkt. Ook hij was een goede leerling en student geweest. Hij was cum laude afgestudeerd aan Purdue en had zijn kandidaats literatuurwetenschappen behaald aan de universiteit van Indiana in Bloomington. Toen hij voor militaire dienst werd opgeroepen was hij van plan geweest les te gaan geven. Maar twee jaar Vietnam had hem op de een of andere manier in een politieagent veranderd.
Het was niet zo dat hij zijn baan strijdig achtte met zijn intellectuele interesses. Rechercheurs van een afdeling moordzaken, zei hij, waren de intellectuelen van elk politiebureau. Het onderzoeken van een moord vereiste weinig lichamelijke arbeid, maar wel veel hersenwerk. Doorgewinterde rechercheurs schonden soms de regels en hadden geen wapen bij zich. Alleen veel pennen en potloden. Milo had zijn .38 wel altijd op zak, maar bekende dat hij die eigenlijk niet nodig had.
'Het is echt witte-boordenwerk, Alex, met veel administratieve rompslomp, beslissingen die moeten worden genomen en aandacht voor details.'
Hij vond het prettig om politieman te zijn en genoot ervan slechteriken te grazen te nemen. Soms dacht hij erover iets anders te gaan proberen, maar wat dat 'anders' precies was, was onduidelijk.
We hadden ook een paar interesses gemeen. We hadden alle twee aan vechtsporten gedaan: Milo had in het leger allerlei zelfverdedigingscursussen gevolgd, ik had in mijn studietijd schermen en karate geleerd. We waren slecht in vorm, maar maakten onszelf wijs dat het allemaal weer terug zou komen wanneer we het nodig hadden. Beiden konden we lekker eten, goede muziek en alleen-zijn waarderen.
We konden het al snel steeds beter met elkaar vinden.
Ongeveer drie weken nadat we elkaar hadden leren kennen, vertelde hij me dat hij homoseksueel was. Dat verbaasde me, en ik wist niet wat ik daarop moest zeggen.
'Ik vertel het je nu omdat ik niet wil dat je gaat denken dat ik heb geprobeerd je te versieren.'

Opeens schaamde ik me, omdat dat inderdaad mijn eerste gedachte was geweest.
Aanvankelijk vond ik het ondanks mijn zogenaamd uitgebreide kennis van de psychologie moeilijk om te accepteren dat hij homo was. Ik kende alle feiten. Dat homo's vijf tot tien procent vormen van vrijwel alle menselijke groeperingen. Dat de meesten er net zo uitzien als u en ik. Dat iederéén het kan zijn: de slager, de bakker, een smeris van een afdeling moordzaken. Dat de meesten redelijk goed aangepast zijn.
Toch blijven de stereotypen je het best bij. Je verwacht dat ze aanstellerige, krijsende nichten zijn, in leer uitgedoste demonen met kaalgeschoren hoofd, bijzonder aantrekkelijke, besnorde jonge jongens in een Izod-shirt en kaki broek, of zogenaamd stoere gozers met berglaarzen aan.
Milo zag er niet uit als een homo.
Maar hij was het wel en voelde zich daar al een paar jaar goed bij. Zo nodig kwam hij ervoor uit, maar hij liep er niet mee te koop.
Ik vroeg hem of het op het bureau bekend was.
'Niet in de zin dat ik er officieel melding van heb gemaakt. Maar het is wel bekend.'
'Hoe behandelen ze je?'
'Afkeuring op een afstand. Koude blikken en zo. Maar in wezen is het leven en laten leven. Ze hebben te weinig mensen en ik ben goed in mijn vak. Waarom zouden ze ervoor zorgen dat ik de Amerikaanse bond voor burgerrechten erbij haal en zij bovendien een goeie smeris kwijtraken? Ed Davis was iemand met een homofobie. Nu hij weg is is het allemaal zo beroerd niet meer.'
'En de andere rechercheurs?'
Hij haalde zijn schouders op.
'Ze laten me met rust. We spreken over zaken en maken geen afspraakjes.'
Nu begreep ik waarom de lui bij Angela's hem vrijwel hadden genegeerd.
Iets van Milo's aanvankelijke altruïsme – zijn pogingen om me te helpen – was nu ook wat begrijpelijker. Hij wist wat het betekende om alleen te zijn. Een homoseksuele smeris leefde in een soort niemandsland. Je kon nooit echt deel uitmaken van de ploeg op het bureau, hoe goed je je werk ook deed. En de homoseksuele gemeenschap stond ongetwijfeld achterdochtig tegenover iemand die eruitzag en handelde als een smeris en dat ook wàs.

'Ik vond dat ik het je moest vertellen want het lijkt erop dat we vrienden worden.'
'Milo, het stoort me niet.'
'Nee?'
'Nee.' Ik voelde me er ook niet echt prettig bij, maar ik zou daar zeker iets aan proberen te doen.

Een maand nadat Stuart Hickle een .22 in zijn mond had gestoken en zijn hersens op mijn behang had geschoten, voerde ik een paar heel belangrijke veranderingen in mijn leven door.
Ik nam ontslag bij Western Pediatric en sloot mijn particuliere praktijk. Ik verwees al mijn patiënten door naar een oud-student van me: een eersteklas therapeut die net een praktijk had opgezet en cliënten nodig had. Sinds de therapeutische sessies met de families van Kim's Korner had ik weinig nieuwe tijdelijke opdrachten aangenomen, zodat ik het afscheid van mijn werk minder erg vond dan je zou hebben verwacht.
Ik verkocht met grote winst een appartementengebouw in Malibu: veertig wooneenheden, die ik zeven jaar daarvoor had gekocht. Ik verkocht ook een huis in Santa Monica. Het deel van het geld dat uiteindelijk naar de fiscus zou moeten, belegde ik zo winstgevend mogelijk. De rest ging naar belastingparadijzen. Van die manier van investeren zou ik niet rijker worden, maar financiële zekerheid had ik er wel door. Ik berekende dat ik twee of drie jaar van de rente zou kunnen leven, als ik geen al te extravagante dingen ging doen.
Ik verkocht mijn oude Chevy Two en kocht een Seville uit negenenzeventig: het laatste jaar dat die auto's er nog goed uitzagen. Hij was mosgroen en had leren bekleding in de kleur van zadelleer. De stoelen waren comfortabel en de motor maakte weinig lawaai. Er stonden al veel kilometers op de teller, maar omdat ik toch niet veel zou rijden deed dat er niet toe. Ik gooide het merendeel van mijn oude kleren weg en kocht nieuwe, meestal van zachte stoffen, evenals schoenen met rubberzolen, kasjmier truien, lange gewaden, shorts en pullovers.
Ik liet de afvoer repareren van het bad dat ik nog nooit had gebruikt sinds ik het huis had gekocht. Ik begon eten te kopen en melk te drinken. Ik haalde mijn oude Martin-gitaar uit zijn koffer en tokkelde erop op de veranda. Ik luisterde naar grammofoonplaten. Ik las voor het eerst sinds de middelbare school weer voor mijn plezier. Ik liet me

door de zon bruinen. Ik schoor mijn baard af en ontdekte dat ik een gezicht had, en geen al te beroerd bovendien.
Ik ging met de juiste vrouwen op stap. Ik leerde Robin kennen en toen begon alles echt beter te gaan.
Wees-aardig-voor-Alex werd het motto. Voor mijn drieëndertigste al met pensioen.
Het was leuk geweest zolang het duurde.

3

Wanneer je het lijkenhuis niet meerekende, was Morton Handlers laatste verblijfplaats een luxueus appartementencomplex in Pacific Palisades geweest. Het was tegen een heuvel aangebouwd en ontworpen om een honingraateffect te bereiken: individuele eenheden, losjes door gangen met elkaar verbonden, op ogenschijnlijk willekeurige plaatsen neergezet, alle met uitzicht op de oceaan. De muren waren verblindend wit gepleisterd, op de daken lagen rode pannen en bij de ramen waren accenten van zwart gietijzer aangebracht, waardoor het geheel Spaans oogde. Op het terrein eromheen waren her en der azalea's en hibiscus geplant. Verder stonden er veel planten in grote terracotta bakken: kokospalmen, rubberplanten en varens.
Handlers appartement bevond zich op een tussenverdieping. De voordeur was verzegeld en er was een sticker van de politie op geplakt. Veel vieze voetafdrukken op het betegelde pad bij de deur.
Milo nam me over een terras met gepolijste stenen en vetplanten mee naar een flat die schuin tegenover de plaats van het misdrijf stond. Op de deur was met plakletters het woord MAN GER aangebracht.
Milo klopte aan.
Het viel me toen op dat het er verbazingwekkend stil was. Het gebouw telde minstens vijftig appartementen, maar er was niemand te zien. Geen enkel teken van menselijke bewoning.
We wachtten een paar minuten. Net toen Milo nogmaals met zijn vuist een roffel op de deur wilde geven, werd die geopend.
'Sorry. Ik was mijn haar aan het wassen.'
De vrouw kon vijfentwintig, maar ook veertig zijn. Ze had een bleke huid die eruitzag alsof hij zou verkruimelen wanneer je erin kneep. Grote bruine ogen onder geëpileerde wenkbrauwen. Smalle lippen.

Een lichte onderbijtster. Ze had een oranje handdoek om haar natte haren gedraaid en de paar piekjes die eronder uitstaken, waren bruin. Ze droeg een verbleekt katoenen shirt in een okergeel en oranje patroon en een roestbruine stretchbroek. Donkerblauwe tennisschoenen aan haar voeten. Ze keek van Milo naar mij en weer terug. Ze zag eruit als iemand die al veel klappen te verwerken had gekregen en weigerde te geloven dat er niet elk moment weer een kon komen.
'Mevrouw Quinn? Dit is Alex Delaware, de psycholoog over wie ik u heb verteld.'
'Aangenaam kennis met u te maken, meneer Delaware.'
Haar hand was mager, koud en vochtig en ze trok hem zo snel mogelijk weer terug.
'Melody zit in haar kamer televisie te kijken. Ze is niet naar school gegaan na alles wat er is gebeurd. Ik laat haar maar kijken, zodat ze aan iets anders kan denken.'
We liepen achter haar aan het appartement in, dat in feite uit niets meer bleek te bestaan dan een paar uit hun krachten gegroeide kasten. Het postscriptum van een architect. Hé, Ed, bij de achterkant van terras nummer 142 hebben we nog een paar vierkante meters over. Zullen we daar een stuk of wat stapelmuurtjes met een dak erop neerzetten, het de conciërgewoning noemen en op zoek gaan naar een arme stakker die wat rotklussen wil opknappen in ruil voor het privilege in Pacific Palisades te wonen...
In de huiskamer stonden een bank met gebloemde stof, een lage tafel en een televisie. Aan een muur hingen een ingelijste prent van Mount Rainer, die van een kalender van een spaarbank afkomstig kon zijn, en een paar vergeelde foto's van geharde, ongelukkig ogende mensen. De foto's leken uit de periode van de goudkoorts te dateren.
'Mijn grootouders,' zei ze.
Ik kon een piepklein keukentje zien en rook de geur van gebakken bacon. Een grote zak chips met uiesmaak en zes blikjes Dr Pepper stonden op het aanrecht.
'Heel leuk.'
'Ze zijn in 1902 vanuit Oklahoma hierheen getrokken.' Ze liet het als een verontschuldiging klinken.
Van achter een onafgewerkte houten deur kwam opeens het geluid van gelach en applaus, bellen en zoemers: een spelletje op de televisie.
'Daar zit ze televisie te kijken.'

'Dat is best, mevrouw Quinn. We zullen haar met rust laten tot we aan haar toe zijn.'
De vrouw knikte instemmend.
'Omdat ze op school zit, heeft ze overdag niet zo vaak de kans om naar de televisie kijken. Nu kan dat wel.'
'Mogen we gaan zitten?'
'O ja, ja, natuurlijk.' Ze darde de kamer rond als een eendagsvlieg en trok aan de handdoek om haar hoofd. Ze haalde een asbak en zette die op de lage tafel. Milo en ik gingen op de bank zitten en zij haalde voor zichzelf een aluminium stoel uit de keuken. Hoewel ze mager was dijden haar heupen uit toen ze ging zitten. Ze haalde een pakje sigaretten te voorschijn, stak er een op en zoog de rook naar binnen tot haar wangen hol waren. Milo nam het woord.
'Hoe oud is uw dochter, mevrouw Quinn?'
'Bonita. Noemt u me alstublieft Bonita. Mijn dochter heet Melody. Ze is de afgelopen maand zeven geworden.' Praten over haar kind leek haar erg zenuwachtig te maken. Ze inhaleerde gretig en blies weinig rook uit. Haar vrije hand werd telkens weer tot een vuist gebald.
'Het kan zijn dat Melody onze enige getuige is van wat hier vannacht is gebeurd.' Milo keek me met een frons van walging aan.
Ik wist wat hij dacht. Een appartementencomplex waarin zeventig tot honderd mensen woonden en de enige mogelijke getuige was een kind.
'Ik ben bang dat er wat met haar kan gebeuren wanneer iemand anders dat ook ontdekt, meneer Sturgis.' Bonita Quinn staarde naar de grond alsof ze het mystieke geheim van de Oriënt zou kunnen ontdekken als ze dat maar lang genoeg bleef doen.
'Mevrouw Quinn, ik verzeker u dat niemand dat te weten zal komen. Meneer Delaware heeft de politie al vaak terzijde gestaan.' Hij loog schaamteloos en gladjes. 'Hij weet hoe belangrijk het is om bepaalde dingen geheim te houden.' Hij stak een hand uit en gaf haar een geruststellend schouderklopje. Ik dacht dat ze tegen het plafond zou vliegen. 'Bovendien kunnen alle psychologen op hun beroepsgeheim terugvallen wanneer ze met hun patiënten werken. Dat is toch zo, meneer Delaware?'
'Inderdaad.' We zouden geen discussie beginnen over het ondoorzichtige vraagstuk van het recht van kinderen op privacy.
Bonita Quinn maakte een vreemd, piepend geluid dat zich op geen en-

kele manier liet interpreteren. Het deed me denken aan de kreet van kikkers, vlak voordat we in het fysiologische universiteitslaboratorium een naald boven in hun kop staken.
'Welke gevolgen zal dat hypnotiseren voor haar hebben?'
Ik zette mijn zieleknijpersstem op: de kalme, geruststellende toon die door de jaren heen zo natuurlijk was geworden dat ik er automatisch op kon overschakelen. Ik legde haar uit dat hypnose niets magisch was, alleen een combinatie van sterke concentratie en een grote mate van ontspanning. Dat mensen geneigd waren zich dingen beter te herinneren wanneer ze ontspannen waren en dat de politie er daarom bij getuigen wel eens gebruik van maakte. Dat kinderen beter onder hypnose konden worden gebracht dan volwassenen, omdat zij nog niet zo geremd waren en van fantaseren genoten. Dat het geen pijn deed en dat de meeste kinderen het zelfs prettig vonden. Dat je altijd uit een hypnose kon worden gehaald en tijdens zo'n periode ook niets tegen je wil kon doen.
'Alle hypnose is zelfhypnose,' zei ik tot slot. 'Ik zal uw dochter alleen helpen iets te doen dat voor haar natuurlijk is.'
Ze begreep er waarschijnlijk zo'n tien procent van, maar leek er wel door te worden gekalmeerd.
'"Natuurlijk" is voor haar een goede woordkeus. Ze is altijd aan het dagdromen.'
'Hypnose is inderdaad iets dergelijks.'
'De leraren klagen voortdurend dat ze zo afwezig is en haar schoolwerk niet naar behoren doet.'
Ze zei het alsof ze van mij verwachtte dat ik daar iets aan zou doen.
Milo nam weer het woord. 'Mevrouw Quinn, heeft Melody u nog iets meer verteld over wat ze heeft gezien?'
'Nee, nee.' Een nadrukkelijk hoofdschudden. 'We hebben er niet meer over gesproken.'
Milo haalde zijn aantekenboekje te voorschijn en bladerde een paar bladzijden door.
'Ik heb hier staan dat Melody niet kon slapen en rond één uur vannacht in de huiskamer... deze kamer zat.'
'Dat zal wel kloppen. Ik ga altijd rond halftwaalf naar bed en om tien voor halfeen ben ik nog even opgestaan om een sigaret te pakken. Toen sliep ze en ik heb haar niet gehoord in de tijd die ik nodig had om in slaap te vallen. Ik zou haar beslist hebben gehoord, want we delen de slaapkamer.'

'Hmmm. En toen heeft ze twee mannen gezien. ''Ik heb grote mannen gezien,'' heeft ze gezegd. De agent vroeg haar hoeveel en ze zei: ''Twee, misschien drie.'' Toen hij haar vroeg hoe ze eruitzagen, kon ze alleen zeggen dat ze donker waren.' Hij had het nu tegen mij. 'We hebben haar gevraagd of het negers of Latijns-Amerikanen waren. Dat wist ze niet. Alleen dat ze donker waren.'
'Dat zou op schaduwen kunnen duiden. Voor een zevenjarig kind kan het van alles en nog wat betekenen,' zei ik.
'Dat weet ik.'
'Het kan twee mannen betekenen, of een man en diens schaduw, of...'
'Hou maar op.'
Of helemaal niets.
'Ze spreekt niet altijd de waarheid.'
We keken beiden weer naar Bonita Quinn, die de paar seconden dat wij haar hadden genegeerd had gebruikt om haar sigaret uit te maken en een nieuwe op te steken.
'Ik zeg niet dat ze een slecht kind is, maar ze spreekt niet altijd de waarheid. Ik weet niet waarom u op haar woorden wilt afgaan.'
'Is het een kwestie van chronisch liegen over dingen die niet zo belangrijk zijn, of liegt ze om te voorkomen dat ze in de problemen komt?' vroeg ik.
'Het laatste. Wanneer ze niet wil dat ik haar een pak slaag geef en ik weet dat er iets kapot is, weet ik ook dat zij het moet hebben gedaan. Dan zegt ze dat ze het niet heeft gedaan en geef ik haar een dubbel pak slaag.' Ze keek me aan om te zien of ik daar afkeurend op zou reageren. 'Omdat ze niet de waarheid heeft gesproken.'
'Hebt u nog andere problemen met haar?' vroeg ik zacht.
'Verder is ze een lief kind. Alleen dat dagdromen en die concentratieproblemen.'
'O?' Ik moest dit kind begrijpen om haar met succes onder hypnose te kunnen brengen.
'Het kost haar moeite om zich te concentreren.'
Dat was geen wonder in deze kleine cel waar de televisie overal te horen was. De appartementen waren ongetwijfeld eigenlijk alleen voor volwassenen bestemd en Melody Quinn zou niet mogen opvallen. In het zuidelijk deel van Californië wonen heel wat mensen die het zien van iemand die te jong of te oud is als een belediging ervaren. Het lijkt wel alsof niemand eraan herinnerd wil worden waar hij of zij

vandaan komt en onvermijdelijk naartoe zal gaan. Die vorm van ontkenning, gekoppeld aan face-lifts, haartransplantaties en make-up, zorgt voor een prettig waandenkbeeld van onsterfelijkheid. Voor eventjes.

Ik wilde wedden dat Melody Quinn het merendeel van haar tijd binnenshuis doorbracht, hoewel er drie zwembaden en een volledig uitgerust fitnesscentrum tot het complex behoorden. Om nog maar te zwijgen over de oceaan zo'n zeshonderd meter verderop. Die speeltjes waren voor de volwassenen bedoeld.

'Ik ben met haar naar de dokter gegaan toen ze telkens briefjes van school mee naar huis kreeg waarin stond dat ze niet stil kon zitten en geestelijk zo vaak afwezig was. Hij zei dat ze te actief was. Iets in haar hersenen.'

'Hyperactief?'

'Inderdaad, en dat verbaast me niet. Haar vader had ze hier niet allemaal op een rijtje.' Ze tikte tegen haar voorhoofd. 'Gebruikte drugs en wijn tot hij...' Ze zweeg en keek Milo opeens bang aan.

'Maakt u zich geen zorgen, mevrouw Quinn. In dergelijke dingen zijn we niet geïnteresseerd. We willen alleen achterhalen wie dokter Handler en mevrouw Gutierrez heeft vermoord.'

'Ja, die zieleknijper...' Ze zweeg weer en staarde nu mij aan. 'Ik kan vandaag alleen maar foute opmerkingen maken.' Ze forceerde een zwak glimlachje.

Ik knikte geruststellend en glimlachte begrijpend.

'Die dokter was een aardige man. Een paar van mijn beste vrienden zijn therapeut. Hij maakte vaak grapjes met mij en ik met hem.' Ze lachte: een merkwaardig gegiechel, waardoor ze een gebit liet zien waar nodig iets aan moest worden gedaan. Ik schatte haar inmiddels ergens midden in de dertig. Over tien jaar zou ze er echt oud uitzien.

'Afschuwelijk wat er met hem is gebeurd.'

'En met mevrouw Gutierrez.'

'Ja, dat ook, al mocht ik haar niet zo graag. Ze was een Mexicaanse, moet u weten, maar wel een verwaand type. Waar ik vandaan kom waren die vrouwen werksters en zo. Maar zij droeg mooie jurken en had een kleine sportwagen. Ze was een schooljuf.' Het kostte Bonita Quinn, die was grootgebracht met het idee dat alle Mexicanen lastdieren waren, moeite om te verwerken dat sommige van hen er in de grote stad als echte mensen uitzagen, terwijl zíj het nederige werk moest doen.

‘Ze deed altijd net alsof ze te goed voor je was. Wanneer je haar gedagzei, keek ze weg, in de verte, alsof ze geen tijd voor je had.’
Ze nam nog een trek van haar sigaret en glimlachte verlegen.
‘Nu heb ik geen stomme dingen gezegd,’ zei ze.
We keken haar aan.
‘U bent geen van beiden Mexicaans. Nu heb ik niemand beledigd.’
Ze was zeer tevreden met zichzelf en ik maakte daar gebruik van om haar nog een paar vragen te stellen.
‘Mevrouw Quinn, slikt uw dochter medicijnen voor die hyperactiviteit?’
‘Ja. Ze heeft er van de dokter pillen voor gekregen.’
‘Hebt u het recept misschien bij de hand?’
‘Ik heb het flesje.’ Ze ging staan en kwam terug met een amberkleurig flesje halfvol tabletten.
Ik pakte het aan en las het etiket. Ritalin. Methylfenidaatchloride: een superamfetamine dat volwassenen stimuleert maar kinderen afremt. Het is een van de meest voorgeschreven medicijnen voor Amerikaanse jongeren. Ritalin werkt verslavend en heeft allerlei neveneffecten, met slapeloosheid als een van de meest voorkomende. Dat zou kunnen verklaren waarom Melody Quinn om een uur ’s nachts door het raam van een donkere kamer naar buiten had zitten staren.
Ritalin is een geliefd middel om hyperactieve kinderen onder controle te houden. Het verbetert het concentratievermogen en vermindert probleemgedrag. Dat klinkt geweldig, maar het probleem is dat de symptomen van hyperactiviteit moeilijk te onderscheiden zijn van die van angst, depressiviteit, een acute stressreactie of eenvoudigweg verveling op school. Uit ervaring weet ik dat kinderen die te slim zijn voor de klas waarin ze zitten of een echtscheiding of een ander ingrijpend trauma moeten doorstaan, een hyperactieve indruk kunnen maken.
Een arts die zijn werk goed doet, zal een kind psychisch en maatschappelijk uitgebreid laten testen voordat hij Ritalin of een soortgelijk middel voorschrijft. En er zijn heel wat goede artsen. Maar sommigen kiezen voor de makkelijkste weg en gebruiken de pillen als een eerste stap. Ook al is er in zo’n geval geen sprake is van een regelrechte medische fout, het komt er beslist wèl gevaarlijk dicht bij in de buurt.
Ik maakte het flesje open en schudde een paar pillen op mijn handpalm. Ze waren amberkleurig: het twintig-milligramtype. Ik bekeek

het etiket nog eens. Driemaal daags een tablet. Zestig milligram was de maximale aanbevolen dosis. Sterk spul voor een zevenjarig kind.
'Geeft u haar drie keer per dag een pil?'
'Ja. Dat staat toch op het etiket?'
'Inderdaad. Is uw arts begonnen met een lagere dosis? De witte of de blauwe pillen?'
'Ja. In het begin slikte ze drie blauwe pillen per dag. Die werkten vrij goed, maar ik kreeg nog steeds klachten van school en toen zei hij dat ik deze maar eens moest proberen.'
'En deze dosering werkt goed voor Melody?'
'Prima, wat mij betreft. Wanneer ik een zware dag voor de boeg heb, met veel bezoek – ze kan er niet goed tegen wanneer er veel mensen zijn en er een hoop drukte wordt gemaakt – geef ik haar een extra pil.'
Nu hadden we het over een overdosis.
Bonita Quinn moest de blik van verbazing en afkeuring die ik niet kon verbergen, hebben gezien. Ze sprak op verontwaardigde toon verder.
'Volgens de dokter kan het geen kwaad. Hij is een belangrijk man. In dit gebouw mogen eigenlijk geen kinderen wonen, weet u, en ik mag hier alleen blijven omdat zij zo rustig is. Het complex is het eigendom van M and M Properties en ze hebben me gezegd dat ik meteen moet verhuizen wanneer er een klacht over kinderen wordt ingediend.'
Dat was zonder twijfel gewèldig voor Melody's sociale leventje. De kans was groot dat er nooit een vriendinnetje met haar mee naar huis ging.
Het had iets ironisch dat een zevenjarig kind in een schamel appartementje gevangenzat te midden van schitterende optrekjes voor rijkelui en Ritalin kreeg toegediend om aan de wensen van het schoolsysteem van Los Angeles, de niet al te snuggere moeder en M and M Properties tegemoet te komen.
Ik bekeek het etiket nog eens en zocht naar de naam van de arts. Toen ik die zag, begon ik het te begrijpen.
L.W. Towle. Lionel Willard Towle, een van de meest gerespecteerde kinderartsen in de West Side. Ik had hem nog nooit ontmoet, maar kende zijn reputatie. Hij was verbonden aan Western Peds en een zestal andere ziekenhuizen in de West Side. Een belangrijk figuur binnen de vereniging van kinderartsen. Iemand die heel vaak als gastspreker werd uitgenodigd tijdens symposia over leerstoornissen en gedragsproblemen.

Towle was ook als betaald adviseur verbonden aan drie grote farmaceutische bedrijven. Vertaling: hij was iemand die hun medicijnen zoveel mogelijk voorschreef. Met name onder de jongere artsen, die in dat opzicht over het algemeen conservatiever waren, genoot hij de reputatie makkelijk een receptje uit te schrijven. Niemand zei dat hardop, omdat Towle al lange tijd meedraaide en veel belangrijke patiënten en talrijke connecties had. Maar fluisterend was men het er wel over eens dat hij voor peuters en kleuters een soort dokter Feelgood was. Ik vroeg me af hoe iemand als Bonita Quinn in zijn praktijk terecht was gekomen. Daar kon ik echter niet zomaar naar vragen zonder ongepast nieuwsgierig te lijken.

Ik gaf haar het flesje terug en keek naar Milo, die enige tijd zijn mond niet had opengedaan.

'Ik moet onder vier ogen met je praten,' zei ik.

'Mevrouw, wilt u ons even excuseren?'

Toen we buiten stonden, zei ik: 'Ik kan dat kind niet onder hypnose brengen. Ze zit onder de medicijnen. Het zou riskant zijn en bovendien is de kans heel klein dat ik iets te horen krijg dat de moeite waard is.'

Dat moest Milo verwerken.

'Verdomme.' Hij krabde op zijn hoofd. 'En als we haar nu eens een paar dagen van die pillen afhalen?'

'Wanneer we dat op ons eigen houtje doen, gaan we ons boekje ver te buiten. We hebben er de toestemming van de behandelend geneesheer voor nodig en dat zou betekenen dat de vertrouwensrelatie tussen arts en patiënt wordt geschonden.'

'Wie is die behandelend geneesheer?'

Ik vertelde hem over Towle.

'Geweldig. Misschien stemt hij er wel in toe haar een paar dagen van die pillen af te halen.'

'Dat zou kunnen, maar we hebben geen garantie dat ze ons iets wijzer kan maken. Dat kind slikt die middelen al een jaar. En wat voor gevolgen zou het voor mevrouw Q. hebben? Die is nu al behoorlijk bang. Als je haar schatje van de pillen afhaalt, zal ze het kind meteen twaalf uur per dag in huis opsluiten. Ze houden het hier graag rustig.'

In het complex was het zo stil als in een mausoleum. Om kwart voor twee 's middags.

De deur naar het appartement van Handler stond open. Ik kon een

glimp opvangen van overhoopgehaalde elegantie: oosterse kleden, antiek, strakke, kunststof meubels waren vernield en lagen ondersteboven en bloedspetters zaten op de witte muren. De mensen van de technische dienst werkten zwijgend, als mollen.
'Milo, ze heeft nu haar tweede pil al gehad.'
'Verdomme!' Hij sloeg met een vuist in de palm van zijn andere hand. 'Ga in elk geval een praatje met haar maken en zeg me daarna welke indruk je van haar hebt gekregen. Misschien is ze alert.'

Dat was ze niet. Haar moeder nam haar mee naar de huiskamer en ging toen met Milo weg. Ze was klein. Wanneer ik niet had geweten hoe oud ze was, zou ik vijf, misschien vijfeneenhalf hebben gezegd. Ze had een lang, ernstig gezichtje met te grote bruine ogen. Het steile blonde haar hing tot op haar schouders en werd door twee plastic speldjes op zijn plaats gehouden. Ze had een blauwe spijkerbroek en een blauw-groen-witgestreept T-shirt aan. Haar blote voeten waren vuil.
Ik liet haar in een stoel plaatsnemen en ging zelf tegenover haar op de bank zitten.
'Hallo, Melody. Ik ben dokter Delaware, een psycholoog. Weet je wat dat betekent?'
Geen reactie.
'Ik ben een dokter die geen injecties geeft. Ik praat, teken en speel met kinderen. Ik probeer ze te helpen wanneer ze verdrietig, boos of bang zijn.'
Bij het woord 'bang' keek ze even op. Toen staarde ze weer langs me heen en zoog op haar duim.
'Weet je waarom ik met je aan het praten ben?'
Ze schudde haar hoofd.
'Niet omdat je ziek bent of iets verkeerds hebt gedaan. We weten dat je een braaf meisje bent.'
Ze keek om zich heen, maar niet naar mij.
'Ik ben hier omdat je vannacht misschien iets hebt gezien dat belangrijk is. Toen je niet kon slapen en door het raam naar buiten keek.'
Ze reageerde niet. Ik ging verder.
'Melody, wat vind je leuk om te doen?'
Geen reactie.
'Speel je graag?'

Ze knikte.
'Ik ook. En ik hou ook van rolschaatsen. Rolschaats jij?'
'Nee.' Natuurlijk niet. Rolschaatsen maken lawaai.
'En ik kijk graag naar films. Kijk jij wel eens naar films?'
Ze mompelde iets. Ik boog me dichter naar haar toe.
'Wat zei je, schatje?'
'Op de televisie.' Haar stem klonk iel en trilde: een ruis, als een briesje dat door dorre bladeren blaast.
'Hmmm. Op de televisie. Ik kijk vaak televisie. Naar welke programma's kijk jij het liefst?'
'Scooby-Doo.'
'Scooby-Doo is leuk. Kijk je ook naar andere programma's?'
'Mama kijkt naar soaps.'
'Vind jij die leuk?'
Ze schudde haar hoofd.
'Een beetje saai, hè?'
Iets van een glimlach, om de duim heen.
'Melody, heb je speelgoed?'
'In mijn kamer.'
'Wil je me het laten zien?'

De kamer die ze met haar moeder deelde, leek niet ingericht voor een kind, noch voor een volwassene. Hij was niet groter dan zo'n negen vierkante meter. Het plafond was laag en hoog in de muur was slechts één raam aangebracht, waardoor de ruimte wel wat van een kerker weg had. Melody en Bonita deelden een tweepersoonsbed zonder hoofdbord. Het was half onopgemaakt. De dunne sprei was teruggevouwen en ik kon gekreukte lakens zien. Aan één kant van het bed stonden op een nachtkastje flessen en potten coldcream en handlotion en er lagen borstels, kammen en een stuk karton met schuifspeldjes. Aan de andere kant stond een door de motten aangevreten, pluizige walrus in een afschuwelijke groenblauwe kleur. De enige versiering aan de muur was een babyfoto. Een scheef staand bureau van ongelakt hardhout met een gehaakt kleedje erop was naast de televisie het enige andere meubelstuk in de kamer. In een hoek lag een bergje speelgoed.
Melody nam me daar aarzelend mee naartoe. Ze pakte een vieze, naakte plastic babypop.
'Amanda,' zei ze.

'Ze is mooi.'
Het kind klemde de pop tegen haar borst en wiegde heen en weer.
'Je zorgt vast heel goed voor haar.'
'Dat doe ik ook.' Het werd gezegd alsof ze zich in de verdediging gedrukt voelde. Dit kind was niet aan lovende woorden gewend.
'Daar ben ik zeker van,' zei ik vriendelijk. Ik keek naar de walrus. 'Wie is dat?'
'Hij heet Fatso. Ik heb hem van mijn papa gekregen.'
'Leuk dier.'
Ze liep naar het beest toe, dat even groot was als zij, en aaide het nadrukkelijk.
'Mama wil hem weggooien omdat hij te groot is, maar dat mag ze van mij niet doen.'
'Fatso is heel belangrijk voor je.'
'Ja.'
'Papa heeft hem aan je gegeven.'
Ze knikte nadrukkelijk en glimlachte. Ik had de een of andere test goed doorstaan.
We zaten bijna een halfuur op de grond te spelen.
Toen Milo en de moeder terugkwamen, waren Melody en ik vrolijk. We hadden meerdere werelden gebouwd en weer kapotgemaakt.
'Jij ziet er vrolijk uit,' zei Bonita.
'We amuseren ons prima, mevrouw Quinn. Melody is een heel lief meisje geweest.'
'Goed zo.' Ze liep naar haar dochter toe en legde een hand op haar hoofd. 'Goed zo, schatje.'
Er lag een onverwacht tedere blik in haar ogen, maar even later was die weer verdwenen. Ze wendde zich tot mij en vroeg: 'Hoe is het gegaan met het hypnotiseren?'
Ze vroeg het alsof ze informeerde naar een cijfer dat haar dochter voor rekenen had gekregen.
'Daar zijn we nog niet aan toegekomen. Melody en ik zijn bezig elkaar te leren kennen.'
Ik nam haar apart.
'Mevrouw Quinn, hypnose vereist vertrouwen van de kant van een kind. Ik breng gewoonlijk eerst wat tijd met hen door. Melody heeft heel goed meegewerkt.'
'Ze heeft u niets verteld?' Ze haalde een sigaret uit het borstzakje van

haar shirt. Ik gaf haar een vuurtje en dat gebaar verbaasde haar.
'Niets belangrijks. Als u het goed vindt kom ik morgen graag terug om nog wat meer tijd met haar door te brengen.'
Ze keek me achterdochtig aan, kauwde op de sigaret en haalde toen haar schouders op.
'U bent de psycholoog.'
We voegden ons weer bij Milo en het kind. Hij zat op een knie en liet haar zijn politiepenning zien. Haar ogen waren groot.
'Melody, als je er geen bezwaar tegen hebt, kom ik morgen graag nog een keertje met je spelen.'
Ze keek naar haar moeder en begon weer op haar duim te zuigen.
'Ik vind het best,' zei Bonita Quinn kortaf. 'Ga nu maar weer spelen.'
Melody rende naar haar kamer. In de deuropening bleef ze staan en keek me aarzelend aan. Ik zwaaide. Ze zwaaide terug en verdween toen. Een seconde later begon de televisie te blèren.
'Nog een ding, mevrouw Quinn. Ik moet met dokter Towle praten voordat ik Melody onder hypnose kan brengen.'
'Dat is best.'
'Ik heb uw toestemming nodig om met hem hierover te praten. U zult wel weten dat hij dit beroepshalve vertrouwelijk moet houden, net als ik.'
'Het is in orde. Ik vertrouw dokter Towle.'
'Het kan zijn dat ik hem vraag haar een paar dagen van haar medicijnen af te halen.'
'O, best.' Ze zwaaide moe met een hand door de lucht.
'Dank u, mevrouw Quinn.'
We lieten haar achter voor de deur van haar appartement, terwijl ze de handdoek van haar hoofd haalde en haar haren losschudde in de middagzon.

Ik ging achter het stuur van de Seville zitten en reed langzaam richting Sunset.
'Milo, hou op met dat gegrijns.'
'Wat zeg je?' Hij keek door zijn portierraampje naar buiten en zijn haren wapperden als de vleugels van een eend.
'Je weet dat ik voor de bijl ben gegaan, hè? Een kind als zij, met van die grote ogen die je zo vaak op schilderijen van Keene ziet.'
'Alex, als je er nu mee wilt kappen, zou ik daar niet blij mee zijn,

maar ik zou het je ook niet beletten. We hebben nog tijd om gnocchi te gaan eten.'
'Barst met je gnocchi. Laten we maar een praatje met die Towle gaan maken.'

De Seville zoop met zijn gebruikelijke gulzigheid benzine. Bij Bundy draaide ik de oprit naar een zelfbedieningstankstation van Chevron op. Terwijl Milo tankte vroeg ik Towles telefoonnummer op bij Inlichtingen en draaide het. Ik maakte gebruik van mijn titel en was binnen een halve minuut met Towle verbonden. Ik legde hem in het kort uit waarom ik hem moest spreken en zei dat we dat wat mij betrof nu meteen over de telefoon konden doen.
'Nee,' zei hij. 'Ik heb een wachtkamer vol kinderen.' Hij klonk glad en geruststellend: het soort stem dat een ouder om twee uur 's nachts wil horen wanneer een baby blauw wordt.
'Wanneer zou ik bij je langs kunnen komen?'
Hij reageerde niet. Ik hoorde op de achtergrond lawaai, toen gedempte stemmen. Hij kwam terug aan de telefoon.
'Wat zou je denken van een uur of halfvijf? Dan heb ik het even wat minder druk.'
'Hartelijk bedankt, collega.'
'Graag gedaan.' Hij verbrak de verbinding.
Ik liep de telefooncel uit. Milo haalde net de slang uit de tank van de Seville en hield die op armslengte van zich af om geen benzine op zijn pak te krijgen.
Ik ging achter het stuur zitten en stak mijn hoofd door het geopende portierraampje.
'Maak de voorruit voor me schoon, jongeman.'
Hij trok een grimas als die van een gargouille, wat niet zo moeilijk voor hem was, en stak zijn middelvinger op. Toen ging hij aan de slag met papieren handdoekjes.
Het was tien over halfdrie en we waren maar een kwartiertje rijden van Towles praktijk vandaan. We moesten dus iets meer dan een uur zoekbrengen. Omdat we geen van beiden in de stemming waren voor eersteklas eten, reden we terug naar het westelijk deel van L.A. en gingen naar Angela's.
Milo bestelde iets dat een San Francisco Deluxe Omelette werd genoemd. Het bleek een afschuwelijke felgele berg te zijn, gevuld met

spinazie, tomaten, gehakt, pepertjes, uien en gemarineerde aubergines. Hij tastte met smaak toe terwijl ik genoegen nam met een sandwich met rundvlees en een biertje. Onder het eten had hij het over de moord op Handler.

'Alex, het is een verbazingwekkende zaak. Alles wijst op een psychopaat die een kick van moorden krijgt. Beide slachtoffers gekneveld in de slaapkamer, als dieren die naar de slachtbank worden geleid. Hij heeft ze in totaal een keer of zestig gestoken. De vrouw zag eruit alsof ze Jack the Ripper tegen het lijf was gelopen met haar...'

'Alsjeblieft!' Ik keek naar mijn eten.

'Sorry. Ik vergeet wel eens dat ik met een burger zit te praten. Je raakt er na een paar jaar aan gewend. Je kunt niet ophouden met leven, dus leer je je er etend, drinkend en ruftend doorheen te slaan.' Hij veegde zijn gezicht met een servet af en nam een grote slok van zijn bier. 'Ondanks alle krankzinnige dingen die daar zijn gebeurd, wijst niets op inbraak. De voordeur was open. Normaalgesproken zou dat heel verbazingwekkend zijn, maar in dit geval is het dat misschien niet. De man was psychiater. Het kan zijn dat hij de boef kende en hem gewoon heeft binnengelaten.'

'Jij denkt dat het een van zijn patiënten is geweest?'

'Dat is heel goed mogelijk. Het is bekend dat psychiaters met krankzinnigen te maken krijgen.'

'Milo, het zou me verbazen als het zo blijkt te zijn. Tien tegen een dat Handler zo'n West-Side-praktijk had: depressieve vrouwen van middelbare leeftijd, gedesillusioneerde directeuren, plus een paar pubers met een identiteitscrisis voor de afwisseling.'

'Hoor ik een cynische ondertoon in je stem?'

Ik haalde mijn schouders op.

'In de meeste gevallen is het de waarheid. Vriendschap met een duur prijskaartje eraan. Niet dat het geen enkele waarde heeft, begrijp me goed. Maar de meeste mensen die psychiaters en psychologen in hun praktijk te zien krijgen, zijn niet echt geestesziek. De werkelijk krankzinnigen, de echt gestoorden, worden in een ziekenhuis opgenomen.'

'Handler heeft in een ziekenhuis gewerkt voordat hij een eigen praktijk begon. Encino Oaks.'

'Misschien kun je daar iets wijzer worden,' zei ik twijfelend. Ik was het moe een domper op de vreugde te zetten, dus zei ik hem niet dat Encino Oaks werd bevolkt door suïcidale kinderen van rijkelui. Heel weinig gevallen van seksuele psychopathie.

Hij schoof zijn lege bord een eindje van zich af en gaf de serveerster een teken.
'Bettijean, een lekker groot stuk groene appeltaart, alsjeblieft.'
'A la mode, Milo?'
Hij klopte op zijn buik en dacht na.
'Waarom ook niet? Vanille.'
'En u, meneer?'
'Alleen koffie, graag.'
Toen ze weg was ging hij door, dacht meer hardop na dan dat hij tegen mij praatte.
'In elk geval lijkt het erop dat Handler iemand tussen middernacht en een uur heeft binnengelaten en als dank daarvoor het loodje heeft moeten leggen.'
'En die vrouw, Gutierrez?'
'Hèt voorbeeld van een onschuldige omstandster. Was op de verkeerde tijd op de verkeerde plaats.'
'Was ze Handlers vriendin?'
Hij knikte.
'Ongeveer een maand of vier. We weten er nog weinig van, maar ze schijnt als een patiënte te zijn begonnen en is toen van de bank naar het bed overgestapt.'
Een niet ongebruikelijk verhaal.
'Het ironische is dat zij erger was toegetakeld dan hij. Handlers keel was doorgesneden en hij is waarschijnlijk naar verhouding snel overleden. Hij was nòg een paar keer gestoken, maar die wonden zouden niet dodelijk zijn geweest. Het lijkt alsof de moordenaar rustig de tijd voor haar heeft genomen. Niet zo vreemd als hij seksueel verknipt is.'
Ik merkte dat mijn spijsvertering dienst weigerde. Ik veranderde van onderwerp.
'Wie is je nieuwe amant?'
De appeltaart werd gebracht. Milo glimlachte de serveerster toe en viel aan op het gebak. Ik zag dat de vulling inderdaad groen was: fel, bijna lichtgevend groen. In de keuken was iemand met kleurstoffen aan het rotzooien. Ik rilde toen ik me afvroeg wat ze met iets echt uitdagends, zoals een pizza, konden doen. Die zou er waarschijnlijk gaan uitzien als het palet van een krankzinnige schilder.
'Een arts. Een aardige, joodse arts.' Hij keek hemelwaarts. 'De droom van iedere moeder.'

'Wat is er met Larry gebeurd?'
'Die is zijn geluk in San Francisco gaan beproeven.'
Larry was een zwarte toneelmeester met wie Milo twee jaar lang een aan-uit-relatie had gehad. Het laatste halfjaar was akelig platonisch geweest.
'Hij gaat daar meewerken aan een educatief televisieprogramma dat wordt gesponsord door een of ander anoniem bedrijf. Iets in de trant van: ''Onze landbouwkundige erfenis: uw vriend de ploeg''. Hoogst interessant.'
'Wat zeg je dat venijnig.'
'Zo bedoel ik het niet. Ik wens hem al het goede toe. Onder dat neurotische uiterlijk zat echt talent.'
'Hoe heb je die arts leren kennen?'
'Hij werkt op de Spoedopname van Cedars en is chirurg. Ik deed een onderzoek naar een geval van lichamelijke geweldpleging die uitmondde in moord, hij was met de catheters in de weer. Onze blikken kruisten elkaar en hielden elkaar vast. De rest is geschiedenis.'
Ik lachte zo hard dat de koffie bijna mijn neus inschoot.
'Hij maakt er nu al een jaar of twee geen geheim meer van dat hij homoseksueel is. Getrouwd in zijn studententijd, smerige echtscheiding, in de ban gedaan door de familie. Het hele pakket. Fantastische vent. Je moet kennis met hem maken.'
'Dat zal me een genoegen zijn.'
'Geef me een paar dagen om de levensgeschiedenis van Morton Handler te achterhalen en dan gaan we met z'n vieren op stap.'
'Afgesproken.'
Het was vijf voor vier. Ik liet de politie voor mijn lunch betalen. Milo gaf een gigantische fooi, conform de beste traditie van politiemensen overal ter wereld. Onderweg naar buiten gaf hij een klapje op de derrière van Bettijean en haar lach volgde ons de straat op.
Het verkeer op de Santa Monica Boulevard begon vast te zitten en de stank werd erger. Ik deed de raampjes van de Seville dicht en zette de airco aan. Toen zette ik een bandje op van Joe Pass en Stephane Grappelli. De klanken van 'Only a Paper Moon', in de swingende stijl van de jaren veertig uitgevoerd, vulden de auto. Door de muziek voelde ik me lekker. Milo deed een dutje en snurkte luid. Ik voegde me in de verkeersstroom en reed terug naar Brentwood.

4

De praktijk van Towle bevond zich in een zijstraat van San Vincente, niet ver van de Brentwood Country Mart, een van de weinige buurten waar filmsterren konden winkelen zonder te worden lastig gevallen. Hij was ondergebracht in een bakstenen gebouw dat ergens in de jaren vijftig was ontworpen, toen bruin baksteen, vrij lage daken en glazen kubussen in de muren in de mode waren. Door varens en bougainvillea zag het gebouw er minder streng uit, maar niet veel.
Towle was de enige die het gebouw gebruikte en zijn naam stond in bladgoud op de glazen voordeur. Het parkeerterrein was een toevluchtsoord voor stationcars met houten panelen. We parkeerden naast een blauwe Lincoln, die van Towle moest zijn, gezien de sticker die op de bumper was geplakt: KOM OP VOOR DE RECHTEN VAN KINDEREN.
Vanbinnen zag het gebouw er heel anders uit. Het was alsof een binnenhuisarchitect de strenge buitenkant goed had willen maken. In de wachtkamer waren de meubels van esdoornhout en op de stoelen lagen kussens met knopen. Aan de muren hingen allerlei borduurwerkjes die als dank voor Towle waren gemaakt, plus aanstellerige foto's van jongetjes die aan het vissen waren en meisjes die met hoed en schoenen van mama voor een spiegel stonden. Er waren veel kinderen en verontrust ogende moeders. De vloer was bezaaid met tijdschriften, boeken en speelgoed. Het stonk er naar vieze luiers. Als dit een rustig moment in Towles praktijk was, wilde ik er liever niet zijn wanneer hij het druk had.
Toen wij, twee mannen zonder kind, binnenkwamen, staarden de vrouwen ons meteen aan. We waren het er al over eens geworden dat ik beter met Towle van vakman tot vakman kon praten, dus ging Milo tussen twee vijfjarige kinderen in zitten, terwijl ik naar de balie liep. Het meisje aan de andere kant ervan was een lief, jong ding met een Farah Fawcett-kapsel en een gezicht dat bijna even aantrekkelijk was als dat van haar voorbeeld. Ze was in het wit gekleed en volgens het naamkaartje heette ze Sandi.
'Hallo. Ik ben doctor Delaware en ik heb een afspraak met dokter Towle.'
Ik kreeg een glimlach, die fraaie, witte tanden liet zien.
'Afspraken betekenen vanmiddag niet veel. Loopt u maar verder, dan komt hij zo naar u toe.'

Ik ging de deur door en voelde meerdere paren ogen in mijn rug prikken. Sommige moeders zaten waarschijnlijk al langer dan een uur te wachten. Ik vroeg me af waarom Towle geen associé aantrok.
Sandi liet me in de spreekkamer: een ruimte van rond de vier bij vier meter, met donkere lambrizeringen.
'Het gaat over het meisje Quinn, nietwaar?'
'Dat klopt.'
'Ik zal het dossier pakken.' Ze kwam terug met een bruine map en legde die op Towles bureau. Op de omslag zat een rode sticker. Ze zag me ernaar kijken.
'De rode stickers zijn voor hyperactieve kinderen. We coderen onze patiënten. Gele stickers voor de chronisch zieken. Blauwe voor gespecialiseerde consulten.'
'Heel efficiënt.'
'O, daar hebt u geen idee van.' Ze giechelde en zette een hand op een welgevormde heup. Ze boog zich iets dichter naar me toe en ik kon een lekker parfum ruiken. 'Onder ons gezegd heeft dat arme kind het moeilijk omdat ze moet opgroeien met zo'n moeder.'
'Ik weet wat je bedoelt.' Ik knikte. Ik wist helemaal niet wat ze bedoelde, maar ik hoopte dat ze me dat zou vertellen. Dat doen mensen gewoonlijk wanneer je de indruk wekt dat het je niet interesseert.
'Ik bedoel, die moeder is zo'n warhoofd. Elke keer wanneer ze hier komt vergeet ze wel iets of raakt ze iets kwijt. Een keer was haar handtas zoek. Een andere keer had ze haar autosleutels in de auto laten zitten. Ze is echt een warhoofd.'
Ik klakte met mijn tong, als teken van begrip.
'Niet dat zij het zelf niet moeilijk heeft gehad. In haar jeugd keihard werken op een boerderij en dan trouwen met een man die in een gevange...'
'Sandi!'
We draaiden ons beiden om en zagen een kleine vrouw van ergens in de zestig in de deuropening staan. Haar grijze haren waren tot een soort helm geknipt en ze had haar armen voor haar borsten over elkaar geslagen. Aan een kettinkje om haar nek hing een bril. Ook zij was in het wit gekleed, maar bij haar zag het eruit als een uniform. Volgens haar naamkaartje heette ze Edna.
Ik herkende het type meteen: de rechterhand van de dokter. Ze werkte waarschijnlijk al met hem samen sinds hij zijn praktijk was begonnen

en zou nog wel ongeveer hetzelfde verdienen als toen. Maar dat was onbelangrijk, want ze was niet uit op geld. Ze hield in het geheim van de grote man. Ik wilde wedden dat ze hem aansprak met 'dokter'. Geen achternaam. Alleen 'dokter'. Alsof hij de enige dokter op de hele wereld was.
'Er moeten wat dossiers worden opgeborgen,' zei ze.
'Oké, Edna.' Sandi draaide zich weer om, gaf me een samenzweerderige glimlach die uitdrukte 'wat een vervelende oude heks hè?' en liep heupwiegend de kamer uit.
'Kan ik iets voor u doen?' vroeg Edna, die haar armen nog steeds over elkaar geslagen hield.
'Nee, dank u.'
'Oké. De dokter komt zo bij u.'
'Dank u.' Snoer die types de mond door superhoffelijk te zijn.
Haar blik maakte duidelijk dat ze het niet eens was met mijn aanwezigheid. Ze zou alles wat de routine van de dokter doorbrak wel als een inbreuk op het paradijs zien. Maar uiteindelijk liet ze me toch alleen in de spreekkamer achter.
Ik keek om me heen. Het mahoniehouten bureau was oud. Het lag vol met dossiers, medische tijdschriften, post en monsters van medicijnen, en er stond een pot vol paperclips op. De stoelen bij het bureau en de makkelijke stoel waarin ik zat, waren eens meubelstukken van klasse geweest. Ze waren van leer, dat inmiddels oud en gebarsten was.
Twee muren waren bedekt met diploma's, waarvan er veel scheef hingen. De kamer zag eruit alsof hij net door een lichte aardbeving was getroffen: er was niets kapot, maar alles was wel een beetje door elkaar geschud.
Ik bekeek de diploma's vluchtig. Lionel W. Towle had door de jaren heen een indrukwekkende verzameling papier opgebouwd. Diploma's en een bul, bewijzen dat hij (co-)assistentschappen had afgerond, een walnotehouten gedenkplaatje met een voorzittershamer als herinnering aan een of ander voorzitterschap van een medisch team, erelid van van alles en nog wat, adviseur voor de subcommissie van de Californische senaat die zich bezighield met het welzijn van kinderen en ga zo maar door.
Aan de andere muur hingen foto's. De meeste waren van Towle. Towle die tot zijn knieën in het water van de een of andere rivier stond te vissen. Towle met een marlijn met de afmetingen van een Buick.

Towle met de burgemeester en een kleine, vierkante man met Peter Lorre-ogen; iedereen glimlachend en handen schuddend.
Er was één uitzondering op die ogenschijnlijke zelfingenomenheid. In het midden aan de muur hing een kleurenfoto van een jonge vrouw met een klein kind. De kleuren waren vergeeld en te zien aan de kleding moest de foto een jaar of dertig oud zijn. Hij was niet helemaal scherp. De vage tinten waren bijna pastelkleurig, wat wees op een uitvergroot kiekje.
De vrouw was aantrekkelijk. Ze had een fris gezicht, wat sproeten bij haar neus, donkere ogen en halflang bruin haar dat van nature golfde. Ze droeg een dunne, gespikkelde jurk van Zwitsers katoen met korte mouwen. Haar armen waren slank en mooi. Die armen waren om het kind – een jongen – geslagen, die een jaar of twee of nog jonger leek te zijn. Hij was heel mooi. Roze wangetjes, blond, groene ogen. Hij had een wit matrozenpakje aan en straalde. De bergen en het meer in de verte leken echt.
'Mooie foto, hè?' zei de stem die ik over de telefoon had gehoord.
Hij was lang, minstens een meter negentig, slank en had gelaatstrekken die in slechte romans gebeeldhouwd worden genoemd: een van de knapste mannen van middelbare leeftijd die ik ooit had gezien. Zijn gezicht had iets edels; een sterke kin met een perfect kuiltje erin, de neus van een Romeinse senator en twinkelende ogen met de kleur van een onbewolkte lucht. Zijn dikke, sneeuwwitte haar hing over zijn voorhoofd en zijn wenkbrauwen waren twee witte wolkjes.
Hij had een korte witte jas aan over een blauw overhemd, een stropdas met wijnrode opdruk en een donkergrijze broek met een subtiel ruitje. Zijn zwarte instapschoenen waren van kalfsleer. Heel smaakvol allemaal. Maar kleren maken de man niet. Hij zou er in een trui nog als een patriciër hebben uitgezien.
'Delaware? Ik ben Will Towle.'
'Alex.'
Ik ging staan en we gaven elkaar een hand. Zijn handdruk was stevig en droog. De vingers die de mijne pakten waren ontzettend groot en ik besefte dat ze ook heel sterk moesten zijn.
'Ga alsjeblieft zitten.'
Hij nam achter het bureau plaats en legde zijn voeten op het bureaublad, op een stapel van het *Journal of Pediatrics*.
Ik reageerde op zijn eerste opmerking.

'Het is inderdaad een mooie foto. Is die ergens in het noordwesten genomen?'
'In de staat Washington. Het Olympic National Forest, om precies te zijn. Daar zijn we in eenenvijftig op vakantie geweest. Ik was in die tijd inwonend arts. Dat waren mijn vrouw en mijn zoon. Ik heb hen een maand later door een auto-ongeluk verloren.'
'Dat is triest.'
'Ja.' Zijn gezicht kreeg een afwezige, slaperige uitdrukking. Het duurde even voordat hij zichzelf naar het heden terughaalde.
'Ik ken je reputatie, Alex, dus doet het me genoegen je persoonlijk te leren kennen.'
'Dat is dan wederzijds.'
'Ik heb je werk gevolgd omdat ik veel belangstelling heb voor gedragstherapie. Ik was met name geïnteresseerd in wat je hebt gedaan met de kinderen die het slachtoffer van Stuart Hickle waren geworden. Ik heb er een aantal van in mijn eigen praktijk gehad en de ouders hebben zich zeer lovend over je uitgelaten.'
'Dank je.' Ik had het gevoel dat hij verwachtte dat ik meer zou zeggen, maar die zaak was afgesloten. 'Ik kan me herinneren dat ik jou om toestemming heb gevraagd om die patiënten te mogen behandelen.'
'Dat klopt. Het was me een genoegen mijn medewerking te kunnen verlenen.'
We zwegen alle twee even en begonnen toen tegelijkertijd weer te praten.
'Wat ik graag...' zei ik.
'Wat kan ik voor je...' zei hij.
We lachten als goede makkers op een studentensociëteit. Ik besloot hem het woord te geven. Ondanks zijn vriendelijke manier van doen vermoedde ik een immens ego achter die witte haarlok op zijn voorhoofd.
'Je bent hierheen gekomen in verband met dat meisje Quinn. Wat kan ik voor je doen?'
Ik stelde hem op de hoogte van zo weinig mogelijk details, legde de nadruk op het feit dat Melody Quinn een belangrijke getuige was en hypnotiseren geen kwaad kon. Ik eindigde met het verzoek haar een week van de Ritalin af te halen.
'Denk je echt dat dat kind je belangrijke informatie kan geven?'

'Dat weet ik niet. Ik heb de politie dezelfde vraag gesteld, maar zij is de enige getuige die ze hebben.'
'En wat is jouw rol binnen dat geheel?'
Ik bedacht snel een functie.
'Ik ben als adviseur in de arm genomen. Dat gebeurt wel eens meer wanneer kinderen bij een zaak betrokken zijn.'
'Ik begrijp het.'
Hij speelde met zijn handen, bouwde spinnen met tien poten en plette ze.
'Alex, ik weet het niet. Wanneer we een patiënt van een dosis afhalen waarvan is vastgesteld dat het de optimale is, verstoren we daarmee soms het hele patroon van de biochemische respons.'
'Je denkt dat ze voortdurend medicijnen moet slikken?'
'Natuurlijk denk ik dat. Waarom zou ik ze haar anders voorschrijven?' Hij was niet boos en voelde zich ook niet in de verdediging gedrongen. Hij glimlachte kalm en met groot geduld. De boodschap was duidelijk: alleen een idioot zou aan hem twijfelen.
'De dosering kan op geen enkele manier worden verlaagd?'
'Dat is zeker mogelijk, maar dat schept eenzelfde soort probleem. Ik wil niet gaan dokteren aan een succesvolle combinatie.'
'O.' Ik aarzelde en ging toen verder. 'Ze moet een echt probleemgeval zijn geweest om zestig milligram nodig te hebben.'
Towle zette een leesbril laag op zijn neus, pakte het dossier en bladerde het door.
'Eens even kijken. O ja. Hmmm. "Moeder klaagt over ernstige gedragsproblemen."' Hij bladerde verder. '"Onderwijzend personeel meldt dat ze opdrachten niet kan afmaken. Concentratieproblemen." Aha, hier staat nog een aantekening. "Kind heeft moeder geslagen tijdens een ruzie over het netjes houden van de kamer." En hier zie ik een aantekening die ik zelf heb gemaakt. "Weinig contacten met leeftijdgenootjes. Weinig vriendinnetjes."'
Ik was er zeker van dat die ruzie iets met de reusachtige walrus, Fatso, te maken had gehad: het cadeautje van papa. En wat vriendinnetjes betreft... het was duidelijk dat M and M Properties dat soort onzin niet zou tolereren.
'Dat lijkt me nogal ernstig, vind je niet?'
Ik vond het geouwehoer. Er was duidelijk nooit een ook maar bij benadering grondige psychologische evaluatie verricht. De man had de

moeder op haar woord geloofd. Ik keek naar Towle en zag een kwakzalver. Een vriendelijk ogende, witharige kwakzalver met veel connecties en de juiste documenten aan de muur. Ik wilde dat dolgraag tegen hem zeggen, maar daar zou niemand – noch Melody, noch Milo – mee gebaat zijn.

Dus draaide ik eromheen.

'Dat weet ik niet zeker. Jij bent haar arts.' Ik forceerde een kameraadschappelijke glimlach.

'Dat ben ik inderdaad, Alex.' Hij leunde achterover in zijn stoel en hield zijn handen achter zijn hoofd. 'Ik weet wat je denkt. Will Towle duwt mensen pillen door de strot. Stimulerende middelen zijn een vorm van kindermishandeling.'

'Dat zou ik niet direct willen zeggen.'

Hij wuifde mijn protest weg.

'Ik weet dat je dat denkt en ik neem het je niet kwalijk. Jij bent opgeleid in de gedragswetenschappen en bekijkt de dingen vanuit dat perspectief. We krijgen op een gegeven moment allemaal last van professionele tunnelvisie. De chirurgen willen alles wegsnijden, wij schrijven medicijnen voor en jullie analyseren een probleem graag dood.'

Het begon als een college te klinken.

'Natuurlijk is het slikken van medicijnen niet ongevaarlijk. Maar je moet de voor- en de nadelen tegen elkaar afwegen. Kijk nu eens naar een kind als dat meisje Quinn. Waar is ze mee begonnen? Inferieure genen, omdat beide ouders in intellectueel opzicht wat beperkt waren.' Hij liet het woord 'beperkt' heel wreed klinken. 'Beroerde genen, armoede en een stukgelopen huwelijk. De vader uit het beeld verdwenen, hoewel een kind in dat soort gevallen soms beter af is zonder papa als voorbeeld. Slechte genen, slechte omgeving. Het kind heeft al twee dingen tegen voordat het de moederschoot heeft verlaten.

Is het dan een wonder dat we al snel alle veelzeggende tekenen kunnen waarnemen? Antimaatschappelijk gedrag, gebrek aan inschikkelijkheid, slechte schoolprestaties en te weinig controle over de impulsen.'

Ik voelde opeens de sterke aandrang om de kleine Melody te verdedigen. Haar eigen arts beschreef haar als totaal onaangepast. Ik hield echter mijn mond.

'Een kind als dit...' hij zette zijn bril af en legde het dossier neer '... zal het op school redelijk moeten doen om een nog enigermate fatsoenlijk leven te kunnen leiden.'

Ik vond het niet direct een aangename tijdpassering om naar Towles geouwehoer te luisteren, maar ik had het vermoeden dat dit een soort ritueel was. Dat hij me zou geven wat ik hebben wilde als ik het nog maar even volhield om te blijven glimlachen terwijl hij probeerde me te overdonderen.

'Zo'n kind, dat haar genen en haar omgeving tegen heeft, kan zonder hulp op geen enkele manier presteren. Maar daar hebben we die middelen voor. Die pillen stellen haar in staat lang genoeg stil te blijven zitten en lang genoeg ergens haar aandacht bij te houden om iets te leren. Ze houden haar gedrag zodanig onder controle dat ze mensen in haar directe omgeving niet langer van zich vervreemdt.'

'Ik heb de indruk gekregen dat die moeder de medicijnen nogal willekeurig toedient: ze geeft haar een extra pil op dagen dat er veel bezoekers naar het appartementengebouw komen.'

'Dat zou ik moeten nagaan.' Hij klonk niet bezorgd. 'Alex, je moet goed onthouden dat dit kind niet in een vacuüm leeft. Je moet het in hun sociale context zien. Als zij en haar moeder nergens kunnen wonen, heeft ze daar weinig baat bij, nietwaar?'

Ik luisterde en was er zeker van dat er meer zou komen. Dat gebeurde ook. 'Je zou me kunnen vragen hoe ik over een psychotherapeutische behandeling denk. Of over gedragstherapie. Dan zal ik je het volgende zeggen. Naar mijn idee is er geen schijn van kans dat de moeder ooit voldoende inzicht zal kunnen opbrengen om baat te hebben bij psychotherapie. Verder mist ze het vermogen om zich te schikken in een stabiel systeem van regels, wat noodzakelijk is voor een succesvolle gedragstherapie. Wat ze wèl kan is haar kind drie keer per dag een pil geven. Pillen die werken. En ik wil je best zeggen dat ik me helemaal niet schuldig voel omdat ik ze voorschrijf, want volgens mij zijn ze de enige hoop die dat kind heeft.'

Dat was een geweldige slotzin, die ongetwijfeld veel indruk zou maken tijdens een thee voor het team van vrijwilligsters die in het kinderziekenhuis werkten. Maar in wezen was het onzin. Pseudo-wetenschappelijk gezwets, gecombineerd met een fikse dosis neerbuigend fascisme. Zet *Untermenschen* onder de dope om goede burgers van hen te maken.

Hij had zich een beetje opgewonden, maar nu was hij weer heel rustig. 'Ik heb je niet overtuigd, hè?' zei hij glimlachend.

'Daar gaat het niet om. Je hebt een paar interessante kwesties aangesneden. Daar zal ik over moeten nadenken.'

'Het is altijd een goed idee om over dingen na te denken.' Hij wreef in zijn handen. 'Nu moeten we het weer eens hebben over de reden waarom je hierheen bent gekomen. Ik hoop dat je me mijn kleine verhandeling kunt vergeven. Je denkt dus echt dat het kind beter op een hypnose zal reageren wanneer ze een week geen medicijnen slikt?'
'Ja.'
'Ondanks het feit dat ze zich dan minder goed zal kunnen concentreren?'
'Ondanks dat. Ik heb methoden die bijzonder geschikt zijn voor kinderen die hun aandacht ergens maar kort bij kunnen houden.'
De sneeuwwitte wenkbrauwen gingen omhoog.
'Werkelijk? Dan zou ik me daar eens wat meer in moeten verdiepen. Je moet weten dat ik ook wel eens mensen onder hypnose heb gebracht. In het leger, in het kader van pijnbestrijding. Ik weet hoe het werkt.'
'Ik kan je een paar recente publikaties toesturen.'
'Dank je, Alex.' Hij ging staan en het was duidelijk dat mijn tijd erop zat.
'Het was me een genoegen je te leren kennen, Alex.' Nog een handdruk.
'Het genoegen was wederzijds, Will.' Ik begon er misselijk van te worden.
De onuitgesproken vraag bleef nog even in de lucht hangen. Toen vatte Towle de koe bij de horens.
'Ik zal je zeggen wat ik ga doen,' zei hij, vaag glimlachend.
'Wat dan?'
'Ik zal erover nadenken.'
'O.'
'Ja. Ik zal erover nadenken. Bel me over een paar dagen nog maar eens.'
'Dat zal ik doen, Will.' En ik hoop dat je haar en je tanden uit zullen vallen, schijnheilige klootzak.

Toen ik de spreekkamer uit liep, keek Edna nijdig naar me en glimlachte Sandi me toe. Ik negeerde beide vrouwen en verloste Milo van het trio kleuters dat over hem heen klauterde alsof hij een klimrek in een speeltuin was. We liepen door de nu opgewonden meute kinderen en moeders heen en bereikten ongedeerd de auto.

5

Tijdens de terugrit naar mijn huis vertelde ik Milo over mijn gesprek met Towle.
'Een machtsspelletje.' Er verscheen een frons op zijn voorhoofd en even boven zijn kaaklijn zag ik knobbeltjes ter grootte van een kers.
'Dat was het zeker, maar er kwam nog iets anders bij wat ik niet kan duiden. Het is een vreemde vent. Hij komt als heel hoffelijk, bijna kruiperig, over, maar op een gegeven moment ga je beseffen dat hij een spel aan het spelen is.'
'Waarom heeft hij je dan helemaal naar hem toe laten komen?'
'Dat weet ik niet.' Het was me een raadsel waarom hij op een drukke middag tijd had vrijgemaakt om me op zijn gemak een college te geven. Het hele gesprek had over de telefoon in wezen in vijf minuten kunnen worden afgedaan. 'Misschien is het zijn concept van recreatie: een collega een stap vóór zijn.'
'Wat een hobby voor een druk bezet man!'
'Ja, maar het ego komt op de eerste plaats. Ik heb kerels als Towle wel eens eerder ontmoet. Ze willen hoe dan ook alles onder controle hebben en de baas spelen. Vaak worden ze hoofd van een afdeling, lector of voorzitter van de een of andere commissie.'
'Of ze krijgen een hoge functie bij de politie.'
'Dat klopt.'
'Ben je van plan hem nog op te bellen?' Hij klonk verslagen.
'Ja, voor wat dat waard is.'
'Oké.'

Milo stapte in zijn Fiat en startte de auto na een kort gebed en enig gepomp met het gaspedaal. Hij boog zich uit het portierraampje en keek me moe aan. 'Alex, bedankt. Ik ben bekaf en ik ga naar huis. Dat ik zo lang niet heb geslapen, begint me op te breken.'
'Wil je hier soms een dutje doen voordat je verder gaat?'
'Nee, dank je. Ik red me wel als deze berg schroot tot medewerking bereid is.' Hij trok het gedeukte portier met een klap dicht. 'In elk geval bedankt.'
'Ik zal me met Melody blijven bezighouden.'
'Prima. Ik bel je morgen.' Hij reed weg tot ik hem iets toeschreeuwde. Toen trapte hij op de rem en reed achteruit.

'Wat is er?'
'Het is waarschijnlijk niet belangrijk, maar ik zeg het je toch maar even. De verpleegster die voor Towle werkt, zei dat Melody's vader in de gevangenis zit.'
Hij knikte slaperig.
'Net als de helft van de bevolking van dit land. Zo gaat het wanneer de economie achteruit holt. Bedankt.'
Toen reed hij echt weg.
Kwart over zes en het was al donker. Ik ging een paar minuten op bed liggen. Toen ik wakker werd was het na negenen. Ik stond op, waste mijn gezicht en belde Robin. Er werd niet opgenomen.
Ik schoor me snel, trok een windjack aan en reed naar Hakata in Santa Monica. Een uur lang dronk ik sake, at sushi en maakte een praatje met de chef-kok, die aan de universiteit van Tokio in de psychologie afgestudeerd bleek te zijn.
Ik ging terug naar huis, kleedde me uit en nam een heet bad, waarbij ik probeerde helemaal niet te denken aan Morton Handler, Melody Quinn en L.W. Towle. Ik bracht mezelf onder hypnose en stelde me voor dat Robin en ik midden in een regenwoud boven op een berg met elkaar vreeën. Het wond me op. Ik stapte het bad uit en belde Robin opnieuw. Nadat het toestel aan de andere kant van de lijn tien keer was overgegaan, hoorde ik haar slaperig iets mompelen.
Ik maakte excuses voor het feit dat ik haar wakker had gemaakt, zei dat ik van haar hield en hing op.
Een halve minuut later belde ze terug.
'Was jij dat, Alex?' Ze klonk alsof ze nog droomde.
'Ja, schat. Sorry dat ik je wakker heb gemaakt.'
'Dat hindert niet. Hoe laat is het?'
'Halftwaalf.'
'Ik moet als een blok in slaap zijn gevallen. Hoe is het met je?'
'Prima. Ik heb je rond een uur of negen ook gebeld.'
'Ik ben de hele dag op stap geweest. In Simi Valley woont een oude vioolbouwer die met pensioen gaat. Ik ben zes uur bezig geweest met het uitzoeken van esdoorn- en ebbehout en gereedschap. Jammer dat ik niet kon opnemen.'
Ze klonk uitgeput.
'Ik vind het ook jammer, maar ga alsjeblieft terug naar bed. Morgen bel ik je weer.'

'Als je hierheen wilt komen, kan dat.'
Daar dacht ik even over na. Maar ik was te rusteloos om goed gezelschap te kunnen zijn.
'Nee, schatje. Ga jij nu maar slapen. Zullen we morgenavond samen een hapje gaan eten in een restaurant van jouw keuze?'
'Oké, schat.' Ze geeuwde: een zacht, lief geluid. 'Ik hou van je.'
'Ik hou ook van jou.'

Het duurde een tijdje voordat ik wegzakte, en toen het zover was, sliep ik licht en rusteloos. Ik had zwart-witte dromen met veel beweging erin. Ik kan me niet herinneren waar ze over gingen, maar de dialogen verliepen traag en moeizaam, alsof iedereen met verlamde lippen en een mond vol nat zand sprak.
Midden in de nacht stond ik op om te kijken of ik wel alle deuren en ramen had vergrendeld.

6

De volgende morgen werd ik om zes uur vol energie wakker. Zo had ik me in meer dan vijf maanden niet gevoeld. Ik vond die spanning aanvankelijk niet erg, want ik wist wat ik wilde doen, maar om zeven uur was ik zo opgedraaid dat ik als een jaguar door het huis liep te ijsberen.
Om halfacht vond ik dat het laat genoeg was. Ik draaide het nummer van Bonita Quinn. Ze was klaar wakker en klonk alsof ze mijn telefoontje had verwacht.
'Goeiemorgen, meneer Delaware.'
'Ook goeiemorgen. Ik was van plan langs te komen om een paar uur met Melody door te brengen.'
'Waarom niet? Ze heeft toch niks te doen.' Ze liet haar stem dalen. 'Volgens mij vond ze u aardig. Ze heeft me verteld dat u met haar hebt gespeeld.'
'Dat klopt. Dat zullen we vandaag ook doen. Ik ben er over een halfuur.'
Toen ik daar arriveerde was ze aangekleed en klaar om weg te gaan. Haar moeder had haar een lichtgeel zonnejurkje aangedaan, dat haar benige schoudertjes en heel smalle armpjes bloot liet. Het was mijn

bedoeling geweest wat tijd met haar in haar kamer door te brengen en dan misschien samen ergens te gaan lunchen, maar het was duidelijk dat ze erop rekende om uit te gaan.
'Hallo, Melody.'
Ze keek me niet aan en zoog op haar duim.
'Je ziet er vanmorgen heel leuk uit.'
Ze glimlachte verlegen.
'Zullen we een eindje gaan rijden? Naar een park? Hoe lijkt je dat?'
'Oké.' Haar stem trilde.
'Prima.' Ik keek de huiskamer in. Bonita Quinn was aan het stofzuigen. Ze had een blauwe bandana om haar hoofd en er bungelde een sigaret tussen haar lippen. De televisie stond aan: een gospelprogramma. Maar sneeuw maakte het beeld onscherp en het koor was door het geluid van de stofzuiger vrijwel niet te horen.
Ik raakte haar schouder aan. Ze schrok.
'Ik neem haar nu mee. Oké?' schreeuwde ik boven de herrie uit.
'Prima.' De sigaret wipte op en neer.
Ze ging verder met stofzuigen, boog zich over het loeiende apparaat heen en ploegde voort.
Ik liep terug naar Melody.
'We gaan.'
Ze liep naast me mee. Halverwege het parkeerterrein werd een klein handje in de mijne gelegd.

Via omwegen kon ik de ochtendspits vermijden en ik draaide Ocean Avenue op. Toen reed ik verder naar het zuiden, naar Santa Monica, tot we bij het park boven op een rots met uitzicht op de Pacific Coast Highway waren. Het was halfnegen 's morgens. De lucht was helder, met slechts een handjevol wolken in de verte. Ik vond een parkeerplaatsje langs de stoeprand, recht voor de Camera Obscura en het ontspanningscentrum voor ouderen van dagen.
Zelfs zo vroeg in de ochtend was het er al druk. Oudere mensen zaten op de banken of waren op het pleintje aan het sjoelen. Sommigen zaten non-stop met elkaar of in zichzelf te praten. Anderen staarden zonder iets te zeggen in trance naar de boulevard. Langbenige meisjes, gekleed in kleine topjes en satijnen shorts die ongeveer een tiende deel van hun billen bedekten, rolschaatsten voorbij en toverden de trottoirs tussen de palmbomen om in zwoele snelwegen. Sommigen hadden

een koptelefoon op: snelle jonge vrouwen met een gelukzalige, ietwat afwezige uitdrukking op hun volmaakt Californische gezicht.
Japanse toeristen maakten foto's, stootten elkaar aan, wezen en lachten. Zwervers stonden tegen de reling geleund die de afbrokkelende rots van de ruimte scheidde. Ze rookten achter hun tot een kommetje gevormde handen en bekeken de wereld met wantrouwen en angst. Opvallend veel van hen waren jong. Ze zagen er allemaal uit alsof ze uit een diepe, donkere, buiten bedrijf gestelde mijn waren gekropen.
Er waren studenten die zaten te lezen, stelletjes die op het gras lagen en jochies die tussen de bomen door renden. Een paar lui waren iets aan het regelen dat verdacht veel met drugs te maken leek te hebben.
Melody en ik liepen hand in hand langs de rand van het park en zeiden weinig tegen elkaar. Ik bood aan bij een kraampje een warme pretzel voor haar te kopen, maar ze zei dat ze geen honger had. Ik herinnerde me dat gebrek aan eetlust ook een bijwerking van Ritalin was. Maar misschien had ze gewoon uitgebreid ontbeten.
We kwamen bij het pad naar de pier.
'Heb je wel eens in een draaimolen gezeten?' vroeg ik.
'Eén keer. Tijdens een schoolreisje naar Magic Mountain. Al die snelle dingen maakten me bang, maar de draaimolen vond ik mooi.'
'Kom mee.' Ik wees op de pier. 'Daar staat een draaimolen. We gaan er een ritje in maken.'
In tegenstelling tot het park was de pier bijna verlaten. Her en der waren mannen aan het vissen, voornamelijk oude zwarte mannen en Aziaten. Ze keken pessimistisch en hun emmertjes waren leeg. In de oude houten planken van de pier zaten opgedroogde visschubben, die in het licht van de ochtendzon lovertjes leken. Sommige planken waren gebarsten en af en toe kon ik het water van de oceaan tegen de pijlers zien klotsen en sissend terugrollen. In de schaduw onder de pier leek het water groenig zwart. Ik rook de sterke geur van creosoot, die me deed denken aan eenzaamheid en verspilde uren.
Het biljartlokaal waarin ik me vaak had verstopt wanneer we hier verstoppertje aan het spelen waren, was gesloten. Zijn plaats was ingenomen door een hal vol elektronische videospelletjes. Een Mexicaanse jongen trok aan de joystick van een van de in afschuwelijk felle kleuren geschilderde robots. Ik hoorde computergeluiden: piepjes en bliepjes.
De draaimolen was ondergebracht in een schuur die eruitzag alsof hij

zou instorten zodra het weer vloed was geworden. De beheerder was een kleine man met een buikje en een schilferende huid bij zijn oren. Hij zat op een krukje een formulier voor paardenraces te bekijken en deed net alsof wij er niet waren.
'We willen graag in de draaimolen.'
Hij keek op en nam ons van top tot teen op. Melody staarde naar de oude posters aan de muur. Buffalo Bill. Victorian Love.
'Kwart dollar per ritje.'
Ik gaf hem een paar bankbiljetten.
'Laat hem maar een tijdje draaien.'
'Prima.'
Ik zette haar op een groot, wit-goudkleurig paard, dat een roze pluim als staart had. De koperen stang waaraan het dier was bevestigd, was doorgroefd met diagonale strepen. Dat betekende dat het op en neer ging. Ik ging naast haar staan.
De kleine man ging al weer op in zijn eigen bezigheden. Hij stak afwezig een hand uit, drukte op een knop en haalde een hendel over. Een krakende versie van de 'Blauwe Donau' weerklonk uit een dozijn verborgen luidsprekers. De draaimolen startte traag en kreeg toen meer tempo. Paarden, apen en strijdwagens kwamen in beweging.
Melody hield de nek van haar paard stevig vast en keek recht voor zich uit. Geleidelijk aan ontspande ze haar handen en keek om zich heen. Nadat de draaimolen twintig keer was rondgedraaid, wiegde ze heen en weer op de maat van de muziek, haar ogen dicht, haar mond open in een stille lach.
Toen de muziek ophield hielp ik haar van het paard af. Duizelig stapte ze op de smerige, betonnen vloer. Ze giechelde en zwaaide vrolijk met haar tas op het ritme van de nu weggestorven wals.
We liepen door naar het eind van de pier. Ze werd gefascineerd door de immense aasbakken vol ansjovissen, verbaasde zich over de ton met verse vis die door drie gespierde en gebaarde vissers omhoog werd gehaald en werd omgekieperd. De rode vissen waren allemaal dood omdat ze zo snel vanaf de bodem van de oceaan naar boven waren gehaald. Krabben met de afmetingen van bijen kropen in en om de visselijkjes heen. Zeemeeuwen doken bliksemsnel omlaag om een visje te pikken en werden weggejaagd door vereelte, bruine handen.
Een van de vissers, een jongen die beslist niet ouder dan achttien was, zag haar staren.

'Nogal wreed, hè?'
'Ja.'
'Zeg maar tegen je vader dat hij je op z'n vrije dag naar een leuker plekje moet meenemen.' Hij lachte.
Melody glimlachte. Ze deed geen poging om hem te corrigeren.
Iemand was garnalen aan het bakken. Ik zag haar snuiven.
'Heb je honger?'
'Een beetje.' Ze leek zich slecht op haar gemak te voelen.
'Is er iets?'
'Mama heeft gezegd dat ik niet te hebberig mocht zijn.'
'Maak je daar maar geen zorgen over. Ik zal tegen je moeder zeggen dat je heel lief bent geweest. Heb je ontbeten?'
'Een beetje.'
'Wat heb je gegeten?'
'Sinaasappelsap en een stuk van een donut met van die witte poeder erop.'
'Meer niet?'
'Nee.' Ze keek me aan alsof ze straf verwachtte. Ik liet mijn stem zachter klinken.
'Dan zul je wel niet zoveel honger hebben gehad toen je moest ontbijten.'
'Hmmm.' Mijn theorie dat ze uitgebreid kon hebben ontbeten, moest ik dus overboord zetten.
'Nou, ik heb behoorlijk veel honger.' Dat was waar. Ik had alleen koffie gedronken. 'Zullen we alle twee iets gaan eten?'
'Graag, dokter Del...' Ze struikelde over mijn naam.
'Noem me maar Alex.'
'Graag, Alex.'
De geur van gebakken vis bleek afkomstig te zijn uit een nogal miezerig ogende cafetaria tussen een souvenirwinkel en een kraampje waar aas en vistuig werden verkocht. De vrouw achter de toonbank was wit en dik. Om haar maanvormige gezicht kringelden wolken stoom en rook op, die voor een trillende stralenkrans zorgden. Achter haar knetterde de hete olie.
Ik kocht een grote zak lekkers: in folie gewikkelde gebakken garnalen en kibbeling, een mandje friet, plastic zakjes met tartaarsaus en ketchup, papieren zakjes met zout, twee blikjes cola.
'Vergeet deze niet, meneer.'

De dikke vrouw stak me een handvol servetjes toe.
'Dank u.'
'U weet hoe kinderen zijn.' Ze keek naar Melody. 'Geniet er maar van, schatje.'
We liepen naar een stil stukje strand, niet ver van het Pritikin Longevity Center. We aten de vette etenswaren op terwijl we naar mannen van middelbare leeftijd keken die om het huizenblok heen probeerden te joggen, gesterkt door de ongetwijfeld vrijwel smakeloze hap die tegenwoordig in het centrum werd geserveerd.
Ze at als een wolf. Het liep tegen twaalven, wat betekende dat ze normaalgesproken haar tweede dosis amfetamine moest innemen. Haar moeder had me geen medicijnen meegegeven en ik had er niet aan gedacht daarom te vragen. Ik had er eigenlijk ook niet om willen vragen. De verandering in haar gedrag werd halverwege de lunch duidelijk en met de minuut nog duidelijker.
Ze bewoog meer. Ze werd alerter. Haar gezichtje werd levendiger. Ze was onrustig, alsof ze ontwaakte uit een lange, verwarrende slaap. Ze keek om zich heen en leek weer contact te hebben met haar omgeving.
'Kijk daar eens!' Ze wees op een stel surfers in wetsuits, die in de verte op de golven in de weer waren.
'Het lijken wel robben, hè?'
Ze giechelde.
'Alex, mag ik het water in?'
'Trek je schoenen maar uit en dan mag je pootjebaden. Probeer wel je jurk droog te houden.'
Ik stopte een garnaal in mijn mond, leunde achterover en zag haar langs de waterlijn rennen. Haar magere beentjes lieten water opspetteren. Eén keer draaide ze zich mijn kant op en zwaaide.
Ik sloeg haar een minuut of twintig gade. Toen rolde ik mijn broekspijpen op, deed mijn schoenen en sokken uit en liep naar haar toe.
We renden samen door het ondiepe water. Haar benen begonnen met de seconde beter te functioneren en binnen de kortste keren liep ze als een gazelle. Ze ging door tot we alle twee de uitputting nabij waren. Toen liepen we terug naar de plaats waar we op het strand hadden gepicknickt en lieten ons op het zand vallen. Ik fatsoeneerde haar haren. Haar borstkasje ging op en neer. Haar voeten zaten onder het zand. Toen ze eindelijk op adem was gekomen vroeg ze:
'Ik ben lief geweest, hè?'

'Reken maar!'
Ze keek onzeker.
'Denk jij dan van niet, Melody?'
'Ik weet het niet. Soms denk ik dat ik een lief meisje ben en dan wordt mama boos of zegt mevrouw Brookhouse dat ik stout ben.'
'Je bent altijd lief, ook als iemand denkt dat je iets stouts hebt gedaan. Begrijp je dat?'
'Dat denk ik wel.'
'Maar je bent er niet zeker van?'
'Soms niet.'
'Iedereen is wel eens ergens niet zeker van. Kinderen, papa's en mama's. En dokters.'
'Dokter Towle ook?'
'Zelfs dokter Towle.'
Dat moest ze even verwerken. De grote, donkere ogen schoten heen en weer tussen het water, mijn gezicht, de lucht en opnieuw mijn gezicht.
'Mama zei dat je me onder hypnose zou brengen.' Ze sprak het uit als hie-poze.
'Alleen als jij dat wilt. Begrijp je waarom we denken dat die zou kunnen helpen?'
'Zo'n beetje. Om me te helpen beter te kunnen nadenken?'
'Nee. Nadenken kun je best.' Ik tikte tegen haar hoofdje. 'Daar is niks mis mee. We willen proberen je te hypnotiseren omdat je ons dan misschien een goede dienst kunt bewijzen. Om te kijken of je je dan iets kunt herinneren.'
'Over toen die andere dokter gewond raakte.'
Ik aarzelde. Ik had er een gewoonte van gemaakt eerlijk tegenover kinderen te zijn, maar als haar niet was verteld dat Handler en Gutierrez dood waren, zou ik haar in dat opzicht niet wijzer maken. Zeker niet wanneer ik de kans niet had om bij haar in de buurt te zijn om te helpen de brokken te lijmen.
'Ja. Daarover.'
'Ik heb de politie verteld dat ik me niks herinnerde. Het was heel donker en zo.'
'Soms herinneren mensen zich dingen beter wanneer ze onder hypnose zijn.'
Ze keek me angstig aan.

‘Ben je er bang voor?’
‘Hmmm.’
‘Dat hindert niet. Het is niet erg om voor sommige dingen bang te zijn. Maar hypnotiseren is helemaal niet eng. Eigenlijk is het best leuk. Heb je wel eens iemand onder hypnose gebracht zien worden?’
‘Nee.’
‘Nooit? Ook niet in een tekenfilm?’
Haar gezichtje lichtte op. ‘Ja. Toen die man met de punthoed Popeye onder hypnose bracht en de golven uit zijn handen kwamen en Popeye door het raam de lucht inliep zonder te vallen.’
‘Dat klopt. Die film heb ik ook gezien. De man met de punthoed liet Popeye allerlei gekke dingen doen.’
‘Ja.’
‘In een tekenfilm is dat leuk, maar in de werkelijkheid gaat het anders.’ Ik gaf haar een aangepaste versie van het verhaal dat ik haar moeder had verteld. Ze leek me te geloven, want ze raakte gefascineerd in plaats van bang.
‘Kunnen we het nu doen?’
Ik aarzelde. Het strand was verlaten en we hadden voldoende privacy. En het was er het juiste moment voor. Towle kon me wat!
‘Waarom ook niet? Maar eerst gaan we het ons echt gemakkelijk maken.’
Ik liet haar strak naar een glad, glanzend kiezelsteentje kijken dat ze in haar hand hield. Binnen een paar seconden knipperde ze met haar ogen. Haar ademhaling werd trager en regelmatig. Ik zei dat ze haar ogen dicht moest doen en moest luisteren naar het geluid van de golven die op het strand braken. Toen zei ik dat ze zich moest voorstellen dat ze een trap afliep en door een mooie deur naar een geliefd plekje ging.
‘Ik weet niet waar dat is of wat het is. Voor jou is het wel een heel bijzonder plekje. Je kunt het me vertellen, maar je mag het ook geheimhouden. Je voelt je er lekker en gelukkig...’
Even later was ze diep onder hypnose.
‘Nu kun je mijn stem horen zonder er echt naar te hoeven luisteren. Geniet gewoon van je lievelingsplekje en amuseer je.’
Ik hield vijf minuten mijn mond. Op het magere gezichtje zag ik een vredige, engelachtige uitdrukking. Een zachte wind speelde met de losse lokjes van haar haren. Ze zag er zo klein uit, zoals ze daar op het strand zat, met haar handen in haar schoot.

Ik bracht haar terug naar de nacht van de moord. Ze verstijfde even, maar haalde toen weer diep en regelmatig adem.
'Melody, je voelt je nog steeds helemaal ontspannen. Compleet op je gemak. Je hebt alles onder controle. Maar nu kun je naar jezelf kijken, net alsof je een ster op de televisie bent. Je ziet jezelf het bed uit stappen...'
Haar lippen weken vaneen en ze streek er met het puntje van haar tong over.
'Nu loop je naar het raam en gaat naar buiten zitten kijken. Wat zie je?'
'Het is donker.' Ik kon haar maar net verstaan.
'Ja, het is donker. Zie je nog iets anders?'
'Nee.'
'Oké. Laten we daar nog even blijven zitten.'
Een paar minuten later:
'Kun je in het donker nog iets anders zien, Melody?'
'Hmmm. Ik zie het donker.'
Ik probeerde het nog een paar keer en gaf het toen op. Of ze had niets gezien en die twee of drie donkere mannen verzonnen, of ze was geblokkeerd. In beide gevallen zou ik niets uit haar kunnen krijgen.
Ik liet haar genieten van haar favoriete plekje, gaf haar suggesties over hoe ze kon opknappen en zich gelukkig en zeker kon voelen en haalde haar daarna voorzichtig terug uit de hypnose. Toen dat was gebeurd, glimlachte ze.
'Dat was leuk.'
'Ik ben blij dat je het leuk vond. Je leek echt een goed lievelingsplekje te hebben.'
'Je zei dat ik het je niet hoefde te vertellen.'
'Dat klopt.'
'En als ik dat nou wel wil?' Ze trok een pruillipje.
'Dan mag je het me vertellen.'
'Hmmm.' Ze genoot even van haar machtspositie. 'Ik wil het je vertellen. Ik zat in een draaimolen die steeds sneller ronddraaide.'
'Dat is een geweldige keuze!'
'Elke keer dat ik ronddraaide, was ik gelukkiger. Kunnen we er nog eens naartoe gaan?'
'Natuurlijk kan dat.' Nu heb je jezelf klem gezet, Alex. Je bent betrokken geraakt bij iets waar je je niet zo makkelijk van los zult kunnen maken. Een instant-papa. Ik voelde me schuldig.

Toen we weer in de auto zaten, draaide ze zich naar me toe.
'Alex, je zei dat je je dingen beter herinnert als je onder hypnose bent?'
'Dat kan gebeuren.'
'Zou ik me er papa door kunnen herinneren?'
'Wanneer heb je hem voor het laatst gezien?'
'Ik heb hem nooit gezien. Hij is weggegaan toen ik nog een baby was. Hij en mama wonen niet meer samen.'
'Komt hij wel eens op bezoek?'
'Nee. Hij woont ver weg. Hij heeft me een keer gebeld met Kerstmis, maar toen sliep ik en toen heeft mama me niet wakker gemaakt. Daar was ik erg boos om.'
'Dat kan ik begrijpen.'
'Ik heb haar geslagen.'
'Dan moet je echt woedend zijn geweest.'
'Ja.' Ze beet op haar lip. 'Soms stuurt hij me dingen.'
'Zoals Fatso?'
'Ja, en andere dingen.' Uit haar tas haalde ze iets dat eruitzag als een grote, gedroogde pit, of een zaadje. Er was een woest gezicht in uitgesneden. De ogen waren van bergkristal en zwart kunsthaar was boven op het verschrompelde hoofd geplakt. De afgrijselijke troep die je in Tijuana in een souvenirwinkel kunt kopen. Maar ze hield het vast alsof het een kroonjuweel was. Toen gaf ze het aan mij.
'Mooi,' zei ik en gaf het ding even later weer aan haar terug.
'Ik wil hem graag zien, maar mama zegt dat ze niet weet waar hij is. Kan hypnose helpen om me hem te herinneren?'
'Dat zou moeilijk zijn, Melody, omdat je hem zo lang niet hebt gezien. Maar we kunnen het proberen. Heb je een foto van hem?'
'Ja.' Ze zocht opnieuw in haar tas en haalde er een kiekje uit dat ze kennelijk heel vaak in handen had gehad. Ik dacht aan de foto aan Towles muur. Dit was een week voor fotoherinneringen. Meneer Eastman, als u eens wist hoe uw zwarte doosje gebruikt kan worden om het verleden net zo te bewaren als een doodgeboren foetus in een pot met formaline.
Het was een vergeelde foto van een man en een vrouw. De vrouw was een jongere, maar weinig aantrekkelijkere Bonita Quinn. Zelfs toen ze ergens in de twintig was, was haar gezicht al een droef masker geweest, dat duidde op een meedogenloze toekomst. Ze had een jurk aan

die te veel ondervoed dijbeen liet zien. Haar haar was lang en steil, met een scheiding in het midden. Zij en haar metgezel stonden voor iets dat eruitzag als een bar die je op het platteland kunt vinden wanneer je opeens een bocht op een hoofdweg om bent gegaan. De muren bestonden uit ruw gehakte houtblokken. Voor het raam hing een reclame voor Budweiser.

Ze hield haar arm om het middel van een man, die zijn arm om haar schouders had geslagen. Hij had een T-shirt, een spijkerbroek en Wellington-laarzen aan. Naast hem was een deel van een motor zichtbaar.

Hij was een vreemde vogel om te zien. Een kant van hem – de linker – was scheef en van top tot teen kon ik duidelijke tekenen van verlamming zien. Hij zag eruit als een vrucht die in plakjes is gesneden en daarna ietwat slordig weer in elkaar is gezet. Wanneer je door het asymmetrische heen keek, zag hij er niet beroerd uit: lang, slank, blond haar dat tot op zijn schouders hing en een volle snor.

Hij keek betweterig, Bonita plechtig. Het was een gezichtsuitdrukking die je bij boerenkinkels kunt zien wanneer je in een kleine, onbekende stad een bar inloopt om in alle rust iets koels te drinken. Een gezichtsuitdrukking die je dolgraag wilt ontlopen, omdat die niets anders dan problemen voorspelt.

Het verbaasde me niet dat de man achter de tralies was beland.

'Alsjeblieft.' Ik gaf de foto aan haar terug en ze stopte hem voorzichtig weer in haar tas.

'Heb je zin om nog een eindje te rennen?'

'Nee. Ik ben een beetje moe.'

'Wil je naar huis?'

'Ja.'

Tijdens de rit terug naar het appartementengebouw was ze heel stil, alsof ze weer medicijnen had geslikt. Ik had het ongemakkelijke gevoel dat ik dit kind onrecht had aangedaan door haar sterk te stimuleren en nu terug te brengen naar haar saaie, dagelijkse leventje.

Was ik bereid regelmatig als reddende engel op te treden?

Ik dacht aan het laatste college van een van mijn professoren in de psychotherapie, dat ik met mijn jaargenoten had bijgewoond.

'Als je ervoor kiest in je levensonderhoud te voorzien door mensen te helpen die emotionele problemen hebben, kies je er ook voor hen een tijdje op je rug mee te dragen. Dat gepraat over het nemen van verant-

woordelijkheid en assertiviteit is gezwets. Jullie zullen elke dag van je leven met hulpeloosheid worden geconfronteerd. Jullie patiënten zullen zich aan je vastklampen zoals ganzekuikens dat doen aan het eerste wezen dat ze zien wanneer ze uit het ei komen. Indien jullie dat niet aankunnen, kun je beter accountant worden.'
Op dit moment zou het zien van een grootboek vol cijfers me heel welkom zijn geweest.

7

Om halfacht reed ik naar het atelier van Robin. We hadden elkaar een paar dagen eerder voor het laatst gezien en ik had haar gemist. Ze deed de deur open, gekleed in een witte jurk die haar vrij donkere huid fraai accentueerde. Haar haren had ze los laten hangen en ze droeg gouden ringen in haar oren.
Ze stak haar armen naar me uit en we omhelsden elkaar lange tijd. Toen liepen we naar binnen, met onze armen nog om elkaar heen.
Haar atelier is ondergebracht in een oude opslagruimte aan Pacific Avenue in Venice. Net als bij veel anonieme ateliers in de buurt zijn de ramen wit geverfd.
Ze nam me mee door de werkplaats vol elektrische gereedschappen – zagen, boren en persen – stapels hout, mallen, beitels, gradenbogen en sjablonen. Zoals gewoonlijk rook het er naar zaagsel en lijm. De grond was bezaaid met houtkrullen.
Ze duwde de dubbele klapdeuren open en toen waren we in het woongedeelte: zitkamer, keuken, slaapzolder met badkamer, kantoortje. Die ruimte zag er keurig netjes uit. Ze had het merendeel van de meubels zelf gemaakt van massief hardhout: eenvoudig en elegant.
Ik ging op een katoenen bank zitten. Op een dienblad stonden koffie, taart en bordjes en er lagen servetten en vorken klaar.
Ze kwam naast me zitten. Ik nam haar gezicht tussen mijn handen en kuste haar.
'Hallo, schat.' Ze sloeg haar armen om me heen. Ik kon haar sterke rug door de dunne stof heen voelen. Ze werkte altijd met haar handen, en de specifieke combinatie van spierkracht en vrouwelijke zachtheid bleef me verbazen. Wanneer ze zich bewoog, of ze nu met een lintzaag en een blok rozehout in de weer was of gewoon rondliep, deed ze

dat met zelfvertrouwen en gratie. Dat ik haar had leren kennen, was het beste dat me ooit was overkomen. Alleen dat had het al de moeite waard gemaakt dat ik mijn lier aan de wilgen had gehangen.

Ik was aan het rondneuzen geweest in McCabe's, de gitaarwinkel in Santa Monica. Ik bekeek oude bladmuziek en tokkelde op de instrumenten die aan de muren hingen. Ik ontdekte een heel fraaie gitaar, die op mijn Martin leek maar nog beter was gemaakt. Ik bewonderde het vakmanschap – het was een met de hand vervaardigd instrument – en streek met mijn vingers over de perfect uitgebalanceerde snaren. Ik pakte hem van de muur en speelde erop. Hij klonk even goed als hij eruitzag: helder als een klok.
'Vind je hem mooi?'
De stem hoorde bij een schitterende vrouw van ergens midden in de twintig. Ze stond dicht bij me en ik was er niet zeker van hoe lang ze daar al had gestaan, omdat ik volledig in de muziek was opgegaan. Ze had een hartvormig gezicht en een schitterende bos krullend, kastanjebruin haar. Haar ogen hadden de vorm van amandelen en de kleur van antiek mahoniehout. Ze was klein, niet langer dan een meter achtenvijftig, en ze had slanke polsen, delicate handen en lange, taps toelopende vingers. Wanneer ze glimlachte flitsten de ivoorkleurige snijtanden in haar bovenkaak, die groter waren dan de rest van haar tanden.
'Ja, geweldig zelfs.'
'Zo goed is-ie nu ook weer niet.' Ze zette haar handen op zeer welgevormde heupen. Ze had een smalle taille en een stevige boezem: een concaaf figuur dat niet gecamoufleerd kon worden door de overall die ze over haar coltrui had aangetrokken.
'O nee?'
'Nee.' Ze nam de gitaar van me over en tikte tegen de klankkast. 'Hier is het hout iets te dun afgeschaafd. En de balans tussen de hals en de kast had beter gekund.' Ze sloeg een paar akkoorden aan. 'Alles bij elkaar zou ik er een acht voor geven.'
'Je lijkt er veel van af te weten.'
'Dat mag ook wel, want ik heb hem zelf gemaakt.'
Die middag nam ze me mee naar haar atelier en liet me de gitaar zien die ze aan het maken was. 'Deze zal straks een tien kunnen krijgen. Die andere gitaar was mijn eerste werkstuk. Al doende leer je.'

Een paar weken later gaf ze toe dat ze me op die manier had willen versieren. Haar versie van: kom je een keer mijn etsen bekijken?
'Je speelde goed, vond ik. Heel gevoelig.'
Daarna zagen we elkaar regelmatig. Ik kreeg te horen dat ze enig kind was: de bijzondere dochter van een bekwaam meubelmaker die haar had geleerd hoe je een ruw blok hout in een fraai object kon veranderen. Ze had aan een universiteit gestudeerd, met ontwerpen als hoofdvak, maar zich geërgerd aan de strikte discipline en het feit dat haar vader intuïtief meer over vorm en functie wist dan alle docenten en studieboeken bij elkaar. Na zijn overlijden had ze haar studie gestaakt en met het geld dat hij haar had nagelaten een atelier in San Luis Obispo gekocht. Daar leerde ze een paar van de plaatselijke musici kennen, die haar vroegen hun instrumenten te repareren. Aanvankelijk was dat een bijverdienste geweest, want ze probeerde in haar levensonderhoud te voorzien door het ontwerpen en maken van meubels. Toen begon ze meer belangstelling te krijgen voor de gitaren, banjo's en mandolines die op haar werkbank terechtkwamen. Ze las een paar boeken over het maken van instrumenten, ontdekte dat ze daar alle vereiste vaardigheden voor had en bouwde haar eerste gitaar. De klank ervan was geweldig en ze kon hem voor vijfhonderd dollar verkopen. Toen was ze verkocht. Twee weken later verhuisde ze naar L.A., waar veel musici woonden en werkten, en begon daar een gespecialiseerd atelier.
Toen ik haar leerde kennen, maakte ze twee instrumenten per maand en tegelijkertijd repareerde ze andere. Haar naam werd in de vakbladen genoemd en ze was al voor de eerstkomende vier maanden volgeboekt. Geleidelijk aan kon ze ervan leven.
Na drie maanden hadden we het af en toe over samenwonen, maar daar kwam het niet van. We hadden er geen van beiden bezwaren van filosofische aard tegen, maar haar woonruimte was te klein voor twee mensen en in mijn huis konden we haar werkplaats niet onderbrengen. Het klinkt niet direct romantisch om je door wereldse zaken als ruimte en comfort ergens van te laten weerhouden, maar we hadden het samen zo geweldig zonder onze privacy helemaal te verliezen, dat we het gewoon niet nodig vonden iets aan de status-quo te veranderen. Zij bleef vaak een nacht bij mij slapen. Andere keren kroop ik op haar slaapzolder tussen de lakens. Sommige avonden gingen we ieder onze eigen weg.

Het was geen slechte regeling.

Ik nam een slokje koffie en keek naar de taart.
'Neem er een stukje van, schat.'
'Ik wil mijn eetlust niet bederven.'
'Misschien gaan we vanavond wel niet buiten de deur eten.' Ze streelde mijn nek. 'Wat ben je gespannen!' Ze begon de spieren in mijn bovenrug te kneden. 'Zo gespannen ben je in tijden niet geweest.'
'Ik heb er een goede reden voor.' Ik vertelde haar over Milo's bezoek, de moord, Melody, Towle.
Toen ik mijn verhaal had gedaan, legde ze haar handen op mijn schouders.
'Alex, wil je je daar echt mee inlaten?'
'Heb ik een keus? Ik zie de ogen van dat kind in mijn slaap. Het was stom om me erbij te laten betrekken, maar nu kan ik niet meer terug.'
Ze keek me aan en haar mondhoeken krulden op tot een glimlach.
'Je laat je altijd zo gemakkelijk inpalmen. En je bent zo lief.'
Ik hield haar dicht tegen me aan en begroef mijn gezicht in haar haren. Die roken naar citroen, honing en rozehout.
'Ik hou heel veel van je.'
'En ik van jou, Alex.'
We kleedden elkaar uit en toen we helemaal naakt waren, droeg ik haar naar de zolder. Omdat ik haar geen seconde los wilde laten, hield ik mijn lippen op de hare terwijl ik boven op haar ging liggen. Ze klemde zich aan me vast, gebruikte haar armen en benen als tentakels. Ik kwam in haar en was weer thuis.

8

We sliepen tot tien uur 's avonds en werden toen uitgehongerd wakker. Ik ging naar de keuken, maakte sandwiches klaar met Italiaanse salami en Zwitserse kaas, vond een fles rode wijn en nam alles mee naar boven voor een laat souper in bed. We gaven elkaar knoflookzoenen, zorgden voor kruimels tussen de lakens, en vielen in elkaars armen weer in slaap.
We schrokken wakker van de telefoon.
Robin nam op.

'Ja, Milo, hij is hier. Nee, dat hindert niet. Hier komt-ie.'
Ze gaf me de hoorn en dook weg onder de lakens.
'Hallo, Milo. Hoe laat is het?'
'Drie uur 's morgens.'
Ik ging rechtop zitten en wreef in mijn ogen. Door het dakraam zag ik de zwarte nachtlucht.
'Wat is er aan de hand?'
'Het gaat om dat kind, Melody Quinn. Ze is hysterisch krijsend wakker geworden. Bonita heeft Towle opgebeld, die mij weer heeft gebeld. Hij eiste dat jij erheen gaat en hij klonk pisnijdig.'
'Hij kan barsten. Ik ben zijn loopjongen niet.'
'Moet ik dat tegen hem zeggen? Hij staat nu naast me.'
'Ben je bij haar thuis?'
'Ja. Regen, hagel noch duisternis zal deze ambtenaar weerhouden van het doen van zijn plicht en zulk geouwehoer meer. We hebben hier een feestje georganiseerd. De dokter, Bonita en ik. Het kind slaapt nu. Towle heeft haar een injectie met het een of ander gegeven.'
'Dat zal best.'
'Het kind heeft haar moeder over dat hypnotiseren verteld. Hij wil dat jij er bent als ze weer wakker wordt, om haar nog eens onder hypnose te brengen of zoiets.'
'Wat een zak! Het hypnotiseren heeft hier niets mee te maken. Dat kind heeft slaapproblemen door alle medicijnen die hij haar heeft voorgeschreven.'
In feite was ik daar helemaal niet zo zeker van. Ze wàs onrustig geweest na die sessie op het strand.
'Je zult vast wel gelijk hebben, Alex, maar ik wilde je de kans geven om hierheen te komen. Als ik tegen Towle moet zeggen dat hij dat kan vergeten, zal ik dat doen.'
'Wacht nog even.' Ik schudde mijn hoofd en probeerde helder na te denken. 'Heeft ze iets gezegd toen ze wakker werd? Iets samenhangends?'
'Ik heb alleen het staartje ervan gehoord. Ze zeiden dat dat al de vierde keer die nacht was. Ze gilde om haar vader. ''O, papa! Papa, papa.'' Keihard. Alex, het klonk allemaal heel beroerd.'
'Ik kom zo snel mogelijk.'
Ik gaf de slapende Robin een kusje op haar derrière, stond op en kleedde me bliksemsnel aan.

Ik racete in noordelijke richting over Pacific. De straten waren leeg en glad door de zeemist. De lichtjes aan het eind van de pier waren verre stippeltjes. Aan de horizon zag ik een paar vissersboten. Op dit uur van de nacht zouden haaien en andere roofzuchtige nachtdieren op de bodem van de oceaan op zoek zijn naar een prooi. Ik vroeg me af hoeveel bloedbaden aan het oog werden onttrokken door het zwarte wateroppervlak, en hoeveel jagers op de vaste wal hijgend en met een wilde blik in hun ogen op de loer lagen, verscholen in steegjes, achter vuilcontainers of tussen de struiken in de voorsteden.
Onder het rijden ontwikkelde ik een nieuwe evolutietheorie. Het kwaad had zijn eigen metamorfe intelligentie: de haaien en de serpenten met messcherpe tanden, de slijmerige wezens die in het zoute water leefden, hadden niet op een ordelijke, progressieve manier het veld moeten ruimen voor amfibieën, reptielen, vogels en zoogdieren. Eén enkele quantumsprong had het kwaad vanuit het water aan land gebracht. Van haai tot verkrachter, van giftige slak tot iemand die zijn medemens de hersens insloeg, met bloeddorst in de kern van de spiraal.
Ik trapte het gaspedaal verder in.
Toen ik bij het appartementengebouw kwam, stond Milo me bij de deur op te wachten.
'Het is net weer opnieuw begonnen.'
Ik kon het al horen voordat ik de slaapkamer had bereikt.
Er brandde gedempt licht. Melody zat rechtop in bed, haar lichaampje stijf, haar ogen wijdopen maar zonder ergens naar te kijken. Bonita zat naast haar. Towle stond in sportkleding aan de andere kant van het bed.
Het kind snikte: het geluid van een gewond dier. Ze jammerde, kreunde, wiegde heen en weer. Toen werd het gekreun luider tot haar iele stemmetje krijsend de stilte doorboorde.
'Papa! Papa! Papa!'
Haar haren zaten tegen haar gezicht geplakt door het zweet. Bonita probeerde haar vast te pakken. Het kind begon met haar armen door de lucht te maaien en te slaan. De moeder kon niets doen.
Het gekrijs leek eeuwen door te gaan. Toen hield het op en begon ze weer te kreunen.
'Dokter, doet u alstublieft iets,' zei Bonita.
Towle zag mij.

'Misschien kan meneer Delaware helpen.' Zijn stem klonk vals.
'Nee, nee! Ik wil niet dat hij bij haar in de buurt komt. Híj heeft dit alles veroorzaakt.'
Towle tekende daar geen protest tegen aan en ik had durven zweren dat hij voldaan keek.
'Mevrouw Quinn...' begon ik.
'Nee! U moet uit de buurt blijven! Ga weg!'
Door haar geschreeuw begon Melody weer om haar vader te roepen.
'Hou daarmee op!'
Bonita drukte een hand tegen de mond van het kind en schudde haar heen en weer.
Towle en ik kwamen tegelijkertijd in actie. We trokken Bonita van het kind weg. Hij nam haar apart en zei iets waardoor ze tot bedaren kwam.
Ik ging naast Melody staan. Ze haalde moeizaam adem en haar pupillen waren verwijd. Ik raakte haar aan. Ze verstijfde.
'Melody,' fluisterde ik. 'Ik ben het, Alex. Alles is in orde met je. Je bent veilig.'
Terwijl ik sprak werd ze rustiger. Ik babbelde verder, wist dat wat ik zei, minder belangrijk was dan hoe ik het zei. Ik bleef zacht en ritmisch tegen haar praten. Geruststellend. Hypnotiserend.
Al spoedig zakte ze iets onderuit. Ik hielp haar helemaal te gaan liggen en bleef geruststellend tegen haar praten. Haar spieren ontspanden zich en haar ademhaling werd langzaam en regelmatig. Ik zei dat ze haar ogen dicht moest doen en dat deed ze ook. Ik aaide haar schouder en bleef tegen haar zeggen dat alles in orde was en dat ze veilig was.
Ze nam de foetushouding aan, trok de deken over zich heen en stopte haar duim in haar mond.
'Doe het licht uit,' zei ik. Het werd donker in de kamer. 'Nu moeten we haar met rust laten.' De drie anderen liepen de kamer uit.
'Nu blijf je slapen, Melody. Je gaat lekker slapen en krijgt leuke dromen. Als je morgenochtend wakker wordt, zul je je goed en uitgerust voelen.'
Ik kon haar heel licht horen snurken.
'Welterusten, Melody.' Ik boog me naar haar toe en gaf haar een kusje op haar wang.
Ze mompelde één woord.
'Da-da.'

Ik deed de deur van haar kamer dicht. Bonita stond handenwringend in de keuken. Ze had een gerafelde kamerjas van een man aan. Haar haren waren strak naar achteren in een knotje opgestoken, met een sjaal eromheen. Ze zag er bleker uit dan de vorige keer.
Towle boog zich over zijn zwarte tas heen. Die klikte hij dicht, ging weer rechtop staan en streek met zijn vingers door zijn haar. Toen hij mij zag ging hij kaarsrecht staan en keek me nijdig aan, klaar om een volgend college te geven.
'Ik hoop dat je hier gelukkig mee bent,' zei hij.
'Alsjeblieft geen preek over dat-had-ik-al-wel-voorspeld,' zei ik.
'Je zult nu wel begrijpen waarom ik aarzelde om met de geest van dit kind te gaan knoeien.'
'Niemand heeft ergens mee geknoeid.' Ik raakte nog meer gespannen. Hij was de verpersoonlijking van elke hypocriete, autoritaire figuur die ik verachtte.
Hij schudde neerbuigend zijn hoofd.
'Je geheugen moet duidelijk worden opgefrist.'
'En jij bent duidelijk een schijnheilige zak.'
De blauwe ogen schoten vuur. Hij klemde zijn lippen op elkaar.
'Zal ik je voor de commissie ethiek van het medisch tuchtcollege slepen?'
'Dat moet je vooral doen.'
'Ik denk er serieus over.' Hij zag eruit als een calvinistische predikant: streng, strak, een en al eigendunk.
'Als je dat doet, kunnen we een kleine discussie gaan voeren over een juist gebruik van stimulerende middelen door kinderen.'
Hij glimlachte.
'Jij kunt in je eentje mijn reputatie niet aantasten.'
'Dat zal vast wel niet.' Ik had mijn handen tot vuisten gebald. 'Je hebt legioenen trouwe volgelingen, zoals die vrouw daar.' Ik wees naar de keuken. 'Zij brengen hun kinderen naar je toe alsof het menselijke rammelkasten zijn. Jij prutst wat aan hen, stelt de motor af en presenteert de rekening. Je zorgt ervoor dat ze aardige, rustige, meegaande, gehoorzame en slaperige zombies worden. Je bent verdomme een held!'
'Hier hoef ik niet naar te luisteren.' Hij liep in de richting van de deur.
'Dat klopt, grote held. Maar waarom ga je mama niet vertellen hoe je werkelijk over haar en het kind denkt? Slecht protoplasma, inferieure genen, geen inzicht.'

Hij bleef staan.
'Alex, hou je in,' zei Milo waarschuwend vanuit een hoek van de kamer.
Bonita kwam de keuken uit.
'Wat is er aan de hand?' wilde ze weten. Towle en ik stonden naar elkaar te kijken als twee boksers in de ring nadat de bel is gegaan.
Hij wijzigde zijn houding iets en glimlachte Bonita Quinn charmant toe. 'Niets, mevrouwtje. Alleen een professionele discussie. Meneer Delaware en ik probeerden te bepalen wat het beste voor Melody zou zijn.'
'Het zou het beste zijn om haar niet meer onder hypnose te brengen. Dat hebt u zelf tegen me gezegd.'
'Ja.' Towle tikte met zijn voet op de grond en probeerde niet te laten merken dat hij zich slecht op zijn gemak voelde. 'Dat was mijn professionele mening.' Op dat woord 'professioneel' leek hij dol te zijn. 'En dat is het nòg.'
'Zegt u dat dan tegen hèm.' Ze wees op mij.
'Dat waren we net aan het bespreken, mevrouwtje.'
Hij moest het iets te glad hebben gezegd, want haar gezicht verstrakte en haar stem werd van achterdocht lager.
'Wat valt er te bespreken? Ik wil niet dat hij of hij' – ze wees op mij en op Milo – 'nog bij haar in de buurt komt.' Ze wendde zich tot ons. 'Je probeert een barmhartige Samaritaan te zijn en de politie te helpen en dan wordt je een loer gedraaid. Nu heeft mijn kind toevallen en is ze aan het gillen, waardoor ik dit huis uitgezet zal worden. Ik wéét dat dat zal gebeuren.'
Ze drukte haar handen tegen haar gezicht en begon te huilen. Towle liep als een ervaren gigolo naar haar toe, sloeg zijn armen om haar heen, troostte haar, zei: 'Stil nou maar, stil nou maar.'
Hij nam haar mee naar de bank en dwong haar te gaan zitten. Toen bleef hij dicht bij haar staan en gaf haar schouderklopjes.
'Ik zal dit huis kwijtraken,' zei ze. 'Ze houden hier niet van lawaai.' Ze haalde haar handen van haar gezicht weg en keek Towle met betraande ogen aan.
'Dat zal best goed komen. Daar zal ik voor zorgen.'
'En die toevallen dan?'
'Daar zal ik ook iets aan doen.' Hij keek me scherp aan. Vijandig, maar naar mijn stellige overtuiging ook bang.

Ze snufte en veegde haar neus aan haar mouw af.
'Ik begrijp niet waarom ze wakker wordt en om haar vader krijst. Die rotzak heeft nooit iets voor haar gedaan en me geen cent alimentatie voor haar gegeven! Hij houdt helemaal niet van haar! Waarom roept ze om hèm, dokter Towle?' Ze keek hem smekend aan.
'Stil nou maar.'
'Ronnie Lee is gek. Kijk hier maar eens naar!' Ze trok de sjaal los, schudde haar haren en boog haar hoofd, waarna ze het haar bij haar kruin opzij trok. 'Kijk hier maar eens naar!' herhaalde ze.
Het zag er lelijk uit: een rood litteken met de afmetingen van een vette worm. Een worm die zich onder haar huid had ingekapseld. De huid eromheen was rood en bobbelig. Er groeide geen haar op en het was duidelijk geen staaltje van chirurgische perfectie.
'Nu weten jullie waarom ik mijn hoofd bijna altijd bedekt hou!' schreeuwde ze. 'Dat heeft híj me aangedaan. Met een kètting! Ronnie Lee Quinn.' Ze spuugde de naam uit. 'Een krankzinnige, kwaadaardige rotzak. Dat is de papa om wie ze roept! Dat stuk ellende!'
'Stil nou maar.' Towle wendde zich tot ons. 'Hebt u nog iets met mevrouw Quinn te bespreken?'
'Nee, dokter,' zei Milo, die zich omdraaide om te vertrekken. Hij pakte mijn arm. Maar ik had nog wel iets te zeggen.
'Dokter, vertelt u haar vooral dat dit geen toevallen zijn. Het waren nachtmerries die vanzelf zullen ophouden wanneer u haar rustig houdt. Zegt u vooral tegen haar dat Melody geen fenobarbital, Dilantine of Tofranil nodig heeft.'
Towle bleef haar schouderklopjes geven.
'Dank voor uw professionele opinie, meneer Delaware. Ik zal deze casus behandelen zoals het mij goeddunkt.'
Ik bleef staan.
'Kom mee, Alex.' Voorzichtig trok Milo me mee naar buiten.

Het parkeerterrein van het appartementengebouw stond vol Mercedessen, Porsches, Alfa Romeo's en Datsun z's. Milo's Fiat, die voor een brandkraan stond geparkeerd, hoorde er duidelijk niet thuis. Somber gingen we in de auto zitten.
'Wat een ellende,' zei hij.
'De rotzak.'
'Even dacht ik dat je hem een dreun zou geven.' Hij grinnikte.

'Ik ben wel even in de verleiding gekomen. De rotzak.'
'Het leek of hij je aan het uitdagen was. Ik dacht dat jullie het goed met elkaar konden vinden.'
'Op zíjn voorwaarden. Op intellectueel niveau was het ouwejongens-krentenbrood tussen ons. Maar toen het misging had hij een zondebok nodig. De dòkter is almachtig. De dòkter kan aan alles iets doen. Heb je gezien hoe ze hem aanbad? Ze zou de polsen van het kind waarschijnlijk nog doorsnijden als hij zei dat ze dat moest doen.'
'Je maakt je zorgen over het meisje, hè?'
'Inderdaad! Jij weet toch zeker ook precies wat hij gaat doen? Haar nog meer medicijnen voorschrijven. Over twee dagen is ze in een ware zombie veranderd.'
Milo kauwde op zijn lip. Na een paar minuten zei hij:
'Tja, daar kunnen wij niets aan doen. Het spijt me dat ik je hier überhaupt bij heb gehaald.'
'Maak je daar maar geen zorgen over. Het was jouw schuld niet.'
'Dat was het wèl. Ik ben lui geweest en heb gehoopt op een snel wonder in de zaak-Handler. Ik wilde zelf het vuur niet uit mijn sloffen lopen. Ik moet Handlers associés ondervragen, de computer een lijst laten samenstellen van boeven die graag een mes hanteren, en die vervolgens doorspitten. Ik zal ook Handlers dossiers moeten doornemen. De kans dat een zevenjarig kind me iets wijzer kon maken, was toch al heel klein.'
'Ze hàd misschien een goede getuige kunnen zijn.'
'Gaat het ooit zo makkelijk?' Na drie mislukte pogingen sloeg de motor aan. 'Sorry dat ik je nacht heb verpest.'
'Dat heb jij niet gedaan, maar híj wel.'
'Alex, vergeet hem. Ezels kun je met onkruid vergelijken. Je rukt het de grond uit, maar even later komt het op dezelfde plaats weer op. De laatste acht jaar heb ik niets anders gedaan dan onkruidverdelgers strooien. Toch heb ik het onkruid sneller terug zien komen dan ik het kon opruimen.'
Hij klonk vermoeid en zag er oud uit.
Ik stapte uit en boog me door het geopende portierraampje nog even de auto in.
'Tot morgen.'
'Hoezo?'
'We moeten de dossiers van Handler doornemen. Ik zal je sneller kun-

nen vertellen welke patiënten gevaarlijk waren dan jij dat zelf kunt vaststellen.'
'Grapje zeker.'
'Nee. Ik loop rond met een immense Zeigarnik.'
'Een wàt?'
'Een Zeigarnik. Dat was een Russische psychologe die heeft ontdekt dat mensen nerveus worden wanneer een bepaalde zaak niet definitief is afgerond. Ze hebben dat fenomeen naar haar vernoemd: het Zeigarnik-effect. Net als de meeste mensen met een wat al te sterke prestatiedrang heb ik daar in hoge mate last van.'
Hij keek me aan alsof ik onzin aan het uitkramen was.
'Eh... Oké. En die Zeigarnik is zo groot dat je je rustige leventje erdoor wilt laten verstoren?'
'Dat leventje was toch knap saai aan het worden.' Ik gaf hem een klapje op zijn rug.
'Best dan.' Hij haalde zijn schouders op. 'Doe Robin de groeten van me.'
'En doe jij de groeten aan die dokter van jou.'
'Als hij er nog is wanneer ik terugkom. Onze relatie wordt wel op de proef gesteld wanneer ik midden in de nacht op pad moet.' Hij krabde bij een ooghoek en keek nijdig.
'Milo, dat zal hij best aankunnen.'
'O ja? Waarom?'
'Als hij zo gek is geweest om voor jou te vallen, is hij ook gek genoeg om bij je te blijven.'
'Heel geruststellend, maatje.' Hij zette de Fiat in zijn eerste versnelling en reed snel weg.

9

Toen Morton Handler werd vermoord, oefende hij net iets minder dan vijftien jaar praktijk uit als psychiater. In die tijd had hij meer dan tweeduizend patiënten gesproken of behandeld. De dossiers zaten in bruine mappen, met z'n honderdvijftigen in dozen die met plakband waren dichtgeplakt en waren voorzien van het zegel van de politie van L.A.
Milo had die dozen mee naar mijn huis genomen, daarbij geholpen

door een magere, kalende zwarte rechercheur, die naar de naam Delano Hardy luisterde. Zuchtend en piepend zetten ze alles in mijn eetkamer neer. Die zag er al snel uit alsof ik aan het verhuizen was.
'Het is niet zo erg als het lijkt,' verzekerde Milo me. 'Je zult ze niet allemaal hoeven te bekijken, nietwaar, Del?'
Hardy stak een sigaret op en knikte.
'We hebben alvast wat gezift,' zei hij. 'De dossiers van degenen van wie we weten dat ze dood zijn, zijn er al uitgehaald, want die komen als verdachten nauwelijks in aanmerking.'
Ze lachten alle twee, de donkere lach van rechercheurs.
'Volgens het rapport van de lijkschouwer,' ging hij verder, 'zijn Handler en de vrouw bewerkt door iemand met veel spierkracht. Handlers keel is de eerste keer al van voor tot achter doorgesneden.'
'Wat op een man duidt,' zei ik.
'Of op een verdomd sterke tante,' zei Hardy lachend. 'Maar wij gokken inderdaad op een man.'
'Hij had zeshonderd mannelijke patiënten,' zei Milo. 'Hun dossiers zitten in die vier dozen daar.'
'We hebben ook een presentje voor je meegenomen,' zei Hardy.
Hij gaf me een pakje in groen en rood kerstpapier met een rood lintje eromheen.
'Ik kon geen ander pakpapier vinden,' legde Hardy uit.
'We hopen dat je het leuk vindt,' vulde Milo aan. Milo bewaarde in aanwezigheid van de andere rechercheur meer afstand tegenover mij dan normaal.
Ik maakte het pakje open. Op een dot katoen zag ik een door een plastic laagje beschermd legitimatiebewijs van de politie van L.A., met net zo'n starre foto erop als op mijn rijbewijs. Onder de foto stond mijn handtekening, die eveneens van mijn rijbewijs was gehaald. Verder zag ik mijn naam in drukletters staan, mijn universitaire graad en de titel 'bijzonder adviseur'.
'Ik ben ontroerd.'
'Opspelden,' zei Milo. 'Om dit alles officieel te maken.'
Het was net zo'n ding als ik in Western Peds had moeten dragen. Ik zette het vast op de kraag van mijn shirt.
'Ziet er heel leuk uit,' zei Hardy. Uit een jaszak haalde hij een opgevouwen stukje papier. 'Wil je dit even lezen en dan ondertekenen?' Hij stak me ook een pen toe.

Ik las het. Allemaal kleine lettertjes.
'Hierin staat dat jullie me er niet voor hoeven te betalen.'
'Dat klopt,' zei Hardy zogenaamd triest. 'En als je je aan het papier snijdt terwijl je de dossiers bekijkt, kun je het bureau daar niet voor aansprakelijk stellen.'
'Dat houdt de hoge omes gelukkig, Alex,' zei Milo.
Ik haalde mijn schouders op en zette mijn handtekening.
'Nu ben je een semi-officiële adviseur van de politie van L.A.,' zei Hardy. Hij vouwde het papier weer op en stopte het terug in zijn zak. 'Net zoiets als die haan die voortdurend alle kippen in het hok besprong. Daarom werd-ie gecastreerd en hebben ze toen een adviseur van hem gemaakt.'
'Wat een vleiende opmerking, Del.'
'Voor een vriend van Milo ben ik tot alles bereid.'
Milo was in die tussentijd de verzegelde kartonnen dozen met een Zwitsers legermes aan het openmaken. Hij legde de dossiers in keurige stapels op de eettafel.
'Alex, ze liggén op alfabet. Je kunt ze doornemen en de dossiers die je vreemd voorkomen, apart leggen.'
Hij was klaar en wilde samen met Hardy weer vertrekken.
'Del en ik gaan aan de slag met de boeven die we hebben aangetroffen op de uitdraai van de NCIC.'
Hardy liet zijn knokkels kraken en zocht naar een plaats waar hij zijn sigaret kon uitmaken, die tot het filter was opgerookt.
'Gooi die peuk maar in de gootsteen.'
Hij liep weg om dat te doen.
Toen we alleen waren, zei Milo: 'Ik waardeer dit echt, Alex. Ga ze alsjeblieft niet allemaal op één dag proberen door te werken.'
'Ik zal er zoveel mogelijk bekijken, tot het schemerig voor m'n ogen wordt.'
'Oké. We zullen je vandaag een paar keer opbellen om te horen of je iets hebt ontdekt dat we nader kunnen onderzoeken terwijl we op pad zijn.'
Hardy kwam terug en trok zijn das recht. Hij zag er netjes uit in zijn driedelig marineblauw pak, wit overhemd, bloedrode das en glanzende, zwarte instappers van kalfsleer. Vergeleken met hem zag Milo er nog beroerder uit dan anders, in zijn wijde broek en oude sportjasje van tweed. 'Klaar om te vertrekken, makker?'

'Ja.'
'Dan gaan we.'
Toen ze weg waren zette ik een grammofoonplaat van Linda Ronstadt op en begon de dossiers te bekijken onder de klanken van 'Poor, Poor, Pitiful Me'.

Tachtig procent van de mannelijke patiënten in de dossiers kon in twee categorieën worden ingedeeld: rijke directeuren die door hun internist waren doorverwezen vanwege allerlei symptomen die op stress wezen – angina, impotentie, buikklachten, chronische hoofdpijn, slapeloosheid en een onverklaarbare huiduitslag – en depressieve mannen van alle leeftijden. Die bekeek ik vluchtig en legde toen de resterende twintig procent opzij om die nauwkeuriger te lezen.
Toen ik met de dossiers aan de slag ging, had ik er geen idee van wat voor een psychiater Morton Handler was geweest, maar enige uren later kon ik me een beeld van hem vormen en dat beeld was niet van een heilige.
De aantekeningen die hij had gemaakt waren schaars, zorgeloos en zo dubbelzinnig dat ze betekenisloos waren. Het was onmogelijk aan de hand daarvan te bepalen wat hij tijdens die eindeloze reeks therapeutische sessies van telkens drie kwartier had gedaan. Er werd ook nauwelijks melding gemaakt van planning, prognoses, stressgeschiedenis of iets anders dat in medisch opzicht relevant zou kunnen zijn. Die slordigheid was het meest opvallend bij de aantekeningen die hij gedurende de laatste vijf of zes jaar van zijn leven had gemaakt.
Zijn financiële boekhouding was wel heel nauwkeurig en gedetailleerd bijgehouden. Het honorarium dat hij in rekening bracht, was onveranderlijk hoog geweest, en de brieven naar mensen die niet op tijd hadden betaald, logen er niet om.
Hoewel hij de laatste paar jaren minder had gepraat en meer medicijnen had voorgeschreven, had hij dat, anders dan Towle, niet in overdreven mate gedaan. Maar een bijzonder goede therapeut was hij naar mijn idee beslist niet geweest.
Wat me echt dwarszat was de neiging van Handler om, met name de laatste jaren, scherpe opmerkingen aan de professionele aantekeningen toe te voegen. Hij had niet eens de moeite genomen ze te camoufleren in medisch jargon. Het waren ronduit sarcastische, denigrerende opmerkingen over zijn patiënten. 'Houdt ervan afwisselend te jamme-

ren en onnozel te glimlachen,' had hij geschreven over een oudere man die last had van sterk wisselende stemmingen. 'Waarschijnlijk niet in staat iets constructiefs te doen,' las ik over een ander. 'Wil therapie als camouflage voor een saai, inhoudloos leven.' 'Een echte mislukkeling.' Enzovoorts.

Laat in de middag had ik een volledige psychische autopsie op Handler verricht. Hij was opgebrand geweest: iemand die zijn gekozen professie was gaan haten. Misschien had hij eens echt om zijn vak gegeven – de vroege dossiers waren fatsoenlijk, zij het niet geïnspireerd – maar later was dat veranderd. Toch was hij dag na dag patiënten blijven behandelen, waarschijnlijk omdat hij het zescijferige inkomen en alle luxe die hij daarmee kon kopen, niet had willen opgeven.

Ik vroeg me af wat hij had gedaan terwijl zijn patiënten hem deelgenoot maakten van hun innerlijke onrust. Was hij aan het dagdromen geweest? Had hij zich overgegeven aan seksuele, financiële of sadistische fantasieën? Had hij zitten bedenken wat hij die avond zou eten? Was hij aan het hoofdrekenen geweest? Had hij uitgerekend hoeveel manisch-depressieve mensen op een speldeknop konden dansen?

In elk geval had hij niet echt geluisterd naar de mensen die meenden dat hij met hun lot begaan was.

Het deed me denken aan die oude grap over twee zieleknijpers die elkaar aan het eind van een werkdag in de lift tegenkomen. Een van hen is jong, een groentje. Zijn das hangt scheef, zijn haar zit in de war en hij is duidelijk bekaf. Hij draait zich om en ziet dat de ander, een doorgewinterde veteraan, de rust zelve is: gebruind, fit, elk haartje op zijn plaats, met een verse anjer in zijn revers.

'Dokter,' zegt de jongeman smekend, 'vertelt u me alstublieft eens hoe u dat doet?'

'Wat doe, m'n jongen?'

'Uur na uur en dag na dag zitten luisteren naar de problemen van andere mensen zonder dat u daar zelf beroerd van wordt.'

'Wie zit te luisteren?' zegt de goeroe.

Geestig. Tenzij je negentig dollar per sessie aan Morton Handler moest betalen en door hem als een jammerkont werd afgeschilderd.

Had een van de mensen over wie hij zo'n hatelijke opmerking had gemaakt, hem doorzien en hem daarom vermoord? Het was moeilijk je voor te stellen dat iemand Handler en zijn vriendin zo grondig met een mes had bewerkt om om díe reden wraak te nemen, al wist je het maar

nooit. Soms blijft woede jaren onderhuids sudderen en komt dan door een ogenschijnlijk onbeduidende aanleiding opeens naar buiten. Er waren mensen aan mootjes gehakt vanwege een deukje in de bumper van een auto.
Toch bleef het me moeite kosten om te geloven dat de mensen wier dossiers ik had bekeken, stiekeme gluiperds waren die midden in de nacht het moordenaarspad opgingen. Dat er tweeduizend mogelijk verdachten waren, wilde er bij mij echt niet in.
Het liep tegen vijven. Ik pakte een blikje Coors uit de koelkast, nam het mee naar de veranda en ging in een makkelijke stoel zitten, met mijn voeten op het hek. Ik dronk mijn biertje en keek naar de zon, die achter de boomtoppen verdween. Iemand in de buurt speelde punkrock. Vreemd genoeg leek het niet vals te klinken.
Om halfzes belde Robin.
'Hallo, schat. Heb je zin om naar me toe te komen? *Key Largo* is vanavond op de televisie.'
'Tuurlijk,' zei ik. 'Moet ik iets te eten meenemen?'
Ze dacht even na.
'Chili dogs en bier.'
'Ik heb al een biertje gedronken.' Er lagen drie lege blikjes bier samengeperst op het aanrecht.
'Dan zal ik ook alvast een biertje nemen, om de schade in te halen. Tot een uur of zeven.'
Ik had sinds halftwee niets meer van Milo gehoord. Hij had opgebeld vanuit Bellflower, vlak voordat hij ging praten met een man die zeven vrouwen met een schroevedraaier had aangevallen. Heel weinig overeenkomsten met de zaak-Handler, maar je moest roeien met de riemen die je had.
Ik belde zijn bureau en liet de boodschap achter dat ik die avond niet thuis zou zijn.
Toen draaide ik het nummer van Bonita Quinn. Ik liet het toestel aan de andere kant vijf keer overgaan en legde de hoorn weer op de haak.

Humphrey en Lauren waren zoals gewoonlijk geweldig. De chili dogs waren lekker, al moesten we er wel van boeren. We zaten dicht tegen elkaar aan en luisterden een tijdje naar Tal Farlow en Wes Montgomery. Daarna haalde ik een van de gitaren uit het atelier en speelde voor haar. Ze luisterde met haar ogen dicht en een vage glimlach om haar lippen. Toen haalde ze mijn handen van het instrument af en trok me naar zich toe.

Ik was van plan geweest die nacht bij haar te blijven, maar rond een uur of elf werd ik rusteloos.
'Is er iets, Alex?'
'Nee.' Behalve dat mijn Zeigarnik me niet met rust liet.
'Het komt door die zaak, hè?'
Ik zei niets.
'Schat, ik begin me zorgen over je te maken.' Ze legde haar hoofd op mijn borst: een welkome last. 'Je bent zo gespannen sinds Milo je daarbij heeft betrokken. Ik ken je niet zo lang, maar uit je verhalen krijg ik de indruk dat dit een herhaling van vroeger aan het worden is.'
'De oude Alex was zo'n slechte vent nog niet,' reageerde ik. Ik ging in de verdediging.
Ze was zo verstandig er niet op in te gaan.
'Nee,' corrigeerde ik mezelf. 'De ouwe Alex was een vervelende vent. Ik beloof je dat ik hem niet terug zal halen. Oké?'
'Oké.' Ze gaf me een kusje op het puntje van mijn kin.
'Gun me alleen de tijd dit af te maken.'
'Goed.'
Maar terwijl ik me aankleedde keek ze naar me met een mengeling van bezorgdheid, gekwetstheid en verwarring. Toen ik iets wilde zeggen draaide ze van me weg. Ik ging op de rand van het bed zitten en nam haar in mijn armen. Ik wiegde haar tot ze haar armen om mijn hals sloeg.
'Ik hou van je,' zei ik. 'Gun me wat tijd.'
Ze maakte een vriendelijk geluidje en trok me dichter naar zich toe.
Toen ik wegging sliep ze. Haar oogleden bewogen door de eerste droom van die nacht.

Ik begon aan de honderdtwintig dossiers die ik apart had gelegd en werkte door tot de vroege ochtenduren. De meeste leverden niets bijzonders op. Eenennegentig van die patiënten waren lichamelijk zieke mannen die Handler had behandeld toen hij nog als lid van het ingehuurde psychiatrische team in Cedars-Sinai werkte. Bij twintig anderen was schizofrenie als diagnose gesteld, maar het bleken seniele patiënten van gemiddeld zeventig jaar te zijn, die hij had behandeld in een revalidatiecentrum waar hij een jaar had gewerkt.

De resterende negen mannen waren interessant. Handler had bij allen een psychopathische afwijking geconstateerd, al was ik er niet zeker van of die diagnose juist was, want ik had weinig vertrouwen in zijn beoordelingsvermogen. Toch was het de moeite waard om die dossiers nauwkeuriger te bekijken.
Ze waren allen tussen de zestien en de tweeëndertig jaar oud. De meesten waren naar hem doorverwezen door instellingen zoals de reclassering of plaatselijke kerken. Sommigen hadden een paar aanvaringen met de politie achter de rug. Minstens drie van hen werden als gewelddadig beschouwd. Een van die drie had zijn vader in elkaar geslagen, nummer twee had een medeleerling van de middelbare school met een mes bewerkt en de derde had iemand met wie hij ruzie had gemaakt, met een auto aangereden.
Een stel echte schatten.
Geen van hen was lang in therapie geweest, wat niet verbazingwekkend was. De psychotherapie heeft iemand zonder geweten of moraal, die vaak niet eens wìl veranderen, weinig te bieden. In feite is de psychopaat door zijn aard zelfs een belediging voor de moderne psychologie met haar optimistische filosofische fundamenten en het idee dat iedereen elkaars gelijke is.
Therapeuten worden therapeuten omdat ze diep in hun hart het gevoel hebben dat de mens in wezen goed is en een verandering ten goede voor zichzelf kan bewerkstelligen. Het idee dat er individuen bestaan die ronduit kwaadaardig zijn – slechte mensen – en dat die kwaadaardigheid niet kan worden verklaard door de een of andere bestaande combinatie van aanleg of opvoeding, wordt door de therapeut als beledigend voor zijn gevoelens ervaren. Voor een psycholoog of een psychiater is een psychopaat wat een ten dode opgeschreven kankerpatiënt voor een arts is: het lopende, ademende bewijs van uitzichtloosheid en falen.
Ik wist dat zulke kwaadaardige mensen bestonden, al had ik er gelukkig niet veel gezien. De meesten waren pubers of jonge volwassenen geweest, maar er hadden ook een paar jongere kinderen tussen gezeten. Ik herinner me één jongen in het bijzonder. Hij was nog geen twaalf jaar oud, maar had al een cynisch, hard, wreed grijnzend smoel waarop iemand die tot levenslang in San Quentin was veroordeeld, nog trots had kunnen zijn. Hij had me zijn visitekaartje gegeven: een felroze rechthoekje met zijn naam erop, gevolgd door het woord ONDERNEMER.

Een ondernemende jongeman was hij zeker geweest. Nadat ik hem had verzekerd dat de gesprekken tussen ons vertrouwelijk waren, had hij me trots verteld over de tientallen fietsen die hij had gestolen, de inbraken die hij had gepleegd, de tienermeisjes die hij had verleid. Hij was zo tevreden met zichzelf.
Toen hij vier was had hij zijn ouders door een vliegtuigongeluk verloren en hij was opgevoed door een grootmoeder die iedereen, inclusief zichzelf, ervan probeerde te overtuigen dat hij in wezen een aardige jongen was. Maar dat was hij niet. Hij was een slechte jongen. Toen ik hem vroeg of hij zich zijn moeder herinnerde, kreeg hij een geile blik in zijn ogen en zei dat ze er op de foto's die hij van haar had gezien, uitzag als een lekker wijf. Dat zei hij niet om zich stoerder voor te doen dan hij was. Zo wàs hij gewoon.
Hoe meer tijd ik met hem doorbracht, hoe ontmoedigder ik raakte. Het was net zoiets als het schillen van een ui, waarbij elke laag nog rotter blijkt te zijn dan de vorige. Hij was een door en door verdorven jongen met wie het naar alle waarschijnlijkheid steeds verder bergafwaarts zou gaan.
En ik kon daar niets aan doen. Het leed vrijwel geen twijfel dat hij een antimaatschappelijke carrière zou opbouwen. Als de maatschappij geluk had, zou het beperkt blijven tot oplichterij en dergelijke. En anders zou er veel bloed worden vergoten. De logica schreef in feite voor dat hij moest worden opgesloten, ter bescherming van de rest van ons. Maar de democratie dicteerde iets anders en ik moest toegeven dat dat ook zo diende te blijven.
Toch waren er nachten waarin ik aan die elfjarige jongen dacht en me afvroeg of ik zijn naam op een dag in de kranten zou zien staan.
Ik legde de negen dossiers apart.
Milo zou nog meer werk moeten doen.

10

Van drie dagen sloven was Milo moe geworden.
'De computer heeft niks opgeleverd,' zei hij klagend terwijl hij op mijn leren bank plofte. 'Al die rotzakken zitten weer in de gevangenis, zijn dood of hebben een alibi. Het rapport van de lijkschouwer heeft geen forensisch wonder opgeleverd. Alleen zeseneenhalve bladzijde

vol smerige details, die ons niets wijzer hebben gemaakt sinds we de lijken voor het eerst zagen. Van Handler en Gutierrez is gehakt gemaakt.'

Ik haalde een biertje voor hem, dat hij met twee grote slokken opdronk. Ik pakte een nieuw blikje.

'Ben je iets wijzer geworden ten aanzien van Handler?' vroeg ik.

'Je eerste indruk klopte. De man had ethiek niet hoog in het vaandel staan. Maar dat heeft ons verder niets opgeleverd.'

'Wat bedoel je daar precies mee?'

'Zes jaar geleden, toen hij nog aan een ziekenhuis verbonden was, is er sprake geweest van verzekeringsfraude. Handler en een paar anderen staken hun hoofd even om de hoek van een deur om een patiënt gedag te zeggen en brachten daar dan een volledige visite voor in rekening, terwijl die normaalgesproken drie kwartier of vijftig minuten zou moeten duren. Of ze maakten een aantekening op de kaart en rekenden daar eveneens een volledige visite voor. Of ze spraken even met een verpleegster of een behandelend arts, enzovoort. Ze hebben er veel mee verdiend. Eén vent kon dertig tot veertig visites per dag afleggen en daar werd dan zeventig tot tachtig dollar per stuk voor in rekening gebracht. Reken maar uit.'

'Dat verbaast me niet, want dat gebeurt zo vaak.'

'Dat zal best. In elk geval kwam het in de openbaarheid omdat een van de patiënten een zoon had die arts was. Die zoon begon de kaart te bekijken en zag al die visites van de psychiaters vermeld staan. Dat maakte hem achterdochtig, omdat zijn ouwe pa al drie maanden buiten bewustzijn was. Hij deed er zijn beklag over bij de medisch directeur, die Handler en de anderen op het matje riep. Ze hebben er verder geen werk van gemaakt, maar de desbetreffende zieleknijpers werd wel de toegang tot het ziekenhuis ontzegd.'

Zes jaar geleden. Net voordat Handlers aantekeningen slordig en sarcastisch waren geworden. Het zou wel niet meegevallen zijn om het opeens met een miezerige honderdduizend dollar per jaar in plaats van vierhonderdduizend te moeten doen en daar nog echt voor te moeten werken ook. Zoiets kon een man bitter maken...

'En je kunt daar geen stap verder mee komen in je onderzoek?'

'Nee. Waar denk jij aan? Een wraakneming? Door wie dan? De verzekeringsmaatschappijen werden opgelicht. Daarom konden ze zo lang met hun praktijken doorgaan. Ze hebben de patiënten nooit een rekening gestuurd. Die ging regelrecht naar de verzekering.' Hij nam een grote slok bier. 'Ik heb heel wat slechte dingen over verzekeringsmaatschappijen gehoord, maar ik kan me niet indenken dat zij Jack the Ripper naar Handler hebben gestuurd om hun eer te wreken.'

'Ik begrijp wat je bedoelt.'

Milo ging staan en begon door de kamer te ijsberen.

'Deze verdomde zaak stinkt. Het is nu een week geleden gebeurd en ik ben nog geen stap verder gekomen. Mijn baas denkt dat we deze moorden nooit zullen oplossen. Hij heeft Del al op een andere zaak gezet en ik mag me er nu in m'n eentje mee bezighouden. Maak het die flikker niet al te gemakkelijk.'

'Wil je nog een biertje?' vroeg ik.

'Waarom ook niet? Alex, ik had leraar moeten worden. Vietnam heeft me psychisch een flinke knauw gegeven. Al die dooie mensen. Voor niets. Ik dacht dat ik het beter zou kunnen verwerken wanneer ik een smeris werd en boeven kon oppakken. Dat ik dan zou merken dat dat alles toch enige zin had gehad. Jezus, wat had ik het mis!'

Hij pakte het blikje van me aan, bracht het naar zijn mond en liet wat schuim op zijn kin druppen.

'De dingen die ik te zien krijg... de monsterlijke dingen die mensen elkaar kunnen aandoen. De rotzooi waar ik aan gewend ben geraakt. Soms krijg ik zin om te kotsen.'

Hij dronk een paar minuten zwijgend.

'Alex, jij kunt verdomd goed luisteren. Je opleiding is niet voor niets geweest.'

'Dan is die tenminste ergens goed voor geweest.'

'Hickle was net zo'n ellendige zaak. Ik heb mezelf er nooit van kunnen overtuigen dat het zelfmoord was. Die zaak stonk ook als een beerput.'

'Daar heb je het met mij nooit over gehad.'

'Wat had ik je kunnen zeggen? Bewijzen kan ik het niet. Ik heb alleen het gevoel dat het geen zelfmoord was. Zo'n gevoel heb ik wel eens meer en dat kan me soms uit mijn slaap houden, al zegt Del dat het in feite nog geen stuiver waard is.'

Hij plette het blikje moeiteloos tussen zijn duim en wijsvinger.

'De zaak-Hickle stonk, maar ik kon niets bewijzen. Dus heb ik hem afgeschreven, net als je dat kunt doen met een schuld waarvan je weet dat die toch nooit wordt afgelost. Het kon niemand een moer schelen

en niemand zal zich er een bal van aantrekken wanneer we Handler en Gutierrez ook afschrijven. Sluit het dossier, verzegel het en kijk er verder nooit meer naar.'
Na nog eens zeven biertjes en een halfuurtje tieren tegen zichzelf was hij stomdronken en viel op de leren bank als een blok in slaap.
Ik trok zijn schoenen uit en zette die op de grond naast hem. Net toen ik hem daar wilde laten liggen, besefte ik dat het donker was geworden.
Ik belde zijn huis en hoorde een diepe, mooie mannenstem.
'Hallo.'
'Hallo. Je spreekt met Alex Delaware. Milo's vriend.'
'Ja?' Behoedzaam.
'De psycholoog.'
'Milo heeft het wel eens over je gehad. Ik ben Rick Silverman.'
De dokter, de droom van iedere moeder, had nu een naam.
'Ik bel om te zeggen dat Milo na zijn werk naar me toe is gekomen om een zaak te bespreken en toen een beetje... dronken is geworden.'
'O.'
Ik voelde de krankzinnige behoefte om tegen de man aan de andere kant van de lijn te zeggen dat Milo en ik niets hadden, dat we alleen goede vrienden waren. Ik hield me in.
'Eigenlijk is hij straalbezopen. Hij heeft elf biertjes gedronken en ligt nu zijn roes uit te slapen. Dat wilde ik je even zeggen.'
'Heel aardig van je,' zei Silverman zuur.
'Als je wilt kan ik hem wakker maken.'
'Nee, dat hoeft niet. Milo is een grote jongen en mag doen waar hij zin in heeft. Hij hoeft zich tegenover mij niet te verantwoorden.'
Ik wilde tegen hem zeggen dat hij een verwend, onzeker joch was, dat ik hem alleen had opgebeld om hem gerust te stellen en dat hij niet zo verontwaardigd hoefde te doen. In plaats daarvan probeerde ik het met vleien.
'Rick, ik wilde het je alleen even laten weten. Ik weet hoe belangrijk je voor Milo bent en ik dacht dat hij het op prijs zou stellen wanneer ik je belde.'
'Eh... bedankt. Ik kan het echt waarderen.' Bingo! 'Mijn excuses. Ik heb zelf net vierentwintig uur achter elkaar dienst gedraaid.'
'Excuses zijn niet nodig.' Ik had de arme man waarschijnlijk wakker gebeld. 'Zullen we een keer met elkaar op stap gaan? Jij en Milo en mijn vriendin en ik?'

'Dat zou ik leuk vinden, Alex. Stuur die grote slobberaar maar naar huis wanneer hij wat ontnuchterd is en dan zullen we het bespreken.'
'Oké. Leuk even met je te hebben gesproken.'
'Dat is wederzijds.' Hij zuchtte. 'Welterusten.'

Om halftien werd Milo wakker. Hij begon te kreunen en draaide zijn hoofd van links naar rechts. Ik maakte een glas tomatensap met een rauw ei, zwarte peper en tabasco voor hem klaar, trok hem half overeind en goot dat mengsel door zijn keelgat. Hij kokhalsde, sputterde en deed toen opeens als door de bliksem getroffen zijn ogen open.
Veertig minuten later zag hij er nog steeds even beroerd uit, maar hij was wel weer nuchter.
Ik liep met hem mee naar de deur en stak de dossiers van de negen psychopaten onder zijn arm.
'Bedlectuur, Milo.'
Hij struikelde op het trapje, vloekte, maakte het portier van zijn Fiat open, ging achter het stuur zitten en kreeg de motor aan de praat door de auto alvast de helling af te laten lopen.
Toen ik eindelijk alleen was ging ik naar bed, las de *Times* en keek naar de televisie. Ik weet verdomd niet meer waar ik naar gekeken heb. Ik herinner me alleen zogenaamd geestige opmerkingen, op en neer wippende tieten en smerissen die eruitzagen als mannelijke fotomodellen. Ik genoot een paar uur van het alleen-zijn en dacht voordat ik in slaap viel slechts een paar keer aan moord, hebzucht en verwrongen, boosaardige geesten.

11

'Oké,' zei Milo. We zaten in een kamer van het politiebureau van het westelijke deel van L.A. De muren waren erwtgroen geschilderd en dienden als spiegels waar je maar aan één kant doorheen kon kijken. Aan het plafond hing een microfoon. Het meubilair bestond uit een grijze metalen tafel en drie metalen klapstoelen. Het stonk er naar zweet, leugens en angst: de geur van verminderde menselijke waardigheid.
Hij legde de dossiers eerst in een waaier op tafel en pakte toen het eerste zwierig vast.

'Ik zal je wat meer informatie geven over jouw negen slechteriken. Nummer een, Rex Allen Camblin, zit voor mishandeling en geweldpleging te brommen in Soledad.' Hij liet het dossier op tafel vallen. 'Nummer twee, Peter Lewis Jefferson, werkt op een ranch in Wyoming. Daar is hij ook, hebben we vastgesteld.'
'Zielig voor dat vee.'
'Inderdaad. Hij leek een waarschijnlijke verdachte. Nummer drie, Darwin Ward, is rechten aan het studeren aan de staatsuniversiteit van Pennsylvania, al zul je dat niet kunnen geloven.'
'Een psychopathische jurist. Eigenlijk niet zó verbazingwekkend.'
Milo grinnikte en pakte het volgende dossier.
'Número cuatro, Leonard Jay Helsinger, is in Alaska, waar hij pijpleidingen helpt aanleggen. Volgens de politie van Juneau is hij daar ook inderdaad. Nummer vijf, Michael Penn, studeert aan de staatsuniversiteit van Californië in Northridge. Met hem gaan we een praatje maken.' Hij legde Penns dossier neer. 'Nummer zes, Lance Arthur Shattuck, werkt als kok aan boord van het cruiseschip *Helena* van de Cunard Line. De kustwacht heeft bevestigd dat dat schip al een week of zes op de Egeïsche Zee ronddobbert. Nummer zeven, Maurice Bruno, werkt als vertegenwoordiger voor Presto Instant Print in Burbank en met hem gaan we ook een praatje maken.' Bruno's dossier werd boven op dat van Penn gelegd.
'Nummer acht, Roy Longstreth, werkt in de apotheek van de Thrifty's Drug-keten in Beverly Hills. Nog iemand die we gaan opzoeken. En dan tot slot Gerard Paul Mendenhall, korporaal in het Amerikaanse leger, gestationeerd in Tyler, Texas. Aanwezigheid daar bevestigd.'
Beverly Hills was dichterbij dan Northridge of Burbank, dus reden we naar Thrifty's. De apotheek bleek een kubus van steen en glas aan Canon Drive te zijn, even ten noorden van Wilshire. Hij deelde een huizenblok met modieuze boetiekjes en een ijssalon van Häagen Dazs.
Milo liet zijn penning onopvallend aan het meisje bij de drankafdeling zien en binnen een paar seconden verscheen de manager, een zwarte man van middelbare leeftijd met een vrij lichte huid. Hij werd zenuwachtig en wilde weten of Longstreth iets verkeerds had gedaan. Als een doorgewinterde smeris omzeilde Milo die vraag handig.
'We willen hem alleen een paar vragen stellen.'
Met moeite kon ik mijn gezicht in de plooi houden, maar de manager leek tevreden met dit cliché.

‘Hij is er nu niet. Hij komt om halfdrie en werkt dan tot en met de avonddienst door.’
‘Dan komen we terug. Zegt u alstublieft niet tegen hem dat we hier zijn geweest.’
Milo gaf hem zijn visitekaartje. Toen we weggingen bekeek hij het alsof het een schatkaart was.
Over de Venture Freeway reden we in een halfuur naar het westelijker gelegen Northridge. Toen we de campus van de staatsuniversiteit van Californië hadden bereikt, gingen we meteen naar het secretariaat. Milo kreeg een kopie van het collegeschema van Michael Penn. Gewapend met die kopie en een oude politiefoto hadden we hem binnen twintig minuten gevonden. Hij liep met een meisje over een breed grasveld.
‘Meneer Penn?’
‘Ja?’ Hij zag er goed uit, had een gemiddelde lengte, brede schouders en lange benen. Zijn lichtbruine haar was gemillimeterd. Hij droeg een lichtblauw Izod-shirt, een blauwe spijkerbroek en instappers zonder sokken. Uit zijn dossier wist ik dat hij zesentwintig was, maar hij oogde vijf jaar jonger. Hij had een prettig gezicht zonder lijntjes: een echt All American-type. Hij zag er niet uit als een vent die had geprobeerd iemand met een Pontiac Firebird dood te rijden.
‘Politie.’ Weer de penning. ‘We zouden u graag even willen spreken.’
‘Waarover?’ De bruine ogen vernauwden zich en de mond veranderde in een streep.
‘We zouden er de voorkeur aan geven u onder vier ogen te spreken.’
Penn keek naar het meisje. Ze was jong – niet ouder dan negentien – en had kortgeknipt, donker haar.
‘Julie, wacht even een minuutje.’ Hij gaf haar een aai onder haar kin.
‘Mike…?’
‘Een minuutje maar.’
We lieten haar daar staan en liepen naar een pleintje dat met beton was geplaveid en waarop stenen banken en tafels stonden. De studenten leken allemaal in een tredmolen te lopen. Deze campus werd bevolkt door veel jongelui die part-time baantjes hadden en in hun vrije tijd colleges volgden. Het was een goede universiteit om je kandidaats computerwetenschappen of bedrijfskunde te halen, of een lerarenopleiding te volgen. Pret maken of op je gemak debatteren in de schaduw van een met klimop begroeide eik kon je hier rustig vergeten.

Michael Penn keek nijdig, maar deed zijn uiterste best niets van zijn woede te laten merken.
'Wat wilt u van me?'
'Wanneer hebt u dokter Morton Handler voor het laatst gezien?'
Penn gooide zijn hoofd in zijn nek en lachte. Het was een verontrustend hol geluid.
'Die zak? Ik heb gelezen dat hij dood is. Daar is niets mee verloren gegaan.'
'Wanneer hebt u hem voor het laatst gezien?'
Penn glimlachte nu zelfgenoegzaam.
'Jaren geleden, rechercheur.' Zoals hij het zei, klonk die titel als een belediging. 'Toen ik in therapie was.'
'Ik meen te begrijpen dat u geen hoge dunk van hem had?'
'Van Handler? Hij was een zieleknijper.' Alsof dat alles verklaarde.
'U hebt geen hoge pet op van psychiaters?'
Penn stak zijn handen uit, met de handpalmen omhoog.
'Luister. Dat hele gedoe was een grote vergissing. Ik had de macht over het stuur van mijn auto verloren en toen beweerde de een of andere paranoïde idioot dat ik hem had willen doodrijden. Ze hebben me gearresteerd en gevangengezet en me toen voorwaardelijke invrijheidstelling beloofd als ik naar een zieleknijper ging. Hij heeft me al die krankzinnige testen laten doen.'
Tot die krankzinnige testen behoorden de Minnesota Multiphasic Personality Inventory en nog een handjevol andere projectietesten. Ze waren verre van perfect, maar wel behoorlijk betrouwbaar voor iemand als Penn. Ik had zijn MMPI-profiel gelezen en alles wees op psychopathie.
'U vond Handler niet aardig?'
'U moet me geen woorden in de mond leggen.' Penn ging zachter praten. Zijn ogen schoten rusteloos en zenuwachtig heen en weer. Achter het knappe gezicht ging iets duisters en gevaarlijks schuil. Handler had bij deze man geen verkeerde diagnose gesteld.
'U vond hem wel aardig.' Milo speelde met hem als met een pas gevangen vis.
'Ik vond hem aardig noch onaardig. Ik had domweg niets aan hem. Ik ben niet gek en ik heb hem niet vermoord.'
'Kunt u me vertellen waar u was in de nacht dat hij is vermoord?'
'Wanneer is dat precies gebeurd?'
Milo noemde de datum en de tijd.

Penn liet zijn knokkels kraken en keek dwars door ons heen, alsof hij op een ver doel aan het focussen was.
'Die hele nacht ben ik bij mijn vriendin geweest.'
'Bij Julie?'
Penn lachte.
'Nee, niet bij haar. Ik heb een rijpe vrouw als vriendin, rechercheur. Een rijke vrouw, bovendien.' Hij fronste zijn wenkbrauwen en keek nu zuur in plaats van zelfvoldaan. 'U zult met haar moeten gaan praten, neem ik aan?'
Milo knikte.
'Dat zal alles voor me verpesten.'
'Mike, dat is dan echt jammer voor je.'
Penn keek hem even nijdig aan en hing toen weer de vermoorde onschuld uit. Hij kon zijn gezicht bespelen als een spel kaarten, schuddend, delend vanaf de onderkant van de stapel, elke seconde een nieuwe kaart producerend.
'Luister. Dat incident heb ik volledig achter me gelaten. Ik heb een baan en over zes maanden heb ik ook mijn bul op zak. Ik wil dat alles niet laten verknallen omdat mijn naam toevallig in de dossiers van Handler voorkomt.'
Hij klonk heel onschuldig.
'Mike, we zullen je alibi moeten controleren.'
'Dat doen jullie dan maar. Maar vertel haar niet te veel. Treed niet in details. Oké?'
'Natuurlijk, Mike.' Milo pakte zijn pen en tikte daarmee tegen zijn lippen.
'Sonya Magary. Ze heeft een kinderkledingboetiek op het Plaza de Oro in Encino: Puff 'n' Stuff.'
'Heb je toevallig een telefoonnummer bij de hand?' vroeg Milo vriendelijk.
Penn klemde zijn kaken op elkaar en gaf het hem.
'We zullen haar bellen, Mike, en wees jij zo verstandig niet voor die tijd contact met haar op te nemen. We hechten veel waarde aan spontaniteit.' Milo borg zijn pen op en deed zijn aantekenboekje dicht. 'Een prettige dag verder nog.'
Penn keek van mij naar Milo en toen weer naar mij, alsof hij op zoek was naar een bondgenoot. Toen ging hij staan en liep met lange, krachtige passen weg.

'O, Mike!' riep Milo.
Penn draaide zich om.
'Waar ga je in afstuderen?'
'Marketing.'

Toen we de campus verlieten, zagen we hem met Julie lopen. Zij had haar hoofd op zijn schouder gelegd, hij hield een arm om haar middel. Hij glimlachte nu en sprak heel snel.
'Wat denk je van hem?' vroeg Milo terwijl hij achter het stuur ging zitten.
'Ik denk dat hij dìt niet heeft gedaan, maar ik wil wedden dat hij wel met een ander smerig zaakje bezig is. Hij was echt opgelucht toen hij hoorde waarom we hier waren.'
Milo knikte.
'Dat ben ik met je eens, maar daar moet een ander zich maar het hoofd over breken.'
We reden terug naar het oosten en draaiden de snelweg af bij Sherman Oaks. Daar vonden we een Frans restaurantje aan Ventura, bij Woodman, waar we lunchten. Milo belde Sonya Magary. Hoofdschuddend kwam hij naar ons tafeltje terug.
'Ze houdt van hem. ''Die lieve jongen, die schat. Ik hoop dat hij niet in de problemen is gekomen.''' Hij bootste een vet Hongaars accent na. 'Ze heeft bevestigd dat hij die nacht bij haar was en leek daar trots op te zijn. Ik verwachtte bijna dat ze me in Technicolor over hun sexleven zou gaan vertellen.'
Hij schudde opnieuw zijn hoofd en begroef zijn gezicht in een bord gekookte mosselen.

We zagen Roy Longstreth op de parkeerplaats van Thrifty's uit zijn Toyota stappen. Hij was klein en zag er breekbaar uit, had waterige blauwe ogen en een te kleine kin. Hij was al aardig kaal, en het weinige haar dat hij nog had, hing aan de zijkanten van zijn hoofd tot over zijn oren, zodat hij op een broeder leek die te lang heeft gemediteerd en zijn uiterlijk daardoor heeft verwaarloosd. Boven zijn mond prijkte een muisachtig bruin snorretje. Hij had niets van de bravade van Penn, maar in zijn ogen lag eenzelfde onrustige blik.
'Wat wilt u van me?' piepte hij nadat Milo zich had gelegitimeerd. Hij keek op zijn horloge.

Toen Milo hem dat vertelde, zag hij eruit of hij ging huilen, wat niet typerend genoemd kon worden voor een psychopaat. Tenzij hij een act aan het opvoeren was. Je wist nooit welke trucjes die types konden uithalen wanneer ze dat nodig achtten.
'Toen ik erover las, wist ik al wel dat jullie naar me toe zouden komen.' Het snorretje trilde als een twijgje in een storm.
'Hoezo, Roy?'
'Vanwege de dingen die hij over mij heeft gezegd. Hij heeft tegen mijn moeder gezegd dat ik een psychopaat was en dat ze me niet moest vertrouwen. Ik sta zeker op de een of andere gekkenlijst, hè?'
'Kun je me vertellen waar je was op de avond dat hij is vermoord?'
'Ja. Dat was het eerste waaraan ik moest denken toen ik erover las. Ik heb het zelfs opgeschreven. Een briefje aan mezelf. Roy, je was toen in de kerk. Dus als ze ernaar komen vragen, zul je weten waar je was...'
Zo had hij vast nog een paar dagen kunnen doorgaan, maar Milo onderbrak hem.
'De kerk? Ben je gelovig, Roy?'
Longstreth lachte paniekerig.
'Nee, nee. Ik was er niet om te bidden. Ik ben lid van de vrijgezellenvereniging van Westside, die bijeenkomsten organiseert in de presbyteriaanse kerk in Bel Air. Dezelfde kerk waar Ronald Reagan vroeger naartoe ging.'
'Was hij ook lid van de vrijgezellenvereniging?'
'Nee, nee. Ik heb het nu over het gebouw. Hij woonde daar diensten bij voordat hij tot president was gekozen en...'
'Oké, Roy. Van hoe laat tot hoe laat ben je daar geweest?'
Hij werd nog zenuwachtiger toen hij Milo aantekeningen zag maken. Hij wipte op en neer als een marionet die door een spastische poppenspeler wordt bewogen.
'Van negen uur tot halftwee. Ik ben tot het eind gebleven. Ik heb geholpen met opruimen. Ik kan u vertellen wat er werd geserveerd. Guacamole en nacho's, Franse wijn een dipsausje met garnalensmaak en...'
'Je bent daar natuurlijk door heel veel mensen gezien?'
'Natuurlijk,' zei hij en aarzelde toen even. 'Ik... ik heb me eigenlijk niet zoveel met de anderen bemoeid. Ik heb geholpen achter de bar. Ik heb heel veel mensen gezien, maar ik weet niet of een van hen zich mij zal herinneren.' Zijn stem was tot een gefluister gedaald.

'Dat zou een probleem kunnen zijn, Roy.'
'Tenzij... Nee... Ja... Mevrouw Heatherington. Dat is een oudere vrouw die vrijwilligerswerk in de kerk doet. Zij was ook aan het opruimen en bedienen. Ik heb vaak met haar gepraat en ik kan u zelfs vertellen waarover. Over dingen die je kunt verzamelen. Zij verzamelt Norman Rockwells en ik Icarts.'
'Icarts?'
'Dat weet u toch wel? Die art deco-prenten.'
De prenten van Louis Icart gingen tegenwoordig voor veel geld van hand tot hand. Ik vroeg me af hoe hij zich die kon veroorloven.
'Mijn moeder heeft me er een gegeven toen ik zestien werd en ze...' Hij zocht naar het juiste woord. 'Ze fascineerden me. Ze geeft ze me nog steeds op mijn verjaardag en ik heb er zelf ook een paar gekocht. Dokter Handler verzamelde ze ook. Dat...' Hij maakte zijn zin niet af.
'Werkelijk? Heeft hij ze aan jou laten zien?'
Longstreth schudde energiek zijn hoofd.
'Nee. Hij had er een in zijn spreekkamer hangen. Die viel me op en toen zijn we erover aan de praat geraakt. Maar dat heeft hij later tegen me gebruikt.'
'Hoe?'
'Na de evaluatie... u zult wel weten dat ik door de rechtbank naar hem toe ben gestuurd toen ik op winkeldiefstal was betrapt.' Hij keek zenuwachtig naar het gebouw van Thrifty's en er blonken tranen in zijn ogen. 'Ik had een zak rubbercement bij Sears gepikt en werd daarop betrapt. Ik dacht dat mijn moeder van schaamte zou sterven en ik was bang dat ze er op mijn school achter zouden komen. Het was afschuwelijk.'
'Hoe heeft hij het feit dat je Icarts verzamelde tegen je gebruikt?' vroeg Milo geduldig.
'Hij impliceerde het zo'n beetje, maar hij heeft het nooit rechtstreeks gezegd. Hij verwoordde het zo dat je wist wat hij bedoelde, maar hem er niet op kon pakken.'
'Wat impliceerde hij dan, Roy?'
'Dat hij kon worden omgekocht. Dat hij een gunstig rapport over me zou schrijven wanneer ik hem een paar Icarts gaf. Hij heeft zelfs gezegd welke hij het liefst wilde hebben.'
'En heb je dat gedaan?'
'Wat? Hem omgekocht? Geen sprake van. Dat zou oneerlijk zijn geweest.'

'Is hij erop blijven aandringen?'
Longstreth pulkte aan zijn vingernagels.
'Zoals ik al zei, kon ik hem er niet op pakken. Hij zei dat ik een grensgeval was: een psychopathische persoonlijkheid, of iets minder stigmatiserends als een angstneurose of zo, en dat ik beide kanten op kon. Uiteindelijk heeft hij tegen mijn moeder gezegd dat ik een psychopaat was.'
Het bleke gezicht raakte verwrongen van woede.
'Ik ben blij dat hij dood is! Ziezo, nu heb ik het hardop gezegd! Dat dacht ik toen ik er voor het eerst in de krant over las.'
'Maar je hebt hem niet vermoord.'
'Natuurlijk niet. Dat kon ik niet. Ik ga voor het kwaad op de loop. Ik omarm het niet.'
'Roy, we zullen een praatje gaan maken met mevrouw Heatherington.'
'Prima. Vraagt u haar maar naar de nacho's en de wijn. Ik geloof dat het Franse bourgogne was. Er was ook fruitbowl met schijfjes sinaasappel erin. In een kristallen kom. Tegen het eind van de avond heeft een van de vrouwen op de grond overgegeven. Ik heb geholpen die troep op te ruimen...'
'Dank je, Roy. Wat mij betreft kun je aan het werk gaan.'
'Dat zal ik doen.'
Hij draaide zich als een robot om – een magere figuur in een korte blauwe apothekersjas – en liep Thrifty's in.
'Híj verstrekt medicijnen?' vroeg ik ongelovig.
'Waarom niet, als hij tenminste niet op de een of andere gekkenlijst staat?' Milo stopte het aantekenboekje in zijn zak en we liepen samen naar de auto. 'Vind je dat hij er als een psychopaat uitziet?'
'Nee, tenzij hij de beste acteur is die er op deze wereld rondloopt. Schizoïde en teruggetrokken. Op zijn hoogst pre-schizofreen.'
'Gevaarlijk?'
'Wie zal het zeggen? Misschien draait hij door wanneer hij te veel stress moet verwerken. Maar ik denk dat hij in zo'n geval eerder voor een kluizenaarsbestaan zou kiezen. In bed kruipen, met zichzelf spelen, wegkwijnen en dat een jaar of twintig volhouden terwijl mama de kussens voor hem opschudt.'
'Als dat verhaal over de Icarts waar is, werpt het wel wat licht op ons geliefde slachtoffer.'

'Handler? Een echte dokter Schweitzer.'
'Ja,' zei Milo. 'Het type vent dat iemand best dood kon wensen.'

We hadden Coldwater Canyon bereikt voordat die verstopt raakte door de auto's van forenzen die teruggingen naar hun huis in de Valley en waren om halfvijf in Burbank.
Presto Instant Print was een van de tientallen grijze betonnen gebouwen op een industrieterrein in de buurt van het vliegveld van Burbank. Het rook er giftig en het geraas van straalvliegtuigen was met regelmatige tussenpozen oorverdovend. Ik vroeg me af hoe lang degenen die hier overdag werkten, te leven hadden.
Maurice Bruno was in de wereld opgeklommen sinds zijn dossier was samengesteld. Hij was nu onderdirecteur, belast met de verkoop. Hij was niet beschikbaar, kregen we te horen van zijn secretaresse, een soepel bewegende brunette met opvallende wenkbrauwboogjes en een mond die alleen nee leek te kunnen zeggen.
'Dan wil ik met zijn baas spreken,' blafte Milo, die zijn penning onder haar neus hield. We hadden het alle twee warm, waren moe en ontmoedigd. We wilden beslist niet lang in Burbank blijven.
'Dat is meneer Gershman.'
'Dan wil ik met die man praten.'
'Een momentje, alstublieft.'
Ze liep heupwiegend weg en kwam terug met een kloon die een blonde pruik op had.
'Ik ben de secretaresse van meneer Gershman,' kondigde de kloon aan.
Het moest door het gif in de lucht komen, concludeerde ik. Dat tastte de hersenen in zo'n hoge mate aan dat eenvoudige feiten heel diepzinnig leken te worden.
Milo haalde diep adem.
'We willen graag met de heer Gershman spreken.'
'Mag ik vragen waarover?'
'Nee, dat mag u niet. Neemt u ons nu meteen mee naar Gershman.'
'Ja, meneer.' De twee secretaresses keken naar elkaar. Toen drukte de brunette op een knop en nam de blondine ons door dubbele glazen deuren mee naar een immens grote ruimte vol apparaten die bonsden, stampten, beten, snauwden en smeerden. Bij die stalen monsters hingen een paar mensen rond. De blik in hun ogen was dof en ze adem-

den dampen in die naar alcohol en aceton stonken. Het geluid alleen al kon je dood worden.
Ze draaide opeens naar links, waarschijnlijk in de hoop dat ze ons kwijt zou raken in de bek van een van die monsters. Maar we bleven de bewegingen van haar wiegende derrière volgen tot we bij een tweede set deuren waren. Die duwde ze open en ze liet ze meteen weer los, waardoor Milo naar voren moest duiken om ze tegen te houden. Een korte gang, weer twee deuren. Toen hoorden we een volledige, bijna overweldigende stilte.
De directiekamers van Presto Instant Print hadden zich op een andere planeet kunnen bevinden. Luxueus, pruimkleurige tapijten waarin je enkels leken te verdwijnen, muren die met echt walnotehout waren gelambrizeerd. Grote walnotehouten deuren waarop namen smaakvol met koperen letters waren aangebracht. En stilte.
De blondine bleef aan het eind van de gang staan voor een bijzonder grote deur met bijzonder fraaie gouden letters: Arthur M. Gershman, president-directeur. Ze liet ons plaatsnemen in een wachtkamer met de afmetingen van een gemiddeld huis, op stoelen die eruitzagen en aanvoelden als ongebakken brooddeeg. Toen ging ze achter haar bureau van plexiglas en rozehout zitten, waardoor haar benen perfect te zien waren, en drukte op een knop van een paneel dat bij de NASA had kunnen horen. Ze bewoog haar lippen iets, knikte en ging weer staan.
'Meneer Gershman kan u nu ontvangen.'
Het heilige der heiligen voldeed aan de gewekte verwachtingen: de afmetingen van een kathedraal, ingericht alsof het zo uit *Architectural Digest* kwam, zacht verlicht en comfortabel, maar niet zo comfortabel dat je erdoor in slaap kon vallen. De man achter het bureau was echter wel een volslagen verrassing.
Hij had een kaki broek aan en een wit overhemd met korte mouwen dat best een strijkbout kon gebruiken. Zijn voeten waren in Hush Puppies gestoken en omdat die op zijn bureau lagen, konden we de gaten in de zolen zien. Hij was ergens midden in de zeventig, kaal en dikbuikig. Hij had een bril op waarvan een van de poten met plakband was gerepareerd.
Toen we binnenkwamen was hij aan het telefoneren.
'Lenny, wil je even wachten?' Hij keek op. 'Dank je wel, Denise.' De blondine verdween. Tegen ons: 'Een seconde. Ga zitten en pak iets te drinken.' Hij wees naar een goedgevulde bar die de helft van een

muur in beslag nam. 'Oké, Lenny. Ik heb hier een paar smerissen en ik moet ophangen. Dat weet ik niet. Wil jij het vragen? Dat zal ik zeker tegen ze zeggen, *momzer*. Ik zal vertellen wat jíj de laatste keer dat we in Palm Springs waren, hebt uitgespookt. Ja. Oké. Dat Sahara-project in partijen van driehonderdduizend per stuk, met onderzettertjes en lucifersdoosjes. Die heb je over twee weken binnen. Wat? Vergeet het maar.' Hij gaf ons een knipoog. 'Ga rustig je gang en probeer het ter plaatse te regelen. Mij heb je er niet mee. Ik heb misschien nog één, twee maanden te leven voordat dit bedrijf mijn dood wordt. Denk je dat het mij iets kan schelen wanneer een order wordt geannuleerd? Het geld gaat toch allemaal naar Uncle Sam, Shirley en mijn vorstelijke zoon die in een Duitse auto rondrijdt. Nee, nee. Een BMW. Van mijn geld. Ja. Wat kun je eraan doen? Je hebt het niet meer in de hand. Tien dagen?' Hij maakte met zijn hand een beweging alsof hij aan het masturberen was en keek ons stralend aan. 'Lenny, je bent je aan het afrukken. Doe in elk geval de deur dicht, zodat niemand het kan zien. Twaalf dagen op z'n hoogst? Oké. Twaalf dagen dan. Prima. Nu moet ik ophangen, want die kozakken kunnen me elk moment meesleuren. Tot wederhoren.'

De hoorn werd op de haak gesmeten en de man vloog overeind als een zich ontspannende veer.

'Artie Gershman.'

Hij stak een hand vol inktvlekken uit. Milo drukte die, toen deed ik hetzelfde. Zijn hand was hard als graniet en eeltig.

Hij ging weer zitten en deponeerde zijn voeten opnieuw op het bureau.

'Sorry voor dit oponthoud.' Hij had het joviale van iemand die door voldoende robots als Denise werd omgeven om zeker van zijn privacy te kunnen zijn. 'Wanneer je met casino's zaken doet, denken ze dat ze er recht op hebben alles stante pede geleverd te krijgen. Zo is de mafia. Waarom vertel ik jullie dat eigenlijk? Jullie zijn smerissen en weten dat dus allang. Wat kan ik voor jullie doen? Ik weet dat het parkeren hier een probleem is. Als die rotzak van Chemco hiernaast aan het klagen is geweest, wil ik daar alleen op zeggen dat hij een hoge boom in kan, want zijn Mexicaanse dames parkeren voortdurend op mijn terrein. U zou eens moeten nagaan hoeveel illegalen hij in dienst heeft. Als hij echt vervelend wil gaan doen, zal ik hem met gelijke munt betalen.'

Hij zweeg even om op adem te komen.
'Het gaat niet over parkeerproblemen.'
'O nee? Waarover dan wel?'
'We willen met Maurice Bruno praten.'
'Met Morry? Die is in Vegas. We doen daar veel zaken met de casino's, de motels en hotels.' Hij trok een bureaulade open en smeet een handvol verschillende lucifersdoosjes onze kant op. De meeste grote namen waren vertegenwoordigd.
Milo stak er een aantal in zijn zak.
'Wanneer komt hij terug?'
'Over een paar dagen. Hij is twee weken geleden op pad gegaan. Eerst naar Tahoe, toen naar Reno en tot slot naar Vegas. Daar zal hij de bloemetjes wel een beetje buitenzetten in de tijd en op kosten van de zaak, maar dat kan me niks schelen, want hij is een geweldige verkoper.'
'Ik dacht dat hij onderdirecteur was.'
'Onderdirecteur, belast met de verkoop. In feite een vertegenwoordiger met een mooie titel, een hoger salaris en een fraaier kantoor. Wat vinden jullie van dit kantoor? Lijkt door een mietje te zijn ingericht, nietwaar?'
Ik keek naar Milo's gezicht, maar zag geen reactie van hem.
'Mijn vrouw heeft het ingericht. Vroeger zag het er leuk uit. Overal paperassen, een paar stoelen, witte muren – normale muren, zodat je de geluiden vanuit het bedrijf kon horen en wist dat er hard werd gewerkt. Dit geeft je het gevoel dood te zijn. Dat is mijn beloning omdat ik met een tweede vrouw in zee ben gegaan. Een eerste echtgenote laat je met rust, een tweede wil een nieuwe man van je maken.'
'Weet u zeker dat meneer Bruno in Vegas is?'
'Waarom zou ik daar niet zeker van zijn? Waar zou hij anders naartoe gegaan kunnen zijn?'
'Hoe lang werkt hij al voor u?'
'Hé, waar gaat dit eigenlijk om? Het heeft toch niets te maken met alimentatie voor een kind of zo?'
'Nee. We willen hem spreken in verband met het onderzoek dat we naar een moord doen.'
'Moord?' Gershman schoot zijn stoel uit. 'Moord? Morry Bruno? U moet een grapje maken. Hij is een juweel van een vent.'
Een juweel dat had uitgemunt in het uitschrijven van valse cheques.

'Hoe lang werkt hij al voor u?'
'Even nadenken. Anderhalf, misschien twee jaar.'
'En u hebt geen problemen met hem gehad?'
'Problemen? Ik heb al gezegd dat hij een juweel is. Wist niets van een bedrijf als dit af, maar ik heb hem intuïtief aangenomen en hij bleek een geweldige verkoper te zijn. Verkocht na drie maanden al meer dan alle anderen, zelfs de oudgedienden. Betrouwbaar, vriendelijk, nooit een probleem.'
'U had het over alimentatie voor een kind. Is meneer Bruno gescheiden?'
'Gescheiden,' herhaalde Gershman triest. 'Net als iedereen, inclusief mijn zoon. Ze geven het tegenwoordig te gemakkelijk op.'
'Heeft hij hier in Los Angeles familie wonen?'
'Nee. Zijn ex en zijn kinderen – drie, geloof ik – zijn teruggegaan naar het oosten. Pittsburgh of Cleveland. Een plaats zonder een oceaan in de buurt. Hij miste ze en praatte daar vaak over. Daarom heeft hij vrijwilligerswerk gedaan in de Casa.'
'De Casa?'
'Dat kindertehuis in Malibu. Morry bracht daar vroeger zijn weekends door om als vrijwilliger met de kinderen te werken. Hij heeft er een certificaat aan overgehouden. Komt u maar eens mee, dan zal ik het u laten zien.'
Bruno's kantoor was een kwart van dat van Gershman, maar wel even elegant ingericht. Het zag er keurig netjes uit, wat niet verbazingwekkend was omdat Bruno het merendeel van de tijd op reis was. Gershman wees op een ingelijst certificaat dat te midden van een zestal getuigschriften die Bruno de beste verkoper noemden, aan een muur hing.
'Ziet u wel? "Toegekend aan Maurice Bruno als erkenning voor zijn vrijwilligerswerk voor de dakloze kinderen van La Casa de los Niños." Bla-bla-bla. Ik had al gezegd dat die man een juweel is.'
Het certificaat was ondertekend door de burgemeester en de directeur van het kindertehuis, een zekere eerwaarde Augustus J. McCaffrey. Fraaie letters en bloemmotieven. Heel indrukwekkend.
'Mooi,' zei Milo. 'Weet u in welk hotel meneer Bruno logeert?'
'Hij logeerde vroeger altijd in het MGM, maar ik weet niet voor welk hotel hij na de brand heeft gekozen. Laten we teruggaan naar mijn kantoor. Dan kan ik dat wel achterhalen.'

In zijn kantoor pakte Gershman de telefoon, drukte op de knop van de intercom en blafte in de hoorn.
'Denise, waar logeert Morry in Vegas? Ja, doe dat maar.'
Een halve minuut later zoemde de intercom.
'Ja? Prima. Dank je wel, schat.' Hij wendde zich tot ons. 'Het Palace.'
'Caesar's Palace?'
'Ja. Moet ik daarheen bellen, zodat u hem kunt spreken?'
'Graag, als u daar geen bezwaar tegen hebt. De politie zal de kosten vergoeden.'
'Onzin.' Gershman zwaaide met een hand door de lucht. 'Die neem ik zelf wel voor mijn rekening. Denise, bel Caesar's Palace en haal Morry aan de lijn. Als hij er niet is, moet je vragen of hij terugbelt naar...'
'Rechercheur Sturgis. Bureau West-L.A.'
Gershman maakte zijn instructies af.
'U ziet Morry toch niet als een verdachte?' vroeg hij toen hij de hoorn op de haak had gelegd. 'U wilt hem als getuige spreken, neem ik aan.'
'Daar kunnen we geen nadere mededelingen over doen, meneer Gershman,' zei Milo discreet.
'Ik kan het niet geloven!' Gershman sloeg met een hand tegen zijn hoofd. 'U denkt dat Morry een moordenaar is? Een man die in de weekends met kinderen bezig is en hier nog nooit met iemand ruzie heeft gemaakt? Daar kunt u iedereen rustig naar vragen. Ik geef u er permissie voor. Als u iemand kunt vinden die iets slechts over Morry te melden heeft, eet ik zijn bureau op.'
Hij werd onderbroken door het zoemen van de intercom.
'Ja, Denise? Wat zeg je? Weet je dat zeker? Misschien hebben ze zich vergist. Controleer het nog eens. Bel daarna zo nodig het Aladdin en het Sands. Misschien is hij van gedachten veranderd.'
Toen de oude man ophing, was zijn gezichtsuitdrukking plechtig.
'Hij logeert niet in het Palace.' Hij zei het met de triestheid en de angst van iemand die een prettig idee de mist ziet ingaan.
Maurice Bruno logeerde ook niet in het Aladdin, het Sands of een van de andere grote hotels in Vegas. Nadere telefoontjes brachten aan het licht dat geen enkele luchtvaartmaatschappij kon bevestigen dat hij van L.A. naar Vegas was gevlogen.
'Dan zou ik graag zijn huisadres en telefoonnummer willen hebben.'
'Die zal Denise u geven,' zei Gershman. We lieten hem alleen in zijn grote kantoor achter. Zijn kin rustte op zijn handen en hij fronste zijn

wenkbrauwen als een oude bizon die te veel jaren in een dierentuin heeft doorgebracht.
Bruno woonde in Glendale, normaalgesproken tien minuten rijden van Presto vandaan. Maar het was zes uur 's avonds en er was even ten westen van het kruispunt Hollywood-Golden State een ongeluk gebeurd, waardoor het verkeer op de snelweg van Burbank naar Pasadena vastzat. Toen we bij Brand de snelweg afdraaiden, was het donker en hadden we beiden een rothumeur.
Milo reed in noordelijke richting verder naar de bergen. Bruno woonde aan Armelita, een zijstraat zo'n zeshonderd meter voorbij het eind van de boulevard. Het huis stond achter in de doodlopende straat: een kleine bungalow in nep-tudorstijl. Ervoor zagen we een keurig, vierkant gazon, taxushagen en kleine jeneverbesstruiken. De ingang werd bewaakt door twee grote levensbomen. Naar mijn idee was het niet direct een huis dat paste bij een vrijgezel die Vegas frequenteerde. Toen herinnerde ik me wat Gershman over de echtscheiding had gezegd. Dit was ongetwijfeld het huis dat was achtergelaten door de vertrokken echtgenote en kinderen.
Milo belde een paar keer aan en bonsde toen hard op de deur. Toen niemand opendeed liep hij terug naar de auto en belde de politie van Glendale. Tien minuten later verscheen er een patrouillewagen, waar twee agenten uit stapten. Beiden waren lang en dik, hadden geelblond haar en een borstelige, stroachtige snor. Ze kwamen aangelopen op de manier die is voorbehouden aan smerissen en dronken lieden die proberen nuchter te lijken. Na een kort gesprek met Milo liepen ze terug naar hun radio.
De straat was stil en verlaten. Dat bleef zo toen er nog eens drie patrouillewagens arriveerden, plus een onopvallende Dodge. Na een kort, intensief overleg werden wapens getrokken. Milo belde weer aan, wachtte een minuut en trapte toen de deur in. De aanval was ingezet.
Ik bleef buiten staan kijken en wachten. Al spoedig hoorde ik mensen kokhalzen. Agenten renden het huis uit en het gazon op, met hun hand tegen hun neus gedrukt. Een bijzonder stevig gebouwde agent gaf in de struiken over. Toen ze het huis allemaal weer verlaten leken te hebben, verscheen Milo in de deuropening. Hij hield een zakdoek voor zijn neus en mond. Zijn ogen waren nog wel te zien en die keken mij aan. Ze gaven me een keus.

Tegen beter weten in pakte ik mijn eigen zakdoek, drukte die tegen het onderste deel van mijn gezicht en liep naar binnen.
Het dunne katoen bood weinig bescherming tegen de hete stank die me tegemoetkwam zodra ik de drempel over was. Het was alsof riool- en moerasgassen zich hadden vermengd tot een borrelende soep, die vervolgens was verdampt.
Met tranende ogen verzette ik me tegen de sterke aandrang om over te geven en liep achter Milo aan de keuken in.
Hij zat aan een tafel van formica. Het onderste, geklede deel van zijn lichaam zag er nog menselijk uit. Een hemelsblauw pak, een maïskleurig overhemd en een halsdoek van blauwe zijde. Een dandyachtig pochetje, schoenen met kleine kwastjes, een gouden armbandje om een pols vol wormen.
Vanaf zijn hals naar boven was hij veranderd in iets dat door lijkschouwers werd weggegooid. Het zag ernaar uit dat hij was bewerkt met een koevoet – zijn gezicht was volledig ingeslagen – maar het was onmogelijk om nauwkeurig vast te stellen waarmee de opgezette, bloedige klomp op zijn schouders was bewerkt omdat het verrottingsproces al zo ver was gevorderd.
Milo begon ramen open te gooien en ik besefte dat het kokendheet was in het huis, mede door de koolwaterstoffen die werden afgescheiden door verrottend organisch materiaal. Een snel antwoord op de energiecrisis: spaar kilowatts uit, dood een vriend...
Ik kon er niet meer tegen. Naar adem snakkend rende ik naar de deur en smeet de zakdoek weg zodra ik buiten was. Hongerig ademde ik de koele nachtlucht in. Mijn handen trilden.
Nu waren er veel opgewonden buren op de been. Mannen, vrouwen en kinderen waren halverwege het avondjournaal hun kastelen uit gekomen of hadden hun ontdooide diepvriesmaaltijd onderbroken om met open mond naar de rode zwaailichten te kijken, te luisteren naar de statische geluiden van de politieradio en te staren naar de wagen van de lijkschouwer die met de kille autoriteit van een despoot langs de stoeprand tot stilstand was gekomen. Een paar kinderen fietsten over straat heen en weer. Mompelende stemmen produceerden het geluid van roofzuchtige sprinkhanen. Een hond blafte. Welkom in de voorstad!
Ik vroeg me af waar ze allemaal waren geweest toen iemand Bruno's huis in was geslopen, hem tot moes had geslagen, alle ramen dicht had gedaan en hem had achtergelaten om daar te verrotten.

Toen Milo uiteindelijk naar buiten kwam, zag hij groen. Hij ging op het trapje bij de voordeur zitten en liet zijn hoofd tussen zijn knieën hangen. Toen stond hij weer op en riep de assistenten van de lijkschouwer. Ze waren goed voorbereid, hadden gasmaskers en rubberhandschoenen bij zich. Ze liepen naar binnen met een lege stretcher en kwamen naar buiten met iets dat in een zwarte plastic zak was gedaan.
'Jasses, wat afschuwelijk,' zei een tienermeisje tegen haar vriend.
Dat was een welsprekende verwoording van de stand van zaken.

12

Drie ochtenden nadat we de afgeslachte Bruno hadden gevonden, wilde Milo naar me toe komen om het psychiatrische dossier van die man gedetailleerd met me te bespreken. Ik stelde dat uit tot de middag. Op grond van instinctieve gevoelens die me zelf niet duidelijk waren, belde ik André Jaroslav in zijn studio in het westelijk deel van Hollywood en vroeg of hij tijd had om mijn karatekennis op te vijzelen.
'Meneer Delaware,' zei hij met een vet Hongaars accent, 'wat is het lang geleden dat ik u heb gezien.'
'Dat weet ik, André. Te lang geleden. Ik heb mijn conditie verwaarloosd, maar ik hoop dat jij me kunt helpen daar iets aan te doen.'
Hij lachte.
'Ik heb een groep leerlingen om elf uur en om twaalf uur moet ik privé-les geven. Daarna ga ik naar Hawaii om de choreografie te verzorgen van vechtscènes voor de eerste aflevering van een nieuwe televisieserie. Vrouwelijke agente die judo kent en verkrachters te grazen neemt. Wat vindt u daarvan?'
'Heel origineel.'
'Inderdaad. Ik ga aan de slag met een roodharig grietje, een zekere Shandra Layne. Ik moet haar leren hoe ze grote kerels door de lucht kan smijten. Net zoiets als Wonder Woman, hè?'
'Hmmm. Heb je voor elven tijd voor me?'
'Voor u zeker. We zullen ervoor zorgen dat u weer in vorm raakt. Komt u maar om negen uur, dan hebben we twee uur de tijd.'

Het Instituut voor Vechtsporten bevond zich in Santa Monica bij Doheny, naast de Troubador nachtclub. Het was al vijftien jaar voordat

kung-fu in de mode raakte, opgericht. Jaroslav was een Tsjechische jood met o-benen, die in de jaren vijftig uit zijn vaderland was ontsnapt. Hij had een hoge, piepende stem: volgens hem het gevolg van een schot in zijn keel door een nazi. In feite was hij geboren met het stemregister van een hysterische kapoen. Het was niet makkelijk geweest om in het Praag van na de Tweede Wereldoorlog als een jood met een piepende stem te moeten leven. Jaroslav had een eigen manier ontwikkeld om daarmee om te gaan. Als jonge jongen was hij al veel aandacht aan zijn lichaam gaan besteden door aan gewichtheffen te doen en zich te bekwamen in zelfverdedigingstechnieken. Toen hij ergens in de twintig was, beheerste hij alle vechtsporten: van het hanteren van de sabel tot en met hopkaido. Daarmee had hij menig bullebak een pijnlijke verrassing bezorgd.
Hij verwelkomde me bij de deur met ontbloot bovenlijf en een bos narcissen in zijn hand. Op de stoep wemelde het van de broodmagere individuen van wie de sekse onduidelijk was en die gitaarkoffers vasthielden alsof het reddingsboeien waren. Ze namen diepe trekken van hun sigaret en bekeken het passerende verkeer angstig maar afwezig.
'Een auditie,' piepte Jaroslav, terwijl hij met een vinger op de deur van de Troubador wees en nijdig keek. 'De kunstenaars van een nieuw tijdperk, meneer.'
We liepen de verlaten studio in. Hij zette de bloemen in een vaas. De trainingszaal had een glanzend gepoetste eiken vloer en witte muren. Gesigneerde foto's van sterren en bijna-sterren hingen in groepjes bij elkaar. Met het setje gesteven, witte kledingstukken dat hij me had gegeven, liep ik naar een kleedkamer en kwam daar weer uit te voorschijn als een figurant in een film van Bruce Lee.
Jaroslav zweeg en liet zijn lichaam en zijn handen het woord doen. Hij vroeg me midden in de zaal te gaan staan en ging recht voor me staan. Hij glimlachte vaag. We maakten beiden een buiging en toen moest ik een warming-up doen. Mijn botten kraakten. Het was een lange tijd geleden.
Toen we de inleidende *kata's* achter de rug hadden, maakten we opnieuw een buiging. Hij glimlachte en veegde vervolgens de vloer met me aan. Na één uur had ik het gevoel dat ik in een vuilnisbak thuishoorde. Elke spier deed zeer, elke synaps trilde.
Glimlachend en buigend bleef hij doorgaan. Soms uitte hij een perfect beheerste, hoge kreet terwijl hij me als een zak bonen heen en weer

smeet. Tegen het eind van het tweede uur voelde ik de pijn nauwelijks meer: die was een soort manier van leven geworden, een bewustzijnstoestand. Maar toen we stopten kreeg ik het gevoel dat ik mijn lichaam weer onder controle had. Ik ademde moeizaam, rekte me uit, knipperde met mijn ogen, die brandden toen er zweet indrupte. Jaroslav zag eruit alsof hij net de ochtendkrant had gelezen.
'Nu moet u een heet bad nemen, u door een grietje laten masseren en wat toverhazelaar gebruiken. Verder is het een kwestie van oefenen, oefenen en nog eens oefenen.'
'Dat zal ik doen, André.'
'Belt u me maar wanneer ik over een week weer terug ben. Dan zal ik u alles vertellen over Shandra Layne en controleren of u echt hebt geoefend.' Speels porde hij met een vinger in mijn buik.
'Afgesproken.'
Hij stak zijn hand uit. Ik wilde die drukken, maar spande vrijwel meteen al mijn spieren omdat ik me afvroeg of hij me opnieuw in de tang zou nemen.
'Prima,' zei hij. Toen lachte hij en liet me los.

De kloppende pijn gaf me een rechtschapen en ascetisch gevoel. Ik lunchte in een restaurant dat werd gerund door een van de tientallen quasi-Hindoesekten die Los Angeles leken te verkiezen boven Calcutta. Een voortdurend glimlachend meisje met een lege blik in haar ogen, gekleed in witte gewaden en een boernoes, nam mijn bestelling op. Ze had het gezicht van een rijk kind en de maniertjes van een non. Het lukte haar te glimlachen terwijl ze praatte, te glimlachen terwijl ze schreef en te glimlachen terwijl ze wegliep. Ik vroeg me af of dat geen zeer deed.
Ik at mijn bord vol sla, spruitjes, opgebakken sojabonen en gesmolten geitekaas op *chapati*-brood – een heilige tostada – leeg, met twee glazen ananas-kokos-guavenectar die uit de heilige Mojavewoestijn was geïmporteerd erbij. De rekening bedroeg tien dollar negenendertig. Dat verklaarde de glimlachjes.
Toen ik net thuis was, kwam Milo aangereden in een onopvallende, bronskleurige Matador.
'De Fiat heeft er eindelijk definitief de brui aan gegeven,' legde hij uit. 'Ik laat hem cremeren en dan de as uitstrooien boven de booreilanden bij Long Beach.'

'Mijn oprechte deelneming.' Ik pakte het dossier van Bruno.
'Bijdragen aan de eerste aanbetaling voor mijn volgende kar zullen in plaats van bloemen in dank worden aanvaard.'
'Laat Silverman er maar een voor je kopen.'
'Ik ben hem al aan het bewerken.'
Hij liet me een paar minuten lezen en vroeg toen: 'Wat denk je ervan?'
'Het maakt me niet zo erg veel wijzer. Bruno is door de reclassering naar Handler doorverwezen nadat hij was gearresteerd vanwege die valse cheque. Handler heeft hem in vier maanden twaalf keer gezien. Toen de proeftijd voorbij was, hield de behandeling ook op. Het is me wel opgevallen dat Handlers notities over hem verhoudingsgewijs aardig zijn. Bruno was een van de patiënten die hij nog niet zo lang in behandeling had. Aan het begin van Bruno's therapie was Handler al heel venijnig geworden, maar toch heeft hij geen gemene opmerkingen over die man gemaakt. In het begin noemt hij hem een ''gladde bedrieger''.' Ik bladerde een paar pagina's verder. 'Een paar weken later maakt hij een grapje over Bruno's ''brede kattegrijns''. Daarna niks meer.'
'Alsof ze goeie kameraden waren geworden?'
'Waarom zeg je dat?'
Milo gaf me een vel papier. 'Bekijk dat maar eens.'
Het was een uitdraai van de telefoondienst.
'Dit,' zei hij, wijzend op een nummer van zeven cijfers, 'is Handlers telefoonnummer. Zijn privé-nummer, niet het nummer van zijn praktijk. En dit is het nummer van Bruno.'
Er waren lijntjes tussen die twee nummers getrokken. De laatste zes maanden hadden ze heel wat telefoongesprekken gevoerd.
'Interessant, hè?'
'Zeer.'
'Ik kan je ook nog iets anders vertellen. De lijkschouwer zegt dat het onmogelijk is officieel te verklaren wanneer Bruno is overleden. De hitte in het huis maakte het werken met tabellen voor verrottingsprocessen onmogelijk en omdat de pers zoveel aandacht aan de zaak besteedt, willen ze niet de kans lopen dat ze het mis hebben. Maar een van zijn jongere medewerkers heeft mc onder vier ogen gezegd dat Bruno naar zijn idee tien tot twaalf dagen geleden moet zijn vermoord.'

‘Precies rond de tijd dat hetzelfde met Handler en Gutierrez is gebeurd.’
‘Ofwel er vlak voor, ofwel er vlak na.’
‘Maar ze zijn niet op dezelfde manier vermoord.’
‘Alex, wie zegt dat moordenaars zich altijd aan een vast patroon houden? Er zijn overigens nog meer verschillen tussen de twee zaken dan de methode van moorden. In het geval van Bruno lijkt iemand zich met geweld toegang tot het huis te hebben verschaft. Onder een raam aan de achterkant waren struiken vertrapt en op het raam zelf zaten sporen van een beitel. Het was vroeger een kinderkamer. De politie van Glendale meent ook twee verschillende hakafdrukken te hebben gevonden.’
‘Twee? Misschien heeft Melody echt iets gezien.’ *Donkere mannen. Twee of drie.*
‘Misschien. Maar ik heb besloten in die richting níet verder te zoeken. Het kind zal nooit een betrouwbare getuige kunnen zijn. Maar ondanks de verschillen ziet het ernaar uit dat we iets op het spoor zijn, al weet ik nog niet wat. Patiënt en behandelend geneesheer, concreet bewijs dat ze na het eind van de behandeling contact met elkaar zijn blijven houden, beiden rond dezelfde tijd naar de andere wereld geholpen. Van toeval kan bijna zeker geen sprake zijn.’
Hij bestudeerde zijn aantekeningen als een wetenschapper. Ik dacht aan Handler en Bruno en kreeg opeens een idee.
‘Milo, we worden in ons denken geremd door maatschappelijke rolpatronen.’
‘Waar heb je het in vredesnaam over?’
‘Maatschappelijk voorgeschreven gedragspatronen, zoals die voor een relatie tussen arts en patiënt, psychiater en psychopaat. Wat zijn de typerende karaktertrekken van een psychopaat?’
‘Geen geweten, onder andere.’
‘Klopt. En het onvermogen om met andere mensen op te schieten tenzij die kunnen worden uitgebuit. De goeien hebben een gladde façade en zien er vaak niet beroerd uit. Gewoonlijk hebben ze een meer dan gemiddelde intelligentie en kunnen ze anderen seksueel manipuleren. Ze zijn ook geneigd zich bezig te houden met bedrog, chantage en fraude.’
Milo’s ogen werden groot.
‘Handler.’

'Natuurlijk. In deze zaak hebben we aan hem gedacht als de arts en zijn we ervan uitgegaan dat hij psychisch normaal was. In onze ogen werd hij beschermd door de rol die hij speelde. Maar laten we hem nu eens wat beter bekijken. Wat weten we van hem? Hij was betrokken bij verzekeringsfraude. Hij heeft geprobeerd Roy Longstreth te chanteren, gebruik makend van zijn macht als psychiater. Hij heeft minstens één patiënte verleid – Elaine Gutierrez – en wie weet hoeveel nog meer? En die denigrerende opmerkingen in de marges van zijn dossiers... In eerste instantie dacht ik dat ze erop wezen dat Handler was opgebrand, maar nu ben ik daar niet meer zo zeker van. De man moet een ijskouwe zijn geweest om net te kunnen doen alsof hij naar mensen luisterde, hun geld aan te nemen en hen te beledigen, al waren die aantekeningen confidentieel en zal hij niet hebben verwacht dat iemand anders die ooit onder ogen kreeg. Milo, ik kan je wel zeggen dat die vent de indruk wekt te beantwoorden aan het klassieke beeld van een psychopaat.'
'De boosaardige dokter.'
'Niet direct een *rara avis*, hè? Wanneer er één Mengele heeft kunnen bestaan, waarom dan geen tientallen Morton Handlers? Wat zou voor een intelligente psychopaat een betere façade kunnen zijn dan de titel van doctor? Daarmee verwerft zo iemand zich meteen prestige en geloofwaardigheid.'
'Psychopathische arts en psychopathische patiënt.' Hij dacht er nog eens over na.
'Geen kameraden, maar partners in de misdaad.'
'Inderdaad. Psychopaten hebben geen kameraden. Alleen slachtoffers en medeplichtigen. Bruno kwam voor Handler als geroepen als hij iets van plan was en iemand van zijn eigen soort nodig had om hem daarbij te helpen. Ik durf mijn kop eronder te verwedden dat die eerste sessies ongelooflijk waren: twee hongerige hyena's die elkaar taxeerden, over hun schouder keken, het terrein afsnuffelden.'
'Waarom nou juist Bruno? Handler heeft ook andere psychopaten behandeld.'
'Die waren hem te primitief. Een kok in tijdelijke dienst, een cowboy, een bouwvakker. Handler had een glad type nodig. Bovendien... hoe zullen we ooit weten hoe vaak hij met opzet een verkeerde diagnose heeft gesteld, zoals bij Longstreth?'
'Om even voor advocaat van de duivel te spelen... een van die grapjassen studeert rechten.'

Daar dacht ik een minuut over na.
'Te jong. In de ogen van Handler ongetwijfeld een groentje. Misschien had het anders gelegen als die jongeman afgestudeerd was geweest en zich een wereldwijs vernislaagje had aangemeten. Handler had een zakenmanstype nodig om zijn plan te kunnen uitvoeren: een echte gladjanus. En Bruno lijkt dat te zijn geweest. Hij heeft Gershman een rad voor ogen gedraaid en die vent is beslist geen idioot.'
Milo stond op en begon door de kamer te ijsberen, waarbij hij met zijn vingers door zijn haar streek en er een vogelnestje van maakte.
'Die theorie spreekt me beslist wel aan. Zieleknijper en patiënt die samen aan het zwendelen slaan.' Het leek hem te amuseren.
'Milo, het zou niet de eerste keer zijn dat zoiets is gebeurd. Een paar jaar geleden woonde er in het oosten van dit land een vent die heel goede papieren had. Hij was met een rijke vrouw getrouwd en begon een kliniek voor jeugdige delinquenten, in de tijd dat die nog zo werden genoemd. Hij maakte van de connecties van zijn schoonfamilie gebruik om avonden te organiseren die geld voor de kliniek in het laatje moesten brengen. Terwijl de champagne rijkelijk vloeide, zetten de jongelui een kraak in de huizen van de feestgangers. Ze hebben hem uiteindelijk gepakt met een pakhuis vol zilver en kristal, bont en kleden. Hij had die spullen niet eens nodig, deed het vanwege de uitdaging. Ze hebben hem naar een van die discrete instellingen in de glooiende heuvels van het zuidelijk deel van Maryland gestuurd en het is heel goed mogelijk dat hij daar nu de leiding over heeft. Het heeft nooit de kranten gehaald. Ik ben erachter gekomen via het professionele roddelcircuit dat tijdens symposia altijd in werking treedt.'
Milo pakte een potlood en begon, hardop denkend, te schrijven.
'Naar de marmeren gangen van de financiële wereld. Bankverslagen, verklaringen van effectenmakelaars, bedrijven die onder een verzonnen naam zijn ingeschreven. Kijken wat er in de kluizen is achtergebleven nadat de belastingdienst zijn smerige werk heeft gedaan, op kadasters handel in onroerend goed nagaan. Verzekeringsmaatschappijen vragen naar door Handler ingediende claims.' Hij zweeg even. 'Alex, ik hoop dat ik hier iets wijzer van zal worden. Deze ellendige zaak heeft mijn status op het bureau geen goed gedaan. Mijn baas mikt op promotie en hij wil meer arrestaties kunnen melden. Handler

en Gutierrez waren geen gettotypes die hij kan wegmoffelen. En hij is als de dood dat Glendale de moord op Bruno eerder zal oplossen dan wij. Dat zou ons imago geen goed doen. Je zult je de zaak-Bianchi nog wel herinneren.'

Ik knikte. Een politieman uit het stadje Bellingham in de staat Washington had de Hillside-wurger opgepakt, iets waar het gehele politie-apparaat van Los Angeles niet toe in staat was geweest.

Milo liep naar de keuken en at, staand bij het aanrecht, de helft van een koude kip op. Die spoelde hij weg met een liter sinaasappelsap en hij kwam terug terwijl hij zijn mond afveegde.

'Ik weet niet waarom het me moeite kost om niet te gaan lachen nu ik tot mijn strot in de lijken zit en ogenschijnlijk geen enkele voortgang boek, maar het lijkt zo komisch: Handler en Bruno. Je stuurt een vent naar een zieleknijper om hem geestelijk weer gezond te maken. De dokter blijkt even verknipt te zijn als de patiënt en zorgt er systematisch voor dat die laatste nog verknipter raakt.'

Zo verwoord klonk het helemaal niet geestig meer. Toch lachte hij.

'En die vrouw dan?' vroeg hij.

'Gutierrez? Wat wil je over haar zeggen?'

'Ik dacht aan die maatschappelijke rolpatronen waar jij het over had. We hebben haar beschouwd als een onschuldige omstandster. Maar als Handler met één patiënt onder één hoedje kon spelen, waarom dan niet met twéé?'

'Dat is niet onmogelijk. Maar we weten dat Bruno psychopathisch was. Er zijn geen bewijzen dat zij dat ook was.'

'Nee,' gaf hij toe. 'We hebben naar Handlers dossier van haar gezocht, maar het niet kunnen vinden. Misschien heeft hij het vernietigd toen hun relatie veranderde. Doen jullie dat wel eens?'

'Dat zou ik niet weten. Ik ben nooit met patiëntes – of hun moeder – naar bed gegaan.'

'Doe niet zo lichtgeraakt. Ik heb geprobeerd met haar familie te praten. De oude, mollige *mamacita* en twee broers van wie er een van die boze macho-ogen had. De vader is er niet meer. Die is tien jaar geleden overleden. Ze wonen met z'n drieën in een klein huisje in Echo Park. Toen ik daar arriveerde, hadden ze de begrafenis net achter de rug. Overal stonden foto's van die jonge vrouw. Veel kaarsen, manden vol eten, huilende buren. De broers waren stuurs. Mama sprak nauwelijks een woord Engels. Ik heb serieus mijn best gedaan rekening met hun gevoelens te houden, me bewust te zijn van de cultuurverschillen en zo. Ik heb Sanchez van het bureau Ramparts geleend om als tolk te fungeren. We hebben eten meegenomen en ons op de achtergrond gehouden. Ik ben er geen moer wijzer geworden. Hoor geen kwaad, spreek geen kwaad. Ik denk echt dat ze niet veel over het leven van Elena wisten. Voor hen is het westelijke deel van L.A. even ver weg als Atlantis. Maar als ze er wel meer van wisten, hadden ze dat mij beslist niet aan mijn neus gehangen.'

'Ook niet als het je zou hebben geholpen om de man te vinden die haar heeft vermoord?' vroeg ik.

Hij keek me moe aan.

'Alex, dat soort mensen denkt niet dat de politie hen kan helpen. In hun ogen bestaat *la policía* uit rotzakken die hun zoons van hun bed lichten, hun dochters beledigen en nooit in de buurt zijn wanneer lui 's nachts zonder brandende koplampen door hun wijk rijden en patronen door slaapkamerramen schieten. Apropos, ik heb gesproken met een vriendin van die vrouw: haar huisgenote, die eveneens lesgaf. Ze reageerde vijandig en maakte duidelijk dat ze niets met mij te maken wilde hebben. Haar broer is vijf jaar geleden omgekomen bij een schietpartij tussen twee bendes. De politie heeft toen niets voor haar en haar familie gedaan, dus kon ik nu barsten.'

Hij stond op en sjokte als een vermoeide leeuw door de kamer.

'Om kort te gaan: Elaine Gutierrez is een nummer. Maar niets wijst erop dat ze niet even maagdelijk was als pas gevallen sneeuw.'

Hij zag er beroerd uit en leek te worden geplaagd door twijfel aan zichzelf.

'Milo, dit is een moeilijke zaak. Eis toch niet zoveel van jezelf.'

'Grappig dat je dat zegt, want mijn moeder hield me dat ook altijd voor. Doe het rustig aan, Milo Bernard. Wees niet zo'n *profectionist.* Zo noemde zij dat. De hele familie was er traditiegetrouw aan gewend niet te veel van zichzelf te verwachten. Ga vroeg van school, ga werken in een smederij, leef een leven van plastic borden, de televisie, picknicks van de kerk en staalsplinters die in je huid blijven steken. Na dertig jaar word je dan invalide verklaard en heb je een pensioen dat met een beetje mazzel toereikend is om eens in de zoveel tijd voor een weekend naar de Ozarks te gaan. Mijn vader heeft zo geleefd, net als mijn twee broers. Het Sturgis-plan. Maar niet het plan van een profectionist. Het werkte het best wanneer je op een gegeven moment trouwde en ik had vanaf mijn negende jaar al een voorkeur voor jongens. In de tweede en belangrijkere plaats vond ik dat ik te slim was om het voorbeeld van de rest van die boeren te volgen. Dus heb ik het vaste patroon doorbroken en daarmee iedereen geschokt. Dan blijkt dat de man van wie iedereen had gedacht dat hij jurist of prof zou worden of in elk geval boekhouder, eindigt als een lid van *la policía*. Is dat niet geweldig voor een vent die een scriptie heeft geschreven over het transcendente in de poëzie van Walt Whitman?'

Hij staarde naar de muur. Hij had zichzelf opgedraaid en dat had ik al eens eerder meegemaakt. In therapeutisch opzicht was het het beste om niets te zeggen, dus negeerde ik hem en deed wat gymnastiek.

'Jack La Lanne kan barsten,' mompelde hij.

Het duurde tien minuten voordat hij weer bij zijn positieven was: tien minuten waarin zijn grote handen telkens tot vuisten werden gebald. Toen keek hij aarzelend op en produceerde de onvermijdelijke schaapachtige grijns.

'Hoeveel ben ik u verschuldigd voor deze sessie?'

Ik dacht daar even over na.

'Een diner in een goed restaurant.'

Hij ging staan en rekte zich uit, grommend als een beer.

'Wat zou je denken van sushi? Ik ben vanavond zo verdomd barbaars dat ik die vissen levend zal opvreten.'

We reden naar Oomasa in Little Tokyo. Het was er druk en de meeste gasten waren Japanners. Het was geen modieuze eetgelegenheid met fraaie schermen en veel glanzend hout. Wel rood kunstleer en kaarsrechte stoelen, witte muren die alleen werden opgesierd door een paar Nikon-kalenders. De enige concessie die aan stijl was gedaan, was een groot aquarium dat vanaf de sushi-bar goed te zien was en waarin goudvissen hun best deden om door het borrelende, ijskoude heldere water te zwemmen. Ze snakten naar adem. Het waren mutaties die in gevangenschap moeilijk in leven te houden zijn: het produkt van honderden jaren zorgvuldig oosters dokteren met de natuur – vissen met snoeten vol glanzende, rode bulten, zwarte exemplaren met uitpuilende ogen, soortgenoten met ogen die altijd hemelwaarts blikten, *ryukins* die zoveel vinnen hadden dat ze zich nauwelijks konden bewegen. We staarden ernaar en dronken Chivas.

'Dat meisje,' zei Milo, 'die huisgenote. Ik had het gevoel dat ze me kon helpen, dat ze iets wist over Elaines levensstijl en misschien ook iets over haar en Handler. Maar ze hield haar kaken verdomme stevig op elkaar.'

Hij dronk zijn glas leeg en gebaarde dat hij er nog een wilde hebben. Dat werd gebracht en hij dronk het in één teug halfleeg.

Een serveerster kwam op geishavoeten aangeschuifeld en gaf ons hete handdoeken. We veegden er ons gezicht en onze handen mee af. Ik voelde mijn poriën opengaan, hongerend naar lucht.

'Jij kunt zeker behoorlijk goed praten met docenten, hè? Dat zul je wel vaak hebben gedaan in de tijd dat je nog op een eerlijke manier je brood verdiende.'

'Milo, soms haten docenten psychologen. Ze zien ons als dilettanten die theoretische parels van wijsheid op hen laten neerdalen terwijl zij het smerige werk moeten doen.'

'Hmmm.' De rest van de scotch verdween.

'Maar dat doet er niet toe. Ik zal met haar gaan praten. Waar kan ik haar vinden?'

'Op dezelfde school waar Gutierrez lesgegeven heeft. In het westelijke deel van L.A., niet ver van jou vandaan.' Hij schreef het adres op een servet en gaf dat aan mij. 'Ze heet Raquel Ochoa.' Hij spelde die naam traag en met een dikke stem. 'Gebruik je politielegitimatie.' Hij gaf me een klap op mijn rug.

Boven ons hoofd hoorden we een schrapend geluid. We keken op en zagen de chef-kok glimlachend zijn messen slijpen.

We bestelden. De vis was vers, de rijst iets gezoet. De *wasabe*-saus maakte mijn sinussen schoon. We aten zwijgend, met op de achtergrond *samisen*-muziek en buitenlands gerebbel.

13

Ik werd wakker met het gevoel alsof ik met zetmeel was ingespoten: mijn spieren waren volslagen stijf als gevolg van mijn dans met Jaroslav. Ik probeerde daar iets aan te doen door drie kilometer het ravijn door te rennen en weer terug. Toen oefende ik karate op de veranda aan de achterkant van mijn huis, waar geamuseerd commentaar op werd geleverd door een paar spotvogels die hun huiselijke twist lang genoeg onderbraken om me te bekijken en me vervolgens 'op z'n vogels' uit te fluiten.

'Kom maar eens hierheen, rotzakkies,' bromde ik. 'Dan zal ik jullie laten zien wie de taaiste is.' Ze reageerden er met lachend gekrijs op.
De dag beloofde een ramp voor mensenlongen te worden: de vieze vingers van de luchtvervuiling kwamen al boven de bergen uit om de lucht in een wurggreep te nemen. De oceaan werd aan het oog onttrokken door zwavelkleurige troep die door de lucht werd verspreid. Mijn borstkas deed even zeer als mijn gewrichten en om tien uur had ik genoeg van de oefeningen.
Ik was van plan in de lunchpauze naar de school te gaan waar Raquel Ochoa lesgaf, in de hoop dat ze dan even vrij zou zijn. Daardoor had ik nog tijd genoeg om een lang, heet bad en een koude douche te nemen en te ontbijten met eieren en champignons, toost van zuurdeeg, gegrilleerde tomaten en koffie.
Ik trok een donkerbruine broek aan, een bruin corduroy sportjasje, een geruit overhemd en een bruine, gebreide das. Voordat ik vertrok draaide ik een nu bekend nummer. Bonita Quinn nam op.
'Ja?'
'Mevrouw Quinn, u spreekt met Delaware. Ik bel om te vragen hoe het met Melody gaat.'
'Prima.' De toon van haar stem had een bierpul nog kunnen laten bevriezen. 'Prima.'
Voordat ik nog iets kon zeggen, verbrak ze de verbinding.

De school stond in een deel van de stad waarin mensen woonden die tot de middenklasse behoorden, maar in feite had hij overal kunnen staan. Hij zag er net zo uit als de andere scholen in de stad: vleeskleurige gebouwen die in de klassieke gevangenisstijl waren neergezet, omgeven door een woestijn van zwart asfalt en van de weg gescheiden door een harmonikahek van een meter of drie hoog. Iemand had geprobeerd het geheel wat op te vrolijken met een muurschildering van spelende kinderen, maar erg veel succes had men daar niet mee gehad. Wat beter hielp, was het zien en horen van levende kinderen die aan het spelen waren. Die renden, sprongen, vielen, zaten elkaar achterna, krijsten, gooiden ballen, schreeuwden als een echte vervolgde ('Juf, hij heeft me geslágen!'), zaten in een kring, fantaseerden. Een groepje verveelde docenten keek vanaf de zijlijn toe.
Ik liep het trapje bij de voordeur op en vond vrijwel moeiteloos het

kantoor. De indeling van het gebouw was even voorspelbaar als de saaie, sombere buitenkant.
Vroeger had ik me vaak afgevraagd waarom alle scholen die ik kende zo hopeloos lelijk en voorspelbaar benauwend waren. Toen was ik een tijdje omgegaan met een verpleegster van wie de vader een van de belangrijkste architecten was op het bureau dat de laatste vijftig jaar staatsscholen had gebouwd. Haar gevoelens jegens hem waren ambivalent en ze had het vaak over hem gehad: een dronken, melancholische man die zijn vrouw haatte en zijn kinderen nog meer minachtte, die de wereld bezag in termen van slechts lichtelijk in intensiteit verschillende teleurstellingen. Een echte Frank Lloyd Wright.
Het kantoor stonk naar stencilinkt. De enige aanwezige was een streng ogende, zwarte vrouw van ergens in de veertig, die achter een fort van licht eikehout zat. Ik liet mijn legitimatiebewijs zien, waar ze geen belangstelling voor had, en vroeg naar Raquel Ochoa. De naam leek haar ook niet te interesseren.
'Ze geeft hier les in de vierde klas,' voegde ik eraan toe.
'Het is lunchtijd. Kijkt u maar eens in de lerarenkamer.'
Dat was een benauwde ruimte van zes bij negen meter, met klaptafels en klapstoelen erin. Een twaalftal mannen en vrouwen zat over lunchzakjes en koffiekoppen gebogen te lachen, te roken en te kauwen. Toen ik de kamer inliep werden alle activiteiten gestaakt.
'Ik ben op zoek naar mevrouw Ochoa.'
'Die zul je hier niet vinden, schat,' zei een vrouw met platinablond haar.
Meerdere docenten lachten. Ze lieten me daar een tijdje staan en toen zei een man met een jong gezicht en oude ogen:
'Ze is waarschijnlijk in lokaal 304.'
'Dank u.'
Ik liep weg. Pas toen ik halverwege de gang was, begonnen ze weer te praten.

De deur van 304 stond halfopen. Ik liep naar binnen. Rijen lege schoolbanken vulden elke vierkante centimeter, met uitzondering van een kleine ruimte voorin in het lokaal waar een vrouw druk zat te werken achter een vierkante, metalen rechthoek. Ze liet niet blijken of ze me had horen binnenkomen. Ze bleef doorlezen, streepte fouten aan. Een ongeopende bruine tas stond bij haar elleboog. Het licht kwam

door vuile ramen in strepen vol dansende stofdeeltjes naar binnen. De Vermeerachtige zachtheid was in tegenspraak met de utilitaristische inrichting: kale muren, een schoolbord met krijtvegen erop, een smerige Amerikaanse vlag.
'Mevrouw Ochoa?'
Het gezicht dat opkeek, kon zo zijn weggelopen uit een muurschildering van Rivera. Roodbruine huid, strak over scherpe maar delicate beenderen getrokken, zachte lippen en dito zwarte ogen onder volle, donkere wenkbrauwen. Haar haar was lang en steil, met een scheiding in het midden, en hing op haar rug. Deels Azteeks, deels Spaans, deels van onbekende origine.
'Ja?' Haar stem was zacht, maar het timbre was hard en verdedigend. Iets van de vijandigheid die Milo had beschreven was me meteen duidelijk. Ik vroeg me af of zij een van die mensen was die van psychische waakzaamheid een ware kunst hadden gemaakt.
Ik liep naar haar toe, stelde me voor en liet mijn legitimatiebewijs zien, dat ze aandachtig bekeek.
'Waarin bent u gepromoveerd?'
'In de psychologie.'
Ze keek me minachtend aan.
'De politie kon niet verder komen en dus hebben ze er een zieleknijper op afgestuurd?'
'Zo eenvoudig ligt het niet.'
'Bespaar me de details.' Ze keek weer naar haar papieren.
'Ik wil alleen een paar minuten met u praten. Over uw vriendin.'
'Ik heb die grote rechercheur alles verteld wat ik weet.'
'Ik wil het alleen nog even controleren.'
'Wat grondig!' Ze pakte haar rode potlood en begon daarmee op het papier te hakken. Ik had te doen met de leerlingen wier werk ze op dit moment onder ogen had.
'Dit is geen psychologisch gesprek, als u zich daar soms zorgen over maakt. Het gaat om...'
'Ik maak me nergens zorgen over. Ik heb hem alles al verteld.'
'Hij denkt van niet.'
Ze tikte zo hard met het potlood dat de punt brak.
'Noemt u me een leugenaarster, meneer de psycholoog?' Haar stem klonk koel, maar er was toch nog iets van een Zuidamerikaans accent in te horen.

Ik haalde mijn schouders op.
'Etiketjes zijn niet belangrijk. Het is wel van belang dat we zoveel mogelijk over Elaine Gutierrez te weten komen.'
'Eléna,' zei ze kortaf. 'Er valt niets over haar te vertellen. De politiemensen moeten hun werk naar behoren doen en geen wetenschappelijk geschoolde gluurders hierheen sturen om mensen lastig te vallen die het druk hebben.'
'Te druk om te helpen de moordenaar van uw beste vriendin te vinden?'
Ze hief haar hoofd op en streek woedend een losse lok weg.
'Gaat u alstublieft weg,' zei ze tussen opeengeklemde kaken door. 'Ik moet werken.'
'Ja, dat weet ik. U luncht niet eens samen met uw collega's. U bent heel toegewijd en heel serieus. Dat moest u ook wel zijn om de *barrio* uit te kunnen komen en dat plaatst u boven de wetten van het burgermansfatsoen.'
Ze ging staan en ik zag dat ze zo'n een meter vijftig lang moest zijn. Toen ze haar hand naar achteren trok, dacht ik even dat ze me zou slaan. Maar ze hield zich in en staarde me aan.
Ik voelde de hitte van woede van haar afstralen, maar bleef haar strak aankijken. Jaroslav zou trots op me zijn geweest.
'Ik heb het druk,' zei ze uiteindelijk, maar haar stem had nu een smekende ondertoon, alsof ze probeerde zichzelf daarvan te overtuigen.
'Ik zal u niet uitnodigen om met mij een cruise te maken. Ik wil u alleen een paar vragen over Elena stellen.'
Ze ging weer zitten.
'Wat voor een psycholoog bent u? U praat niet als een psycholoog.'
Ik gaf haar een korte en met opzet vage versie van mijn betrokkenheid bij de zaak. Ze luisterde en ik meende dat ze zich iets ontspande.
'Een kinderpsycholoog. We zouden u hier best kunnen gebruiken.'
Ik keek om me heen in het lokaal, telde zesenveertig stoeltjes in een ruimte die voor achtentwintig leerlingen was bestemd.
'Ik weet niet wat ik zou kunnen doen. U helpen ze op hun plaats te houden?'
Ze lachte, besefte toen wat ze deed en hield er meteen mee op.
'Het is zinloos om over Elena te praten,' zei ze. 'Ze is alleen in... de problemen gekomen omdat ze zich heeft ingelaten met die...' Ze maakte haar zin niet af.

'Ik weet dat Handler een griezel was. Rechercheur Sturgis, die grote vent, weet dat ook. En u hebt waarschijnlijk gelijk als u zegt dat ze een onschuldig slachtoffer was. Maar we willen zekerheid. Oké?'
'Doet u dit veel? Voor de politie werken?' Ze ontweek mijn vraag.
'Nee. Ik ben met pensioen.'
Ze keek me vol ongeloof aan. 'Op uw leeftijd?'
'Ik was opgebrand.'
Die opmerking leek haar te raken. Het masker was minder gespannen en ik kon iets menselijks zien.
'Ik wou dat ik het me kon veroorloven om met pensioen te gaan.'
'Ik begrijp wat u bedoelt. Een mens zal er wel gek van worden om met zo'n bureaucratie te moeten werken.' Ik stelde me meelevend op: schoolbestuurders maakten elke docent nijdig. Als ze daar niet op inging, wist ik niet wat ik nog meer zou kunnen doen om tot een zekere verstandhouding met haar te komen.
Ze keek me achterdochtig aan, op zoek naar een teken dat ik haar bevoogdend bejegende.
'Werkt u dan helemaal niet?' vroeg ze.
'Ik verricht als free-lancer wat onderzoek en dat houdt me bezig.'
We spraken een tijdje over de grillen van het schoolsysteem. Ze vermeed het zorgvuldig een persoonlijke opmerking te maken, bleef binnen de grenzen van de populaire psychologie: hoe rot alles was wanneer ouders niet bereid waren emotioneel en intellectueel bij hun kinderen betrokken te raken, hoe moeilijk het lesgeven was wanneer de helft van de kinderen uit gebroken gezinnen kwam en ze zo uit balans waren dat ze zich nauwelijks konden concentreren, de frustraties als gevolg van de contacten met schoolbestuurders die het leven hopeloos vonden en het alleen nog volhielden omwille van hun pensioen, de woede over het feit dat het beginsalaris van een docent lager was dan dat van een vuilnisman. Ze was negenentwintig en elk spoortje van idealisme dat er nog was geweest toen ze vanuit de wereld van Oost-L.A. naar die van de Anglo-bourgeoisie was overgestapt, was verdwenen.
Wanneer ze eenmaal op dreef was, kon ze goed praten. De donkere ogen lichtten op, de handen vlogen door de lucht als twee bruine mussen.
Ik zat erbij als het lievelingetje van de juf, luisterde en gaf haar wat iedereen wil hebben wanneer hij zijn hart lucht: medeleven, een begrijpend gebaar. Ik deed dat deels met opzet omdat ik tot haar door wilde

dringen om meer te weten te komen over Elena Gutierrez, maar deels ook gemeend, omdat ik nu eenmaal een therapeut was.
Ik begon net te denken dat ik tot haar was doorgedrongen toen de bel ging. Ze werd weer de juf, de vrouw die als scheidsrechter oordeelde over goed en kwaad.
'U moet nu gaan. De kinderen komen zo meteen terug.'
Ik ging staan en boog me over haar bureau heen.
'Kunnen we later verder praten? Over Elena?'
Ze aarzelde en beet op haar lip. Het geluid van een op hol geslagen kudde begon als een vaag gerommel en werd toen donderend. Hoge, opgewonden stemmen kwamen steeds dichterbij.
'Oké. Ik ben om halfdrie vrij.'
Het zou een vergissing zijn om haar een drankje aan te bieden. Hou het zakelijk, Alex.
'Dank u. Dan wacht ik u op bij het hek.'
'Nee. Doet u dat maar op het parkeerterrein voor het onderwijzend personeel. Aan de zuidkant van het gebouw.' Uit de buurt van nieuwsgierige ogen.

Haar auto was een stoffige, witte Vega. Ze liep erheen met een stapel boeken en papieren die tot haar kin reikte.
'Kan ik u helpen?'
Ze gaf me de vracht, die minstens tien kilo woog, en had wat tijd nodig om haar sleutels te vinden. Ik zag dat ze zich had opgemaakt: oogschaduw die de diepe kleur van haar ogen accentueerde. Ze zag eruit als een meisje van een jaar of achttien.
'Ik heb nog niet gegeten,' zei ze. Dat was eerder een klacht dan dat ze naar een uitnodiging viste.
'Geen bruin zakje meegenomen?'
'Dat heb ik weggegooid. Ik kan geen lekkere lunch voor mezelf klaarmaken. Maar ik ken wel een eethuisje aan Wilshire.'
'Kan ik u daarheen rijden?'
Ze keek naar de Vega.
'Tja, waarom ook niet? Mijn tank is bijna leeg. Legt u die stapel maar op de voorbank.' Dat deed ik, waarna zij de auto weer afsloot. 'Maar ik betaal voor mijn eigen lunch.'
We liepen het schoolterrein af. Ik nam haar mee naar de Seville. Toen ze die zag gingen haar wenkbrauwen omhoog.

'U moet goed kunnen investeren.'
'Van tijd tot tijd heb ik mazzel.'
Ze liet zich in de zachte leren stoel zakken en ademde uit. Ik ging achter het stuur zitten en startte de motor.
'Ik ben van gedachten veranderd,' zei ze. 'U mag voor de lunch betalen.'

Ze at keurig netjes, sneed haar biefstuk in kleine stukjes, stopte elk stukje afzonderlijk in haar mond en veegde om de drie happen haar lippen met haar servet af. Ik wilde wedden dat ze niet makkelijk hoge cijfers gaf.
'Ze was mijn beste vriendin,' zei ze, terwijl ze haar vork neerlegde en het glas water pakte. 'We zijn samen opgegroeid in het westelijke deel van L.A. Rafael en Andy, haar broers, speelden vaak met Miguel.' Toen ze de naam van haar overleden broer noemde, werden haar ogen vochtig. Even later verscheen er een harde blik in. Ze duwde haar bord van zich af. Ze had een kwart van het eten opgegeten. 'Toen we naar Echo Park verhuisden, verhuisden de Gutierrezes met ons mee. De jongens kwamen altijd in de problemen; ondeugende streken en zo. Elena en ik waren brave meisjes. Heel brave meisjes, eigenlijk. De nonnen waren dol op ons.' Ze glimlachte.
'We hadden zusters kunnen zijn en net als bij echte zusjes waren we elkaars concurrenten. Zij heeft er altijd beter uitgezien dan ik.'
Ze zag de twijfel op mijn gezicht.
'Echt waar. Ik was een mager scharminkel. Mijn lichaam heeft zich pas laat ontwikkeld. Elena was... sensueel, zacht. De jongens liepen als hondjes achter haar aan. Ook toen ze elf, twaalf jaar oud was. Hier.' Ze haalde een foto uit haar tas. Nog meer fotografische herinneringen.
'Dat zijn Elena en ik. Op de middelbare school.'
Twee meisjes stonden tegen een muur vol graffiti geleund. Ze hadden het uniform van een katholieke school aan: witte blouse met korte mouw, grijze rok, witte sokken en schoenen van zadelleer. Het ene meisje was klein, mager en donker. Het andere was een hoofd groter, had rondingen die het uniform niet verborgen kon houden en een huidkleur die verbazingwekkend licht was.
'Was ze blond?'
'Verbazingwekkend, hè? Ongetwijfeld heeft een Duitser lang geleden

een vrouwelijk familielid verkracht. Later heeft ze haar haar geblondeerd, om nog meer een echte Amerikaanse te lijken. Ze werd wereldwijs, veranderde haar naam in Elaine en gaf veel geld uit aan kleren en haar auto.' Ze realiseerde zich dat ze kritiek aan het leveren was op de dode vrouw en gaf haar verhaal snel een andere draai. 'Maar onder dat alles ging een sterke persoonlijkheid schuil. Ze was een echt begaafde onderwijzeres en daar zijn er niet zoveel van. Ze heeft lesgegeven aan kinderen met leerproblemen, weet u.'

Kinderen met leerproblemen waren iets anders dan geestelijk gehandicapte kinderen, wist ik. Tot die eerste categorie behoorden allerlei types, van intelligente kinderen met specifieke perceptieproblemen tot jongeren die emotioneel zo in de knoop zaten dat ze niet konden leren lezen en schrijven. Lesgeven aan die kinderen was moeilijk. Het kon één grote frustratie zijn, of een stimulerende uitdaging, afhankelijk van de motivatie, de energie en het talent van de desbetreffende docente.

'Elena had er werkelijk slag van om die kinderen uit hun tent te lokken; kinderen met wie niemand anders kon werken. Ze was geduldig. Dat zou je niet hebben verwacht wanneer je naar haar keek. Ze was... opvallend. Ze gebruikte veel make-up en kleedde zich opzichtig. Soms zag ze eruit als een vrouw die niets anders deed dan feestvieren. Maar ze was niet bang om samen met de kinderen op de grond te gaan zitten en vuile handen te krijgen. Ze kon als het ware in hun hoofd kruipen en gaf zich volledig aan hen. De kinderen waren dol op haar. Kijkt u maar eens.'

Nog een foto. Elena Gutierrez, omgeven door een groep glimlachende kinderen. Ze zat op haar knieën en de kinderen klommen boven op haar, trokken aan de zoom van haar rok, legden hun hoofd in haar schoot. Een lange, goedgebouwde jonge vrouw, eerder aantrekkelijk dan mooi om te zien, een dikke bos blond haar rond een ovaal gezicht: een dramatisch contrast met de Latijns-Amerikaanse gelaatstrekken. Los van die gelaatstrekken was ze het prototype van een meisje uit Californië. Ze had op haar buik op het strand van Malibu moeten liggen, met het bovenstukje van haar bikini los, om haar gladde bruine rug aan de zon bloot te stellen. Een meisje uit cola-advertenties, uit reclamespotjes voor caravans, een jonge vrouw die in een topje en een short naar de supermarkt rent om zes blikjes bier te halen. Ze had niet moeten eindigen als levenloos vlees in een ijsgekoelde lade in het centrum van de stad.

Raquel Ochoa pakte de foto weer van me terug en ik meende jaloezie op haar gezicht te zien.
'Ze is dood,' zei ze, terwijl ze de foto in haar tas terugstopte en haar wenkbrauwen fronste alsof ik me schuldig had gemaakt aan een vorm van ketterij.
'Zo te zien aanbaden ze haar,' zei ik.
'Dat deden ze ook. Nu hebben ze een ouwe taart aangesteld die helemaal niet in lesgeven geïnteresseerd is. Nu Elena ... er niet meer is.'
Ze begon te huilen en drukte haar servet tegen haar gezicht. Haar magere schouders schokten. Ze zakte wat verder onderuit op haar stoel, probeerde te verdwijnen, snikkend.
Ik ging naast haar staan en sloeg mijn armen om haar heen. Ze voelde even fragiel aan als een spinneweb.
'Nee, niet doen. Met mij is alles in orde.' Maar ze drukte zich dichter tegen me aan, begroef zich in de plooien van mijn jasje, alsof ze zich voorbereidde op een lange, koude winter.
Terwijl ik haar vasthield, besefte ik dat ze lekker aanvoelde. Ze rook ook lekker. Ik had een verbazingwekkend zachte, vrouwelijke vrouw in mijn armen. Ik stelde me voor dat ik deze vederlichte en kwetsbare vrouw optilde en haar naar een bed droeg waar ik haar kreten van verdriet zou smoren met een orgasme. Een stomme fantasie, want er zou meer voor nodig zijn dan een nummertje en een omhelzing om haar problemen op te lossen, en bovendien was deze ontmoeting daar niet voor bedoeld. Ik voelde een ergerlijke warmte en spanning in mijn lendenen. Ik kreeg een erectie op een volstrekt ongepast moment. Toch bleef ik haar vasthouden tot het snikken minder werd en ze weer regelmatig ademhaalde. Ik dacht aan Robin, liet haar uiteindelijk los en liep terug naar mijn eigen plaats.
Ze keek me niet aan, pakte haar poederdoos en werkte haar gezicht bij.
'Dat was echt stom.'
'Nee, dat was het niet. Om die reden worden grafredes gehouden.'
Ze dacht daar even over na en toen lukte het haar vaag te glimlachen.
'Ja, ik denk dat u gelijk hebt.' Ze legde een kleine hand op de mijne.
'Dank u. Ik mis haar zo.'
'Dat begrijp ik.'
'Werkelijk?' Ze trok, opeens boos, haar hand terug.

'Nee, misschien toch niet. Ik heb nog nooit iemand verloren die me zo na stond. Wilt u het aanvaarden als een gemeende poging tot medeleven?'
'Sorry. Ik ben grof geweest vanaf het moment dat u mijn lokaal inkwam. Het is zo moeilijk. Al die gevoelens, verdriet, leegheid en woede om wat dat monster heeft gedaan. Het moet toch een monster zijn geweest?'
'Ja.'
'Zullen jullie hem te pakken krijgen? Zal die grote rechercheur hem te pakken krijgen?'
'Raquel, die man verstaat zijn vak uitstekend. Op zijn eigen manier is hij heel getalenteerd. Maar hij heeft weinig om van uit te gaan.'
'Ik neem aan dat ik u zou moeten helpen, hè?'
'Dat zou prettig zijn.'
Ze haalde een sigaret uit haar tas en stak die met trillende handen op. Toen nam ze een diepe trek en blies de rook weer uit.
'Wat wilt u weten?'
'Om te beginnen het aloude cliché: had ze vijanden?'
'Het even clichématige antwoord daarop is: nee. Ze was populair. Iedereen mocht haar graag. Bovendien kan degene die dit haar heeft aangedaan, geen kennis zijn geweest. Zo'n type kenden we niet.' Ze rilde toen ze haar eigen kwetsbaarheid onder ogen zag.
'Is ze met veel mannen uitgegaan?'
'Dezelfde vragen.' Ze zuchtte. 'Ze is met een paar mannen omgegaan voordat ze hèm leerde kennen. Sindsdien waren ze voortdurend samen.'
'Wanneer is ze met hem bevriend geraakt?'
'Ze is bijna een jaar geleden als patiënte van hem begonnen. Ik weet niet precies wanneer ze voor het eerst met hem naar bed is gegaan. Over dat soort dingen praatte ze niet met me.'
Ik kon me voorstellen dat seksualiteit als gespreksonderwerp taboe was voor die twee goede vriendinnen. Gezien hun afkomst en opvoeding moesten er veel conflicten zijn geweest. En gegeven wat ik van Raquel had gezien en over Elena had gehoord, was het vrijwel zeker dat ze die conflicten op verschillende manieren hadden opgelost. Elena was gaan feesten en had zich op mannen georiënteerd. Raquel was aantrekkelijk maar kennelijk de mening toegedaan dat ze de strijd met de hele wereld moest aanbinden. Ik keek over de tafel naar het donke-

re, ernstige gezicht en wist dat haar bed met dorens omgeven moest zijn.
'Heeft ze u verteld dat ze een verhouding hadden?'
'Een verhouding? Dat klinkt zo luchtig. Hij heeft zijn beroepsethiek geschonden en daar is zij voor gevallen.' Ze nam een trek van haar sigaret. 'Ze heeft er ongeveer een week over gegiecheld en daarna vertelde ze me wat een geweldige man hij was. Toen kon ik van een en een twee maken. Een maand later heeft hij haar bij ons thuis opgehaald en was het algemeen bekend.'
'Wat voor een man was hij?'
'Zoals u al eerder hebt gezegd: een griezel. Te goed gekleed: fluwelen jasjes, maatbroeken, bruin door een zonnebank, de bovenste knoopjes van zijn overhemd los om veel borsthaar te kunnen laten zien. Hij glimlachte veel en werd familiair jegens mij. Schudde mijn hand en hield die te lang vast. Deed te lang over een afscheidskus. Niets wat je hem voor de voeten kon gooien.' Die opmerkingen waren bijna identiek aan die van Roy Longstreth.
'Glad?'
'Inderdaad. Een gladde aal. Ze was al eens eerder voor dat type gevallen. Ik kon dat niet begrijpen. Ze was zo goed en stond met beide benen zo stevig op de grond. Ik nam aan dat het iets te maken had met het feit dat ze op jonge leeftijd haar vader had verloren. Ze had geen goed mannelijk voorbeeldfiguur. Klinkt dat plausibel?'
'Zeker.' Het leven was nooit zo eenvoudig als het in de psychologische handboeken stond beschreven, maar mensen vonden het prettig overal oplossingen voor te vinden.
'Hij had een slechte invloed op haar. Toen ze met hem begon om te gaan, liet ze haar haar blonderen, veranderde haar naam en kocht al die kleren. Ze heeft zelfs een nieuwe auto gekocht: een van die Datsun z turbo's.'
'Hoe kon ze zich die veroorloven?' De auto kostte meer dan de meeste docenten in een jaar verdienden.
'Als u denkt dat *híj* die heeft betaald, kunt u dat rustig vergeten. Ze heeft hem op afbetaling gekocht. Dat was trouwens iets typerends voor Elena. Ze had geen idee van de waarde van geld en liet het gewoon tussen haar vingers door glippen. Ze zei altijd voor de grap dat ze met een rijke vent zou moeten trouwen om haar smaak te kunnen bevredigen.'

'Hoe vaak zagen ze elkaar?'
'Aanvankelijk een of twee keer in de week. Maar op het laatst had ze net zo goed bij hem kunnen intrekken. Ik zag haar nog maar zelden. Ze kwam af en toe naar huis om een paar dingen op te halen en me uit te nodigen een keer met hen te gaan stappen.'
'Hebt u dat gedaan?'
Die vraag verbaasde haar.
'U maakt zeker een grapje? Ik kon het niet verdragen in de buurt van die man te zijn. Verder heb ik een eigen leven. Ik voelde er niets voor een vijfde wiel aan de wagen te zijn.'
Een leven, vermoedde ik, dat bestond uit huiswerk nakijken tot een uur of tien en dan gaan slapen, met alle knoopjes van de nachtjapon dicht, een griezelroman en een kop warme chocolademelk.
'Hadden ze vrienden? Andere stellen met wie ze omgingen?'
'Daar heb ik geen idee van. Ik probeer u duidelijk te maken dat ik me niet met hen heb bemoeid.' Haar stem klonk gespannen en ik nam meteen gas terug.
'Ze is begonnen als zijn patiënte. Hebt u er enig idee van waarom ze überhaupt naar een psychiater is gegaan?'
'Ze zei dat ze depressief was.'
'En u dacht dat ze dat niet was?'
'Bij sommige mensen kun je dat moeilijk bepalen. Wanneer ik depressief word, weet iedereen dat. Dan trek ik me terug en wil met niemand iets te maken hebben. Het lijkt alsof ik in zo'n geval krimp en in mezelf kruip. Maar Elena? Wie zal het zeggen? Ze had geen problemen met eten of slapen. Ze werd alleen wat stiller.'
'Maar ze zei dat ze depressief was?'
'Pas nadat ze me had verteld dat ze naar Handler toe ging en ik haar had gevraagd waarom. Ze zei dat ze zich depressief voelde door haar werk. Ik heb geprobeerd haar te helpen, maar ze zei dat ze meer hulp nodig had. Ik ben nooit een grote fan van psychiaters en psychologen geweest.' Ze glimlachte verontschuldigend. 'Als je vrienden en familie hebt, moet je zelf een oplossing voor problemen kunnen vinden.'
'Als dat kan is het mooi. Maar soms heb je meer nodig, Raquel, zoals zij tegen je heeft gezegd.'
Ze maakte haar sigaret uit.
'Ik neem aan dat het voor u maar gelukkig is dat veel mensen het met haar eens zijn.'

'Dat denk ik wel.'
Er volgde een ongemakkelijke stilte. Ik verbrak die.
'Heeft hij haar medicijnen voorgeschreven?'
'Voor zover ik weet niet. Hij praatte alleen met haar. Ze ging elke week naar hem toe en later twee keer per week toen een van haar leerlingen was overleden. In die tijd was ze echt depressief. Ze heeft dagen gehuild.'
'Wanneer was dat?'
'Eens even nadenken... Vrij kort nadat ze voor het eerst naar Handler toe was gegaan, misschien toen hun relatie al was veranderd. Ik weet het niet. Een maand of acht geleden.'
'Hoe is het gebeurd?'
'Een aanrijding. De chauffeur is doorgereden. Het kind liep 's avonds over een donkere weg en is aangereden door een auto. Ze was er kapot van. Ze had maanden met hem gewerkt. Hij was een van haar wonderen. Iedereen dacht dat hij stom was, maar Elena had hem aan het praten gekregen.' Ze schudde haar hoofd. 'Een wonder. En toen was het allemaal voor niets geweest. Zo zinloos.'
'De ouders moeten er ook kapot van zijn geweest.'
'Er waren geen ouders. Hij was een wees en hij kwam uit La Casa.'
'La Casa de los Niños in Malibu Canyon?'
'Ja. Waarom verbaast u dat? Ze hebben een contract met ons afgesloten om sommige kinderen speciaal onderwijs te geven. Zo'n contract hebben ze met meer scholen in de buurt. Het is een onderdeel van een of ander door de staat gefinancierd project dat tot doel heeft kinderen zonder familie weer terug te brengen in de maatschappij.'
'Dat verbaast me niet,' loog ik. 'Het lijkt alleen zo triest dat iets dergelijks een wees overkomt.'
'Ja. Het leven is oneerlijk.' Die uitspraak leek haar voldoening te schenken.
Ze keek op haar horloge.
'Wilt u me nog meer vragen? Ik moet terug.'
'Nog één vraag. Herinnert u zich de naam van het kind dat is overleden?'
'Nemeth. Cary of Corey. Iets dergelijks.'
'Hartelijk dank voor uw tijd. U hebt me echt geholpen.'
'Werkelijk? Ik zou niet weten hoe. Maar ik ben blij als u er dichter bij dat monster door bent gekomen.'

Ze had een concreet beeld van de moordenaar voor ogen waar Milo haar om zou hebben benijd.
We reden terug naar de school en ik liep met haar mee naar haar auto.
'Oké,' zei ze.
'Nogmaals bedankt.'
'Graag gedaan. Als u nog meer vragen hebt, kunt u terugkomen.'
Rechter door zee zou ze nooit kunnen worden, want voor haar stond dit gelijk met een uitnodiging om bij haar thuis te komen. Het maakte me triest te weten dat ik niets voor haar kon doen.
'Dat zal ik doen.'
Ze glimlachte en stak haar hand uit. Ik schudde die en zorgde ervoor hem niet te lang vast te houden.

14

Ik heb nooit echt serieus in toeval geloofd. Ik denk dat dat komt doordat het idee dat het leven wordt beheerst door willekeurige botsingen van moleculen in de ruimte, de kern van mijn professionele identiteit aantast. Waarom zou je al die jaren leren hoe je mensen moet helpen te veranderen als een bewuste verandering slechts een illusie is? Maar zelfs wanneer ik bereid was geweest in toeval te geloven, dan zou het me toch veel moeite hebben gekost het gegeven dat Cary of Corey Nemeth (wijlen), een leerling van Elena Gutierrez (wijlen), in het tehuis had gewoond waar Maurice Bruno (wijlen) vrijwilligerswerk had gedaan, daaraan toe te schrijven.
Het werd tijd om wat meer te weten te komen over La Casa de los Niños.
Ik ging naar huis en zocht in de kartonnen dozen, die ik in de garage had gezet toen ik mijn lier aan de wilgen had gehangen, naar mijn oude Rolodex. Daarin zocht ik Olivia Brickermans telefoonnummer bij de sociale dienst op en draaide dat. Olivia wist meer over dergelijke tehuizen dan wie dan ook in de stad.
Ik werd verbonden met een antwoordapparaat, dat me meedeelde dat het telefoonnummer was gewijzigd. Ik draaide het nieuwe nummer en kreeg via een bandje de mededeling dat ik een ogenblikje geduld moest hebben. Ik hoorde een bandje met Barry Manilow en vroeg me af of de stad hem royalty's betaalde. Muziek terwijl je wachtte op verbinding met je maatschappelijk werker.

‘Met de sociale dienst.’
‘Mevrouw Brickerman, alstublieft.’
‘Een momentje, meneer.’ Nog twee minuten Manilow. Toen: ‘Ze werkt hier niet meer.’
‘Kunt u me vertellen waar ik haar wel kan bereiken?’
‘Een momentje.’ Ik kreeg opnieuw te horen wie de muziek schreef die de hele wereld aan het zingen maakte. ‘Mevrouw Brickerman werkt nu bij de Santa Monica Psychiatric Medical Group.’
Olivia had dus besloten de overheidsdienst vaarwel te zeggen.
‘Hebt u dat nummer?’
‘Een momentje, meneer.’
‘Laat u maar.’ Ik verbrak de verbinding en zocht in de gids onder de kop GEESTELIJKE GEZONDHEIDSZORG. Het nummer hoorde bij een adres aan Broadway, waar Santa Monica Venice naderde, niet ver van Robins atelier. Ik draaide dat nummer.
‘SMPMG.’
‘Mevrouw Olivia Brickerman, alstublieft.’
‘Wie kan ik zeggen dat haar wil spreken?’
‘Doctor Delaware.’
‘Een ogenblikje.’ Het was stil op de lijn. Kennelijk was de SMPMG nog niet op de hoogte van de mogelijkheid gebruik te maken van muzak.
‘Alex! Hoe is het met je?’
‘Prima, Olivia. En met jou?’
‘Geweldig. Werkelijk geweldig. Ik dacht dat je ergens in de Himalaya zat.’
‘Waarom?’
‘Gaan mensen daar niet naartoe wanneer ze zichzelf willen vinden: een koud oord, zonder zuurstof en met een kleine oude man met een baard die boven op een berg op twijgjes zit te kauwen en het tijdschrift *People* leest?’
‘Olivia, dat gebeurde in de jaren zestig. In de jaren tachtig blijf je thuis en ga je zitten weken in heet water.’
‘Ha!’
‘Hoe is het met Al?’
‘Die is zijn gewoonlijke extraverte zelf. Toen ik vanmorgen wegging, zat hij boven het bord te mompelen over de Pakistaanse verdediging of soortgelijke ellende.’
Haar echtgenoot, Albert D. Brickerman, was de redacteur van de

schaakrubriek in de *Times*. Ik kende hem vijf jaar en had in al die tijd nooit meer dan twaalf woorden achter elkaar over zijn lippen horen komen. Het was moeilijk voor te stellen wat hij en Olivia, een sociaal uitermate vaardige vrouw, gemeen hadden. Maar ze waren al zevenendertig jaar getrouwd, hadden vier kinderen grootgebracht en leken tevreden met elkaar te zijn.

'Dus je bent eindelijk weggegaan bij de sociale dienst?'

'Ja. Kun je dat geloven? Zelfs plakkers kunnen verpot worden.'

'Wat heeft je tot zo'n impulsieve beslissing gebracht?'

'Alex, in principe zou ik er nooit zijn weggegaan. Natuurlijk stonk het systeem, welk systeem doet dat niet? Maar ik was eraan gewend en ik denk altijd maar dat ik mijn werk daar goed deed, al moet ik je wel zeggen dat de verhalen steeds triester en langer werden. Zoveel ellende. Door de bezuinigingen kregen de mensen steeds minder en werden ze bozer en bozer. Dat reageerden ze af op ons. In het kantoor in het centrum is een jonge medewerkster met een mes bewerkt. Nu hebben ze gewapende bewakers in elk kantoor. Maar ik kon ertegen, want ik ben tenslotte opgegroeid in New York. Toen studeerde Steve, mijn neefje en de zoon van mijn zuster, af als arts en besloot psychiater te worden. Kun je dat geloven? Nòg iemand in de familie bij de geestelijke gezondheidszorg! Zijn vader is chirurg en dit was voor hem de veiligste manier om te rebelleren. In elk geval heb ik het altijd erg goed met hem kunnen vinden en we zeiden vaak voor de grap dat hij tante Livvy uit de klauwen van de sociale dienst zou redden door haar zelf in dienst te nemen zodra hij een eigen praktijk was begonnen. En het is niet te geloven, maar hij heeft het nog gedaan ook! Hij schrijft me een brief, zegt dat hij naar Californië komt om in een groepspraktijk te gaan werken en dat ze een maatschappelijk werkster nodig hebben voor intakegesprekken en korte begeleidingen. Of ik zin had om dat te doen? Dus zit ik nu in dit kantoor met uitzicht op het strand voor die kleine Stevie te werken, al noem ik hem natuurlijk niet zo wanneer er andere mensen bij zijn.'

'Dat is geweldig, Olivia. Je klinkt gelukkig.'

'Dat ben ik ook. In de lunchpauze ga ik naar het strand, lees een boek en word bruin. Na tweeëntwintig jaar heb ik eindelijk het gevoel in Californië te leven. Misschien ga ik ook nog wel rollerskaten.'

Ik moest lachen toen ik me Olivia, die qua lichaamsbouw wel wat op Alfred Hitchcock leek, rollerskatend voorstelde.

'Hou op, Alex! Wacht maar!' Ze grinnikte. 'Nu heb ik je wel genoeg autobiografisch materiaal verschaft. Wat kan ik voor je doen?'
'Ik heb wat informatie nodig over een instelling in Malibu, die La Casa de los Niños heet.'
'Dat tehuis van McCaffrey? Denk je erover iemand daarheen te sturen?'
'Nee. Het is een lang verhaal.'
'Luister. Als het zo lang is, moet je me maar even de kans geven in mijn dossiers te duiken. Kom vanavond naar me toe en dan zal ik je alle informatie geven die ik heb kunnen vinden. Ik ga koken en Albert zal wel boven het schaakbord zitten te mediteren. We hebben je al zo lang niet meer gezien.'
'Wat ga je koken?'
'*Strudel*, *pirogis* en *brownies* met toffeesmaak.'
'Dan kom ik. Hoe laat?'
'Rond een uur of acht. Weet je nog waar ik woon?'
'Zo lang is het nu ook weer niet geleden, Olivia.'
'Tweemaal zo lang als jij kennelijk denkt. Luister. Ik wil geen bemoeial zijn, maar als je geen vriendin hebt, ken ik een jongedame die hier net als psychologe is komen werken. Heel aantrekkelijk om te zien. Jullie zouden briljante kinderen krijgen.'
'Dank je, maar ik heb al een vriendin.'
'Geweldig. Neem haar mee.'

De Brickermans woonden aan Hayworth, niet ver van Fairfax vandaan, in een klein, beige gestuukt huis met een Spaans pannendak. Olivia's immense Chrysler stond op de oprit geparkeerd.
'Alex, wat doe ik eigenlijk hier?' vroeg Robin toen we naar de voordeur liepen.
'Hou je van schaken?'
'Ik kan niet schaken.'
'Maak je daar maar geen zorgen over. Dit is een huis waarin je niet bang hoeft te zijn voor ongemakkelijke stiltes. Je zult mazzel hebben wanneer je de kans krijgt om ook maar iets te zeggen. Je moet gewoon brownies eten en genieten!'
Ik gaf haar een kus en belde aan.
Olivia deed open. Ze zag er nog hetzelfde uit, misschien een paar pondjes zwaarder. Haar roodgeverfde haar kroesde, ze had roze wan-

gen en een open gezicht. Ze droeg een hemdjurk met een Hawaï-patroon, die met haar mee bewoog wanneer ze lachte. Ze spreidde haar handen en drukte me tegen een boezem met de afmetingen van een kleine bank.

'Alex!' Ze liet me los en hield me op armslengte van zich af. 'Geen baard meer! Vroeger leek je op D.H. Lawrence, nu op een doctorandus.' Ze draaide zich om en keek Robin glimlachend aan. Ik stelde hen aan elkaar voor.

'Prettig kennis met je te maken. Je hebt veel geluk gehad, want hij is een schat van een jongen.'

Robin bloosde.

'Kom binnen.'

Ik rook heerlijke luchtjes. Al Brickerman, een profeet met wit haar en een witte baard, zat in de huiskamer over een schaakbord van ebbe- en esdoornhout gebogen. Hij was omgeven door boeken op planken en op de grond, snuisterijen, foto's van kinderen en kleinkinderen, souvenirtjes en makkelijke stoelen. Hij had een oude kamerjas en pantoffels aan.

'Al, Alex en zijn vriendin zijn er.'

'Hmmm.' Hij bromde en stak een hand omhoog, zonder zijn ogen van de schaakstukken op het bord af te wenden.

'Leuk je weer eens te zien, Al.'

'Hmmm.'

'Hij is echt schizoïde,' vertrouwde Olivia Robin toe, 'maar in bed is hij een brok dynamiet.'

Ze nam ons mee naar de keuken. Die zag er nog net zo uit als toen het huis veertig jaar geleden was gebouwd: gele tegels met kastanjebruine sierranden, een kleine porseleinen spoelbak, vensterbanken vol planten. De koelkast en het fornuis waren stokoude Kenmores. Boven de deur naar de veranda aan de achterkant hing een aardewerk bordje: HOE KUN JE ALS EEN ADELAAR DOOR DE LUCHT SCHIETEN WANNEER JE DOOR KALKOENEN BENT OMGEVEN?

Olivia zag me ernaar kijken.

'Dat heb ik gekregen toen ik bij de sociale dienst wegging. Voor mezelf, van mezelf.' Ze pakte een bord met nog warme *brownies*.

'Neem er een paar voordat ik ze allemaal heb opgegeten. Ik begin dik te worden.' Ze klopte op haar derrière.

'Nog meer om lief te hebben,' zei ik en zij kneep in mijn wang.

'Hmmm, ze zijn heerlijk,' zei Robin.
'Een vrouw met smaak. Ga zitten.'
We sleepten stoelen naar de keukentafel en het bord werd voor ons neergezet. Olivia controleerde de oven en kwam toen bij ons zitten. 'Over een minuut of tien is de strudel klaar. Appels, rozijnen en vijgen. Die laatste zijn een improvisatie voor Albert.' Ze wees met haar duim naar de huiskamer. 'Van tijd tot tijd raakt het systeem verstopt. Je wilt dus wat weten over La Casa de los Niños. Niet dat ik er iets mee te maken heb, maar zou je me kunnen vertellen waarom?'
'Het heeft te maken met werk dat ik voor de politie aan het doen ben.'
'De politie? Jij?'
Ik vertelde haar over de zaak en liet de smerige details achterwege. Ze had Milo wel eens ontmoet en die twee hadden het best met elkaar kunnen vinden, maar ze had toen niet geweten hoe goed we bevriend waren.
'Aardige jongen. Je zou een leuke vrouw voor hem moeten zoeken. Net zo'n vrouw als je voor jezelf hebt gevonden.' Ze glimlachte naar Robin en bood haar nog een *brownie* aan.
'Olivia, ik denk niet dat dat een succes zou worden. Hij is homo.'
Daar liet ze zich niet door uit het veld slaan. 'Nou en? Dan ga je op zoek naar een aardige vent voor hem.'
'Die heeft hij al.'
'Gelukkig. Robin, vergeef me dat ik steeds zit te rebbelen. Dat komt door al die uren dat ik naar cliënten moet luisteren en alleen kan knikken en ja-ja kan zeggen. Daarna ga ik naar huis en je kunt je wel voorstellen wat een diepgaande gesprekken ik dan met prins Albert kan voeren. Alex, heeft Milo je verzocht me naar La Casa te vragen?'
'Niet direct. Ik volg mijn eigen aanwijzingen.'
Ze keek naar Robin.
'Is hij een tweede Philip Marlowe geworden?'
Robin gaf haar een hulpeloze blik.
'Is dit gevaarlijk, Alex?'
'Nee. Ik wil alleen een paar dingen natrekken.'
'Wees alsjeblieft voorzichtig.' Ze kneep even hard in mijn biceps als een uitsmijter dat zou kunnen doen. 'Zorg ervoor dat hij voorzichtig is, schatje.'
'Dat zal ik proberen, Olivia, maar ik kan hem niet tegenhouden.'
'Dat weet ik. Psychologen raken er zo aan gewend een autoritaire po-

sitie in te nemen dat ze niet naar goede raad kunnen luisteren. Laat me je eens wat vertellen over deze knappe vent. Ik heb hem leren kennen toen hij als co-assistent drie weken bij de sociale dienst kwam werken om te weten te komen hoe het leven was van mensen zonder geld. Aanvankelijk deed hij net alsof hij alles al wist, maar ik zag meteen dat hij een bijzonder iemand was. Hij was heel slim en kon met anderen meeleven. Zijn grootste probleem was dat hij te streng voor zichzelf was en te veel van zichzelf eiste. Hij deed tweemaal zoveel werk als de anderen en dacht dan nog altijd dat hij niets deed. Het verbaasde me niets toen hij als een komeet omhoogschoot, promoveerde, boeken ging schrijven en zo. Maar ik was wel bang dat hij te snel opgebrand zou raken.'
'Je hebt gelijk gekregen, Olivia,' gaf ik toe.
'Ik dacht dat hij naar de Himalaya of iets dergelijks was vertrokken.' Ze lachte en bleef het woord tot Robin richten. 'Om eerst te bevriezen en daarna bij thuiskomst Californië weer te kunnen waarderen. Nemen jullie er nog een paar.'
'Ik zit vol,' zei Robin, die op haar platte buik klopte.
'Je hebt waarschijnlijk gelijk. Het is verstandig om op je lijn te letten als je die nog hebt. Ik ben als een tonnetje geboren en heb nooit ergens op hoeven te letten. Vertel me eens, hou je van hem, schatje?'
Robin keek naar mij en sloeg een arm om mijn hals.
'Ja.'
'Prima. Dan zijn jullie nu in de echt verbonden. Wat doet het ertoe hoe hij erover denkt?'
Ze stond op, liep naar de oven en keek door het glazen ruitje.
'Nog een paar minuten. Ik denk dat het wat langer duurt door die vijgen.'
'Olivia, wat kun je me vertellen over La Casa de los Niños?'
Ze zuchtte en haar boezem zuchtte met haar mee. 'Oké. Je wilt kennelijk serieus voor politieagent spelen.' Ze ging zitten. 'Na je telefoontje ben ik in mijn oude dossiers gedoken en heb ik gepakt wat ik vinden kon. Willen jullie koffie?'
'Graag,' zei Robin.
'Ik heb er ook wel trek in.'
Ze kwam terug met drie stomende mokken, melk en suiker op een porseleinen dienblad met een panorama van Yellowstone Park.
'Olivia, deze is heerlijk,' zei Robin, terwijl ze kleine slokjes nam.

'Kona. Uit Hawaï. Deze jurk komt daar ook vandaan. Mijn jongste zoon Gabriel woont daar. Hij importeert en exporteert. Hij doet het heel goed.'
'Olivia...'
'Ja, ja. Oké. La Casa de los Niños. Het kindertehuis. In 1974 door de eerwaarde Augustus McCaffrey opgericht voor dakloze kinderen. Die tekst komt regelrecht uit de brochure.'
'Heb je die hier?'
'Nee, op mijn kantoor. Zal ik je er een exemplaar van sturen?'
'Dat hoeft niet. Wat voor kinderen verblijven daar?'
'Kinderen die zijn misbruikt en verwaarloosd, wezen, kinderen die van huis zijn weggelopen. Vroeger borgen ze die op in de gevangenis of bij de CYA, maar die instituten raakten overvoerd met veertienjarige moordenaars, verkrachters en rovers, dus proberen ze hen nu onder te brengen in pleeggezinnen of in tehuizen als La Casa. Over het algemeen krijgen die laatste de kinderen die niemand wil hebben, voor wie ze geen pleegouders kunnen vinden. Velen hebben fysieke en psychische problemen: ze zijn spastisch, blind, doof, achterlijk. Of ze zijn te oud om als pleegkind aantrekkelijk te zijn. Er zijn ook kinderen van vrouwen die in de gevangenis zitten, voornamelijk junks en alcoholisten. We hebben geprobeerd hen in pleeggezinnen onder te brengen, maar niemand wilde hen hebben. Om het kort samen te vatten, schat: de chronische pupillen van de kinderrechter.'
'Hoe wordt een instelling als La Casa gefinancierd?'
'Alex, met onze federale en staatssystemen kan een directeur meer dan duizend dollar per maand per kind opstrijken wanneer hij weet hoe hij zijn declaraties moet indienen. Kinderen met een handicap leveren nog meer geld op, want alle speciale dienstverleningen worden vergoed. Bovendien heb ik me laten vertellen dat McCaffrey er heel goed in is om particuliere giften in de wacht te slepen. Hij heeft connecties. Het terrein waarop La Casa staat, is daar een voorbeeld van. Ruim elf hectaren in Malibu, die vroeger van de overheid waren. Ze hebben de Japanners daar tijdens de Tweede Wereldoorlog geïnterneerd. Daarna werd het gebruikt als werkkamp voor lui die voor de eerste keer waren veroordeeld: verduisteraars, politici, dat soort mensen. Hij heeft de overheid zover gekregen dat hij het terrein voor lange tijd mocht leasen: negenennegentig jaar, om precies te zijn, voor een symbolisch bedrag.'

'Dan moet die man een goeie babbel hebben.'
'Dat is ook zo. Een goeie ouwe vent. Is ooit zendeling in Mexico geweest. Ik heb me laten vertellen dat hij daar een soortgelijk tehuis had.'
'Waarom is hij weer naar het noorden gegaan?'
'Wie zal het zeggen? Misschien ging hij ervan balen dat hij daar geen water uit de kraan kon drinken. En misschien verlangde hij wel naar Kentucky Fried Chicken, al schijn je die daar tegenwoordig ook te hebben.'
'Is het een goed tehuis?'
'Alex, zo'n tehuis is nooit een paradijs. Het ideaal zou een klein huisje in een voorstad zijn, met gingang gordijnen voor de ramen en een groen gazon. Papa, mama en Rover, de hond. De realiteit is dat er alleen al in L.A. zeventienduizend kinderen op de rol van de kinderrechter staan. Zeventienduizend ongewenste kinderen. Er komen er elke dag zoveel bij dat ze niet eens verwerkt kunnen worden, om dat afschuwelijke bureaucratische woord maar eens te gebruiken.'
'Dat is ongelooflijk,' zei Robin, die heel bezorgd keek.
'Schatje, onze maatschappij is kinderen gaan haten. Ze worden steeds meer misbruikt en verwaarloosd. Mensen krijgen kinderen en hebben daar dan spijt van. Ouders willen de verantwoordelijkheid niet aanvaarden en schuiven die door naar de overheid. Hoe klinkt dat uit de mond van een oude socialiste, Alex? En dan de abortuskwestie. Ik hoop dat ik je hiermee niet beledig, want ik ben net zo voor de vrouwenemancipatie als wie dan ook en misschien zelfs nog wel meer. Ik schreeuwde al om gelijke lonen toen Gloria Steinem nog een puber was. Maar we moeten inzien dat abortus op grote schaal niets anders is dan een vorm van geboortenbeperking, een manier waarop mensen hun verantwoordelijkheden kunnen ontlopen. Misschien is een abortus beter dan een kind krijgen en daarna proberen je ervan te ontdoen... Ik weet het niet.' Ze veegde het zweet van haar voorhoofd en depte haar bovenlip met een papieren zakdoekje. 'Sorry. Dat was een vervelende, polemische verhandeling.'
Ze ging staan en streek haar jurk glad.
'Ik ga even naar de strudel kijken.'
Ze kwam terug met een stomend bord. 'Blazen, want hij is heet.'
Robin en ik keken elkaar aan.
'Je kijkt zo ernstig. Heb ik met mijn betoog je eetlust bedorven?'

'Nee, Olivia.' Ik nam een hap strudel. 'Deze is heerlijk en ik ben het met je eens.'
Robin keek ernstig. We hadden de abortuskwestie vaak besproken, zonder ooit tot een definitieve conclusie te kunnen komen.
'Om je vraag te beantwoorden: het is een goed tehuis. Ik heb er geen klachten over binnengekregen toen ik bij de sociale dienst werkte. Ze bieden het noodzakelijke, het ziet er schoon uit en de omgeving is prettig. De meeste kinderen daar hadden een berg alleen op de televisie gezien. Ze laten kinderen die speciale aandacht vereisen, met een bus naar openbare scholen gaan. De andere krijgen in het tehuis onderwijs. Ik betwijfel of iemand ze met hun huiswerk helpt, want je kunt de situatie daar beslist niet vergelijken met ''Vader weet het beter''. Maar McCaffrey houdt de tent draaiend en vindt betrokkenheid van de leefgemeenschap bij zijn tehuis erg belangrijk. Dat betekent dat hij vaak in de belangstelling staat. Waarom wil je er zoveel over weten? Vind je de dood van dat kind verdacht?'
'Nee, er is geen reden om achterdochtig te worden.' Ik dacht na over haar vraag. 'Ik denk dat ik alleen aan het vissen ben.'
'Schatje, zorg ervoor dat je niet naar witvissen gaat hengelen en dan een haai aan de haak slaat.'
We namen kleine hapjes van de strudel. Olivia riep naar de huiskamer:
'Al, wil je wat van die strudel met vijgen?'
Ik kon geen antwoord horen, maar toch schepte ze strudel op een bord en bracht dat naar hem toe.
'Een aardige vrouw,' zei Robin.
'Dat is ze, en heel taai bovendien.'
'En intelligent. Je zou naar haar moeten luisteren wanneer ze zegt dat je voorzichtig moet zijn. Alex, laat het detectivewerk alsjeblieft aan Milo over.'
'Maak je geen zorgen. Ik zal heus goed op mezelf passen.' Ik pakte haar hand, maar die trok ze terug. Net toen ik iets wilde zeggen, kwam Olivia de keuken weer in.
'Die dode man... de verkoper... je zei dat hij in La Casa vrijwilligerswerk heeft gedaan?'
'Ja. Daar hing een certificaat van in zijn kantoor.'
'Dan zal hij wel een lid van de Herenbrigade zijn geweest. Die club is door McCaffrey bedacht om de zakenwereld bij zijn tehuis te betrek-

ken. Hij haalt bedrijven ertoe over hun hogere functionarissen in de weekends met de kinderen te laten werken. Ik weet niet in welke mate de ''Heren'' dat echt vrijwillig doen, zonder door hun baas onder druk te zijn gezet. McCaffrey geeft hun blazers, een speldje voor in hun revers en certificaten die door de burgemeester zijn ondertekend. Bovendien kunnen ze er bij hun bazen extra punten mee scoren. Ik hoop dat de kinderen er ook iets aan hebben.'

Ik dacht aan Bruno, de psychopaat, die met dakloze kinderen werkte.

'Worden die mensen op de een of andere manier gescreend?'

'Ja, op de gebruikelijke manier. Gesprekken, een paar testen met potlood en papier. Je weet zelf wel, lieve jongen, wat dat waard is.'

Ik knikte.

'Maar toch hebben we nooit klachten gekregen, zoals ik al heb gezegd. Ik zou dat tehuis een zeventje geven, Alex. Het voornaamste probleem is dat het te grootschalig is om de kinderen enige persoonlijke aandacht te geven. Een goed pleeggezin zou beslist te verkiezen zijn boven dat tehuis waar ze met z'n vier- of vijfhonderden tegelijk in wonen. Zoveel pupillen heeft hij gemiddeld onder zijn hoede. Los daarvan is La Casa even goed als elk ander tehuis.'

'Prettig dat te horen.' Maar op de een of andere perverse manier voelde ik me teleurgesteld. Het zou prettig zijn geweest als ik te horen had gekregen dat dat tehuis een hel was. Als ik iets had gehoord waardoor ik het in verband kon brengen met de drie moorden. Natuurlijk zou dat ellende voor zo'n vierhonderd kinderen hebben betekend. Begon ik ook te behoren tot de maatschappij die kinderen haat, zoals Olivia die had beschreven? Opeens smaakte de strudel nergens meer naar en leek het drukkend warm in de keuken.

'Wil je verder nog iets weten?'

'Nee. Dank je.'

Ze wendde zich tot Robin. 'Schatje, vertel me nu eens wat over jezelf en over hoe je deze onstuimige kerel hebt leren kennen?'

We vertrokken een uur later. Ik sloeg een arm om Robin heen. Ze liet dat toe, maar reageerde er verder niet op. We liepen naar de auto in een stilte die even ongemakkelijk was als schoenen van een onbekende aan je voeten.

Toen we in de auto zaten vroeg ik:

'Wat is er mis?'

'Waarom heb je me vanavond meegenomen?'

'Ik dacht dat je het leuk zou vinden.'
'Dat ik het leuk zou vinden om over moord en kindermishandeling te praten? Alex, dit was geen bezoekje voor de gezelligheid.'
Daar had ik niets op te zeggen. Dus startte ik de auto en reed weg van de stoeprand.
'Ik maak me ontzettend veel zorgen over je,' zei ze. 'De dingen die je daarnet hebt beschreven, waren afschuwelijk. En wat zij over haaien zei, is waar. Je lijkt wel een kleine jongen die midden op de oceaan op een vlot ronddobbert en niet merkt wat er om je heen gebeurt.'
'Ik weet wat ik doe.'
'Oké.' Ze keek naar buiten.
'Wat is er mis mee dat ik iets anders wil doen dan hete baden nemen en joggen?'
'Niks. Maar kun je niet voor iets minder gevaarlijks kiezen dan voor Sherlock Holmes spelen? Iets waar je wat van wéét?'
'Ik leer heel snel.'
Ze negeerde me. We reden door de donkere, verlaten straten. Een lichte motregen zorgde voor spikkeltjes op de voorruit.
'Ik vind het niet leuk te horen hoe iemands gezicht tot moes is geslagen of hoe kinderen zijn doodgereden,' zei ze.
'Dat soort dingen komen daar nu eenmaal voor,' zei ik, en ik wees op de donkere nacht.
'Dat kan wel, maar ik wil er niets mee te maken hebben!'
'Wat jij zegt, is dat je bij me wilt blijven zolang het allemaal leuk is.'
'O, Alex, hou op met dat melodramatische gedoe. Zo'n opmerking komt regelrecht uit een soap.'
'Maar het is waar, toch?'
'Nee, dat is het niet, en probeer me niet in de verdediging te drukken. Ik wil de man die ik heb leren kennen: iemand die tevreden was met zichzelf en niet zo onzeker dat hij in het rond ging rennen om zichzelf te bewijzen. Dat heeft me in jou aangetrokken. Nu lijk je wel een... een bezeten man. Sinds je je met die kleine intriges bezighoudt, ben je er niet meer voor mij geweest. Ik praat tegen je, maar jij bent met je gedachten ergens anders. Het wordt weer als die slechte ouwe tijd, dat heb ik je al eerder gezegd.'
Daar zat wel wat in. De laatste ochtenden was ik gespannen wakker geworden, overmand door de oude, obsessieve drang om dingen te regelen. Het gekke was dat ik deze zaak niet wilde loslaten.

'Ik beloof je dat ik voorzichtig zal zijn,' zei ik tegen haar.
Ze schudde gefrustreerd haar hoofd, boog zich naar voren en zette de radio aan. Hard.

Toen we bij haar voor de deur stonden, gaf ze me een kuis kusje op mijn wang.
'Mag ik mee naar binnen?'
Ze staarde me een lang moment aan en loosde toen een berustende zucht.
'Waarom ook niet?'
Boven op de zolder keek ik toe hoe ze zich uitkleedde in het geringe maanlicht dat door het dakraam naar binnen kwam. Ze stond op één been om haar sandaal los te maken en haar borsten zwaaiden laag heen en weer. Een schuine lichtstreep zorgde ervoor dat ze er eerst wit uitzag. Toen grijs zodra ze zich omdraaide. Ze werd onzichtbaar toen ze tussen de lakens kroop. Ik was opgewonden. Ik stak mijn armen naar haar uit, pakte haar hand en bracht die omlaag. Ze raakte me even aan en liet haar vingers toen tot mijn hals omhoogglijden. Ik begroef mezelf in het toevluchtsoord tussen haar schouders en de welving onder haar kin.
Zo vielen we in slaap.
De volgende morgen was haar kant van het bed leeg. Ik hoorde gerommel en geknars en wist dat ze beneden in het atelier was.
Ik kleedde me aan, liep de smalle trap af en ging naar haar toe. Ze had een overall en een werkhemd voor mannen aan. Voor haar mond was een bandana geknoopt en ze had een stofbril op haar neus.
De lucht was vol houtstof.
'Ik bel je later op de dag,' schreeuwde ik boven de herrie van de zaag uit.
Ze hield even op met zagen, zwaaide en ging toen weer door met haar werk. Ik liet haar achter te midden van haar gereedschap, haar apparaten, haar kunst.

15

Ik belde Milo op het bureau en gaf hem een volledig verslag van mijn gesprek met Raquel Ochoa en de Casa de los Niños-connectie, inclusief de informatie die ik van Olivia had gekregen.

'Ik ben onder de indruk,' zei hij. 'Je bent je roeping misgelopen.'
'Wat denk je ervan? Moet die McCaffrey niet nader onder de loep worden genomen?'
'Niet te hard van stapel lopen, makker. Die man zorgt voor vierhonderd kinderen en een van hen komt door een ongeluk om het leven. Dat is geen bewijs dat het daar een grote troep is.'
'Maar dat kind was toevallig wel een leerling van Elena Gutierrez. Wat betekent dat ze waarschijnlijk met Handler over hem heeft gesproken. Niet lang na zijn dood is Bruno daar als vrijwilliger gaan werken. Toeval?'
'Waarschijnlijk niet. Maar jij begrijpt niet hoe wij de dingen hier aanpakken. Ik kom geen stap verder met deze zaak. Tot dusver hebben de bankverslagen niets opgeleverd. Beide rekeningen lijken in alle opzichten koosjer. Ik moet er nog verder induiken, maar dat kost tijd wanneer je zoiets in je eentje moet doen. Elke dag neemt mijn baas me van top tot teen op en kijkt me aan alsof hij wil vragen of ik nog steeds geen voortgang heb geboekt. Ik voel me net een jonge jongen die zijn huiswerk niet heeft gemaakt. Ik verwacht dat hij me elke dag van de zaak af zal halen om me de een of andere rotklus te geven.'
'Als je zo vastzit, zou ik verwachten dat je een vreugdedansje zou maken bij elke nieuwe aanwijzing.'
'Dat zou ook zo zijn als er echt sprake van een nieuwe aanwijzing was, en niet van giswerk of een paar heel vage associaties.'
'Zo vaag zijn ze in mijn ogen niet.'
'Bekijk het dan eens op de volgende manier. Ik ga McCaffrey in de smiezen houden, die connecties heeft van het centrum van L.A. tot Malibu. Hij pleegt een paar strategische telefoontjes – niemand kan hem ervan beschuldigen dat hij de politie voor de voeten loopt omdat ik geen legitieme reden heb om een onderzoek naar hem in te stellen – en ik word sneller van de zaak gehaald dan jij kunt spugen.'
'Oké,' gaf ik toe. 'Maar hoe zit het dan met Mexico? Die man is daar jaren geweest. Dan vertrekt hij opeens, duikt op in L.A. en wordt een belangrijke figuur.'
'Hogerop komen in de maatschappij is geen misdaad en soms is een sigaar gewoon een sigaar, dokter Freud.'
'Verdomme! Ik kan het niet uitstaan wanneer je zo geestig wordt.'
'Alex, alsjeblieft. Mijn leven is verre van rozegeur en maneschijn. Geouwehoer van jou kan ik missen als kiespijn.'

Ik leek er talent voor te krijgen mensen die me dierbaar waren, van me te vervreemden. Ik moest Robin ook nog bellen om te vragen welke conclusie ze uit de dromen van de afgelopen nacht had getrokken.
'Sorry. Ik denk dat ik er iets te sterk bij betrokken ben.'
Daar ging hij niet op in.
'Je hebt goed werk verricht en bent een grote hulp geweest. Soms vallen de stukjes van een legpuzzel niet domweg op hun plaats omdat iemand zijn werk goed heeft gedaan.'
'Wat ga je doen? Ben je van plan er niet op in te gaan?'
'Ik zal de achtergrond van McCaffrey zo onopvallend mogelijk natrekken. Zeker de episode-Mexico. Verder zal ik me blijven bezighouden met de bankrekeningen van Handler en Bruno en nu ook van Gutierrez. Ik zal zelfs het bureau van de sheriff in Malibu bellen en om kopieën van het rapport van dat ongeval met die jongen vragen. Hoe heette die ook al weer?'
'Nemeth.'
'Prima. Dat moet niet moeilijk zijn.'
'Kan ik verder nog iets voor je doen?'
'Wat? O. Nee, niets. Je hebt echt geweldig werk verricht, Alex, en ik wil dat je weet dat ik dat meen. Nu neem ik het verder weer over. Doe jij het maar een tijdje rustig aan.'
'Oké,' zei ik zonder enthousiasme. 'Maar hou me wel op de hoogte.'
'Dat zal ik doen,' beloofde hij. 'Tot ziens.'

De stem aan de andere kant van de lijn was vrouwelijk en heel professioneel. Hij klonk even zangerig als een reclame voor een ontsmettingsmiddel en suggereerde bijna obsceen dat het leven toch zeker gewèldig was.
'Goedemorgen! La Casa!'
'Goedemorgen. Ik zou graag met iemand willen spreken over de mogelijkheid om lid te worden van de Herenbrigade.'
'Een ogenblikje, meneer!'
Binnen twintig seconden hoorde ik een mannenstem.
'Met Tim Kruger. Kan ik u ergens mee van dienst zijn?'
'Ik zou graag willen praten over een lidmaatschap van de Herenbrigade.'
'Dat kan. Welk bedrijf vertegenwoordigt u?'
'Geen enkel. Ik vraag het als individu.'

'O.' De stem klonk nu iets minder vriendelijk. Dat overkomt sommige mensen wanneer een bepaalde routine wordt doorbroken. Dan raken ze van hun stuk en worden achterdochtig.
'Kunt u me zeggen hoe u heet?'
'Ik ben doctor Alexander Delaware.'
Door die titel schakelde hij meteen om.
'Een goedemorgen. Hoe maakt u het?'
'Prima, dank u.'
'Mooi zo. Mag ik vragen waarin u zich hebt gespecialiseerd?'
Dat mocht.
'Ik ben een gepensioneerde kinderpsycholoog.'
'Geweldig. We krijgen weinig aanmeldingen voor het vrijwilligerswerk van mensen die zich bezighouden met de geestelijke gezondheidszorg. Ik ben zelf een MFCC en heb de leiding over het screenen en de begeleiding.'
'Ik denk dat de meeste mensen uit die sector het te veel op hun normale werk vinden lijken,' zei ik. 'Maar omdat ik al een tijdje geleden gestopt ben, spreekt het idee om met kinderen te werken me aan.'
'Schitterend. Wat heeft u naar La Casa gebracht?'
'Uw reputatie. Ik heb gehoord dat u goed werk doet en alles prima hebt georganiseerd.'
'Dank voor dat compliment. We proberen het beste voor onze kinderen te doen.'
'Daar twijfel ik niet aan.'
'We geven groepsrondleidingen voor mogelijke nieuwe leden van de Herenbrigade. De volgende staat voor vrijdag over een week gepland.'
'Ik zal even in mijn agenda kijken.' Ik liep van de telefoon vandaan, keek door het raam, maakte een zestal kniebuigingen en pakte toen de hoorn weer op. 'Meneer Kruger, het spijt me, maar die dag komt me slecht uit. Wanneer is de volgende rondleiding?'
'Drie weken later.'
'Dat duurt nog zo lang. Ik hoopte eerder een kijkje in La Casa te kunnen nemen.' Ik probeerde triest en een heel klein beetje ongeduldig te klinken.
'Hmmm. Tja... Als u geen bezwaar hebt tegen iets geïmproviseerders, kan ik u persoonlijk een rondleiding geven. Ik zal de videopresentatie niet op zo'n korte termijn kunnen regelen, maar als psycholoog zal u wel op de hoogte zijn van het merendeel van wat daarin wordt gemeld.'

'Dat klinkt prima.'
'Als u vrij bent, zou u wat mij betreft vanmiddag kunnen komen. De eerwaarde Gus is er vandaag – hij maakt graag kennis met alle potentiële leden van de Herenbrigade – en dat is met zijn drukke reisschema niet altijd het geval. Deze week heeft hij een gesprek met Merv Griffin, dat op de band wordt opgenomen, en daarna vliegt hij naar New York voor een aflevering van *A.M. America*.'
Hij meldde de televisieactiviteiten van McCaffrey met de plechtigheid van een kruisvaarder die het doek van de heilige graal afhaalt.
'Vandaag zou perfect zijn.'
'Uitstekend. Rond een uur of drie?'
'Afgesproken.'
'Weet u waar u ons kunt vinden?'
'Niet precies. In Malibu?'
'In Malibu Canyon.' Hij vertelde me hoe ik er kon komen en voegde er toen aan toe: 'Als u hier toch bent, kunt u de vragenlijsten invullen aan de hand waarvan we vrijwilligers screenen. Voor iemand zoals u is dat natuurlijk een formaliteit, maar we moeten ons aan de regels houden, al denk ik niet dat psychologische testen geschikt zijn voor het screenen van een psycholoog.'
'Dat denk ik ook niet. Wij maken ze en kunnen ermee manipuleren.'
Hij lachte, deed zijn uiterste best collegiaal te zijn.
'Hebt u verder nog vragen?'
'Dat geloof ik niet.'
'Prima. Dan zie ik u om drie uur.'
Malibu is behalve een plaats ook een imago. Het imago wordt over de televisie uitgezonden naar de Amerikaanse huiskamers, op het witte doek tentoongespreid, geëtst in groeven van grammofoonplaten en afgedrukt op het omslag van flutboekjes. Het imago is dat van zich eindeloos uitstrekkende stranden, naakte, bruine en met zonnebrandolie ingesmeerde lichamen, volleyballen op het strand, door de zon gebleekt haar, onder een deken vrijen op het ritme van het tij, optrekjes van een miljoen dollar die wankelen op palen die in te onvaste grond zijn geslagen en na een fikse regenbui zelfs de hoela dansen, Corvettes, zeewier en cocaïne.
Dat alles klopt, maar het is te beperkt.
Er is een ander Malibu, een Malibu met ravijnen en onverharde wegen die zich moeizaam door de bergketen van Santa Monica kronkelen.

Dit Malibu heeft geen oceaan. Het weinige water dat er is, komt uit de overschaduwde, ondiepe riviertjes die opdrogen zodra de temperatuur stijgt. In dit Malibu staan een paar huizen in de buurt van de hoofdweg door het ravijn, maar verder strekt de wildernis zich kilometers ver uit. In de meer afgelegen delen van dit Malibu zwerven nog poema's rond, en groepen prairiewolven, die 's nachts jacht maken op een kip, een buidelrat of een dikke pad. Er zijn schaduwrijke bosjes waar boomkikkers zich zo snel vermenigvuldigen dat je op ze stapt met het idee dat je voet op zachte, grijze aarde rust. Tot die beweegt. Er zijn heel veel slangen – koningsslangen, kousebandslangen en ratelslangen – in dit Malibu. En afgelegen ranches waar mensen in de illusie leven dat de tweede helft van de twintigste eeuw nooit is begonnen. Ruiterpaden met stomende bergen paardestront. Geiten. Vogelspinnen.
Over het tweede, strandloze Malibu gaan ook veel geruchten. Over rituele moorden die door satanische sekten zijn gepleegd. Over lichamen die nooit gevonden zullen en kunnen worden. Over mensen die tijdens een trektocht spoorloos zijn verdwenen en van wie niemand later meer iets heeft gehoord. Horrorverhalen, maar misschien wel gegrond.
Ik draaide de Pacific Coast Highway af, Rambla Pacifica op, en reed de grens tussen het ene en het andere Malibu over. De Seville had geen moeite met de steile helling. Ik had een bandje van Django Reinhardt opstaan en de zigeunermuziek paste uitstekend bij de leegte die ik door mijn voorruit zag – het kronkelende lint van de hoofdweg, het ene moment meedogenloos beschenen door de zon, het volgende moment in de schaduw van reusachtige eucalyptusbomen. Het gortdroge ravijn aan de ene kant, een diepe afgrond aan de andere. Een weg die een vermoeide reiziger zou aansporen verder te gaan, die beloften deed die hij nooit waar zou kunnen maken.
Ik had de nacht daarvoor onrustig geslapen. Ik had aan Robin en mezelf gedacht en de gezichten van kinderen gezien: Melody Quinn, de talloze patiënten die ik gedurende de laatste tien jaar had behandeld. Ik had de stoffelijke resten gezien van een jongen die Nemeth heette en een paar kilometer verderop op deze weg de dood had gevonden. Ik had me afgevraagd welk beeld hij als laatste voor ogen had gehad, welke impuls een cruciale synaps had geactiveerd vlak voordat een reusachtig monster vanuit het niets op hem afgedenderd was... En wat hem ertoe had gebracht om midden in de nacht over deze eenzame weg te lopen.

Ik werd geleidelijk aan steeds vermoeider en dat gevoel werd versterkt door de monotone reis. Ik moest mezelf dwingen alert te blijven. Ik zette de muziek harder en deed alle raampjes open. De lucht rook schoon, maar vaag kon ik ook een brandlucht ruiken – een brug ergens in de verte?
Ik deed zo mijn best helder in mijn hoofd te blijven dat ik bijna het bord miste voor de afslag over een kleine vier kilometer naar La Casa de los Niños.
De afslag zelf kon je makkelijk missen: slechts een paar honderd meter voorbij een haarspeldbocht in de weg. De weg waarover ik nu reed was smal, nauwelijks breed genoeg voor twee auto's om elkaar te passeren, en werd overschaduwd door vele bomen. Hij ging zeshonderd meter lang steil omhoog, zo steil dat alleen iemand die zeer vastberaden was, hem te voet zou willen afleggen. Perfect voor een werkkamp, een boerderij waar mensen tewerk werden gesteld, een interneringskamp of een plaats waar activiteiten werden ontplooid die niet bestemd waren voor de nieuwsgierige ogen van onbekenden.
De weg eindigde bij een vier meter hoog harmonikahek. Glanzend gepoetste aluminium letters met een hoogte van één meter twintig: La Casa de los Niños. Rechts een bord waarop met de hand twee immense handen waren geschilderd die vier kinderen vasthielden: blank, zwart, bruin en geel. Een meter of drie van de andere kant van het hek vandaan een wachthuisje. De geüniformeerde man die daarin zat, zag me en sprak toen met me via een intercom die op het hek was bevestigd.
'Kan ik u ergens mee van dienst zijn?' De stem klonk mechanisch, alsof hij door een computer was verwerkt en weer werd uitgespuugd.
'Ik ben doctor Delaware en ik heb om drie uur een afspraak met de heer Kruger.'
Het hek schoof open.
De Seville mocht even verder rijden en werd toen weer tot stoppen gedwongen door een oranje-wit gestreepte, mechanische hefboom.
'Goeiemiddag, doctor.'
De bewaker was jong en plechtstatig en had een snor. Zijn donkergrijze uniform paste prima bij de starende blik in zijn ogen. De glimlach kon me niet misleiden: hij was me aan het taxeren.
'U kunt Tim vinden in het administratiegebouw. Nog even rechtdoor rijden en dan linksaf. U kunt uw auto kwijt op het parkeerterrein voor bezoekers.'

'Dank u.'
'Graag gedaan.'
Hij drukte op een knop en de gestreepte hefboom ging als groet omhoog.

Het administratiegebouw zag eruit alsof het tijdens de internering van de Japanners al een soortgelijk doel had gediend. Het was laag en onaantrekkelijk, net als veel militaire gebouwen, maar het leed geen twijfel dat de muurschildering van een lichtblauwe lucht met donzige wolkjes een eigentijdse creatie was.
Het kantoor dat ik betrad, was met goedkoop nepeiken gelambrizeerd en werd bemand door een grootmoederachtig type in een kleurloze katoenen jurk.
Ik zei wie ik was en kreeg als dank een glimlach.
'Tim komt zo meteen naar u toe. Gaat u alstublieft zitten en maak het u gemakkelijk.'
Er was weinig interessants om naar te kijken. De prenten aan de muren leken uit een motel ontvreemd te zijn. Er was één raam, maar dat bood uitzicht op het parkeerterrein. In de verte was een dicht bos – eucalyptussen, cipressen en ceders – maar vanaf de plaats waar ik zat kon ik alleen de onderkant van die bomen zien: een vrijwel ononderbroken grijsbruine streep. Ik probeerde me bezig te houden met een twee jaar oud exemplaar van *California Highways*.
Lang hoefde ik niet te wachten.
Een minuut nadat ik was gaan zitten, ging de deur open en verscheen een jonge man.
'Meneer Delaware?'
Ik ging staan.
'Tim Kruger.' We gaven elkaar een hand.
Hij was klein, ergens midden of achter in de twintig, en gebouwd als een worstelaar: een stevig lichaam met op alle strategische plaatsen wat extra spieren. Hij had een goedgevormd maar te flegmatiek gezicht, als een Ken-pop die niet voldoende gebakken was. Sterke kin, kleine oren, prominente, rechte neus met een vorm die een klompneus op latere leeftijd voorspelde, een natuurlijk gebruinde huid, geelachtig bruine ogen onder zware wenkbrauwen, een laag voorhoofd dat vrijwel geheel schuilging achter een dikke, golvende bos blond haar. Hij had een beige broek aan, een lichtblauw shirt met korte mouwen en

een blauw-bruine das. Op de kraag van zijn shirt zat een kaartje: T. KRUGER, M.A., M.F.C.C., DIRECTEUR BEGELEIDING.
'Ik had iemand verwacht die nogal wat ouder was dan u. U zei dat u met pensioen was.'
'Dat ben ik ook. Ik ben er een voorstander van vroeg met pensioen te gaan, zodat je er nog van kunt genieten.'
Hij lachte hartelijk.
'Daar valt wel iets voor te zeggen. Ik neem aan dat het u geen moeite heeft gekost ons te vinden?'
'Nee. U had me uitstekend verteld hoe ik hier moest komen.'
'Prima. Als u wilt, kunnen we nu meteen met de rondleiding beginnen. De eerwaarde loopt hier ergens rond en hij zou ervoor zorgen dat hij om vier uur terug was om kennis met u te maken.'
Hij hield de deur voor me open.
We liepen het parkeerterrein over en een fijn grindpad op.
'Het terrein van La Casa,' begon hij, 'beslaat meer dan elf hectaren. Als we hier even blijven staan, kunt u het vrij goed overzien.'
We stonden boven op een heuvel en keken naar de gebouwen, een speelterrein, kronkelende paden en een gordijn van bergen op de achtergrond.
'Van de elf hectaren zijn er niet meer dan twee dagelijks in gebruik. De rest bestaat uit open terrein dat naar ons idee geweldig is voor de kinderen, van wie er veel uit de binnensteden komen.' Vaag kon ik kinderen zien die in groepjes rondliepen, met een bal aan het spelen waren of op hun eentje op het gras zaten. 'Daar in het noorden ziet u het terrein dat wij de weide noemen. Op dit moment groeien daar voornamelijk onkruid en alfalfa, maar er zijn plannen om daar deze zomer een groentetuin te beginnen. Daar in het zuiden ziet u het bos.' Hij wees naar de bomen die ik vanuit het kantoor had gezien. 'Dat is een beschermd natuurgebied, waar je heerlijk kunt wandelen en verrassend veel wilde dieren kunt zien. Ik kom zelf uit het noordwesten en voordat ik hier kwam, dacht ik dat het meest wilde leventje in L.A. zich op de Sunset Strip afspeelde.'
Ik glimlachte.
'In die gebouwen daar slapen ze.'
Hij draaide zich om en wees op tien grote barakken van golfplaat. Net als het administratiegebouw waren ze met een verfkwast bewerkt. Op de verroeste zijkanten waren patronen in de kleuren van een regen-

boog aangebracht, wat een bizar optimistisch effect had.
Hij draaide zich weer om en mijn ogen volgden de richting waarin hij wees.
'Dat is ons zwembad, met olympische afmetingen. Een geschenk van Majestic Oil.' Het water glansde groen: een gat in de aarde gevuld met citroengelei. Een enkele zwemmer sneed door het water, gevolgd door een pad van schuim. 'Daar zijn de ziekenboeg en de school.'
Ik zag ook een paar gebouwen van B2-blokken bij het verste uiteinde van de campus, waar die aan het bos grensde. Hij vertelde me niet waar die voor dienden.
'Laten we de slaapzalen maar eens gaan bekijken.'
Ik liep achter hem aan de heuvel af en nam het idyllische panorama in me op. Het terrein was goed onderhouden en er waren allerlei zo te zien goed georganiseerde activiteiten aan de gang.
Kruger liep met lange, krachtige passen, zijn kin in de wind. Hij ratelde feiten en cijfers af en beschreef de filosofie van het tehuis. Een filosofie die 'de structuur en de geruststelling van het routinematige' combineerde met 'een creatieve omgeving die een gezonde ontwikkeling stimuleert'. Hij was heel positief over La Casa, zijn baan, de eerwaarde Gus en de kinderen. De enige uitzondering was een klacht over het probleem om 'optimale zorg' te combineren met de dagelijkse financiële zaken van het tehuis. Maar ook die werd gevolgd door een verklaring, waarin hij stelde de economische realiteit van de jaren tachtig heel goed te begrijpen, plus een paar optimistische lofzangen op het systeem van de vrije onderneming.
Hij was goed getraind.
Het interieur van de felroze barak was koud en wit. Op de grond lag een donkere plankenvloer. De slaapzaal was leeg en onze voetstappen klonken hol. Het rook er naar metaal. De kinderen hadden ijzeren stapelbedden die haaks op de muren waren neergezet. Bij de voeteneinden stonden afsluitbare kastjes en aan de metalen wanden hingen planken. Er was een poging gedaan de ruimte wat op te sieren. Sommige kinderen hadden tekeningen opgehangen van superhelden uit stripboeken, atleten en figuren uit Sesamstraat. Maar het ontbreken van familiekiekjes en andere bewijzen van recent, intiem intermenselijk contact was opvallend.
Ik telde vijftig bedden.
'Hoe houden jullie zoveel kinderen in het gareel?'

‘Het is een uitdaging,’ gaf hij toe, ‘maar het lukt ons behoorlijk goed. We maken gebruik van de diensten van therapeuten van de UCLA in Northridge en andere universiteiten, die zich voor vrijwilligerswerk hebben aangemeld. Zij krijgen daar waardering voor onder hun vakbroeders en wij krijgen gratis hulp. We zouden dolgraag een full-time professionele staf hebben, maar dat is financieel niet haalbaar. We hebben nu twee begeleiders per slaapeenheid en we leiden die op in het beoefenen van de gedragswetenschappen. Ik hoop dat u daar niet tegen bent.’
‘Niet wanneer daar op een juiste manier gebruik van wordt gemaakt.’
‘Dat gebeurt zeer beslist en ik ben het roerend met u eens. We minimaliseren alles wat veel aversie zou kunnen oproepen en stimuleren de kinderen in positieve zin. Daar is supervisie voor nodig en dat is mijn taak.’
‘U lijkt alles goed in de hand te hebben.’
‘Ik doe mijn best,’ zei hij met een grijnsje. ‘Ik had graag willen promoveren, maar daar had ik het geld niet voor.’
‘Waar hebt u gestudeerd?’
‘Aan de universiteit van Oregon. Daar heb ik mijn doctoraal examen gedaan met als hoofdvak therapie. Daarvoor had ik mijn kandidaats psychologie aan het Jedson College gehaald.’
‘Ik dacht dat iedereen die aan Jedson studeerde, rijk was.’ De kleine universiteit even buiten Seattle genoot de reputatie een toevluchtsoord voor kinderen van rijkelui te zijn.
‘Dat is bijna helemaal waar.’ Hij grinnikte. ‘Het was een sociëteit en ik ben erop gekomen door een atletiekbeurs. Lichte atletiek en honkbal. In mijn eerste jaar scheurde ik een gewrichtsband en toen was ik opeens *persona non grata.*’ Zijn ogen werden even donkerder door de herinnering aan een bijna vergeten onrechtvaardigheid. ‘In elk geval vind ik mijn werk leuk. Een grote verantwoordelijkheid en veel beslissingen die moeten worden genomen.’
We hoorden aan het andere uiteinde van de barak een ritselend geluid. We draaiden ons die kant op en zagen een beweging onder de dekens op een van de lagere bedden.
‘Rodney, ben jij dat?’
Kruger liep naar het bed en tikte tegen een hevig bewegend hoopje mens. Een jongen ging rechtop zitten, met het laken en de dekens tot zijn kin opgetrokken. Hij was mollig en zwart en leek een jaar of

twaalf te zijn. Maar zijn juiste leeftijd was moeilijk te schatten, want het was duidelijk te zien dat hij het syndroom van Down had: lange schedel, plat gezicht, diepliggende, dicht bij elkaar staande ogen, schuin weglopend voorhoofd, de oren laag aan zijn hoofd, een tong die uit zijn mond hing. En de superverbaasde gezichtsuitdrukking die zo typerend is voor zwakzinnige mensen.
'Hallo, Rodney,' zei Kruger zacht. 'Wat is er aan de hand?'
Ik was achter hem aan gelopen en de jongen keek vragend mijn kant op.
'Het is in orde, Rodney. Hij is een vriend. Vertel me nu eens wat er aan de hand is.'
'Rodney ziek.' De woorden klonken onduidelijk.
'Waar heb je pijn?'
'In m'n buik.'
'Hmmm. Dan moeten we de dokter even naar je laten kijken wanneer hij hier is.'
'Nee!' schreeuwde de jongen. 'Geen dokker.'
'Rodney!' Kruger was geduldig. 'Als je ziek bent, moet je worden nagekeken.'
'Geen dokker!'
'Oké, Rodney. Oké.' Kruger sprak geruststellend. Hij stak een hand uit en aaide de jongen zacht over zijn bol. Rodney werd hysterisch. Zijn ogen puilden nog verder uit en zijn kin trilde. Hij schreeuwde en dook zo snel naar achteren dat hij zijn achterhoofd tegen de metalen bedrand stootte. Hij trok het laken en de dekens over zijn gezicht en uitte een onverstaanbare jammerkreet van protest.
Kruger draaide zich naar mij om en zuchtte. Hij wachtte tot de jongen tot bedaren was gekomen en sprak toen weer verder.
'We zullen het later nog wel eens over de dokter hebben, Rodney. Waar zou je eigenlijk moeten zijn? Waar is jouw groep nou?'
'Eten.'
'Heb jij geen honger?'
De jongen schudde zijn hoofd.
'Buikpijn.'
'Tja, dan kun je hier niet in je eentje blijven liggen. Je kunt meegaan naar de ziekenboeg, en dan kan iemand je komen nakijken, of je moet opstaan en samen met de anderen een hapje gaan eten.'
'Geen dokker.'

'Oké. Geen dokter. Nu opstaan.'
De jongen kroop het bed uit. Ik zag nu dat hij ouder was dan ik had gedacht. Zestien op z'n minst. Op zijn kin het begin van baardgroei. Hij staarde me vanaf de andere kant van het bed met grote angstogen aan.
'Rodney, dit is een vriend. Meneer Delaware.'
'Hallo, Rodney.' Ik stak een hand uit. Hij keek ernaar en schudde zijn hoofd.
'Rodney, je moet aardig zijn. Daarmee kun je punten scoren, weet je nog wel?'
Een hoofdschudden.
'Kom, Rodney, geef meneer Delaware een hand.'
De zwakzinnige jongen hield voet bij stuk. Toen Kruger een stap naar voren zette, deed hij een stap naar achteren en hield zijn handen voor zijn gezicht.
Zo ging het een tijdje door: een regelrecht gevecht tussen twee wilskrachtige figuren. Uiteindelijk gaf Kruger het op.
'Oké, Rodney,' zei hij zacht. 'We zullen het er vandaag niet meer over hebben omdat je ziek bent. Ga nu maar gauw naar je groep.'
De jongen liep achteruit van ons vandaan, in een brede boog om het bed heen. Hij schudde nog steeds zijn hoofd en hield zijn armen als een bokser voor zich. Toen hij dicht bij de deur was, draaide hij zich om, verliet half rennend en half waggelend de barak, en verdween in het felle zonlicht.
Kruger draaide zich naar me toe en glimlachte zwak.
'Hij is een van onze moeilijkere pupillen. Hij is zeventien, maar functioneert als een driejarig kind.'
'Hij lijkt echt bang te zijn voor artsen.'
'Hij is voor heel veel dingen bang. Net als de meeste kinderen met het syndroom van Down heeft hij last van zijn hart, van infecties en van ontstekingen aan zijn gebit. De verwrongen manier van denken in dat koppie maakt het er allemaal niet beter op. Hebt u veel ervaring opgedaan met zwakzinnige kinderen?'
'Enige ervaring wel, ja.'
'Ik heb met honderden van die kinderen gewerkt en ik kan me er niet één herinneren dat geen ernstige emotionele problemen had. U weet dat het grote publiek denkt dat ze alleen wat trager zijn dan andere kinderen, maar dat is niet zo.'

In zijn stem klonk nu een spoor van irritatie door. Ik weet dat aan een vernederd gevoel omdat hij een psychisch spelletje poker van de jongen had verloren.
'We zijn met Rodney al een eind opgeschoten,' zei Kruger. 'Toen hij hier kwam, was hij nog niet eens zindelijk. Na dertien pleeggezinnen.' Hij schudde zijn hoofd. 'Het is echt pathetisch. Sommige pleegouders aan wie kinderen door de rechter worden toegewezen, zouden nog niet eens een hond kunnen opvoeden. Laat staan kinderen.'
Hij leek aan een verhandeling te willen beginnen, maar hield zich in en glimlachte meteen weer. 'Voor veel van de kinderen die we hier krijgen, is de kans heel klein dat ze ooit zullen worden geadopteerd. Ze zijn zwakzinnig, hebben lichamelijke gebreken, zijn van gemengde afkomst, van het een naar het andere pleeggezin gesleept of door hun familie domweg gedumpt. Wanneer ze hier komen, weten ze totaal niet wat sociaal aangepast gedrag is. Hygiëne is voor hen een vreemd woord en ze missen heel alledaagse vaardigheden. Vaak beginnen we met niets. Maar we zijn blij met de voortgang die we boeken. Een van de studenten is een scriptie over de door ons behaalde resultaten aan het schrijven.'
'Schitterende manier om gegevens te verzamelen.'
'Dat klopt. En eerlijk gezegd helpt het ons geld in te zamelen, wat vaak van wezenlijk belang is als je een tehuis als La Casa draaiend wilt houden. Komt u mee.' Hij pakte mijn arm. 'Dan zal ik u de rest laten zien.'
We liepen in de richting van het zwembad.
'Ik heb me laten vertellen dat de eerwaarde McCaffrey heel goed is in het binnenhalen van donaties,' zei ik.
Kruger keek me van opzij aan, alsof hij wilde bepalen wat ik daar precies mee bedoelde.
'Dat is hij. Hij is een geweldige man en dat merken anderen meteen. Hij steekt er veel tijd in, maar het blijft moeilijk. In Mexico heeft hij de leiding over een ander kindertehuis gehad, maar dat heeft hij moeten sluiten. De staat verleende geen subsidie en de particuliere sector was van mening dat je boeren rustig kon laten verhongeren.'
We waren nu bij het zwembad. Het water weerspiegelde het bos: zwartgroen, met smaragdgroene strepen. Ik rook de sterke geur van chloor, vermengd met die van zweet. De eenzame zwemmer was nog steeds baantjes aan het trekken: de vlinderslag, met veel spierkracht uitgevoerd.

'Hé, Jimbo!' riep Kruger.
De zwemmer was bij de andere kant van het zwembad, stak zijn hoofd boven het water uit en zag Kruger zwaaien. Moeiteloos zwom hij naar ons terug en duwde zich tot zijn middel uit het water op. Hij was ergens voor in de veertig, gebaard en gespierd. Zijn door de zon gebruinde lijf was bedekt met nat, verward haar.
'Hallo, Tim.'
'Meneer Delaware, dit is Jim Halstead, onze hoofdcoach. Jim, dit is doctor Alexander Delaware.'
'Eigenlijk ben ik de enige coach die hier werkt.' Halstead had een diepe stem die uit zijn onderbuik leek te komen. 'Ik zou u graag een hand geven, maar de mijne is nogal klam.'
'Dat hindert niet.' Ik glimlachte.
'Jim, meneer Delaware is kinderpsycholoog. Hij krijgt hier een rondleiding als mogelijk lid van de Herenbrigade.'
'Heel prettig kennis met u te maken. Ik hoop dat u zich bij ons zult aansluiten. Het is hier mooi, hè?' Hij strekte een lange, bruine arm uit naar de lucht van Malibu.
'Schitterend.'
'Jim heeft vroeger in de binnenstad gewerkt,' zei Kruger. 'Op de Manual Arts High. Toen is hij wijzer geworden.'
Halstead lachte.
'Daar heb ik te lang over gedaan. Ik ben een makkelijke jongen, maar toen een aap me met een mes bedreigde nadat ik hem had gevraagd zich op te drukken, had ik het wel gehad.'
'Zulke dingen zullen hier wel niet gebeuren,' zei ik.
'Zeker niet. De kereltjes hier zijn geweldig.'
'Apropos Jim, ik wil met jou een programma voor Rodney Broussard bespreken. Iets om zijn zelfvertrouwen op te bouwen,' zei Kruger.
'Prima.'
'Ik spreek je later nog wel, Jim.'
'Best. Komt u nog eens terug, meneer Delaware.'
Het overmatig behaarde lichaam dook het water weer in – een slanke torpedo – en zwom als een otter over de bodem van het zwembad.
We maakten een rondje langs de rand van het terrein: een kleine halve kilometer alles bij elkaar. Kruger liet me de ziekenboeg zien: een spierwitte, vrij kleine kamer met een onderzoektafel en een bed. Het chroom glansde en het rook er naar desinfecterende middelen. Er was niemand.

'We hebben een part-time verpleegster in dienst, die hier in de ochtenduren werkt. We konden ons natuurlijk geen arts veroorloven.'
Ik vroeg me af waarom Majestic Oil of de een òf andere weldoener het salaris van een part-time arts niet kon ophoesten.
'Maar we hebben gelukkig wel een aantal zeer goede artsen die zich als vrijwilliger hebben aangemeld en elkaar afwisselen.'
Onder het lopen werden we gepasseerd door groepen jongeren en hun begeleiders. Kruger zwaaide en de begeleiders beantwoordden die groet. De kinderen reageerden er meestal niet op. Zoals Olivia had voorspeld en Kruger had bevestigd, waren de meesten duidelijk lichamelijk of geestelijk gehandicapt. Er leken meer jongens dan meisjes te zijn – ongeveer drie op één – en het merendeel van de kinderen was zwart of van Latijns-Amerikaanse afkomst.
Kruger nam me mee naar een brandschone kantine met een hoog plafond en gestuukte muren. Zwijgende Mexicaanse vrouwen stonden passief achter een glazen wand te wachten tot ze voor iemand moesten opscheppen. Het eten was typerend voor een tehuis: stamppot, op een creatieve manier verwerkt gehakt, jus, te lang gekookte groenten in een dikke saus.
We gingen aan een picknicktafel zitten en even later liep Kruger naar een kamer achter het buffet. Hij kwam terug met een dienblad met Deense gebakjes en koffie. De gebakjes zagen er prima uit. Achter het glas had ik die niet gezien.
Aan de andere kant van de ruimte zat een groep kinderen aan een tafel te eten en te drinken onder het toeziend oog van twee begeleiders. Eigenlijk zou ik beter kunnen zeggen dat ze probeerden te eten. Zelfs vanaf die afstand kon ik zien dat ze spastisch waren. Sommigen hielden zich zo stijf als een plank, anderen maakten dwangmatige bewegingen met hoofd en ledematen en moesten hun uiterste best doen om het eten van de tafel naar hun mond te brengen. De begeleiders keken toe en spraken soms een aanmoedigend woord. Maar ze hielpen niet daadwerkelijk en er belandde heel wat eten op de grond.
Kruger nam met genoegen een hap van een chocoladegebakje. Ik pakte een kaneelbroodje en speelde ermee. Hij schonk koffie voor ons in en vroeg of ik vragen had.
'Nee. Alles ziet er heel indrukwekkend uit.'
'Prima. Dan zal ik u het een en ander vertellen over de Herenbrigade.'
Hij gaf me een standaardbabbel over de geschiedenis van de vrijwilli-

gersgroep en legde de nadruk op het feit dat de eerwaarde Gus zo wijs was geweest plaatselijke bedrijven om hulp te vragen.
'De Heren zijn oudere, succesvolle mensen. Zij zijn voor de meeste kinderen hun enige kans om in contact te komen met een stabiel mannelijk voorbeeldfiguur. Ze behoren tot de crème de la crème van onze maatschappij en geven de kinderen de zeldzame kans een glimp op te vangen van succes. Op die manier kunnen ze leren dat je inderdaad succesvol kunt zijn. Ze brengen tijd met de kinderen in La Casa door en nemen hen ook wel eens mee de campus af, naar sportevenementen, een film, een toneelstuk of Disneyland. Soms ook naar hun huis, voor een etentje met hun familie. Dat geeft de kinderen toegang tot een levensstijl die ze nooit hebben gekend en het schenkt de mannen ook voldoening. We vragen om een minimale inzet van een halfjaar en zestig procent tekent voor een tweede en een derde periode bij.'
'Kan het voor de kinderen niet frustrerend zijn om even te proeven van het goede leven dat zo ver buiten hun bereik ligt?' vroeg ik.
Daar was hij op voorbereid.
'Goede vraag, maar we leggen geen enkele nadruk op iets, wat dan ook, dat buiten het bereik van de kinderen valt. We willen dat ze het gevoel krijgen dat ze alleen worden beperkt door hun eigen gebrek aan motivatie. Dat ze verantwoordelijk moeten zijn voor zichzelf. Dat ze een grote hoogte kunnen bereiken. De eerwaarde Gus heeft een boek geschreven, *Raak de lucht aan*, met striptekeningen, spelletjes en kleurplaten. Het geeft een positieve boodschap door.'
Norman Vincent Peale, gekruid met humanistisch psychologisch jargon. Ik keek naar de spastische kinderen, die met hun eten vochten. Hoe vaak ze ook in contact zouden komen met mensen die tot de geprivilegieerde klasse behoorden, zij zouden nooit lid kunnen worden van de jachtclub, een uitnodiging krijgen voor een duur debutantenbal in San Marino, of een Mercedes in de garage hebben staan.
Er waren grenzen aan de macht van het positieve denken.
Maar Kruger had een scenario en hield daaraan vast. Ik moest toegeven dat hij verdomd goed was, alle juiste tijdschriften had gelezen en statistieken kon citeren als een jong genie van de Rand Corporation. Het was het soort spel dat het doel had je naar je portefeuille te laten grijpen.
'Kan ik nog iets anders voor u halen?' vroeg hij toen hij een tweede gebakje op had. Ik had mijn eerste nog niet aangeraakt.

'Nee, dank u.'
'Laten we dan maar teruggaan, want het is al bijna vier uur.'
We liepen de rest van het terrein snel over. Ik zag een kippenhok met vierentwintig kippen, die als duiven in een zogenoemde Skinner box – waarin de dieren beloond worden met voer voor bepaald gedrag – aan de tralies pikten, een geit aan een lang touw, hamsters die eindeloos in plastic molentjes ronddraaiden en een basset die halfhartig naar de donkerder wordende lucht blafte. Het leslokaal was eens een barak geweest en de gymnastiekzaal had in de Tweede Wereldoorlog als opslagruimte dienst gedaan, kreeg ik te horen. Beide waren voor weinig geld kunstig en creatief verbouwd door iemand met een goed gevoel voor camouflage. Ik maakte de ontwerper een compliment.
'Dat heeft de eerwaarde gedaan. Hij heeft zijn stempel op elke vierkante centimeter gedrukt. Een opmerkelijke man.'
Toen we naar het kantoor van McCaffrey liepen, zag ik weer de uit B2-blokken opgetrokken gebouwen aan de rand van het bos. Nu ik er wat dichter bij was, kon ik zien dat het er vier waren. Ze hadden geen ramen, en een dak van beton, en verdwenen half onder de grond, als bunkers. Tunnelachtige paden leidden naar ijzeren deuren. Kruger scheen niet van plan uit zichzelf te zeggen waar ze voor dienden, dus vroeg ik hem ernaar.
Hij keek over zijn schouder.
'Opslagruimten,' zei hij nonchalant. 'Gaat u mee?'
We waren weer terug bij het administratiegebouw. Kruger nam me mee naar binnen, gaf me een hand, zei dat hij hoopte nog iets van me te horen en dat hij de vragenlijsten en dergelijke zou klaarleggen terwijl ik met de eerwaarde sprak. Toen droeg hij me over aan de vriendelijke grootmoeder, de receptioniste, die zich losscheurde van haar Olivetti en me vriendelijk verzocht even te wachten op De Grote Man. Ik pakte een exemplaar van *Fortune* en deed mijn uiterste best belangstelling op te brengen voor een artikel over de toekomst van microprocessors in de verfindustrie. Maar ik kon de woorden, die in een geleiachtige grijze brij veranderden, niet duidelijk zien. Dat overkwam me vaak wanneer ik zulke toekomstverhalen las.
Ik had nauwelijks de kans gehad om mijn benen weer naast elkaar op de grond te zetten toen de deur openging. Punctualiteit was hier kennelijk erg belangrijk. Ik had het gevoel dat ik een brok ruw materiaal was – welk materiaal deed er niet echt toe – dat op een lopende band

was geplaatst om te worden gesmolten, gevormd en bewerkt en vervolgens na stolling te worden geïnspecteerd.
'De eerwaarde Gus kan u nu ontvangen,' zei grootmama.
Ik nam aan dat het moment van polijsten was aangebroken.

16

Als we buiten hadden gestaan, zou hij het zonlicht hebben geblokkeerd.
Hij was een meter zevenennegentig lang en woog meer dan honderdvijftig kilo: een peervormige berg vlees in een lichtbruin pak, een wit overhemd en een zwartzijden das met de breedte van een hotelhanddoek. Zijn bruine schoenen hadden de maat van kleine zeilboten en zijn handen leken zandzakken. Hij vulde de deuropening. Een zwarte, hoornen bril op een dikke neus die een gezicht doorsneed dat drillerig was als een tapiocapudding. Pukkels, moedervlekken en openstaande poriën op de hangwangen. De platte neus leek vaag op een Afrikaanse afkomst te wijzen. De volle lippen waren even donker en vochtig als rauwe lever en het sterk krullende haar had de kleur van roestende pijpen. Zijn ogen waren licht, bijna kleurloos. Ik had zulke ogen wel eens eerder gezien. Bij ingevroren zeebarbelen.
'Meneer Delaware, ik ben Augustus McCaffrey.'
Zijn hand verslond de mijne en liet die toen weer los. Zijn stem klonk merkwaardig vriendelijk. Ik had, gezien zijn afmetingen, het geluid van een scheepstoeter verwacht. Maar zijn stem klonk verbazingwekkend lyrisch, haalde maar net het niveau van een bariton, werd verzacht door een traag, zeer zuidelijk accentje. Louisiana, vermoedde ik.
'Komt u alstublieft binnen.'
Ik liep achter hem aan zijn kantoor in als een Hindoe die een olifant volgt. Het kantoor was groot en had meer dan voldoende ramen, maar was niet fraaier ingericht dan de wachtkamer. De muren waren met hetzelfde nepeiken gelambrizeerd en werden alleen opgesierd door een groot houten kruis boven het bureau van formica en staal, dat een afdankertje van de staat leek te zijn. Het plafond was laag: witte vierkantjes, bevestigd in een aluminium rooster. Achter het bureau was een deur.
Ik ging op een van de drie met vinyl beklede stoelen zitten. Hij nam

plaats in een draaistoel die uit protest kreunde, verstrengelde zijn vingers met elkaar en boog zich over het bureau heen, dat nu een stukje speelgoed leek.
'Ik neem aan dat Tim u een uitgebreide rondleiding heeft gegeven en al uw vragen heeft beantwoord.'
'Hij is heel behulpzaam geweest.'
'Goed,' zei hij zo traag dat het woord uit drie lettergrepen leek te bestaan. 'Hij is een heel capabele jonge man. Ik heb ons personeel persoonlijk uitgezocht.' Hij kneep zijn ogen halfdicht. 'Ik zoek ook de vrijwilligers uit. We willen alleen het allerbeste voor onze kinderen.' Hij leunde achterover en liet zijn handen op zijn buik rusten.
'Ik ben heel erg blij dat iemand van uw status erover denkt lid te worden van onze Herenbrigade. Daar heeft nog nooit een gepromoveerde psycholoog toe behoord. Tim heeft me verteld dat u gepensioneerd bent.'
Hij keek me vriendelijk aan en het was duidelijk dat er van me werd verwacht dat ik dat nader verklaarde.
'Dat klopt.'
'Hmmm.' Hij krabde achter een oor, nog altijd glimlachend en in afwachting. Ik glimlachte terug.
'Toen Tim me vertelde dat u hierheen zou komen, meende ik al dat uw naam me bekend voorkwam, maar ik kon hem niet plaatsen,' zei hij uiteindelijk. 'Een paar seconden geleden wist ik het opeens weer. U hebt de kinderen behandeld die het slachtoffer waren geworden van dat schandaal rond dat kinderdagverblijf, nietwaar?'
'Ja.'
'Geweldig werk. Hoe gaat het nu met hen?'
'Vrij goed.'
'Kort daarna bent u met pensioen gegaan?'
'Ja.'
Het immense hoofd werd triest geschud.
'Tragische affaire. Als ik het me goed herinner, heeft de man zelfmoord gepleegd.'
'Dat klopt.'
'Dan was er sprake van een dubbele tragedie. Die kleintjes seksueel misbruikt en het leven van een man verspild zonder kans op redding.' Hij glimlachte. 'Of, om een lekenterm te gebruiken, op rehabilitatie. Redding en rehabilitatie zijn in wezen synoniem, vindt u ook niet?'

'Ik zie wel overeenkomsten in beide begrippen.'
'Het hangt af van je perspectief.' Hij zuchtte. 'Ik moet u bekennen dat ik het soms moeilijk vind om mijn religieuze opleiding opzij te zetten wanneer ik met menselijke relaties te maken heb. Natuurlijk moet ik daar mijn uiterste best voor doen, want de maatschappij griezelt al van de meest vage band tussen Kerk en Staat.'
Hij was niet aan het protesteren. De uitdrukking op het brede gezicht was rustig, gevoed door het zoete fruit van het martelaarschap. Hij leek vrede te hebben met zichzelf, zo gelukkig te zijn als een nijlpaard dat in een modderpoel ligt te zonnen.
'Denkt u dat de man, degene die zelfmoord heeft gepleegd, gerehabiliteerd had kunnen worden?' vroeg hij.
'Dat is moeilijk te zeggen. Ik heb hem niet gekend. Maar de statistieken over het behandelen van mensen die hun leven lang pedofiel zijn geweest, zijn niet bemoedigend.'
'Statistieken.' Hij speelde met het woord, liet het langzaam over zijn tong rollen. Hij genoot van het geluid van zijn eigen stem. 'Statistieken zijn koude getallen, nietwaar, die geen rekening houden met het individu. Tim heeft me verteld dat statistieken op mathematisch niveau niet relevant voor een individu zijn. Klopt dat?'
'Dat klopt.'
'Wanneer mensen met statistieken komen, moet ik altijd denken aan een van de grappen over die Okie-vrouw – die moppen waren voor uw tijd in de mode – die tamelijk gelijkmoedig tien kinderen het leven had geschonken, maar heel geagiteerd raakte toen ze van de elfde in verwachting was. Haar arts vroeg waarom ze opeens zo van streek was nadat ze al tien keer een zwangerschap en een bevalling had doorstaan. Ze zei dat ze had gelezen dat elk elfde kind dat in Oklahoma werd geboren, een Indiaan was, en dat ze het verdomde om een roodhuid groot te brengen!'
Hij lachte, waarbij zijn buik schudde en zijn ogen in zwarte spleetjes veranderden. Zijn bril gleed omlaag over zijn neus en hij schoof hem weer omhoog.
'Dat is een korte samenvatting van mijn idee over statistieken. Weet u, de meeste kinderen waren voor hun komst in La Casa statistieken: nummers in de dossiers van de kinderrechters, codes die door de maatschappelijk werksters waren gecatalogiseerd, resultaten van I.Q.-tests. Die getallen zeiden dat er voor hen geen hoop meer was. Maar

wij nemen die kinderen aan en doen ons best al die getallen in kleine individuen te veranderen. Een I.Q.-score interesseert mij niets. Ik wil de kinderen helpen weer mens te worden, ze hun recht teruggeven op kansen in dit leven, op een goede gezondheid en een redelijke mate van welzijn en – ik hoop dat u mij als geestelijke die opmerking zult vergeven – op een zíel. Want elk van die kinderen hééft een ziel, ook degenen die min of meer als een plantje leven.'
'Ik ben het met u eens dat we niet alleen naar getallen moeten kijken.' Zijn ondergeschikte Kruger was heel handig met statistieken geweest wanneer die zijn doel dienden en ik wilde wedden dat La Casa wel een paar computers klaar had staan om de juiste getallen uit te spugen wanneer dat nodig was.
'Wij bewerkstelligen veranderingen. Het is een soort alchemie. Daarom word ik zo triest van een zelfmoord, wie die ook heeft gepleegd. Want alle mensen kunnen worden gered. Die man was een lafaard in de ultieme betekenis van dat woord. Maar natuurlijk is zo iemand in feite het prototype geworden van de moderne mens, nietwaar?' Hij sprak nu zachter. 'Het is mode geworden om er al de brui aan te geven na de geringste poging om iets te bereiken. Iedereen verlangt naar snelle en makkelijke oplossingen.'
Naar zijn idee ongetwijfeld inclusief diegenen die op hun tweeëndertigste hun lier aan de wilgen hingen.
'Elke dag gebeuren er wonderen in La Casa. Kinderen die waren opgegeven, krijgen weer een gevoel van eigenwaarde. Een jong kind dat incontinent is, wordt zindelijk.' Hij zweeg als een politicus die applaus verwacht. 'Zogenaamd zwakzinnige kinderen leren lezen en schrijven. Kleine wonderen, misschien, wanneer je ze vergelijkt met een man die op de maan loopt, maar misschien ook niet.' Zijn wenkbrauwen gingen omhoog en de dikke lippen weken vaneen, waardoor ik ver uit elkaar staande, grote tanden kon zien. 'Wanneer u dat woord wonder ongepast dweperig vindt klinken, kunnen we het natuurlijk vervangen door succes. Dat is een term die de gemiddelde Amerikaan aanspreekt. Succes.'
Wanneer iemand anders dat alles had gezegd, had het een goedkope oratie op de zondagmorgen kunnen zijn waarin Jezus werd aangeprezen. Maar McCaffrey was goed en uit zijn woorden sprak de overtuiging van iemand die is gewijd om een heilige missie uit te voeren.
'Mag ik u vragen waarom u met werken bent gestopt?' vroeg hij vriendelijk.

'Ik wilde mijn levenstempo wijzigen, eerwaarde. Ik had tijd nodig om te bepalen wat ik in dit leven belangrijk vond en wat niet.'
'Dat begrijp ik. Nadenken over jezelf kan uitzonderlijk waardevol zijn. Maar ik neem aan dat u zich over niet al te lange tijd weer met uw vak zult bezighouden. We hebben goede psychologen zoals u nodig.'
Hij was nog altijd aan het preken, maar koppelde daar nu een massage van mijn ego aan vast. Ik begreep nu waarom hoge pieten uit de zakenwereld dol op hem waren.
'Eigenlijk begon ik het werken met kinderen te missen en heb jullie daarom gebeld.'
'Uitstekend, uitstekend. Een verlies voor de psychologie, omgezet in winst voor ons. U hebt in het Western Pediatric gewerkt, toch? Ik meen me dat uit de kranten te kunnen herinneren.'
'Ik heb daar inderdaad gewerkt, met daarnaast een particuliere praktijk.'
'Een eersteklas ziekenhuis. We sturen er veel van onze kinderen naartoe wanneer ze medische aandacht nodig hebben. Ik ken een aantal artsen die daar werken en vele van hen zijn uit eigen beweging heel vrijgevig geweest.'
'Die mensen hebben het erg druk, eerwaarde. U moet heel overtuigend zijn geweest.'
'Niet echt. Maar ik erken wel het bestaan van een wezenlijke menselijke behoefte om te geven. Een vorm van altruïsme, zo u wilt. Ik weet dat er moderne psychologen zijn die het idee dat een mens zichzelf voldoening wil schenken tegen de borst stuit, maar ik ben ervan overtuigd dat ik gelijk heb. Altruïsme is even wezenlijk als dorst. U hebt uw eigen altruïstische behoeften bijvoorbeeld bevredigd binnen de grenzen van het vak waarvoor u had gekozen. Maar toen u ophield met werken, kwam dat verlangen weer terug. En dus bent u hier.' Hij spreidde zijn armen.
Hij maakte een la van zijn bureau open, haalde er een brochure uit en gaf die aan mij. Die zag er goedverzorgd uit, even gepolijst als het kwartaalverslag van een industrieconcern.
'Op pagina zes zult u een gedeeltelijke lijst aantreffen van de leden van onze raad van bestuur.'
Die vond ik. Voor een gedeeltelijke lijst was hij lang. Hij nam, in een klein lettertype, een hele pagina in beslag. Hij was ook indrukwek-

kend: een lid van de gemeenteraad, de burgemeester, rechters, filantropen, belangrijke figuren uit de wereld van het entertainment, advocaten, zakenlieden en veel artsen van wie ik een aantal namen herkende. Zoals die van L. Willard Towle.

'Dat zijn allemaal mensen die het druk hebben, maar toch tijd voor onze kinderen kunnen vrijmaken. Omdat wij weten hoe we de innerlijke, altruïstische hulpbron moeten aanboren.'

Ik bladerde de brochure verder door en zag een aanbevelingsbrief van de gouverneur, veel foto's van kinderen die zich opperbest amuseerden en nog meer foto's van McCaffrey. Met zijn grote gestalte had hij zijn opwachting gemaakt in de Donahue-show, hij was in smoking verschenen op een liefdadigheidsconcert in het Music Center en in joggingpak gefotografeerd met een groep van zijn pupillen tijdens de Olympische spelen voor gehandicapten. McCaffrey met televisiepersoonlijkheden, leiders van de beweging voor gelijke burgerrechten, countryzangers en bankdirecteuren.

Halverwege de brochure zag ik een foto van McCaffrey in een ruimte die ik herkende als het auditorium van het Western Pediatric. Naast hem stond Towle, met glanzend haar. Aan de andere kant van hem stond een kleine, kikvorsachtige man die er ondanks zijn glimlach grimmig uitzag: de man met de Peter Lorre-ogen van wie ik ook in Towles spreekkamer een foto had gezien. Volgens het onderschrift was dat de edelachtbare Edwin G. Hayden, kinderrechter. De foto was genomen ter ere van een lezing die McCaffrey had gehouden onder de titel: 'Het welzijn van kinderen: verleden, heden en toekomst.'

'Is Towle betrokken bij La Casa?' vroeg ik.

'Ja, hij is lid van de raad van bestuur en draait ook mee in het roulerende rooster van behandelend artsen. Kent u hem?'

'We hebben elkaar wel eens ontmoet en ik ken hem verder van reputatie.'

'Een autoriteit op het gebied van de gedragswetenschappen. Zijn diensten zijn voor ons van onschatbare waarde.'

'Dat zal best.'

Het volgende kwartier liet hij me zijn boek zien, een produkt van een plaatselijke drukkerij, met slappe kaft. Het stond vol suikerzoete clichés en eersteklas statisticken. Ik kocht voor vijftien dollar een exemplaar nadat hij een nog betere verhandeling over chronisch geldgebrek had afgestoken dan Kruger. Omdat zijn kantoor er zo weinig luxueus

uitzag, werd het verhaal geloofwaardig. Bovendien had ik net een overdosis positief denken gekregen en het leek me een gering bedrag om daar verder van verschoond te blijven.
Hij pakte de drie biljetten van vijf dollar van me aan, vouwde ze op en deponeerde ze nadrukkelijk in een geldkistje op het bureau. Dat kistje was versierd met een tekening van een ernstig kind met ogen die me sterk deden denken aan die van Melody Quinn: groot, dof, met de uitdrukking van innerlijke gekwetstheid.
Hij stond op, bedankte me voor mijn komst en nam mijn hand in zijn beide handen. 'Ik hoop dat we u hier spoedig vaker zullen zien.'
Het was mijn beurt om te glimlachen.
'Daar kunt u op rekenen, eerwaarde.'
Grootmama stond al in de wachtkamer klaar met een stapel met nieten vastgemaakte boekjes en twee geslepen potloden.
'U kunt ze hier invullen,' zei ze lief.
Ik keek op mijn horloge.
'Mijn hemel, het is al veel later dan ik dacht. Dat zal ik een andere keer moeten doen.'
'Maar...' Ze werd zenuwachtig.
'Kan ik ze misschien mee naar huis nemen? Dan vul ik ze daar in en stuur ze u over de post terug.'
'O nee, dat mag ik niet doen. Het zijn psychologische testen!' Ze drukte de papieren tegen haar boezem. 'Volgens de regels moet u ze hier invullen.'
'Dan zal ik nog een keer terug moeten komen.' Ik wilde weggaan.
'Wacht u nog even, dan zal ik iemand ernaar vragen. Ik zal de eerwaarde Gus vragen of...'
'Hij heeft me gezegd dat hij een tijdje wilde mediteren. Ik denk niet dat hij gestoord wil worden.'
'O.' Ze was in de war. 'Ik moet het iemand vragen. Als u hier wilt wachten, ga ik op zoek naar Tim.'
'Natuurlijk.'
Toen ze weg was, glipte ik ongemerkt de deur uit.

De zon was bijna onder. Het was de overgangsfase waarin het palet van de dag langzaam wordt afgeschraapt, de diverse kleuren vervagen en moeten wijken voor grijs: dat tweeslachtige deel van de schemering wanneer alles er rond de randen een beetje wazig uitziet.

Ik liep naar mijn auto en voelde me ongemakkelijk. Ik had drie uur in La Casa doorgebracht en was weinig meer te weten gekomen dan dat de eerwaarde Augustus McCaffrey een slimme gozer was met te actieve charismatische klieren. Hij had de tijd genomen om zich in mijn handel en wandel te verdiepen en dat duidelijk laten merken. Maar alleen iemand die echt paranoïde was, zou daar iets onheilspellends in kunnen zien. Hij had geprobeerd indruk te maken door te laten merken hoe goed geïnformeerd en voorbereid hij was. Het feit dat hij me duidelijk had gemaakt dat hij zoveel hooggeplaatste vrienden had, was ook een psychologische spieroefening geweest. Macht respecteerde macht, kracht trok kracht aan. Hoe meer connecties McCaffrey kon aantonen, hoe meer hij er zou krijgen. En op die manier kreeg je de kans veel geld binnen te slepen. Op die manier, en door middel van geldkistjes met meisjes met trieste ogen.
Ik had het sleuteltje al in het slot van het portier van de Seville gestoken en keek naar de campus. Die zag er leeg en verlaten uit, als een goed gerunde boerderij nadat het werk van de dag is gedaan. Het zou wel etenstijd zijn: de kinderen in de kantine, de begeleiders toekijkend en de eerwaarde Gus die een welluidend gebed uitsprak.
Ik voelde me een dwaas.
Net toen ik het portier wilde openmaken, zag ik in de buurt van het bos vaag een beweging. Ik kon er niet zeker van zijn, maar ik meende mensen te zien vechten en gedempte kreten te horen.
Ik stopte de autosleuteltjes weer in mijn zak en liet het boek van McCaffrey op het grind vallen. Er was niemand te zien, met uitzondering van de bewaker in het hokje bij de ingang, en die man keek een andere kant op. Ik moest dichter in de buurt komen zonder zelf te worden gezien. Voorzichtig liep ik de heuvel af waarop het parkeerterrein zich bevond en bleef zoveel mogelijk in de schaduw van gebouwen. De vormen in de verte bewogen langzaam.
Ik drukte me tegen de flamingoroze muur van het meest zuidelijke gebouw aan. Verder kon ik niet gaan zonder het risico te lopen te worden gezien. De grond was nat en drassig en de lucht werd verpest door een vuilcontainer. Iemand had geprobeerd FUCK in de roze verf te schrijven, maar door het verroeste metaal waren het niet veel meer dan krassen geworden.
De geluiden waren nu luider en het waren duidelijk kreten van pijn: dierlijke kreten, blatend en klagend.

Ik kon drie silhouetten zien: twee grote en een veel kleinere. Het kleinere leek te zweven.
Ik sloop nog iets dichter die kant op en keek om de hoek. De drie figuren liepen, misschien een meter of negen van me vandaan, langs de zuidelijke grens van het terrein. Ze staken het betonnen terras langs het zwembad over en kwamen toen in het licht van een lamp tegen insekten, die aan de dakrand van het gebouwtje bij het zwembad was bevestigd.
Toen zag ik hen duidelijk, als een flitsopname in het citroengele licht. De kleine gestalte was Rodney en hij hing een paar centimeter in de lucht omdat hij onder zijn armen was opgetild door Halstead, de coach, en Tim Kruger.
Het waren twee sterke mannen, maar de jongen verzette zich hevig. Hij kronkelde en trapte als een fret in een val, en slaakte een woordloze jammerklacht. Halstead drukte een harige hand tegen zijn mond, maar het lukte het kind zich los te worstelen en weer te schreeuwen. Halstead drukte opnieuw een hand tegen de mond van het joch en zo ging het door terwijl ze geleidelijk aan uit mijn gezichtsveld verdwenen: kreten en dof gegrom, een krankzinnige trompetsolo die steeds vager klonk en toen niet meer hoorbaar was.
Het was stil en ik was alleen, stond met mijn rug tegen de muur, badend in het zweet: mijn kleren waren klam en plakten aan mijn lichaam. Ik wilde iets heldhaftigs doen, de inertie verbreken die zich als sneldrogend cement om mijn enkels had vastgezet.
Maar ik kon niemand redden. Ik voelde me als een vis op het droge. Als ik achter hen aan ging, zou voor alles een rationele verklaring worden gegeven. Bovendien zou er meteen een meute bewakers komen opdraven om me het terrein af te zetten en zij zouden mijn gezicht goed in zich opnemen, zodat de poorten van La Casa nooit meer voor me zouden opengaan.
Op dat moment kon ik me dat nog niet veroorloven.
Dus bleef ik daar tegen de muur staan, als aan de grond genageld in een stilte als in een spookstad, misselijk en hulpeloos. Ik balde mijn handen tot vuisten tot ze er zeer van deden en luisterde naar het droge, dwingende geluid van mijn eigen ademhaling, dat klonk als laarzen die over steentjes in een steegje schrapen.
Ik dwong mezelf het beeld van de worstelende jongen uit mijn hoofd te zetten.
Toen ik wist dat ik dat veilig kon doen, sloop ik terug naar mijn auto.

17

Toen ik om acht uur 's morgens de eerste keer belde, nam niemand op. Een halfuur later was de universiteit van Oregon wel in bedrijf.
'Goedemorgen. U bent verbonden met de afdeling onderwijs.'
'Goedemorgen. U spreekt met doctor Gene Adler uit Los Angeles. Ik werk op de psychiatrische afdeling van het Western Pediatric Medical Center in Los Angeles en we zijn op dit moment met een sollicitatieprocedure bezig. Een van de sollicitanten heeft in zijn curriculum vitae vermeld dat hij aan uw universiteit is afgestudeerd in de psychologie. Omdat we dat soort gegevens routinematig altijd controleren, vroeg ik me af of u dat voor mij zou kunnen verifiëren.'
'Ik zal u doorverbinden met Marianne van de administratie.'
Marianne had een warme, vriendelijke stem, maar toen ik mijn verhaal had herhaald, zei ze vastberaden dat daar een schriftelijk verzoek voor nodig was.
'Daar heb ik geen bezwaar tegen,' zei ik, 'maar zoiets kost tijd. Er zijn veel gegadigden voor de baan waarnaar deze persoon heeft gesolliciteerd. We waren van plan binnen vierentwintig uur een beslissing te nemen. Het is eigenlijk een formaliteit om dit soort gegevens te verifiëren, maar onze aansprakelijkheidsverzekering eist het nu eenmaal. Als u wilt, kan ik de sollicitant vragen u op te bellen om u te zeggen dat u de informatie kunt vrijgeven. Het is in zijn eigen belang.'
'Tja... In dat geval neem ik aan dat het geen kwaad kan. U wilt alleen weten of die persoon een graad heeft behaald, hè? Niets persoonlijkers dan dat?'
'Dat klopt.'
'Hoe heet die sollicitant?'
'Timothy Kruger. Volgens zijn eigen opgave is hij vier jaar geleden afgestudeerd.'
'Een ogenblikje.'
Ze bleef tien minuten weg en toen ze weer aan de telefoon kwam, klonk ze van streek.
'Meneer, uw formaliteit blijkt in dit geval wel zin te hebben. De laatste tien jaar is hier niemand met die naam afgestudeerd. We hebben wel een dossier van een zekere Timothy Jay Kruger die hier vier jaar geleden een semester heeft gestudeerd, maar psychologie was zijn hoofdvak niet en hij is na dat ene semester weer vertrokken.'

'Hmmm. Dat is nogal verontrustend. Hebt u er enig idee van waarom hij is vertrokken?'
'Geen enkel. Doet dat er eigenlijk nog iets toe?'
'Nee, dat denk ik niet. U bent er volkomen zeker van? Ik zou de carrière van meneer Kruger niet graag in gevaar willen brengen...'
'Van twijfel is geen sprake.' Ze klonk beledigd. 'Ik heb het een paar keer gecontroleerd en het toen ook nog eens nagevraagd bij het hoofd van de faculteit, doctor Gowdy. Hij was er zeker van dat hier nooit een Timothy Kruger is afgestudeerd.'
'Dat staat dan dus inderdaad vast en het werpt beslist een nieuw licht op meneer Kruger. Zou u nog iets voor me kunnen nagaan?'
'Wat?'
'Volgens meneer Kruger heeft hij aan het Jedson College in de staat Washington zijn kandidaats psychologie behaald. Kunt u dat in uw dossiers nagaan?'
'Dat zou dan vermeld moeten staan op zijn aanmeldingsformulier en dat moet terug te vinden zijn, maar ik zie niet in waarom u...'
'Ik zal dit moeten melden aan de staatscommissie van examinatoren in de gedragswetenschappen, omdat de vergunning van meneer Kruger om praktijk uit te oefenen nu ook in het geding is. Ik wil alle feiten kennen.'
'O. Ik zal het nakijken.'
Ditmaal was ze snel weer terug.
'Hij heeft inderdaad aan Jedson gestudeerd en daar zijn kandidaats behaald, maar niet in de psychologie.'
'Waarin dan wel?'
Ze lachte.
'In de toneelkunst. De man wilde acteur worden.'

Ik belde de school waar Raquel Ochoa lesgaf en liet haar uit de klas halen. Toch leek ze het prettig te vinden weer wat van me te horen.
'Hallo. Hoe gaat het met het onderzoek?'
'We komen dichter bij ons doel,' loog ik. 'Daarom bel ik je. Bewaarde Elena bij jullie thuis een dagboek of dossiers, in welke vorm dan ook?'
'Nee. We hielden geen van beiden een dagboek bij en hebben dat ook nooit gedaan.'
'Geen aantekenboekjes, banden of zo?'

'Op de enige banden die ik ooit gezien heb, stond muziek. Ze had een cassetterecorder in haar nieuwe auto. Plus een paar bandjes die ze van Handler had gekregen om haar te helpen zich te ontspannen en te kunnen slapen. Hoezo?'
Ik negeerde die vraag.
'Waar zijn haar persoonlijke bezittingen nu?'
'Dat zou u moeten weten. Die heeft de politie meegenomen. Ik neem aan dat ze die inmiddels aan haar moeder hebben teruggegeven. Wat is er? Hebt u iets ontdekt?'
'Niets definitiefs. Niets waar ik over kan praten. We proberen de feiten te verklaren.'
'Hoe u het doet, kan me niets schelen. U moet ervoor zorgen dat u hem pakt en straft. Dat monster.'
Ik haalde een ranzig brokje zelfvertrouwen naar boven en doordrenkte mijn stem daarmee. 'Dat zullen we zeker doen.'
'Daar twijfel ik niet aan.'
Haar vertrouwen gaf me een ongemakkelijk gevoel.
'Raquel, ik heb de dossiers niet bij de hand. Kun jij me het adres van haar moeder geven?'
'Natuurlijk.' Ze gaf het me.
'Bedankt.'
'Bent u van plan op bezoek te gaan bij de familie van Elena?'
'Een persoonlijk gesprek zou me misschien iets wijzer kunnen maken.'
Er volgde een stilte aan de andere kant van de lijn. Toen zei ze: 'Het zijn goede mensen, maar het kan zijn dat ze tegenover u hun mond niet opendoen.'
'Dat is me wel eens eerder overkomen.'
Ze lachte.
'Ik denk dat u meer succes zult hebben wanneer ik met u meega, want ik hoor zo'n beetje tot de familie.'
'Is dat niet te lastig voor je?'
'Nee. Ik wil graag helpen. Wanneer wilt u naar hen toe?'
'Vanmiddag.'
'Prima, dan neem ik wat eerder vrij; ik zal zeggen dat ik me niet lekker voel. Komt u me maar om halfdrie ophalen. Ik zal u mijn huisadres geven.'
Ze woonde in een bescheiden buurt in het westelijke deel van L.A.,

niet ver van de plaats waar de Santa Monica en de San Diego Freeway zich samenvoegden: een wijk met koektrommels van flatgebouwen die werden bewoond door vrijgezellen die zich de Marina niet konden veroorloven.

Toen ik nog een huizenblok te gaan had, kon ik haar al bij de stoeprand zien staan wachten, gekleed in een rode bloes, een blauwe spijkerrok en cowboylaarzen met stempelversieringen.

Ze stapte in, sloeg een paar blote bruine benen over elkaar en glimlachte.

'Hallo.'

'Hallo. Fijn dat je meegaat.'

'Ik heb u al gezegd dat ik dit graag doe. Ik wil me nuttig voelen.'

'Tutoyeer mij toch ook alsjeblieft.'

'Oké.'

Ik reed verder naar het noorden, richting Sunset. Op de radio geïmproviseerde jazz, atonaal, met saxofoonsolo's die als politiesirenes klonken en drums als een bijna stilstaand hart.

'Zet maar wat anders op als je dat wilt.'

Ze drukte op een paar knoppen, draaide aan een andere en vond een zender met lichte rockmuziek. Iemand zong over een verloren liefde en oude films en koppelde die twee dingen aan elkaar.

'Wat wil je van hen weten?' vroeg ze, terwijl ze op haar gemak ging zitten.

'Of Elena hun iets over haar werk heeft verteld, vooral over dat kind dat is gestorven. Of iets over Handler.'

Ik zag veel vragen in haar ogen, maar die kwamen niet over haar lippen.

'Praten over Handler zal bijzonder gevoelig liggen. De familie vond het niet prettig dat ze omging met een man die zoveel ouder was. En bovendien een blanke Amerikaan,' voegde ze daar aarzelend aan toe. 'In dat soort situaties zijn die mensen geneigd alles gewoon te negeren, te ontkennen. Dat is hun cultuur.'

'In zeker opzicht is het gewoon menselijk.'

'In zeker opzicht misschien wel. Maar wij Latijns-Amerikanen doen het meer dan anderen. Dat komt voor een deel door onze katholieke opvoeding en verder door ons Indiaanse bloed. Hoe kun je in sommige afgelegen gebieden waar we hebben gewoond in leven blijven wanneer je de werkelijkheid níet ontkent? Je glimlacht en doet net als-

of alles weelderig groen en vruchtbaar is en je meer dan voldoende water en eten hebt. Dan lijkt de woestijn zo'n ramp nog niet.'
'Heb je een idee hoe ik dat ontkennen zou kunnen omzeilen?'
'Nee.' Ze zat met haar handen in haar schoot gevouwen, als een keurig schoolmeisje. 'Ik denk dat ik het gesprek beter kan openen. Cruz, de moeder van Elena, heeft me altijd aardig gevonden. Misschien kan ik door haar pantser heen breken. Maar verwacht geen wonderen.'
In dat opzicht hoefde ze zich weinig zorgen te maken.
Echo Park lijkt een stuk Latijns-Amerika dat is overgeplaatst naar de stoffige, glooiende straten tussen Hollywood en het centrum van L.A., aan weerszijden van Sunset Boulevard. De straten hebben namen als Macbeth en Macduff, Bonnybrae en Laguna, maar zijn allesbehalve poëtisch. In zuidelijke richting lopen ze eerst omhoog en dan omlaag naar het getto van het Union District. In noordelijke richting gaan ze omhoog naar het kleine park rond een meertje, dat de wijk zijn naam heeft gegeven, lopen verder door onvruchtbaar terrein en raken verloren in een misplaatste wildernis boven het Dodger Stadium en Elysian Park, waar de politieacademie van Los Angeles is ondergebracht.
Sunset verandert wanneer je Hollywood achter je hebt gelaten en Echo Park inkomt. De pornotheaters en de motels waar je kamers per uur kunt huren, moeten het veld ruimen voor *botánicas* en bodega's, een eindeloze reeks kraampjes waar je taco's kunt kopen, vis kunt eten of een snelle hap kunt halen en eersteklas Latijns-Amerikaanse restaurants, schoonheidssalons met etalages die worden bewaakt door koppen van piepschuim met blonde Dynel-pruiken, Cubaanse bakkerijen, medische klinieken en wetswinkels, bars en clubhuizen. Net als in de meeste arme wijken is er altijd veel volk op de been in het Echo Park-gedeelte van Sunset.
Met de Seville reden we die middag langzaam door de mensenmenigte heen. Het sfeertje op de boulevard was even opdringerig en sidderend als de lucht van gesmolten vet dat in de stalletjes uit de frituurpannen spetterde. Er waren jongens uit de buurt die trots zelf aangebrachte tatoeages lieten zien, vijftienjarige moedertjes met dikke baby's in krakkemikkige wandelwagentjes die bij elke stoeprand uit elkaar dreigden te vallen, drugdealers, juristen met gesteven boorden, die zich in immigratiekwesties hadden gespecialiseerd, werksters die even vrij hadden, grootmoeders, bloemenverkopers, een nooit eindigende stroom van kinderen met bruine ogen.

'Het is heel gek om hier terug te komen in zo'n mooie auto,' zei Raquel.
'Hoe lang ben je hier al niet meer geweest?'
'Duizend jaar.'
Ze leek er niet meer over te willen zeggen, dus ging ik er niet verder op door. Bij Fairbanks Place zei ze dat ik linksaf moest. Het huis van de familie Gutierrez stond aan het eind van een kronkelende weg met de breedte van een steegje, die een heuvel opging en daarna in een onverharde weg veranderde. Wanneer we nog een meter of vierhonderd waren doorgereden, zou het geleken hebben of we de enige mensen op de wereld waren.
Het was me al opgevallen dat ze de gewoonte had om in zichzelf – haar lippen, haar vingers, haar knokkels – te bijten wanneer ze zenuwachtig was. Nu was ze op haar duim aan het knauwen. Ik vroeg me af welke honger daarmee werd gestild.
Ik reed voorzichtig – er was nauwelijks voldoende ruimte voor een enkele auto – en passeerde jonge mannen in T-shirts die aan oude auto's sleutelden met de toewijding van een priester voor een heiligdom, en kinderen die op vingertjes zogen waaraan resten zoetigheid kleefden. Lang geleden was de straat beplant met olmen, die immens groot waren geworden. Hun wortels hadden de stoep her en der omhooggeduwd en in de barsten groeide onkruid. Takken schuurden over het dak van de auto. Een oude vrouw met ontstoken benen die met vodden waren verbonden, duwde een winkelwagentje vol herinneringen voort, een steile weg op die San Francisco waardig zou zijn. Op elke vierkante centimeter vrij oppervlak was graffiti aangebracht, die verklaarde dat Little Willie Chacon, de Echo Parque Skulls, Los Conquistadores, de Lemoyne Boys en de taal van Maria Paula Bonilla onsterfelijk waren.
'Daar.' Ze wees op een houten huisje dat lichtgroen was geschilderd en als dak bruin teerpapier had. Het gazon van de voortuin was droog en bruin, maar werd omzoomd door veelbelovende bloembedden met rode geraniums en oranje en gele klaprozen. Het huis stond op een stenen rand en langs de voorkant liep een gammele houten veranda waarop een man zat.
'Die man daar op de veranda is Rafael, haar oudste broer.'
Ik vond een parkeerplaats naast een Chevy die op blokken stond. Ik draaide de wielen naar de stoeprand en zette de auto op het stuurslot. We stapten uit en stof stoof rond onze hielen op.

'Rafael!' riep ze en ze zwaaide. Het duurde even voordat de man op de veranda opkeek. Toen stak hij zijn hand op, zwakjes, leek het.
'Ik heb vlak om de hoek gewoond,' zei ze. Het klonk als een biecht. Ze liep voor me uit een trapje van twaalf treden op en een openstaand ijzeren hek door.
De man op de veranda was niet gaan staan. Hij staarde naar ons met een mengeling van ongerustheid, nieuwsgierigheid en iets dat ik niet kon duiden. Hij was bleek en mager, bijna uitgemergeld, en had dezelfde merkwaardige combinatie van Latijns-Amerikaanse gelaatstrekken en een lichte huid als zijn zuster. Zijn lippen waren bloedeloos, zijn oogleden waren zwaar. Hij zag eruit alsof hij aan een ziekte leed die zijn hele lichaam in haar greep had. Hij droeg een wit shirt met lange mouwen, de mouwen opgerold tot net onder de ellebogen. Dat shirt bloesde rond zijn middel, doordat het hem een aantal maten te groot was. Zijn broek was zwart en leek eens bij een pak van een dikke man te hebben gehoord. Aan zijn voeten lage rijgschoenen, waarvan de neuzen waren gescheurd. Er zaten geen veters meer in. De lipjes staken eruit en lieten dikke witte sokken zien. Zijn haar was kort en strak naar achteren gekamd.
Hij was ergens midden in de twintig, maar had het gezicht van een oude man: een achterdochtig, vermoeid masker.
Raquel liep naar hem toe en gaf hem een kusje boven op zijn hoofd. Hij keek naar haar op, maar het leek hem niets te doen.
'Hallo, Rocky.'
'Hoe gaat het met je, Rafael?'
'Oké.' Hij knikte en even leek het alsof zijn hoofd van zijn nek zou rollen. Toen keek hij naar mij. Focussen leek hem moeite te kosten.
Raquel beet op haar lip.
'We zijn langsgekomen om jou en Andy en jullie moeder weer eens te zien. Dit is Alex Delaware. Hij werkt samen met de politie en is betrokken bij het onderzoek naar... de zaak van Elena.'
De schrik was op zijn gezicht te zien en zijn hand greep de armleuning van zijn stoel steviger vast. Toen leek het wel alsof hij reageerde op een regie-aanwijzing dat hij zich moest ontspannen. Hij grinnikte me toe, zakte wat verder weg in zijn stoel en knipoogde.
'O,' zei hij.
Ik stak mijn hand uit. Hij keek daar verbaasd naar, herkende hem toen als een lang verloren gewaande vriend en stak zijn eigen magere poot uit.

Zijn arm leek op een stel stokjes die bijeen werden gehouden door een dun pakpapiertje. Toen onze vingers elkaar raakten, gleed zijn mouw omhoog en zag ik veel sporen van prikken. De meeste zagen er oud uit, als houtskoolkleurige vlekken, maar een paar waren nog felroze. Vooral een ervan was verre van oud. In het midden ervan zag ik nog een speldeknopje bloed.
Zijn handdruk was vochtig en slap. Ik liet zijn hand los, die meteen slap langs zijn lichaam viel.
'Hallo, makker,' zei hij, nauwelijks verstaanbaar. 'Prettig kennis met je te maken.' Hij draaide zich om, verloren in zijn eigen tijdloze droom-hel. Toen hoorde ik pas de 'gouwe ouwe' muziek uit een goedkope transistorradio die naast de stoel stond, komen. Het miezerige apparaatje kraakte. Het geluid was afschuwelijk, alsof alle noten door een kilometer modder waren gefilterd. Rafael had zijn hoofd in zijn nek gegooid en leek betoverd. Voor hem was het een hemels koor dat zijn gezang rechtstreeks naar zijn slaapkwabben overbracht.
'Rafael.' Ze glimlachte.
Hij keek naar haar, glimlachte, knikkebolde en viel in slaap.
Met tranen in haar ogen staarde ze naar hem. Ik liep naar haar toe en van schaamte en woede draaide ze zich om.
'Verdomme!'
'Hoe lang spuit hij al?'
'Dat heeft hij jaren gedaan, maar ik dacht dat hij was afgekickt. Het laatste dat ik over hem heb gehoord, was dat hij ermee was gestopt.'
Ze bracht haar hand naar haar mond en zwaaide op haar benen heen en weer alsof ze elk moment kon vallen. Ik zette me schrap om haar op te vangen, maar ze ging uit zichzelf weer rechtop staan. 'Hij is er in Vietnam mee begonnen en was zwaar verslaafd toen hij thuiskwam. Elena heeft heel wat tijd en geld gespendeerd om hem te helpen met afkicken. Hij heeft dat minstens tien keer geprobeerd, maar het nooit volgehouden. De laatste keer was hij al meer dan een jaar van die rotzooi afgebleven. Elena was daar zo gelukkig mee. Hij had een baantje gevonden achter de kassa van Lucky's aan Alvarado.'
Ze draaide zich weer naar me om. Haar neusvleugels trilden en haar ogen zwommen als zwarte lelies in een vijver met zout water. Haar lippen trilden als de snaren van een harp.
'Alles lijkt kapot te gaan.'
Ze pakte de pilaar van het afdakje van de veranda vast als steuntje.

'Ik vind het heel triest.'
'Hij was altijd een gevoelig type. Rustig, ging nooit met meisjes op stap, had geen vrienden. Hij is heel vaak geslagen. Toen hun vader was gestorven, heeft hij geprobeerd zijn plaats als de heer des huizes in te nemen. Volgens de traditie hoort de oudste zoon dat te doen. Maar het werd geen succes. Niemand nam hem serieus. Ze lachten hem uit. Dat hebben we allemaal gedaan. Toen heeft hij het opgegeven, alsof hij een laatste, beslissende test niet had gehaald. Hij ging niet meer naar school, bleef thuis, las stripboeken en keek verder de hele dag naar de televisie. Zat alleen maar naar het scherm te staren. Toen het leger hem wilde hebben, leek hij blij. Cruz huilde toen hij wegging, maar hij was gelukkig...'
Ik keek naar hem. Hij zat zo ver onderuit in zijn stoel dat hij bijna parallel lag aan de vloer van de veranda. Weggezakt in een junkie-slaap. Zijn mond stond open en hij snurkte luid. Uit de radio klonk 'Daddy's Home'.
Raquel waagde het nog een keer naar hem te kijken en wendde toen snel, walgend, haar hoofd af. Haar gezicht drukte een nobel lijden uit: een Azteekse maagd die zich schrap zet voor het ultieme offer.
Ik legde mijn handen op haar schouders en ze leunde achterover in mijn armen. Zo bleef ze staan, gespannen, en stond zichzelf slechts een paar tranen toe.
'Wat een beroerd begin,' zei ze. Ze haalde diep adem. Toen veegde ze haar ogen droog en draaide zich om. 'Je zult wel denken dat ik niets anders kan doen dan huilen. Kom mee. Laten we naar binnen gaan.'
Ze trok de hordeur open en die sloeg hard tegen de houten zijkant van het huis.
We liepen een kleine voorkamer in vol oude, maar gekoesterde herinneringen. Het was er warm en donker. De ramen waren stevig dicht en de perkamenten, vergeelde jaloezieën waren omlaaggetrokken: een kamer die niet aan bezoek gewend was. Verkleurde vitrage voor de ramen, lappen kant op de armleuningen van de stoelen, een grote en een kleinere bank, bekleed met donkergroen, geplet fluweel, waarvan de versleten plekken glommen en de kleur van tropische papegaaien hadden, twee rieten schommelstoelen. Boven de schoorsteenmantel hing een schilderij van de twee overleden gebroeders Kennedy, met zwart fluweel eromheen. Beeldjes van hout en Mexicaans onyx stonden op lage tafels met kanten kleedjes erop. Twee staande lampen met kap-

pen met kraaltjes, een gipsen beeld van een lijdende Jezus aan de witgepleisterde muur naast een stilleven van een rieten mandje met sinaasappels. Aan een andere muur familiefoto's in opvallende lijsten en hoog daarboven een foto van Elena, genomen op een afstudeerfeest. Een spin kroop rond op de plaats waar de muur het plafond raakte.

Een deur rechts stond op een kiertje, waardoor ik witte tegels kon zien. Raquel liep daarheen.

'Señora Cruz?'

De deur ging verder open en er verscheen een kleine, zware vrouw met een theedoek in haar hand. Ze droeg een jurk met een blauw patroon, zonder ceintuur. Haar grijszwarte haar was in een knotje opgestoken en werd op zijn plaats gehouden door een kam van namaakschildpad. Ze had zilveren, lange oorbellen in haar oren en op haar jukbeenderen prijkten zalmkleurige plekjes rouge. Haar huid zag er delicaat en babyzacht uit, iets dat je vaak ziet bij oude vrouwen die eens beeldschoon zijn geweest.

'Raquelita!'

Ze legde de theedoek neer en liep de kamer in. De twee vrouwen omhelsden elkaar lang.

Toen ze mij over Raquels schouder heen zag, glimlachte ze, maar haar gezicht werd zo gesloten als de brandkast van een pandjesbaas. Ze zette een stap naar achteren en maakte een kleine buiging.

'Señor,' zei ze, te eerbiedig. Toen keek ze met een opgetrokken wenkbrauw naar Raquel.

'Señora Gutierrez.'

Raquel sprak snel in het Spaans tegen haar. Ik kon de woorden 'Elena', 'policía' en 'doctor' opvangen. Ze eindigde met een vraag.

De oudere vrouw luisterde beleefd en schudde toen haar hoofd. 'Nee.'

Raquel draaide zich naar mij toe. 'Ze zegt dat ze niets meer weet dan wat ze de politie de eerste keer al heeft verteld.'

'Kun je haar vragen naar die jongen? Nemeth? Hem hebben ze niet ter sprake gebracht.'

Ze wilde dat doen, maar hield toen opeens haar mond.

'Waarom doen we het niet wat langzamer aan? Het zou helpen als we een hapje aten. Laat haar voor gastvrouw spelen, zodat ze ons iets kan geven.'

Ik had echt honger en zei dat ook tegen Raquel. Zij gaf de boodschap

aan mevrouw Gutierrez door, die knikte en terugliep naar haar keuken.
'Laten we gaan zitten,' zei Raquel.
Ik nam op het kleinste bankje plaats. Zij installeerde zich in een hoekje van de grote bank.
De señora kwam terug met koekjes, fruit en hete koffie. Ze vroeg Raquel iets.
'Ze wil graag weten of je hier genoeg aan hebt, of liever iets substantiëlers wilt, zoals zelfgemaakte *chorizo.*'
'Zeg alsjeblieft tegen haar dat dit al geweldig is. Maar als je denkt dat het ons zou helpen als ik om haar *chorizo* vraag, zal ik dat zeker niet laten.'
Raquel nam weer het woord. Even later kreeg ik een bord met het gekruide worstje, rijst, opgebakken bonen en sla met een dressing van citroenolie overhandigd.
'*Muchas gracias, señora.*' Ik begon te eten.
Ik begreep niet veel van wat ze zeiden, maar ze leken het over koetjes en kalfjes te hebben. De twee vrouwen raakten elkaar veel aan, klopten op elkaars hand, aaiden elkaars wang. Ze glimlachten en leken mijn aanwezigheid te zijn vergeten.
Toen veranderde het gelach opeens in gehuil. Mevrouw Gutierrez rende de kamer uit, zocht haar toevlucht tot de keuken.
Raquel schudde haar hoofd.
'We hadden het over vroeger, toen Elena en ik nog jong waren. Over hoe we in de struiken voor secretaresse speelden en net deden alsof we daar bureaus en typemachines hadden. Het werd moeilijk voor haar.'
Ik duwde het bord een eindje van me af.
'Denk je dat we beter kunnen gaan?' vroeg ik.
'Laten we nog maar even wachten.' Ze schonk een tweede kop koffie voor mij en voor zichzelf in. 'Dat getuigt van meer respect.'
Door de hordeur heen kon ik de bovenkant van Rafaels hoofd boven de rand van de stoel uit zien. Zijn arm hing omlaag, de vingernagels schraapten over de vloer. Hij was het genot en de pijn voorbij.
'Heeft ze iets over hem gezegd?' vroeg ik.
'Nee. Zoals ik je al heb gezegd, is het makkelijker om dergelijke dingen gewoon te ontkennen.'
'Hoe is het mogelijk dat hij zichzelf recht onder haar neus een shot geeft zonder ook maar te proberen om dat te camoufleren?'

'Ze heeft er vroeger veel om gehuild. Na een tijdje accepteer je het feit dat alles niet zo zal worden als je het hebben wilt. Daar is ze voldoende in getraind. Geloof me. Als je haar naar hem vraagt, zou ze zeggen dat hij ziek is. Alsof hij verkouden is, of de mazelen heeft. Het is alleen een kwestie van de juiste geneeswijze vinden. Heb je wel eens gehoord van de *curanderos*?'

'De volksdokters? Ja. Veel Latijns-Amerikaanse patiënten in het ziekenhuis maakten van hun diensten gebruik, in combinatie met de conventionele medicijnen.'

'Weet je hoe zij werken? Door te laten blijken dat ze echt om de mensen geven. Binnen onze cultuur wordt de koude, afstandelijke vakman gezien als iemand die eenvoudigweg niet om anderen geeft en men denkt dat de kans dat hij het *mal ojo*, het boze oog, levert, even groot is als de kans dat hij iemand geneest. De *curandero* is niet uitgebreid opgeleid en heeft weinig technologie tot zijn beschikking, misschien een paar slangepoeders. Maar hij geeft wel om zijn medemensen. Hij maakt deel uit van de leefgemeenschap en is warmhartig. Iedereen kent hem en hij kan het heel goed met iedereen vinden. In zekere zin is hij eerder een volkspsycholoog dan een volksdokter. Daarom stelde ik je voor hier een hapje te eten: om een persoonlijke band te scheppen. Ik heb haar gezegd dat jij iemand was die om anderen gaf. Anders zou ze haar mond niet opendoen. Dan zou ze beleefd en damesachtig zijn – Cruz behoort tot de oude school – maar je wel buitensluiten.' Ze nam een slokje van haar koffie.

'Daarom is de politie hier niets wijzer geworden. Daarom worden ze zo zelden iets wijzer in Echo Park, het oostelijke deel van L.A. of San Fernando. Ze zijn te professioneel. Hoe goed ze het misschien ook bedoelen, wij zien hen als blanke robots. Maar jij geeft wel om anderen, hè Alex?'

'Ja.'

Ze raakte mijn knie aan.

'Cruz heeft Rafael jaren geleden meegenomen naar een *curandero*, toen hij zich in zichzelf begon terug te trekken. De man keek in zijn ogen en zei dat die leeg waren. Hij zei tegen Cruz dat het een ziekte van de ziel was, niet van het lichaam. Dat de jongen als priester of monnik aan de Kerk moest worden gegeven, zodat hij voor zichzelf een nuttige rol in dit leven zou kunnen vinden.'

'Geen slecht advies.'

Ze nam weer een slokje van haar koffie. 'Inderdaad. Sommige van hen zijn heel wijs en laten zich leiden door hun verstand. Misschien was Rafael niet verslaafd geraakt als ze dat advies had opgevolgd. Wie zal het zeggen? Maar ze kon hem niet opgeven. Het zou me niet verbazen als ze zichzelf de schuld geeft van wat hij is geworden. Van alles.'
De deur naar de keuken ging open. Mevrouw Gutierrez kwam de kamer in met een zwarte band om haar arm en een ander gezicht, dat niet alleen het gevolg was van het feit dat ze haar make-up had bijgewerkt. Haar gezichtsuitdrukking was hard, voorbereid om het zure bad van een ondervraging te doorstaan.
Ze ging naast Raquel zitten en fluisterde haar in het Spaans iets toe.
'Ze zegt dat je alle vragen mag stellen die je wilt.'
Ik knikte, naar ik hoopte dankbaar.
'Zeg alsjeblieft tegen de señora dat ik haar mijn deelneming betuig met haar tragische verlies en laat haar ook weten dat ik het bijzonder waardeer dat ze in deze periode van rouw bereid is de tijd te nemen om met mij te praten.'
De oudere vrouw luisterde naar de vertaling en knikte toen snel naar mij om aan te geven dat ze het goed had begrepen.
'Raquel, vraag of Elena ooit over haar werk heeft gesproken. Met name gedurende het laatste jaar.'
Terwijl Raquel sprak, verscheen er een nostalgische glimlach op het gezicht van de oudere vrouw.
'Ze zegt dat Elena alleen heeft geklaagd dat leraren te weinig betaald kregen. Dat ze lange uren draaiden en de kinderen lastig konden worden.'
'Heeft ze bepaalde kinderen met name genoemd?'
Een fluisterend overleg.
'Geen kind in het bijzonder. Je moet niet vergeten dat Elena speciaal onderwijs gaf, aan kinderen met leerproblemen. Alle kinderen hadden problemen.'
Ik vroeg me af of er sprake was geweest van een verband tussen het opgroeien met een broer als Rafael en het specialisme waarvoor die jonge, overleden vrouw had gekozen.
'Heeft ze wel eens iets gezegd over die jonge Nemeth, die is doodgereden?'
Toen mevrouw Gutierrez die vraag hoorde, knikte ze triest en begon toen weer te praten.

'Ze heeft z'n naam een of twee keer genoemd. Ze zei dat ze er erg verdrietig om was. Dat het een tragedie was,' vertaalde Raquel.
'Verder niets?'
'Alex, het zou onbeleefd zijn er verder op door te gaan.'
'Oké. Dan proberen we het op een andere manier. Leek Elena de laatste tijd meer geld te hebben dan normaal? Heeft ze voor iemand van de familie dure cadeaus gekocht?'
'Nee. Ze zegt dat Elena er altijd over klaagde dat ze niet genoeg geld had. Ze was een jonge vrouw die graag goeie dingen had. Mooie dingen. Wacht even.' Ze luisterde naar de oudere vrouw en knikte. 'Dat was niet altijd mogelijk, omdat de familie nooit rijk is geweest, ook niet toen haar echtgenoot nog leefde. Maar Elena werkte heel erg hard. Ze kocht dingen voor zichzelf. Soms op krediet. Maar ze kon altijd op tijd afbetalen. Er is nooit iets teruggehaald. Ze was een meisje op wie een moeder trots kon zijn.'
Ik bereidde me voor op nog meer tranen, maar die kwamen niet. De treurende moeder keek me koud en donker aan. Ik daag je uit om de herinnering aan mijn meisje te bezoedelen, zei die blik.
Ik keek een andere kant op.
'Denk je dat je haar nu naar Handler kunt vragen?'
Voordat Raquel iets kon zeggen, spuugde mevrouw Gutierrez. Ze gebaarde met beide handen, verhief haar stem en uitte waarschijnlijk een reeks vloeken. Ze eindigde de felle uitval door nogmaals te spugen.
'Moet ik dat vertalen?' vroeg Raquel.
'Laat maar.' In gedachten zocht ik naar een nieuwe aanpak. Normaalgesproken zou ik zijn begonnen met een gezellig praatje en was ik geleidelijk aan subtiel rechtstreekse vragen gaan stellen. Ik was niet blij met de botte manier waarop ik het nu aanpakte, maar werken met een tolk was net zoiets als opereren met tuinhandschoenen aan.
'Vraag haar of ze me nog iets anders zou kunnen vertellen dat ons kan helpen om de man te vinden die... Kies jij daar maar de juiste woorden voor uit.'
De oude vrouw luisterde en reageerde heftig.
'Ze zegt dat ze niets meer kan vertellen. Dat de wereld een gekkenhuis is geworden, vol duivels. Dat een duivel Elena dit moet hebben aangedaan.'
'*Muchas gracias, señora.* Vraag haar of ik de persoonlijke bezittingen van Elena mag bekijken.'

Raquel stelde die vraag en de moeder dacht na. Ze nam me van top tot teen op, zuchtte en ging staan.
'*Venga*,' zei ze en nam me mee naar de achterkant van het huis. De spulletjes die Elena Gutierrez in achtentwintig jaar had verzameld, waren in kartonnen dozen opgeborgen, in een hoek bij een deur met een ruit die uitzicht bood op de achtertuin. Daar stond een abrikozeboom, knoestig en misvormd. De takken, zwaar door de vruchten, hingen over het wegrottende dak van een garage voor één auto.
Aan de andere kant van de gang was een kleine slaapkamer met twee bedden: het domicilie van de broers. Vanaf de plaats waar ik op mijn knieën zat, kon ik een ladenkast van esdoornhout zien en ruwe planken die op B2-blokken waren gezet. Op die planken stonden een goedkope stereo-installatie en een bescheiden verzameling grammofoonplaten. Een slof Marlboro's en een stapel pockets lagen op de ladenkast. Een van de bedden was netjes opgemaakt, het andere leek een wirwar van lakens. Tussen de twee bedden in stond een hardhouten lage tafel met een lamp, een asbak en een Spaans pornoblad.
Ik voelde me net een gluurder, trok de eerste doos naar me toe en begon aan een excursie in de populaire archeologie.
Toen ik drie dozen achter de rug had, zaten mijn handen onder het stof en was mijn hoofd gevuld met beelden van de dode jonge vrouw. Ik had niets van belang gevonden, alleen scherven die je na langdurig graven kunt vinden. Kleren die naar een vrouw roken, halflege flesjes cosmetica die me in herinnering brachten dat iemand eens had geprobeerd haar wimpers er dik en vol uit te laten zien, haar haar een Clairol-glans te geven, vlekjes op haar huid te camoufleren, haar lippen te stiften en op alle plekjes van haar lichaam lekker te ruiken. Papiertjes waarop stond dat ze eieren moest kopen bij Vons en wijn bij Vendôme, reçuutjes van een wasserij, benzinerekeningen die met een creditcard waren betaald, boeken, veel boeken, voornamelijk biografieën en gedichtenbundels. Souvenirtjes: een miniatuurukelele uit Hawaï, een asbak uit een hotel in Palm Springs. Skilaarzen, een bijna volle strip van de pil, oude lesroosters, memo's van het schoolhoofd en kindertekeningen, maar niet een van een jongen die Nemeth heette.
Naar mijn smaak leek het te veel op grafschennis. Ik begreep beter dan ooit waarom Milo te veel dronk.
Nog twee dozen te gaan. Ik werkte nu sneller en was bijna klaar toen het geraas van een motor de stilte verstoorde en even later verstomde.

De achterdeur ging open en er klonken voetstappen in de gang.
'Wat is hier verdomme...'
Hij was negentien of twintig, klein en sterk gebouwd, droeg een bruin T-shirt dat kletsnat van het zweet was en elke spier liet zien, een kaki broek vol smeervlekken en vuile werklaarzen. Zijn haar was dik en slecht verzorgd. Het hing tot op zijn schouders en werd op zijn plaats gehouden door een gevlochten leren haarband. Hij had fijne, bijna delicate gelaatstrekken die hij probeerde te camoufleren met een snor en een baard. De snor was zwart en weelderig. Hij hing tot over zijn lippen en glansde als sabelbont. De baard was een dun driehoekje dons op zijn kin. Hij zag eruit als een jongen die in een toneelstuk op school de rol van Pancho Villa speelt.
Aan zijn broekriem hing een sleutelbos en de sleutels rammelden toen hij naar me toeliep. Zijn vieze handen waren tot vuisten gebald en hij rook naar motorolie.
Ik liet hem mijn legitimatiebewijs van de politie zien. Hij vloekte, maar bleef staan.
'Luister, man. Jullie zijn de vorige week al hier geweest. We hebben jullie verteld dat we niets...' Hij hield zijn mond en keek naar de spullen uit de kartonnen doos, die op de grond lagen. 'Jullie hebben dat alles verdomme al bekeken. Ik had het ingepakt om het naar de Goodwill te brengen.'
'Ik wilde alles voor de zekerheid nog een keer bekijken,' zei ik vriendelijk.
'Waarom zorgen jullie er verdomme niet voor dat je alles in één keer voor elkaar hebt?'
'Ik ben zo klaar.'
'Je bent nú klaar. Maak dat je wegkomt.'
Ik ging staan.
'Geef me nog een paar minuten de tijd.'
'Vertrekken!' Hij wees met zijn duim op de achterdeur.
'Andy, ik probeer een onderzoek te doen naar de dood van je zuster. Het zou je geen kwaad doen om mee te werken.'
Hij zette een stap mijn kant op. Er zaten smeervlekken op zijn voorhoofd en onder zijn ogen.
'Noem mij geen Andy, makker. Dit is mijn huis en ik ben voor jou meneer Gutierrez. En kom niet aanzetten met dat geouwehoer over een onderzoek. Jullie zullen die vent die Elena heeft vermoord nooit te

pakken krijgen, omdat het jullie geen bal kan schelen. Jullie komen binnenzetten, snuffelen in persoonlijke bezittingen en behandelen ons als boeren. Ga de straat op om die vent te zoeken. Als dit Beverly Hills was en hij de dochter van een rijke vent om zeep had gebracht, was hij allang gepakt.'

Zijn stem brak en hij hield zijn mond om dat verborgen te houden.

'Meneer Gutierrez,' zei ik zacht, 'medewerking van de familie kan in dit soort gevallen heel...'

'Ik heb je al gezegd dat deze familie er niets van weet. Denk je dat wij weten welke idioot dit heeft gedaan? Denk je dat mensen uit deze buurt zoiets doen?'

Hij keek weer naar mijn legitimatiebewijs, las de tekst moeizaam, bewoog er zijn lippen bij. Hij mompelde het woord 'adviseur' een paar keer voordat hij tot hem doordrong.

'Man, ik kan het werkelijk niet geloven. Je bent niet eens een echte smeris. Ze hebben zo'n verdomde adviseur naar ons toe gestuurd. Wat betekent dat Ph.D.?'

'Dat ik doctor ben in de psychologie.'

'Een zieleknijper? Hebben ze verdomme een zieleknijper hierheen gestuurd? Denken ze dat iemand hier gek is? Man, denk je dat iemand van onze familie gek is?'

Hij ademde nu recht in mijn gezicht. Zijn ogen waren zacht en bruin, met lange wimpers. De blik erin was dromerig als van een meisje. Zulke ogen waren in staat je aan jezelf te laten twijfelen en konden een vent ertoe verleiden een supermachohouding aan te nemen.

Ik vond dat de familie problemen te over had, maar beantwoordde zijn vraag niet.

'Wat ben je hier verdomme aan het doen, man? Wil je erachter zien te komen wat voor lui wij zijn?'

Hij besproeide me met spuug terwijl hij sprak en opeens werd ik boos. Automatisch nam ik een verdedigende karatehouding aan.

'Absoluut niet. Ik kan het uitleggen. Of ben je vastbesloten zo stom te blijven reageren?'

Ik had al spijt van die opmerking toen de woorden over mijn lippen kwamen.

'Man, je bent zelf stom!' Zijn stem werd een octaaf hoger en hij pakte de revers van mijn jasje vast.

Ik was klaar voor hem, maar bewoog me niet. Hij is in de rouw, bleef

ik tegen mezelf zeggen. Hij kan niet verantwoordelijk worden gesteld voor zijn houding.
Ik keek hem recht aan en hij zette een stap naar achteren. We zouden allebei een excuus hebben verwelkomd om op de vuist te gaan en de beschaving even te vergeten.
'Maak dat je wegkomt, man. Nu!'
'Antonio!'
Mevrouw Gutierrez stond in de gang. Ik kon Raquel achter haar zien staan en voelde me plotseling beschaamd. Ik had een gevoelige situatie behoorlijk verknald. De briljante psycholoog...
'Ma, heb jij die vent binnengelaten?'
Mevrouw Gutierrez bood me met haar ogen excuses aan en sprak in het Spaans tegen haar zoon. Hij leek te verschrompelen door haar vermanend zwaaiende vinger en boze blik.
'Ma, ik heb je al eerder gezegd dat het die lui geen barst...' Hij zweeg even en ging toen in het Spaans verder. Het klonk alsof hij zich aan het verdedigen was en het machismo geleidelijk aan krachteloos werd. Ze spraken een tijdje met elkaar. Toen richtte hij boos het woord tot Raquel. Zij diende hem meteen van repliek. 'Deze man probeert je te helpen, Andy. Waarom help jij hem niet in plaats van hem weg te jagen?'
'Ik heb niemands hulp nodig. We zullen voor onszelf zorgen zoals we dat altijd al hebben gedaan.'
Ze zuchtte.
'Verdomme!' Hij liep zijn kamer in, kwam terug met een pakje Marlboro, stak met veel vertoon een sigaret op en klemde die tussen zijn lippen. Even verdween hij achter een blauwe wolk, toen schoten zijn ogen weer heen en weer tussen mij, zijn moeder, Raquel en terug naar mij. Hij maakte de sleutelbos van zijn riem los en hield de sleutels als een boksbeugel tussen zijn vingers.
'Ik ga nu weg, makker. Maar als ik terugkom, kun jij beter verdwenen zijn.'
Hij trapte de deur open en rende naar buiten. We hoorden de motor met veel geraas gestart worden en wegracen.
Mevrouw Gutierrez liet haar hoofd hangen en zei iets tegen Raquel.
'Ze vraagt je om vergeving voor het onbeschofte gedrag van Andy. Hij is sinds de dood van Elena erg van streek. Hij heeft twee baantjes en staat erg onder druk.'

Ik stak een hand op om een eind te maken aan die excuses.
'Ze hoeft het niet te verklaren. Ik hoop alleen dat ik de señora niet nodeloos in de problemen heb gebracht.'
Dat hoefde Raquel niet te vertalen. De uitdrukking op het gezicht van de moeder sprak boekdelen.

Ik doorzocht de laatste twee dozen met weinig enthousiasme en werd er niets wijzer van. De zure smaak van de confrontatie met Andy was nog niet uit mijn mond verdwenen. Ik voelde de schaamte die je deel kan zijn wanneer je te diep graaft en meer ziet en hoort dan je nodig hebt of wìlt zien en horen. Als een kind dat zijn ouders met elkaar ziet vrijen, of iemand die onder het wandelen een steen wegtrapt en dan een glimp opvangt van iets slijmerigs eronder.
Ik was wel eens eerder in contact gekomen met gezinnen als de familie Gutierrez. Ik had rijen Rafaels en Andy's gekend. Het was een patroon: de sukkel en het superjoch, die met deprimerende voorspelbaarheid hun rol speelden. De een kan het leven niet aan, de ander probeert alles onder controle te krijgen. De sukkel laat anderen voor zich zorgen, deinst terug voor verantwoordelijkheid, dobbert voort door het leven, maar voelt zich een sukkel. Het superjoch is competent en obsessief, heeft twee banen tegelijk, zelfs drie wanneer een bepaalde situatie dat vereist. Hij compenseert het gebrek aan prestaties van de sukkel, krijgt de bewondering van de familie, weigert te zwichten onder de last op zijn schouders en houdt zijn woede onder controle... maar niet altijd.
Ik vroeg me af welke rol Elena had gespeeld toen ze nog leefde. Was zij een vredestichtster geweest, de bemiddelende tussenpersoon? Wanneer je klem kwam te zitten in het kruisvuur tussen sukkel en superjoch, kon dat slecht voor je gezondheid zijn.
Ik pakte alles weer zo netjes mogelijk in.
Toen we de veranda opliepen, was Rafael nog steeds uitgeteld. Hij schrok wakker toen ik de Seville startte en knipperde snel met zijn ogen, alsof hij was ontwaakt uit een nare droom. Toen ging hij moeizaam staan en veegde zijn neus met zijn mouw af. Verbaasd keek hij onze kant op. Raquel wendde haar hoofd af, als een toeriste die een bedelende lepralijder niet wil zien. Toen ik wegreed, zag ik op zijn gezicht even een blik van herkenning, gevolgd door nog meer verbazing. Door de naderende duisternis was het minder levendig op Sunset,

maar het was er nog wel behoorlijk druk. Automobilisten toeterden, rauw gelach steeg uit de uitlaatgassen op en uit de deuropeningen van de bars kwam *mariachi*-muziek. Ik zag her en der al neonlampen branden en op de lage heuvels flikkerden lichtjes.
'Ik heb het echt verknald,' zei ik.
'Nee. Je mag het jezelf niet kwalijk nemen.' Door de stemming waarin ze zelf verkeerde, moest het haar niet makkelijk vallen om te proberen me op te vrolijken. Ik waardeerde die poging en zei dat ook tegen haar.
'Ik meen het, Alex. Je bent tegenover Cruz heel meelevend geweest en ik begrijp nu waarom je zo'n succesvolle psycholoog was. Ze mocht je graag.'
'Dat geldt duidelijk niet voor de rest van de familie.'
Ze zweeg een tijdje.
'Andy is een aardige jongen. Hij heeft zich nooit bij een bende aangesloten en is daar vaak voor gestraft. Hij verwacht veel van zichzelf. Alles is nu op zijn schouders terechtgekomen.'
'Waarom maakt hij het zich dan nog eens extra moeilijk?'
'Tja... dat doet hij inderdaad. Hij zoekt naar problemen, maar doen we dat niet allemaal? Hij is pas achttien. Misschien wordt hij nog volwassen.'
'Ik blijf me afvragen of ik het op de een of andere manier beter had kunnen aanpakken.' Ik vertelde haar de details van mijn gesprek met de jongen.
'Je had misschien beter niet kunnen zeggen dat hij stom was, maar in wezen zou het geen verschil hebben gemaakt. Hij was op ruzie uit. Wanneer Latijns-Amerikaanse mannen in zo'n bui zijn, kun je daar weinig aan doen. En wanneer ze ook nog eens gedronken hebben, zul je wel kunnen begrijpen waarom er elke zaterdagavond op de Eerste Hulp zoveel mensen verschijnen die met een mes zijn bewerkt.'
Ik dacht aan Elena Gutierrez en Morton Handler. Die hadden de Eerste Hulp niet gehaald. Ik stond het mezelf toe die gedachtengang nog even te blijven volgen, zette er toen de rem op en dumpte hem in een donker vakje ergens diep in mijn onderbewuste.
Ik keek naar Raquel. Ze zat stijf op het zachte leer en weigerde zich over te geven aan comfort. Ze hield haar lichaam stil, maar haar handen speelden zenuwachtig met de stof van haar rok.
'Heb je honger?' vroeg ik. Wanneer je niet weet wat je moet doen, moet je niet verder gaan dan de meest primaire behoeften.

'Nee. Maar als jij iets wilt eten, kun je rustig stoppen.'
'Ik kan nog steeds die *chorizo* proeven.'
'Breng me dan maar naar huis.'
Toen we bij haar appartement waren, was het donker en waren de straten leeg.
'Hartelijk dank dat je met me mee bent gegaan.'
'Ik hoop dat je er iets aan hebt gehad.'
'Zonder jou zou het op een ramp zijn uitgedraaid.'
'Dank je.' Ze glimlachte en boog zich naar me toe. Het begon als een kus op de wang, maar een van ons bewoog zich, waardoor het een kus op de mond werd. Toen een aarzelend geknabbel, gevoed door hitte en verlangen, dat al snel uitmondde in een hongerige, volwassen beet. We schoven tegelijkertijd dichter naar elkaar toe. Ze sloeg haar armen om mijn hals. Ik hield mijn handen in haar haren, om haar gezicht, tegen haar onderrug. Onze monden gingen open en onze tongen dansten een langzame wals. We ademden moeizaam, probeerden nog dichter tegen elkaar aan te kruipen.
Eindeloze minuten lang vreeën we als een stel tieners. Ik maakte een knoopje van haar bloes los. Ze maakte een geluidje dat diep uit haar keel leek te komen en beet zacht op mijn onderlip, likte aan mijn oor. Mijn hand gleed over de hete zijde op haar rug, leek een eigen leven te leiden, maakte de sluiting van haar beha los, omvatte een borst. De harde, vochtige tepel nestelde zich in mijn handpalm. Ze liet een hand zakken en haar slanke vingers trokken aan de rits van mijn gulp.
Ik was degene die er een eind aan maakte.
'Wat is er?'
In zo'n situatie klinkt alles als een cliché of volkomen krankzinnig, of beide. Ik koos voor beide.
'Sorry. Vat het alsjeblieft niet persoonlijk op.'
Ze ging meteen rechtop zitten, deed knoopjes dicht, streek haar haren glad.
'Hoe moet ik het dan wel opvatten?'
'Je bent heel verleidelijk.'
'Héél erg verleidelijk, hè?'
'Ik voel me tot je aangetrokken, verdomme. Ik zou dolgraag met je naar bed willen.'
'Wat weerhoudt je er dan van?'
'Een vaste verbintenis.'

‘Je bent toch niet getrouwd? Je gedraagt je niet als een getrouwde man.’
‘Er zijn andere vaste verbintenissen mogelijk dan een huwelijk.’
‘O.’ Ze pakte haar tas en legde haar hand op de kruk van het portier. ‘Zou degene met wie je een verbintenis bent aangegaan het erg vinden?’
‘Ja, maar belangrijker nog is dat ìk het erg zou vinden.’
Ze lachte, balanceerde op het randje van de hysterie.
‘Sorry,’ zei ze. ‘Het is zo verdomd ironisch. Denk je dat ik dit vaak doe? Dit is de eerste keer in lange tijd dat ik echt in een man geïnteresseerd ben. De non komt los en staat dan oog in oog met een heilige.’
Ze giechelde. Het klonk koortsachtig, breekbaar. Het gaf me een ongemakkelijk gevoel. Ik had er genoeg van dat anderen hun frustraties op me botvierden, maar ik veronderstelde dat ze recht had op een heel eigen moment van catharsis.
‘Ik ben geen heilige. Geloof me.’
Ze raakte met haar vingers mijn wang aan. Het leken wel hete kooltjes.
‘Delaware, je bent gewoon een aardige vent.’
‘Dat vind ik mezelf ook niet.’
‘Ik ga je nog eens kussen, ditmaal heel kuis. Daar had het sowieso bij moeten blijven.’
Ze voegde de daad bij het woord.

18

Toen ik thuiskwam, wachtten me twee verrassingen.
De eerste was Robin, die in mijn oude gele badjas op de leren bank thee lag te drinken. De open haard brandde en de stereo speelde ‘Desperado’ van de Eagles.
Ze had een foto van Lassie om haar hals, die uit een tijdschrift was geknipt.
‘Hallo, schat,’ zei ze.
Ik gooide mijn jasje over een stoel.
‘Hallo. Wat heeft die hond te betekenen?’
‘Dat is mijn manier om je te zeggen dat ik een kreng ben geweest en daar spijt van heb.’

'Je hoeft nergens spijt van te hebben.' Ik haalde de foto weg.
Ik ging naast haar zitten en nam haar handen in de mijne.
'Alex, ik heb vanmorgen heel vervelend tegen je gedaan door je zo te laten vertrekken. Zodra je de deur uit was, miste ik je. Je weet wat er kan gebeuren wanneer je je fantasie de vrije loop geeft. Stel dat er iets met hem gebeurt! Stel dat ik hem nooit meer zie! Je wordt er gek van. Ik kon in die stemming niet met mijn apparaten aan de slag gaan. Mijn dag was verpest. Ik heb je gebeld, maar kon je niet bereiken. Daarom ben ik hier.'
'Deugdzaamheid is een goeie zaak,' mompelde ik.
'Wat zeg je, schat?'
'Niets.' Het had geen zin haar iets te vertellen over mijn lichtelijk indiscrete gedrag.
Ik ging naast haar liggen. We omhelsden elkaar, zeiden aardige dingen tegen elkaar, sloegen babytaal uit, streelden elkaar. Ik was opgewonden, deels nog door de sessie met Raquel langs de stoeprand, maar voornamelijk door het moment zelf.
'In de koelkast liggen twee immens grote biefstukken, een salade, een fles bourgogne en zuurdeeg.' Ze zei het fluisterend en kietelde mijn neus met haar pink.
'Je bent heel oraal ingesteld.' Ik lachte.
'Is dat een neurotisch trekje, dokter?'
'Nee, het is iets geweldigs.'
'Wat denk je dan hiervan? En hiervan?'
De badjas gleed open. Ze ging geknield boven me zitten en liet de badjas verder van haar schouders glijden. Met het haardvuur achter haar zag ze eruit als een schitterend, gouden beeld.
'Kom, schat, trek die kleren uit,' zei ze verleidelijk. Toen begon ze me zelf uit te kleden.

'Ik hou van je,' zei ze later. 'Ook als je catatonisch bent.'
Ik bleef met gespreide armen en benen op de grond liggen.
'Ik heb het koud.'
Ze legde wat kleren over me heen, ging staan, rekte zich uit en lachte van genot.
'Hoe kun je het opbrengen om meteen na zoiets te gaan rondspringen?' vroeg ik kreunend.
'Vrouwen zijn sterker dan mannen,' zei ze vrolijk. Toen danste ze

neuriënd de kamer rond en rekte zich nog meer uit, zodat de spieren van haar kuiten in haar slanke benen omhooggingen als belletjes in een waterpas van een timmerman. In haar ogen werd de oranje gloed van het haardvuur weerspiegeld. Toen ze zich bewoog, ging er een rilling door me heen.
'Als je zo doorgaat, zal ik je laten zien wie de sterkste van ons beiden is.'
'Later, grote jongen.' Ze plaagde me met haar voet en sprong soepel buiten het bereik van mijn grijpende handen.

Toen de biefstukken klaar waren, was de kookkunst van mevrouw Gutierrez niet meer dan een vage herinnering. Ik at met smaak. We zaten naast elkaar in het ontbijthoekje en keken door het raam naar lichten die op de heuvels aangingen. Ze legde haar hoofd op mijn schouder. Ik sloeg een arm om haar heen en mijn vingertoppen gleden blindelings langs de contouren van haar gezicht. Om de beurt namen we een slok uit een enkel glas wijn.
'Ik hou van je,' zei ik.
'En ik van jou.' Ze kuste me onder mijn kin. Na nog een paar slokjes:
'Je bent vandaag weer bezig geweest met het onderzoek naar die moorden, hè?'
'Ja.'
Ze dronk zichzelf met een grote slok moed in en schonk het glas weer vol.
'Maak je geen zorgen,' zei ze. 'Ik zal je er niet over lastig vallen. Ik kan niet net doen of ik het leuk vind, maar ik zal niet proberen je ervan te weerhouden.'
Als dank knuffelde ik haar.
'Ik bedoel, ik zou niet willen dat jij mij zo behandelde en dus zal ik jou ook niet zo behandelen.' Toch bleef er bezorgdheid in haar stem doorklinken.
'Ik pas heus goed op mezelf.'
'Dat weet ik,' zei ze, te snel. 'Je bent een heel intelligente man en je kunt best op jezelf passen.'
Ze gaf me het glas wijn.
'Alex, als je erover wilt praten, zal ik naar je luisteren.'
Ik aarzelde.
'Vertel het me. Ik wil weten wat er aan de hand is.'

Ik vertelde haar in het kort wat er de laatste twee dagen was gebeurd en eindigde met de confrontatie met Andy Gutierrez. De tien turbulente minuten met Raquel liet ik onvermeld.
Ze luisterde bezorgd en aandachtig, verwerkte alles en zei toen: 'Ik begrijp dat je dit niet kunt loslaten. Zoveel verdachte dingen, geen verband.'
Ze had gelijk. Het was gestalt in omgekeerde vorm: het geheel was zoveel minder dan de som van de delen. Een willekeurig stel musici, strijkend, blazend, smachtend naar een dirigent. Maar wie was ik om voor Ormandy te gaan spelen?
'Wanneer ga je het Milo vertellen?'
'Dat ga ik niet doen. Ik heb hem vanmorgen gesproken en hij heeft in feite gezegd dat ik me er verder niet meer mee moest bemoeien.'
'Maar het is zijn werk, Alex. Hij zou weten wat er gedaan moet worden.'
'Schatje, Milo zou razend worden als ik hem vertel dat ik een bezoek aan La Casa heb gebracht.'
'Maar dat arme, zwakzinnige kind... Zou hij daar niet iets aan kunnen doen?'
Ik schudde mijn hoofd.
'Het is niet genoeg. Ze zouden er meteen een verklaring voor paraat hebben. Milo koestert achterdocht, meer dan hij mij waarschijnlijk aan m'n neus heeft gehangen, maar hij wordt geremd door regels en procedures.'
'En jij niet,' zei ze zacht.
'Maak je geen zorgen.'
'Maak je zelf geen zorgen. Ik zal je niet tegenhouden. Ik meende wat ik zei.'
Ik nam nog een slok. Mijn keel was verkrampt geraakt en de gekoelde wijn had een weldadige uitwerking.
Ze kwam overeind, ging achter me staan en legde haar armen over mijn schouders. Het was een gebaar van steun dat niet zoveel verschilde van de manier waarop ik Raquel een paar uur eerder had geholpen. Ze bracht haar handen nog verder omlaag en speelde met het streepje haar dat verticaal over mijn buik liep.
'Alex, als je me nodig hebt, ben ik er voor je.'
'Ik heb je altijd nodig. Maar jij moet niet bij dit soort ellende betrokken raken.'

'Waar je me ook voor nodig hebt, ik ben er.'
Ik ging staan, trok haar tegen me aan, kuste haar hals, haar oren, haar ogen. Ze gooide haar hoofd in haar nek en mijn lippen rustten op het warme, kloppende kuiltje onder in haar hals.
'Laten we naar bed gaan en dicht tegen elkaar aankruipen,' zei ze.

Ik zette de radio aan. Sonny Rollins ontlokte aan zijn trompet een fraaie sonate. Ik deed een lamp aan die zacht licht gaf en sloeg de dekens terug.
De tweede verrassing van die avond lag daar. Een eenvoudige witte envelop, zakelijk formaat, gedeeltelijk bedekt door het kussen.
'Lag die er al toen jij hier kwam?'
Ze had de badjas uitgetrokken. Nu hield ze die tegen haar borsten, dekking zoekend alsof de envelop een levende, ademende binnendringer was.
'Dat kan. Ik ben de slaapkamer niet in geweest.'
Ik maakte hem open met mijn duimnagel en haalde een enkel velletje opgevouwen wit papier eruit. Er stond geen datum, adres of kenmerkend logo op. Alleen een witte rechthoek, gevuld met regels die pessimistisch omlaag liepen. Het handschrift, verkrampt en spinachtig, was bekend. Ik ging op de rand van het bed zitten en las.

> Beste Alex,
> Ik hoop dat je in de nabije toekomst in je eigen bed slaapt, zodat je de kans hebt om dit te lezen. Ik ben zo vrij geweest aan je achterdeur te dokteren om binnen te komen en dit af te leveren. Je zou, tussen twee haakjes, een beter slot moeten laten aanbrengen.
> Vanmiddag ben ik van de zaak-H.G. afgehaald. El Capitan heeft het gevoel dat het onderzoek baat zou hebben bij vers bloed. Die smakeloze woordkeus was de zijne, niet de mijne. Ik heb zo mijn twijfels over zijn redenen, maar omdat ik als rechercheur in deze zaak niet direct nieuwe records heb gevestigd, was ik niet in een positie om er met hem over te gaan discussiëren.
> Ik moet de indruk hebben gewekt dat ik er behoorlijk kapot van was, want opeens werd hij meelevend en zei hij dat ik maar een paar dagen vrij moest nemen. Hij was heel goed op de hoogte van mijn personeelsdossier, wist dat ik veel vakantiedagen had

opgespaard en drong er sterk op aan dat ik er daar een paar van opnam.

Aanvankelijk was ik daar niet zo blij mee, maar nu vind ik het een uitstekend idee. Ik heb een plekje in de zon gevonden. Een eigenaardig plaatsje dat Ahuacatlan heet en even ten noorden van Guadalajara ligt. Ik heb daar over de telefoon wat nadere inlichtingen ingewonnen en genoemde gemeente schijnt uitzonderlijk geschikt te zijn voor iemand met mijn opvattingen over recreatie, vooral wat betreft jagen en vissen.

Ik verwacht een dag of twee, drie weg te blijven. Telefonisch contact is moeilijk en ongewenst, omdat de inboorlingen erg op hun privacy gesteld zijn. Ik bel je zodra ik terug ben. Doe de groeten aan Stradivarius (Stradivariette?) en zorg dat je niet in de problemen komt.

Hartelijke groeten,
Milo.

Ik gaf de brief aan Robin. Ze las hem en gaf hem toen weer aan mij terug.

'Wat zegt hij nu eigenlijk? Dat hij in deze zaak een trap onder zijn kont heeft gekregen?'

'Ja, waarschijnlijk door druk van buitenaf. Maar hij gaat naar Mexico om de achtergrond van McCaffrey na te trekken. Toen hij daarheen belde, moet hij genoeg hebben gehoord om te besluiten er nader op in te gaan.'

'Hij doet het buiten zijn baas om.'

'Hij moet het gevoel hebben dat dat de moeite waard is.' Milo was een dappere man, maar geen martelaar. Hij wilde zijn pensioen even graag hebben als wie dan ook.

'Dan had je dus gelijk. Over La Casa.' Ze ging tussen de lakens liggen en trok de deken op tot haar kin. Ze rilde, maar niet omdat ze het koud had.

'Ja.' Nog nooit was gelijk hebben zo'n schrale troost geweest.

De muziek uit de radio keek om hoeken en maakte een onverwachte pirouette. Er speelde nu een drummer met Rollins mee, die een tropische roffel op zijn tamtam sloeg... Ik kon alleen aan kannibalen en wijnranken vol slangen denken. Aan verschrompelde hoofden...

'Neem me in je armen.'

Ik ging naast haar liggen, kuste haar, hield haar dicht tegen me aan en probeerde een kalme indruk te wekken. Maar al die tijd was ik met mijn gedachten ergens anders, verloren op een bevroren toendra, drijvend naar de zee.

19

In de grote hal van het Western Pediatric Medical Center waren in de marmeren muren de namen van allang gestorven weldoeners gebeiteld. Het wemelde er van gewonde, zieke en ten dode opgeschreven mensen, die allemaal het kookpunt naderden door het eindeloze wachten dat evenzeer bij ziekenhuizen hoort als injectienaalden en slecht eten.

Moeders hielden huilende, in dekens gewikkelde bundeltjes tegen hun borst. Vaders waren aan het nagelbijten, worstelden met verzekeringsformulieren en probeerden niet te denken aan voor hun ego vernederende contacten met de bureaucratie. Peuters raceten rond, drukten hun handjes tegen het marmer, trokken ze vanwege de kou snel weer terug en lieten smoezelige plekken achter. Over de luidspreker werden namen afgeroepen en de uitverkorenen sjokten naar de balie. Een dame met blauw haar, gekleed in het groen-wit gestreepte uniform van een vrijwilligster, zat achter de informatiebalie en keek even verward als degenen die haar hulp inriepen.

In een verre hoek van de hal zaten kinderen en volwassenen op plastic stoelen televisie te kijken. Er werd een aflevering uitgezonden van een serie die zich in een ziekenhuis afspeelde. De artsen en verpleegsters op het scherm waren in smetteloos wit gekleed, hadden keurig gekapte haren en tanden die schitterden terwijl ze langzaam, zacht en serieus met elkaar spraken over liefde, haat, verdriet, pijn en dood. De artsen en verpleegsters die zich met hun ellebogen een weg baanden door de menigte in de hal, waren een stuk menselijker: gekreukte kleren, afgepeigerd, geplaagd door een vrijwel chronisch slaaptekort. Degenen die binnenkwamen, haastten zich en voerden urgente telefoongesprekken. Degenen die naar huis konden gaan, deden dat met de snelheid van ontsnappende gevangenen, bang dat ze op het laatste moment teruggeroepen zouden worden.

Ik had mijn witte jas aan, met mijn naamkaartje erop, en liep met mijn

aktentas in mijn hand de automatische deuren door. De bewaker, een man van ergens in de zestig met een rode neus, knikte toen ik hem passeerde.
'Goeiemorgen, dokter.'
Ik nam de lift naar de kelder, samen met een moedeloos zwart echtpaar van ergens in de dertig en hun zoon: een negenjarig joch met een grijze huid, dat in een rolstoel zat. Op de tussenverdieping stapte een laborante in: een dik meisje met een mand vol injectiespuiten, naalden, rubber buisjes en glazen cilinders met het robijnrode levenssap. De ouders van de jongen in de rolstoel keken verlangend naar het bloed. Het kind draaide zijn hoofd naar de liftwand.
De lift kwam met een klap tot stilstand en we stapten een vuilgele gang op. De andere liftpassagiers draaiden rechtsom, naar het laboratorium. Ik ging de andere kant op, tot ik de archiefkamer had bereikt. Ik liep naar binnen.
Er was na mijn vertrek niets veranderd. Ik moest naar opzij draaien om het smalle pad tussen de van de grond tot het plafond reikende planken vol dossiers door te kunnen lopen. Geen computer. Geen geavanceerde apparatuur om te proberen de tienduizenden dossiers met ezelsoren in een samenhangend systeem op te bergen. Ziekenhuizen zijn conservatieve instellingen en vooral in Western Peds was het zeer moeilijk om te moderniseren.
Aan het eind van het pad was een kale, grijze muur. Vlak daarvoor zat een slaperig ogend Filippijns meisje een glamourtijdschrift te lezen.
'Kan ik u ergens mee helpen?'
'Ja. Ik ben dokter Delaware en ik heb een dossier van een patiënt van me nodig.'
'U had uw secretaresse kunnen vragen om ons op te bellen en dan hadden we het u toegestuurd.'
Dat zou best. Over een week of twee.
'Dat is mooi, maar ik moet dat dossier nu meteen kunnen inzien en mijn secretaresse is er nog niet.'
'Hoe heet de patiënt?'
'Adams. Brian Adams.' De dossiers waren alfabetisch gerangschikt. Ik koos voor een naam die haar tot achter in de sectie a-k zou brengen.
'Als u dit formulier invult, zal ik het dossier voor u gaan halen.'
Ik vulde het formulier in, kwam moeiteloos met leugens op de proppen. Ze nam niet eens de moeite om ernaar te kijken, maar deponeerde

het meteen in een metalen doos. Toen ze me door de rijen planken niet meer kon zien, liep ik naar de sectie l-z, zocht bij de n en vond waar ik naar op zoek was. Ik stopte het dossier in mijn aktentas en liep terug. Minuten later was zij er weer.
'Ik heb drie Brian Adamsen. Wie moet u hebben?'
Ik bekeek de drie dossiers en koos er willekeurig een uit.
'Die.'
'Als u hier dan nog even wilt tekenen' – ze stak me een tweede formulier toe – 'kunt u het dossier vierentwintig uur lenen.'
'Dat hoeft niet. Ik bekijk het hier wel.'
Ik probeerde zo wetenschappelijk mogelijk te kijken, bladerde het medische dossier door van Brian Adams, elf jaar, vijf jaar eerder opgenomen om zijn amandelen te laten knippen, klakte met mijn tong, schudde mijn hoofd, maakte betekenisloze aantekeningen en gaf het weer aan haar terug.
'Hartelijk bedankt. U hebt me uitstekend geholpen.'
Ze reageerde niet, want ze was al weer teruggekeerd naar de wereld van kosmetische camouflage en kleren die waren ontworpen voor de groep van sado-intellectuelen.

Iets verderop in de gang, naast het mortuarium, vond ik een lege vergaderruimte. Ik deed de deur aan de binnenkant op slot en ging zitten om het dossier van Cary Nemeth te bekijken.
De jongen had de laatste tweeëntwintig uur van zijn leven doorgebracht op de intensive care van Western Peds en was geen seconde bij bewustzijn geweest. Medisch gesproken was het een hopeloze zaak geweest. De arts die hem had opgenomen, had zijn aantekeningen feitelijk en objectief gehouden. Hij noemde het een zaak van auto versus voetganger, maakte gebruik van dat eigenaardige medische taaltje dat een tragedie als een sportevenement laat klinken.
De jongen was door een ambulance naar het ziekenhuis gebracht, zwaargewond, met een schedelbreuk, alleen de meest rudimentaire lichaamsfuncties nog actief. Toch waren er duizenden dollars uitgegeven om het onvermijdelijke uit te stellen en er waren zoveel pagina's volgeschreven dat het dossier de dikte van een studieboek had. Ik bladerde ze door. Aantekeningen van verpleegsters over wat het lichaam van de jongen in- en uitgegaan was: het kind was gereduceerd tot kubieke centimeters vloeistof en afvoerbuizen. Grafieken van de appara-

ten op de intensive care, aantekeningen over de geboekte vooruitgang – dat was een wrede grap –, onderzoeken door neurologen, nierspecialisten, radiologen, cardiologen. Bloedproeven, röntgenfoto's, scans, bypasses, hechtingen, intraveneuze voeding, parenterale bijvoeding, ademhalingstherapie en tot slot de autopsie.
Achter het medische dossier het rapport van de sheriff: ook een voorbeeld van beroepsjargon. In dit even kostbare dialect was Cary Nemeth een s. De s van slachtoffer.
S was van achteren aangereden toen hij vlak voor middernacht Malibu Canyon Road afliep. Blootsvoets en gekleed in een pyjama – een gele, was er volledigheidshalve aan toegevoegd. Er waren geen remsporen gevonden, waardoor de hulpsheriff die de leiding over het onderzoek had gehad, tot de conclusie was gekomen dat hij in volle vaart was aangereden. Gezien de afstand waarover het lichaam was meegesleept, vermoedde men dat het voertuig zestig tot vijfenzeventig kilometer per uur had gereden.
De rest bestond uit paperassen: een papieren tussendoortje uit de een of andere computer van de politie.
Het was een document dat me depressief maakte. Niets wat erin stond verbaasde me. Zelfs niet dat Nemeths kinderarts, die de overlijdensakte had ondertekend, Lionel Willard Towle was.
Ik legde het dossier tussen een stapel röntgenfoto's en liep naar de lift. Twee elfjarige kinderen waren uit hun zaal ontsnapt en hielden een race met hun rolstoel, compleet met infuus. Ik moest uitwijken om niet met hen in botsing te komen.
Ik stak een hand naar de liftknop uit en hoorde mijn naam roepen.
'Hallo, Alex.'
Het was de medisch directeur, die met een paar internen stond te praten. Hij stuurde hen weg en liep mijn kant op.
'Hallo, Henry.'
Hij was een paar kilo zwaarder geworden sinds ik hem voor het laatst had gezien en zijn halskwabben hadden problemen met de kraag van zijn overhemd. Hij zag er ongezond blozend uit. Uit zijn borstzakje staken drie sigaren.
'Wat een toeval,' zei hij en gaf me een slap handje. 'Ik stond net op het punt je te bellen.'
'Werkelijk? Waarover?'
'Laten we dat maar in mijn kantoor bespreken.'

Hij deed de deur dicht en ging snel achter zijn bureau zitten.
'Hoe is het met je, jongen?'
'Prima.' Pa.
'Goed zo, goed zo.' Hij pakte een sigaar uit zijn borstzakje en maakte masturberende bewegingen over het cellofaan waarin die was verpakt. 'Ik zal niet om de hete brij heen draaien, Alex. Je weet dat dat mijn stijl niet is. Mijn filosofie luidt dat je altijd meteen moet zeggen wat je op je lever hebt. Zodat de mensen weten waar je staat.'
'Ga alsjeblieft je gang.'
'Ja. Hmmm. Oké.' Hij boog zich naar voren, ofwel omdat hij op het punt stond over te geven ofwel omdat hij me iets zeer vertrouwelijks wilde zeggen. 'Ik heb... wij hebben een klacht ontvangen over je professionele manier van handelen.'
Hij leunde weer achterover en keek blij verwachtingsvol, als een jongen die op het ontploffen van een voetzoeker wacht.
'Will Towle?'
Zijn wenkbrauwen schoten omhoog. Daar was geen vuurwerk, dus kwamen ze weer omlaag.
'Dat wist je al?'
'Ik kon er wel naar raden.'
'O. Nou, dan heb je het goed geraden. Hij is razend omdat je iemand onder hypnose schijnt te hebben gebracht of zoiets.'
'Henry, die vent kraamt wel meer onzin uit.'
Zijn vingers speelden met het cellofaan. Ik vroeg me af hoe lang geleden hij voor het laatst had geopereerd. 'Ik begrijp wat je zeggen wilt, maar Will Towle is een belangrijk man, die je niet zomaar kunt negeren. Hij eist een onderzoek, een soort...'
'Heksenjacht?'
'Je maakt dit nu niet direct gemakkelijk voor me, jongeman.'
'Ik ben Towle of wie dan ook niets schuldig. Ik ben met pensioen gegaan, Henry, of was je dat soms even vergeten? Kijk dan maar eens na wanneer jullie me voor het laatst een salaris hebben uitbetaald.'
'Daar gaat het nu niet om.'
'Henry, als Towle iets tegen me heeft, moet hij daar maar mee naar de staatscommissie stappen. Ik ben bereid beschuldigingen uit te wisselen en ik kan je garanderen dat het een leerzame ervaring voor alle betrokkenen zal worden.'
Hij glimlachte zalvend.

'Alex, ik vind je aardig en ik zeg je dit om je te waarschuwen.'
'Me waarvoor te waarschuwen?'
'De familie van Will Towle heeft honderdduizenden dollars aan dit ziekenhuis geschonken. Het is heel goed mogelijk dat zij hebben betaald voor de stoel waar je op zit.'
Ik ging staan.
'Bedankt voor de waarschuwing.'
De blik in zijn kleine ogen werd harder. De sigaar knakte tussen zijn vingers en er dwarrelde tabak op zijn bureau. Hij keek naar het nu verloren gegane zoethoudertje en even dacht ik dat hij in snikken zou uitbarsten. Hij zou echt een goeie zijn voor de divan van een psychiater!
'Je bent niet zo onafhankelijk als je veronderstelt. Denk maar eens aan je stafprivileges.'
'Wil je me zeggen dat ik mijn recht om hier praktijk uit te oefenen kan verliezen omdat Will Towle zich over mij heeft beklaagd?'
'Wat ik je wil zeggen, is dat je geen moeilijkheden moet veroorzaken. Bel Will op, zet het recht. Hij is geen slechte vent. Eigenlijk zouden jullie veel gemeen moeten hebben. Hij is een expert in...'
'De gedragswetenschappen voor kinderen. Dat weet ik, Henry. Ik heb zijn liedje gehoord en we spelen niet in dezelfde band.'
'Alex, vergeet niet dat de status van psychologen binnen de medische staf altijd zwak is geweest.'
Ik moest denken aan een oude toespraak van hem. Iets over het belang van de menselijke factor en de vraag hoe je die kon verweven met de moderne geneeskunde. Ik dacht erover zijn eigen woorden te herhalen. Toen keek ik naar zijn gezicht en kwam tot de conclusie dat ik daar niets wijzer van zou worden.
'Is dat alles?'
Hij had niets meer te zeggen. Dat is bij types zoals hij meestal het geval wanneer het gesprek verder gaat dan gemeenplaatsen, onderonsjes of dreigementen.
'Een goeie dag verder, Delaware,' zei hij.
Zonder verder nog iets te zeggen trok ik de deur achter me dicht.

Ik stond weer in de grote hal, waar nu geen patiënten meer waren maar wel een groep bezoeksters van de een of andere vereniging voor vrouwelijke vrijwilligers. Aan de knappe gezichten van de dames was duidelijk te zien dat ze uit families met geld kwamen en een goede op-

voeding hadden genoten, meisjes die samen in een studentenhuis hadden gewoond en nu volwassen waren geworden. Ze luisterden als betoverd naar de standaardbabbel van een directiemedewerker over het feit dat het ziekenhuis zich maximaal inzette voor het medische en humanitaire welzijn van kinderen. Ze knikten en probeerden niet te laten merken dat ze zich wat slecht op hun gemak voelden.
De man praatte door over kinderen die de bron van de toekomst waren. Ik kon alleen een beeld voor ogen halen van jonge botten die als koren werden vermalen voor iemands molen.
Ik draaide me om en liep terug naar de lift.
Op de tweede verdieping van het ziekenhuis was het merendeel van de administratie ondergebracht. De kantoren met de plattegrond van een omgekeerde T waren met donker hout gelambrizeerd en op de grond lag een tapijt met de kleur en dichtheid van mos. Het kantoor van de medische staf bevond zich onderaan in de stam van de T: een suite met glazen wanden met uitzicht op de heuvels van Hollywood. Ik had niet gerekend op de aanwezigheid van de elegante blondine die achter het bureau zat, maar ik trok mijn das recht en liep naar binnen.
Ze keek op, dacht erover net te doen alsof ze me niet herkende, bedacht zich toen en gaf me een koninklijke glimlach. Ze stak haar hand uit op de autoritaire manier van iemand die lang genoeg eenzelfde functie bekleedt om de illusie te koesteren dat hij of zij onvervangbaar is.
'Goeiemorgen, Alex.'
Haar nagels waren lang en dik gelakt met een nagellak met parelmoerglans, alsof ze uit ijdelheid de diepste delen van de oceaan had geplunderd. Ik drukte haar hand met de behoedzaamheid waar die om leek te schreeuwen.
'Cora.'
'Wat leuk je weer eens te zien. Dat is lang geleden.'
'Inderdaad.'
'Kom je weer bij ons werken? Ik had gehoord dat je met pensioen was gegaan.'
'Nee, dat kom ik niet en ja, dat ben ik.'
'Geniet je van je vrijheid?' Ze schonk me nog een glimlach. Haar haren zagen er blonder en groffer uit, haar figuur was wat voller, maar nog altijd eersteklas, gekleed in een geelgroen gebreid pakje dat iemand met minder grootse proporties zou hebben misstaan.

'Ja. En hoe is het met jou?'
'Ik doe nog steeds hetzelfde werk.' Ze zuchtte.
'En dat doe je ongetwijfeld goed.'
Even dacht ik dat die vleiende opmerking een vergissing was geweest. Haar gezichtsuitdrukking werd harder en ik zag een paar nieuwe rimpels.
'We weten wie hier in feite de boel bij elkaar houdt,' ging ik door.
'Ach, kom nou.' Ze boog haar hand als een waaier met punten van zeeoor.
'De artsen doen dat beslist niet.' Ik verzette me tegen de aandrang haar ouwe makker te noemen.
'Dat klopt. Het is verbazingwekkend dat je zo weinig gezond verstand kunt hebben wanneer je twintig jaar hebt gestudeerd. Ik ben alleen een loonslaaf, maar ik weet waar Abraham de mosterd haalt.'
'Cora, ik ben er zeker van dat jij nooit iemands slaaf zou kunnen zijn.'
'Dat weet ik zo net nog niet.' Wimpers die dik en donker waren als de veren van een raaf, gingen koket omlaag.
Ze was ergens voor in de veertig en in het meedogenloze tl-licht van het kantoor was elk jaar te zien. Maar ze was goedgebouwd en had mooie gelaatstrekken: een van die vrouwen die de vorm maar niet de textuur van hun jeugd bewaren. Eens, eeuwen geleden, had ze meisjesachtig, vriendelijk en atletisch geleken toen wc op de grond van de archiefkamer aan het vrijen waren geweest. Dat was één keer gebeurd, gevolgd door een wederzijdse boycot. Nu was ze met me aan het flirten, haar geheugen gewist door het verstrijken van de tijd.
'Behandelen ze je goed?' vroeg ik.
'Zo goed als je kunt verwachten. Je weet hoe artsen zijn.'
Ik grinnikte.
'Ik hoor er gewoon bij,' zei ze. 'Als ze dit kantoor ooit verplaatsen, word ik meegenomen met de rest van de meubels.'
Ik bekeek haar van top tot teen.
'Ik denk niet dat iemand jou per vergissing voor een meubelstuk kan houden.'
Ze lachte zenuwachtig en bracht haar hand naar haar haren.
'Bedankt.' Ze werd te verlegen om nog langer over zichzelf te praten en richtte de aandacht op mij.
'Wat heeft jou hierheen gebracht?'
'Het afwerken van losse eindjes. Een paar niet afgeronde dossiers, wat

administratie. Ik ben een beetje zorgeloos geweest met het beantwoorden van mijn post. Ik meen me te herinneren dat ik een brief heb gekregen omdat ik mijn bijdrage als staflid niet op tijd had betaald.'
'Ik kan me niet herinneren dat ik jou zo'n brief heb gestuurd, maar een van de andere meiden kan dat wel hebben gedaan. Ik ben een maand uit de running geweest in verband met een operatie.'
'Het spijt me dat te horen, Cora. Is alles nu weer met je in orde?'
'Vrouwenproblemen.' Ze glimlachte. 'Ze zeggen dat alles prima met me is.' Haar gezichtsuitdrukking maakte duidelijk dat ze die 'zij' aartsleugenaars vond.
'Daar ben ik blij om.'
We keken elkaar diep in de ogen. Even zag ze er weer uit als een vrouw van twintig: naïef en hoopvol. Ze draaide me haar rug toe, alsof ze wilde dat ik dàt beeld in mijn geheugen zou opslaan.
'Ik zal je dossier pakken.'
Ze ging staan, trok een lade van een zwart gelakte dossierkast open en haalde daar een blauwe map uit.
'Nee, je hebt alles betaald,' zei ze. 'Over een paar maanden krijg je bericht over de betaling voor volgend jaar.'
'Bedankt.'
'Graag gedaan.'
Ze borg de map weer op.
'Heb je zin in een kop koffie?' vroeg ik nonchalant.
Ze keek naar mij en toen op haar horloge.
'Ik heb officieel pas om tien uur pauze, maar wat doet het er ook toe? Je moet van het leven genieten, hè?'
'Klopt.'
'Gun me even de tijd om naar het toilet te gaan en me op te frissen.'
Ze streek met een hand door haar haren, pakte haar tas en liep naar de toiletten aan de andere kant van de gang.
Toen ik de deur achter haar dicht zag gaan, liep ik naar de dossierkast. De la die zij had opengetrokken, bevatte de stafdossiers van a tot g. Twee laden lager vond ik wat ik zocht. Ook dat verdween in de oude aktentas.
Ik stond bij de deur te wachten toen ze de gang weer op kwam, blozend, roze, aantrekkelijk. Ze rook naar patchoelie. Ik stak mijn arm uit en die pakte ze.
Onder het koffiedrinken luisterde ik naar haar. Ze vertelde me over

haar echtscheiding – een zeven jaar oude wond die maar niet wilde helen – de tienerdochter die haar gek maakte door precies te doen wat zij als puber had gedaan, problemen met haar auto, de gevoelloosheid van haar superieuren en de oneerlijkheid van het leven.
Het was bizar om nu pas een vrouw te leren kennen wier lichaam ik binnen was gegaan. De verhalen die ze me nu vertelde, waren intiemer dan het moment dat ze haar benen voor me had gespreid.
We namen als vrienden afscheid.
'Kom nog eens langs, Alex.'
'Dat zal ik doen.'
Ik liep naar het parkeerterrein en verbaasde me over het gemak waarmee ik dubbelzinnig kon zijn. Ik had me altijd gevleid met het idee dat ik zeer integer was. Maar de laatste drie dagen was ik heel handig geworden in het ontvreemden van dingen, het verborgen houden van de waarheid, met een stalen gezicht liegen en emotioneel hoereren.
Het moest wel komen door de mensen met wie ik omging.
Ik reed naar een gezellig Italiaans restaurant in het westelijke deel van Hollywood. Dat restaurant was net geopend en ik zat alleen in een hoek achterin. Ik bestelde kalfsvlees in wijnsaus, linguini met olie en knoflook en een Coors.
Een schuifelende ober kwam me het biertje brengen. Terwijl ik op het eten wachtte, maakte ik mijn aktentas open en bekeek mijn buit.
Het stafdossier van Towle telde meer dan veertig pagina's. Het merendeel daarvan bestond uit kopieën van zijn diploma's, certificaten en prijzen. Zijn curriculum vitae was een boekwerk van twintig bladzijden vol overdreven loftuitingen, maar ook met een opmerkelijk gebrek aan wetenschappelijke publikaties. Als intern had hij samen met anderen een kort verslag geschreven. Daarna niets meer. Verder werd melding gemaakt van interviews op de radio en de televisie, toespraken voor leken, zijn vrijwilligerswerk in La Casa en soortgelijke instituten. Toch was hij een full-time prof aan de medische faculteit. Dat zegt dan genoeg over strenge academische eisen.
De ober bracht een salade en een mandje met brood. Ik pakte met een hand mijn servet en wilde net met mijn andere hand het dossier in mijn aktentas terugdoen toen iets op de eerste pagina van het curriculum vitae mijn aandacht trok.
Onder BEZOCHT COLLEGE OF UNIVERSITEIT was ingevuld: Jedson College, Bellevue, Washington.

20

Toen ik weer thuis was, belde ik de *L.A. Times* en vroeg naar Ned Biondi. Biondi werkte al lange tijd voor die krant. Hij was een kleine, zenuwachtige man, die zo uit *The Front Page* kon zijn weggelopen. Enige jaren geleden had ik zijn tienerdochter wegens anorexie behandeld. Biondi had van het salaris dat hij als journalist verdiende, de behandeling al sowieso niet kunnen betalen, maar zijn financiële situatie was nog beroerder omdat hij de gewoonte had om in Santa Anita op de verkeerde paarden te wedden. Maar het meisje had ernstige problemen en ik had haar toch behandeld. Hij had anderhalf jaar gedaan over het afbetalen van zijn schuld. Met zijn dochter was het goed gegaan nadat ik stukje bij beetje haar gevoelens van haat jegens zichzelf, die voor een zeventienjarige verbazingwekkend hardnekkig waren geweest, had weggebeiteld. Ik kon me haar nog duidelijk voor de geest halen: een lang, donker meisje in een short en een T-shirt die haar broodmagere lichaam accentueerden. Een meisje met een asgrauw gezicht en lucifershoutjes van benen, die perioden waarin ze haar mond niet opendeed en diep en duister broedde, afwisselde met perioden van hyperactiviteit waarin ze klaar was om aan alle categorieën van de Olympische spelen mee te doen op een dieet van driehonderd calorieën per dag.

Ik had haar in het Western Pediatric laten opnemen, waar ze drie weken was gebleven. Daarna had ik haar nog maanden in psychotherapie gehad en was ze eindelijk in staat geweest te leven met een moeder die te mooi, een broer die te atletisch, en een vader die te geestig was...

'Biondi.'

'Ned, je spreekt met Alex Delaware.'

Het duurde een seconde voordat mijn naam minus mijn titel tot hem was doorgedrongen.

'Hallo, doc. Hoe is het met je?'

'Prima. Hoe gaat het met Anne-Marie?'

'Heel goed. Ze heeft net haar tweede jaar op Wheaton in Boston achter de rug. Niet allemaal even hoge cijfers, maar daar is ze niet door in paniek geraakt. Ze is nog altijd te hard voor zichzelf, maar lijkt zich goed te kunnen aanpassen aan de hoogte- en de dieptepunten van het leven. Haar gewicht is nu constant; zo'n eenenvijftig kilo.'

'Uitstekend. Doe haar de groeten van me wanneer je haar weer spreekt.'
'Dat zal ik zeker doen. Aardig van je om te bellen.'
'Ned, ik bel je niet alleen om te vragen hoe het verder met mijn ex-patiënte is gegaan.'
'O?' Zijn stem kreeg een waakzame ondertoon, zoals dat zo vaak gebeurt bij mensen die afgesloten kasten openwrikken om in hun levensonderhoud te voorzien.
'Ik wil je om een gunst vragen.'
'Zeg het maar.'
'Ik vlieg vanavond naar Seattle en ik moet een paar dossiers inzien van een klein college daar in de buurt. Jedson.'
'Dat is iets heel anders dan ik had verwacht. Ik dacht dat je in de zondagskrant een lovend artikeltje over een of ander boek van je wilde hebben. Dit klinkt serieus.'
'Dat is het ook.'
'Jedson. Anne-Marie was van plan zich daar in te schrijven – we dachten dat ze op een klein college minder onder druk zou komen te staan – maar het was anderhalf keer zo duur als Wheaton, Reed en Oberlin, die toch ook niet direct goedkoop zijn. Wat wil je met die dossiers doen?'
'Dat kan ik je niet vertellen.'
'Sorry voor mijn woordkeus, maar nu ben je wel bezig me op te geilen.' Hij lachte. 'Ik ben snuffelaar van beroep. Wanneer je iets eigenaardigs voor m'n neus houdt, krijg ik een stijve.'
'Waarom denk je dat het om iets eigenaardigs gaat?'
'Wanneer artsen of psychologen gaan rondrennen om te proberen dossiers in te zien, is dat eigenaardig. Als mijn geheugen me niet in de steek laat, wordt er toch gewoonlijk bij zieleknijpers ingebroken.'
'Ned, ik kan er op dit moment verder echt niets over zeggen.'
'Ik kan een geheim uitstekend bewaren.'
'Ik kan er echt nog niets over zeggen. Vertrouw me. Dat heb je al eens eerder gedaan.'
'Dat is een trap onder de gordel!'
'Dat weet ik en ik zou je die niet hebben gegeven als het niet echt belangrijk was. Ik heb je hulp nodig. Misschien ben ik iets op het spoor, misschien ook niet. Als het wel zo is, zul jij de eerste zijn die alles te horen krijgt.'

‘Is het iets heel belangrijks?’
Ik dacht even na.
‘Dat zou kunnen.’
‘Oké.’ Hij zuchtte. ‘Wat wil je dat ik doe?’
‘Ik ben van plan jouw naam als referentie te noemen. Wanneer iemand je opbelt, wil ik dat je mijn verhaal bevestigt.’
‘Hoe luidt dat verhaal?’
Hij luisterde.
‘Lijkt me heel onschuldig. Maar natuurlijk is het wel zo dat ik op straat kom te staan wanneer jij wordt doorzien.’
‘Ik zal voorzichtig zijn.’
‘Oké. Wat doet het er ook toe? Ik ben toch bijna aan de beurt om een gouden horloge in ontvangst te nemen.’ Er volgde een stilte, alsof hij aan het fantaseren was over het leven na zijn pensioen. Wat hij zag stond hem kennelijk niet aan, want toen hij verder sprak klaagde hij vol verve.
‘Ik zal nog gek worden omdat ik hier natuurlijk over zal blijven piekeren. Weet je zeker dat je me geen hint kunt geven?’
‘Ned, dat kan ik echt niet doen.’
‘Oké. Oké. Ga jij dan maar garen spinnen en hou me in gedachten wanneer je een trui gaat breien.’
‘Dat zal ik doen. Hartelijk bedankt.’
‘Je moet mij niet bedanken. Ik vind het nog steeds rot dat ik er zo lang over heb gedaan om jou te betalen. Wanneer ik nu naar mijn dochter kijk, zie ik een glimlachende jonge vrouw met roze wangen: een schoonheid. Ze is naar mijn smaak nog iets te dun, maar ze is ook geen wandelend lijk meer. Ze is normaal, in elk geval voor zover ik dat kan bepalen. Ze kan nu glimlachen. Ik sta bij je in het krijt, doc.’
‘Hou je haaks, Ned.’
‘Jij ook, doc.’
Ik legde de hoorn op de haak. Door de dankbare woorden van Biondi twijfelde ik er even aan of ik wel de juiste beslissing had genomen toen ik met pensioen ging. Toen dacht ik aan lichamen die onder het bloed zaten en nam die twijfel plaats op de achterbank van de lijkwagen.

Na een aantal mislukte pogingen had ik eindelijk de juiste persoon op het Jedson College te pakken.

'Afdeling public relations. U spreekt met mevrouw Dopplemeier.'
'Mevrouw Dopplemeier, u spreekt met Alex Delaware. Ik ben als redacteur verbonden aan de *Los Angeles Times*.'
'Wat kan ik voor u doen, meneer Delaware?'
'Ik ben een artikel aan het schrijven over de kleine colleges in het westen van de Verenigde Staten en concentreer me op die welke niet algemeen bekend zijn, maar wel een uitstekende academische reputatie genieten. Claremont, Occidental, Reed enzovoort. We zouden Jedson ook graag vermelden.'
'Werkelijk?' Ze klonk verbaasd, alsof dit de eerste keer was dat iemand Jedson in academisch opzicht uitstekend noemde. 'Dat zou heel leuk zijn, meneer Delaware. Ik ben zonder meer bereid er nu met u over te praten en alle vragen te beantwoorden die u wellicht wilt stellen.'
'Ik had iets anders in gedachten, want ik streef naar een persoonlijker benadering. Mijn hoofdredacteur is minder in statistieken geïnteresseerd dan in de couleur locale. De teneur van het verhaal is dat kleine colleges een vorm van persoonlijke contacten en... intimiteit... mogelijk maken die op de grotere universiteiten ontbreekt.'
'Dat is zonder meer waar.'
'Ik bezoek de campussen en maak een praatje met de docenten en de studenten. Het wordt een impressionistisch artikel.'
'Ik begrijp precies wat u bedoelt. U wilt een menselijke indruk maken.'
'Inderdaad. Wat een schitterende manier om het te verwoorden!'
'Voordat ik naar Jedson ging, heb ik in New Jersey twee jaar bij een handelsblad gewerkt.' In de ziel van elke p.r.-functionaris ligt een journalistieke homunculus op de loer, die dolgraag te voorschijn wil komen om 'Primeur!' de wereld in te schreeuwen.
'Aha. Een verwante ziel.'
'Ik heb die periode achter me gelaten, maar soms denk ik er nog wel eens over om de oude draad weer op te pakken.'
'Rijk word je er niet van, maar het houdt me in beweging, mevrouw Dopplemeier.'
'Margaret.'
'Margaret. Ik was van plan vanavond naar Seattle te vliegen en ik vroeg me af of ik morgen bij je langs zou kunnen komen.'
'Ik zal eens even kijken.' Ik hoorde papier ritselen. 'Wat zou je denken van elf uur?'

'Prima.'
'Kan ik misschien alvast wat voorbereidend werk doen?'
'Een van de dingen die we proberen te achterhalen, is hoe het mensen die aan een klein college zijn afgestudeerd, verder is vergaan. Ik zou graag wat meer willen horen over een paar van jullie alumni die belangrijke mensen zijn geworden. Artsen, juristen, dat soort lui.'
'Ik heb zelf nog niet de kans gehad om me in de dossiers van onze alumni te verdiepen, omdat ik hier pas een paar maanden werk. Maar ik zal eens kijken wie je in dat opzicht wel zou kunnen helpen.'
'Dat zou ik bijzonder waarderen.'
'Waar kan ik je zo nodig bereiken?'
'Het merendeel van de tijd ben ik onderweg. Je kunt eventuele boodschappen doorgeven aan mijn collega bij de *Times*, Ned Biondi.' Ik gaf haar Neds telefoonnummer.
'Prima. Dan zien we elkaar morgen om elf uur. Het college staat in Bellevue, even buiten Seattle. Weet je waar dat is?'
'Aan de oostkust van Lake Washington?' Jaren geleden had ik als gastdocent een college aan de universiteit van Washington gegeven en was toen ook thuis geweest bij mijn gastheer, die in Bellevue woonde. Ik herinnerde me die voorstad als een slaperige leefgemeenschap van mensen die tot de bovenlaag van de middenklasse behoorden. Zéér eigentijdse huizen, keurig recht afgestoken gazons en laagbouwwinkelcentra met veel delicatessenwinkels, antiquairs en zaken waarin dure modeaccessoires werden verkocht.
'Dat klopt. Als je uit het centrum komt, moet je de I-5 nemen tot de 520, die naar de Evergreen Point Floating Bridge loopt. Die brug moet je over. Daarna moet je bij Fairweather langs de kust naar het zuiden rijden. Jedson staat aan Meydenbauer Bay, vlak naast de jachtclub. Mijn kantoor is op de begane grond van Crespi Hall. Blijf je lunchen?'
'Dat weet ik nog niet. Het hangt ervan af hoeveel tijd alles gaat kosten.' En van wat ik vind.
'Voor het geval dàt zal ik een lunch voor je laten bereiden.'
'Dat is heel aardig van je, Margaret.'
'Tot alles bereid voor een collega-journalist, Alex.'
Daarna belde ik Robin. Nadat de telefoon negen keer was overgegaan, nam ze op.
'Hallo.' Ze klonk buiten adem. 'De grote elektrische zaag stond aan en daardoor hoorde ik de telefoon niet. Wat is er?'

'Ik ga een paar dagen de stad uit.'
'Ga je zonder mij naar Tahiti?'
'Nee, zo romantisch is het niet. Ik ga naar Seattle.'
'O. Detectivewerk?'
'Noem het maar een biografisch onderzoek.' Ik vertelde haar dat Towle op Jedson College had gezeten.
'Je hebt het echt op die man gemunt.'
'Hij heeft het op mij gemunt. Toen ik vanmorgen in het W.P. was, schoot Henry Bork me in de gang aan, sleepte me mee naar zijn kantoor en trakteerde me op een niet al te subtiele versie van het aloude armpje omdraaien. Towle lijkt in het openbaar vraagtekens te hebben gezet achter mijn ethische principes. Hij duikt telkens weer in mijn leven op, net als giftige paddestoelen na een overstroming. Hij en Kruger hebben een alma mater gemeen en daarom wil ik wat meer te weten komen over de met klimop begroeide gebouwen van Jedson.'
'Mag ik met je mee?'
'Dat heeft weinig zin, want het wordt een puur zakelijke aangelegenheid. Wanneer ik dit alles achter de rug heb, neem ik je mee voor een echte vakantie.'
'Het idee dat je er op je eentje naartoe gaat, maakt me depressief. Het is daar zo somber rond deze tijd van het jaar.'
'Ik red me best. Pas goed op jezelf en ga hard aan het werk. Ik zal je bellen.'
'Weet je zeker dat je niet wilt dat ik meega?'
'Je weet dat ik je dolgraag bij me heb, maar we zouden de tijd niet hebben om dingen te gaan bekijken. Jij zou je er ellendig bij voelen.'
'Oké,' zei ze aarzelend. 'Maar ik zal je wel missen.'
'Ik jou ook. Ik hou van je. Zorg goed voor jezelf.'
'Van hetzelfde. Ik hou van je, schat. Tot ziens.'
'Tot ziens.'

Ik vertrok om zeven uur 's avonds vanaf LAX en landde om vijf voor halftwaalf op het vliegveld Sea-Tac. Bij een Hertz-balie huurde ik een Nova. Niet direct een Seville, maar er zat een FM-radio in, die iemand op een klassieke zender had laten staan. Een fuga in mineur voor orgel van Bach kwam uit de luidspreker in het dashboard en ik liet die zender aanstaan, omdat de muziek bij mijn stemming paste. Ik belde het Westin om mijn reservering te bevestigen, reed van het vliegveld weg,

draaide de Interstate op en ging in noordelijke richting door naar het centrum van Seattle.
De lucht was koud en hard als een revolver. Enige minuten nadat ik de snelweg was opgedraaid, bleek dat wapen geladen te zijn: het vuurde een donderslag af en toen begon het te regenen. Al spoedig veranderde de regen in een van die hevige stortregens die een snelweg op een kilometers lange autowasserij doen lijken.
'Welkom in het noordwesten,' zei ik hardop.
Pijnbomen, sparren en dennen aan beide zijden van de weg. Door de sterren verlichte aanplakborden maakten reclame voor rustieke motels en eethuisjes waar je een houthakkersontbijt tot je kon nemen. Afgezien van vrachtwagens die kreunden onder een zware vracht hout, was ik de enige weggebruiker. Ik bedacht me hoe leuk het zou zijn wanneer ik nu onderweg was naar een berghut, met Robin naast me en een kofferbak vol vistuig en proviand. Opeens voelde ik me eenzaam en verlangde naar menselijk contact.
Kort na middernacht had ik het stadscentrum bereikt. Het Westin stak als een reusachtige reageerbuis van staal en glas boven het donkere laboratorium van de stad uit. Mijn kamer op de zesde verdieping zag er fatsoenlijk uit en bood uitzicht op Puget Sound en de haven in het westen en Lake Washington en de eilanden in het oosten. Ik trapte mijn schoenen uit en ging languit op het bed liggen, moe maar te gespannen om te kunnen slapen.
Ik zette de televisie aan en kon nog net naar het staartje van een journaal van een plaatselijk station kijken. De presentator was een man met stijve kaken en onrustige ogen, die op een onpersoonlijke manier de belangrijkste gebeurtenissen van die dag nog eens in het kort de revue liet passeren. Hij legde evenveel nadruk op een massamoord in Ohio als op de uitslagen van hockeywedstrijden. Midden in een zin zette ik hem af, deed de lampen uit, kleedde me in het donker uit en staarde naar de lichtjes in de haven tot ik in slaap viel.

21

Een kilometer regenwoud scheidde de campus van Jedson van de kustweg. Daarna moest het bos wijken voor twee stenen zuilen waarop Romeinse cijfers waren gegraveerd die de datum memoreerden

waarop de met keien bestrate weg dwars tussen de universiteitsgebouwen door was aangelegd. Die weg eindigde in een rotonde met in het midden een gedeukte zonnewijzer onder een heel hoge pijnboom.
In eerste instantie leek Jedson op een van die kleine colleges in het oosten die hun uiterste best doen op mini-Harvardjes te lijken. De gebouwen waren opgetrokken uit verweerde baksteen, opgeluisterd met stenen en marmeren kroonlijsten. De daken waren van leisteen en koper, ontworpen in een tijd toen het arbeidsloon nog laag was en ingewikkelde lijstwerken, kostbare booggewelven, gargouilles en godinnen doodnormaal waren. Zelfs de klimop zag er authentiek uit, hing van leistenen daken, zoog zich vast in het baksteen, was vakkundig gesnoeid om inspringende glas-in-loodramen vrij te houden.
De campus was klein, misschien een achthonderd vierkante meter. Ik zag veel door bomen overschaduwde heuveltjes, imposante eiken, pijnbomen, wilgen, olmen en berken, plus open plekken met marmer op de grond, omgeven door stenen banken en bronzen monumenten. Heel traditioneel allemaal, tot je naar het westen keek en keurig onderhouden gazons glooiend zag aflopen naar de particuliere haven. Aan de steigers lagen gestroomlijnde jachten met een teakhouten dek afgemeerd: schepen met een lengte van vijftien meter of meer, voorzien van sonar, radar en rijen antennes. Duidelijk twintigste-eeuws, duidelijk bij de westkust behorend.
Het regende niet meer en een driehoekje van licht kwam door de houtskoolkleurige plooien van de lucht heen. Een paar knopen buiten de haven sneed een armada van zeilboten door het water, dat wel aluminiumfolie leek. De boten waren de een of andere ceremonie aan het oefenen, want ze voeren allemaal rond dezelfde boei en hadden krankzinnig felgekleurde ballonfokken gehesen: allerlei nuances oranje, purper, rood en groen, als de staartveren van een groep tropische vogels.
Op een standaard was een plattegrond aangebracht, beschermd door doorschijnend plastic. Die raadpleegde ik om Crespi Hall te kunnen vinden. De studenten die langsliepen, leken heel bedaard. De meesten hadden blozende wangen en blond haar en de kleur van hun ogen varieerde van lichtblauw tot donkerblauw. Ze gaven ongetwijfeld veel aan de kapper uit, maar hun kapsels leken uit het Eisenhowertijdperk te dateren. De broeken hadden een omslag, de pennies glansden boven op de instapschoenen en er waren voldoende kaaimannen op shirtjes afgebeeld om de Everglades te laten verstikken. Een aanhanger van de

eugenetica zou met genoegen hebben gekeken naar de rechte ruggen, robuuste lichamen en stijve maar zelfverzekerde houding van mensen uit oude, rijke nesten. Ik had het gevoel dat ik was gestorven en een Arische hemel was binnengegaan.

Crespi was een drie verdiepingen tellend ruitvormig gebouw met Ionische zuilen van witgeaderd marmer ervoor. Het kantoor van de afdeling public relations was verborgen achter een mahoniehouten deur met goudkleurige letters erop. Toen ik die openmaakte, kraakte hij.

Margaret Dopplemeier was zo'n lange, broodmagere vrouw die voorbestemd is een oude vrijster te worden. Ze had geprobeerd haar weinig bevallige lichaam te verdoezelen onder een tentachtig pakje van bruine tweed, maar toch waren haar hoekige vormen nog te zien. Ze had grote kaken, een onverzettelijke mond en roodbruin haar dat meisjesachtig kort was geknipt. Haar kantoor was nauwelijks groter dan mijn auto – het college van bestuur van Jedson had de public relations duidelijk niet hoog op de prioriteitenlijst staan – en ze moest zich tussen haar bureau en de muur door wurmen om mij te kunnen begroeten. Dat was een manoeuvre die al onhandig zou hebben geoogd wanneer hij door Pavlova was uitgevoerd. Margaret Dopplemeier deed het hoogst onbevallig. Ik had met haar te doen, maar zorgde ervoor daar niets van te laten merken. Ze was ergens midden in de dertig en rond die leeftijd heeft dat soort vrouwen geleerd hun onafhankelijkheid als een schat te koesteren. Dat is een even goede manier als welke andere dan ook om de eenzaamheid aan te kunnen.

'Hallo. Jij moet Alex zijn.'

'Dat ben ik. Prettig kennis met je te maken, Margaret.' Haar hand was dik, hard en ruw.

'Ga alsjeblieft zitten.'

Ik nam plaats op een hoge, ongemakkelijke stoel.

'Wil je koffie?'

'Graag. Met melk.'

Achter haar bureau stond een tafeltje met een kookplaatje erop. Ze schonk koffie in een beker en gaf die aan mij.

'Weet je al of je blijft lunchen?'

Het idee nog een uur langer naar haar te moeten kijken, bracht me niet direct in vervoering. Dat kwam niet door de onopvallende verschijning of haar strenge gezicht. Ze zag eruit of ze me haar levensverhaal wilde doen en ik was niet in een stemming om irrelevante gegevens in

mijn geheugen op te slaan. Dus zei ik dat ik niet zou blijven lunchen.
'Heb je dan soms trek in een klein hapje?'
Ze pakte een dienblad met kaas en crackers en leek moeite te hebben met haar rol als gastvrouw. Ik vroeg me af waarom ze voor p.r. had gekozen. Een baan als bibliothecaresse leek beter bij haar te passen. Toen bedacht ik me dat het verzorgen van de p.r. van Jedson wel op werken in een bibliotheek zou lijken: een bureau vol knipsels en post en erg weinig rechtstreeks contact met andere mensen.
'Dank je.' Ik had honger en de kaas was lekker.
Ze keek naar haar bureau, vond haar bril en zette die op. Achter de glazen werden haar ogen groter en op de een of andere manier zachter.
'Je wilt je een indruk vormen van de sfeer hier.'
'Dat klopt.'
'Het is een uniek college. Ik kom zelf uit Wisconsin en heb in Madison gestudeerd, samen met veertigduizend andere studenten. Hier zijn er maar tweeduizend. Iedereen kent iedereen.'
'Zoiets als één grote familie.' Ik pakte een pen en een aantekenboekje.
'Ja.' Ze tuitte haar lippen bij het woord familie. 'Dat zou je wel zo kunnen zeggen.' Ze rommelde door wat papieren en las toen voor:
'Jedson College is gesticht door Josiah T. Jedson, een Schotse immigrant die in 1858 zijn fortuin had vergaard in de mijnbouw en met de aanleg van spoorwegen. Dat was drie jaar voordat de universiteit van Washington werd gesticht, dus zijn wij eigenlijk de oudste universiteit van de stad. Het was Jedsons bedoeling een instituut draaiend te houden waarin het behoud van de traditionele waarden werd gecombineerd met een hogere opleiding in de diverse takken van kunst en wetenschap. Tot op de dag van vandaag wordt dit college voor het merendeel gefinancierd uit een jaarlijkse bijdrage van de Jedson Stichting, hoewel we ook andere bronnen van inkomsten hebben.'
'Ik heb gehoord dat het collegegeld aan de hoge kant is.'
Ze fronste haar wenkbrauwen. 'Het collegegeld bedraagt twaalfduizend dollar per jaar en dat is inclusief huisvesting, inschrijving en andere verplichte bijdragen.'
Ik floot.
'Verstrekken jullie ook beurzen?'
'Elk jaar wordt een klein aantal beurzen toegekend aan veelbelovende studenten, maar we hebben geen uitgebreid programma voor een financiële ondersteuning.'

'Dus is men niet zo geïnteresseerd in het aantrekken van studenten uit een breed sociaal-economisch vlak?'
'Dat klopt.'
Ze zette haar bril af, schoof het materiaal dat ze voor mijn komst had klaargelegd opzij en staarde me met bijziende ogen aan.
'Ik hoop dat we op die kwestie niet verder zullen doorgaan.'
'Waarom hoop je dat, Margaret?'
Ze bewoog haar lippen, leek meerdere onuitgesproken woorden te proeven en af te keuren. Uiteindelijk zei ze: 'Ik dacht dat het een impressionistisch artikel zou worden. Iets positiefs.'
'Dat wordt het ook. Ik was alleen nieuwsgierig.' Ik had een tere plek geraakt, ook al had ik daar niets aan, omdat ik er geen enkele behoefte aan had mijn informatiebron van streek te maken. Maar iets aan het bekakte sfeertje irriteerde me en haalde het stoute joch in mij naar boven.
'Hmmm.' Ze zette haar bril weer op, pakte de papieren, bladerde die even door en tuitte opnieuw haar lippen. 'Alex, kan ik vertrouwelijk met je praten, als schrijvers onder elkaar?'
'Natuurlijk.' Ik deed het aantekenboekje dicht en stopte de pen in mijn jaszak.
'Ik weet eigenlijk niet goed hoe ik het moet zeggen.' Ze speelde met een revers, draaide het grove tweed, streek het toen weer glad. 'De leiding is niet bijzonder blij met dat artikel en jouw komst. Zoals je wel uit de grandeur van onze omgeving zult hebben opgemaakt, is men hier niet direct tuk op public relations. Nadat ik jou gisteren had gesproken, heb ik mijn superieuren over je komst verteld met het idee dat ze daar heel blij mee zouden zijn. Maar het tegendeel bleek het geval. Ik heb er niet direct een schouderklopje voor gekregen.'
Ze trok een pruillip, alsof ze zich een bijzonder pijnlijk pak voor haar broek herinnerde.
'Margaret, het was niet mijn bedoeling je in de problemen te brengen.'
'Dit had je op geen enkele manier kunnen weten. Zoals ik je al heb verteld, werk ik hier nog niet zo lang. Ze doen het hier anders dan elders. Het is een andere manier van leven: rustig, conservatief. Dit college heeft iets tijdloos.'
'Hoe kan een college studenten aantrekken zonder aan de weg te timmeren?' vroeg ik.
Ze kauwde op haar lip.

'Daar wil ik echt niet verder over praten.'
'Margaret, ik zal die informatie voor mezelf houden. Dat beloof ik je. Laat me niet met mijn kop tegen de muur lopen.'
'Het is niet belangrijk,' hield ze vol, maar haar boezem ging snel op en neer en in de door de bril vergrote ogen zag ik dat ze in dubio was. Daar speelde ik op in.
'Waar zou je dan zo moeilijk over doen? Wij schrijvers moeten open tegenover elkaar zijn. In de buitenwereld is er al genoeg censuur.'
Daar dacht ze lang over na. Aan haar gezichtsuitdrukking was duidelijk te zien dat ze een beslissende strijd met zichzelf aan het voeren was en daardoor voelde ik me beroerd.
'Ik wil hier niet weg,' zei ze uiteindelijk. 'Ik heb een leuk appartement met uitzicht op het meer, mijn katten en mijn boeken. Ik wil niet alles... verliezen. Ik wil mijn spullen niet hoeven in te pakken om terug te gaan naar het Midden-Westen. Naar kilometers vlak land zonder bergen en geen enkele manier om je perspectief te bepalen. Begrijp je wat ik bedoel?'
Haar manier van doen en de toon van haar stem waren broos; ik herkende dat, want ik had het bij talloze patiënten gezien, vlak voordat de muren instortten die ze als verdediging om zich heen hadden opgebouwd. Ze wilde zich laten gaan en daar zou ik haar bij helpen, manipulerende rotzak die ik was...
'Begrijp je wat ik wil zeggen?' vroeg ze.
Ik hoorde mezelf heel glad en poeslief antwoorden:
'Natuurlijk begrijp ik dat.'
'Wat ik je vertel moet vertrouwelijk blijven en je mag er niets van gebruiken voor dat artikel.'
'Ik beloof je dat ik dat niet zal doen. Ik schrijf speciale reportages en ik streef er niet naar een tweede Woodward of Bernstein te worden.'
Er verscheen een vage glimlach op het grote, onopvallende gezicht.
'O nee? Ik heb dat ooit wel geambieerd. Nadat ik vier jaar had meegewerkt aan de studentenkrant van Madison, dacht ik dat ik als journaliste furore zou maken. Een jaar lang heb ik toen als serveerster mijn brood verdiend, zonder een opdracht te krijgen om iets te schrijven. Dat vond ik afschuwelijk. Daarna heb ik gewerkt voor een tijdschrift voor hondenbezitters. Ik schreef aanstellerige persberichten over poedels en schnautzers. Ze brachten die beesten naar de redactie om foto's van ze te nemen en dan piesten en poepten ze de vloerbedekking

onder. Dat stonk. Nadat dat tijdschrift op de fles was gegaan, heb ik twee jaar bijeenkomsten van vakbonden en polkafeesten in New Jersey verslagen en toen had ik geen enkele illusie meer over. Nu wil ik alleen nog in vrede kunnen leven.'
Weer zette ze de bril af. Ze deed haar ogen dicht en masseerde haar slapen.
'In wezen wil iedereen dat,' zei ik.
Ze deed haar ogen weer open en keek mijn kant op. Ze had die ogen zo dicht samengeknepen dat ze me volgens mij maar heel vaag kon zien. Ik probeerde er vertrouwenwekkend vaag uit te zien.
Ze stopte twee stukjes kaas in haar mond en vermaalde ze met haar lange, ingevallen kaken.
'Ik kan me niet voorstellen dat iets van dit alles voor jouw verhaal van belang is,' zei ze. 'Zeker niet wanneer je een lovend artikel wilt schrijven.'
Ik forceerde een lach.
'Nu je mijn belangstelling hebt gewekt, moet je me niet aan het lijntje houden.'
Ze glimlachte. 'Als schrijvers onder elkaar?'
'Als schrijvers onder elkaar.'
Ze zuchtte. 'Zo belangrijk is het denk ik nu ook weer niet.
In de eerste plaats,' ging ze verder, terwijl ze af en toe een stukje kaas in haar mond stopte, 'kan ik je zeggen dat Jedson College niet geïnteresseerd is in het aantrekken van buitenstaanders. Punt uit. Het is een college, maar alleen in naam en qua formele status. In wezen is het een soort box: een plaats waar mensen die tot de geprivilegieerde klasse behoren, hun kinderen vier jaar kunnen opbergen voordat de jongens gaan werken in het bedrijf van papa en de meisjes met de jongens trouwen, voor huisvrouwtje gaan spelen en lid worden van de juiste clubs. De jongens studeren af in de economie, de meisjes in kunstgeschiedenis of huishoudkunde. De jongens willen niet al te hoge cijfers halen, want het wordt niet op prijs gesteld wanneer je al te slim bent. Sommige intelligentere studenten gaan later nog rechten of medicijnen studeren, maar als ze zo'n opleiding hebben voltooid keren ze toch weer terug in de schoot van hun familie.'
Ze klonk bitter, als een muurbloempje dat het bal van het afgelopen jaar beschrijft.
'Het gemiddelde inkomen van de ouders die hun kinderen hierheen

sturen, is meer dan honderdduizend dollar per jaar. Denk daar eens over na, Alex. Iedereen is rijk. Heb je de jachthaven gezien?'
Ik knikte.
'Die drijvende speelgoedjes zijn van de studenten.' Ze zweeg even, alsof ze het nog steeds niet kon geloven. 'De parkeerterreinen zien eruit als die van de Grand Prix van Monte Carlo. Deze jonge mensen dragen kasjmier en suède wanneer ze de beest gaan uithangen.'
Haar ene ruwe hand vond de andere en streelde die. Ze keek in de kleine kamer van de ene naar de andere muur alsof ze zocht naar verborgen afluisterapparatuur. Ik vroeg me af waar ze zo zenuwachtig over was. Oké, Jedson was een college voor rijke kinderen. Stanford was ook zo begonnen en zou misschien even ouderwets zijn gebleven als iemand zich niet had gerealiseerd dat het niet toelaten van slimme joden en Aziaten en andere mensen met een gekke naam en een hoog I.Q., uiteindelijk tot academische entropie zou leiden.
'Rijk zijn is geen misdaad,' zei ik.
'Daar gaat het niet alleen om. Ik doel ook op de volslagen geesteloosheid die ermee gepaard gaat. Ik heb in de jaren zestig in Madison gestudeerd. Daar was sprake van een maatschappelijk bewustzijn. Van activisme. We waren hard aan het werk om een eind aan de oorlog te maken. Nu is daar die beweging tegen kernwapens. Een universiteit kan een broeikas voor het geweten zijn, maar hier groeit niets.'
Ik stelde me haar vijftien jaar geleden voor, terwijl ze gekleed in een kaki broek en een sweatshirt meeliep in een protestmars en slogans schreeuwde. Het radicalisme had de strijd verloren van de overlevingsdrang, was geërodeerd door te veel nietsdoen. Maar af en toe kon ze er nog heimwee naar hebben...
'Het is vooral moeilijk voor de docenten,' zei ze. 'Niet voor de oude garde. Ik doel op de Jong-Turken, zoals ze zichzelf noemen. Ze komen hier vanwege de krappe banenmarkt, met hun typerend academische idealisme en liberale standpunten, en houden het vervolgens twee, misschien drie jaar vol. Intellectueel stompt het werk hier je af, om nog maar te zwijgen over de frustratie die je deel wordt wanneer jij vijftienduizend dollar per jaar verdient en de garderobe van een student al méér heeft gekost.'
'Je klinkt alsof je dat uit de eerste hand weet.'
'Dat klopt. Er was... een man. Een goede vriend van me. Hij kwam hierheen om filosofie te doceren en hij was briljant. Afgestudeerd aan

Princeton en een echte wetenschapper. Het vrat aan hem. Hij heeft er met mij over gepraat, me verteld hoe het was om voor een groep studenten te staan, een college te geven over Kierkegaard en Sartre, en dertig paar lege blauwe ogen naar je te zien staren. Hij is vorig jaar weggegaan.'

Ze keek triest. Ik veranderde van onderwerp.

'Je had het over de oude garde. Wie behoren daartoe?'

'Mensen die hier zijn afgestudeerd en in iets anders geïnteresseerd raken dan in het verdienen van geld. Ze studeren verder in een volstrekt nutteloos vak als bijvoorbeeld geschiedenis, sociologie of literatuur en komen dan op handen en knieën hierheen teruggekropen om te kunnen doceren. Jedson zorgt goed voor zijn eigen mensen.'

'Ik zou zo denken dat zij het makkelijker met de studenten kunnen vinden omdat ze eenzelfde achtergrond hebben.'

'Dat zal haast wel zo zijn, want zij blijven hier. De meesten zijn al wat ouder. Maar de laatste tijd zijn er niet zoveel oud-studenten teruggekomen. Het kan zijn dat de oude garde steeds kleiner wordt. Sommigen zijn heel fatsoenlijke types. Ik heb het gevoel dat ze altijd buitenbeentjes zijn geweest: mensen die niet binnen het stramien pasten. Zelfs de geprivilegieerde klassen hebben hun buitenbeentjes, neem ik aan.'

Haar gezichtsuitdrukking maakte duidelijk dat ze uit eigen ervaring wist hoe pijnlijk het was om maatschappelijk niet te worden geaccepteerd. Het kan zijn dat ze aanvoelde dat ze op het punt stond de grens tussen maatschappelijk commentaar en een psychische striptease te overschrijden, want ze zweeg, zette haar bril op en glimlachte zuur.

'Hoe vind je dat alles klinken uit de mond van iemand die de p.r. moet verzorgen?'

'Gegeven het feit dat je hier pas zo kort werkt, heb je de zaken al aardig op een rijtje staan.'

'Sommige dingen heb ik met eigen ogen gezien, andere heb ik me laten vertellen.'

'Door je vriend de echte wetenschapper?'

'Ja.' Ze pakte een te grote handtas van imitatieleer en had niet veel tijd nodig om te vinden wat ze zocht.

'Dit is Lee,' zei ze en gaf me een kiekje van haarzelf en een man die nogal wat centimeters kleiner was dan zij. Hij was kalend, had plukjes dik, donker krullend haar boven elk oor, een volle donkere snor en een

ronde bril zonder montuur op zijn neus. Hij droeg een vergeeld blauw werkhemd, een spijkerbroek en hoge wandelschoenen. Margaret Dopplemeier was gekleed in een poncho die haar lengte accentueerde, een wijde corduroy broek en platte sandalen. Ze had een arm om hem heen geslagen en zag er moederlijk en tegelijkertijd als een afhankelijk kind uit. 'Hij woont nu in New Mexico; hij schrijft een boek. In alle eenzaamheid, zegt hij.'
Ik gaf haar de foto terug.
'Schrijvers hebben vaak behoefte aan eenzaamheid.'
'Ja. Daar hebben we het vaak over gehad.' Ze borg de foto weer op, stak een hand uit naar de kaas en trok die toen weer terug alsof ze opeens geen trek meer had.
Ik liet een korte stilte vallen en stapte toen van haar persoonlijk leven als gespreksonderwerp af.
'Alles wat je me hebt verteld is fascinerend, Margaret. Jedson heeft alle studenten die het college nodig heeft. Het is een systeem dat zichzelf in stand houdt.'
Het woord 'systeem' kan een psychische katalysator zijn voor iemand die ooit met links heeft geflirt. Ze begon weer te praten.
'Inderdaad. Het percentage studenten die kinderen zijn van ouders die hier ook hebben gestudeerd, is ongelooflijk hoog. Ik durf te wedden dat de tweeduizend studenten uit niet meer dan vijf- tot zevenhonderd families komen. Wanneer ik lijsten moet maken, duiken telkens dezelfde achternamen op. Daarom schrok ik toen je het over één grote familie had. Ik vroeg me af hoeveel je wist.'
'Tot ik hier kwam, wist ik niets.'
'Hmmm. Ik heb te veel gepraat, hè?'
'Binnen een gesloten systeem is publiciteit wel het laatste dat een leiding wil,' zei ik.
'Daar heb je volkomen gelijk in. Jedson is een anachronisme. Het kan de twintigste eeuw overleven door klein te blijven en niet in de publiciteit te komen. Ik had opdracht gekregen je uiterst hartelijk te ontvangen, een gezellig wandelingetje over de campus met je te maken, je weinig of niets interessants te vertellen en je dan weer te laten vertrekken. De raad van bestuur wil niet in de *Los Angeles Times* worden genoemd. Men wil niet dat kwesties als een voorkeursbehandeling of gelijke kansen voor iedereen bij de inschrijving, hun lelijke kop opsteken.'

'Margaret, ik waardeer je eerlijkheid.'
Even dacht ik dat ze zou gaan huilen.
'Doe niet alsof ik een heilige ben. Dat ben ik niet en dat weet ik. Dat ik je dit alles heb verteld, duidt op weinig ruggegraat. Ik ben in wezen achterbaks geweest. De mensen hier zijn niet boosaardig en ik heb het recht niet om hen aan de kaak te stellen, want ze zijn goed voor me geweest. Maar ik word er soms zo moe van om een façade op te houden, aanwezig te zijn bij theekransjes met vrouwen om me heen die een hele dag kunnen praten over motieven op porselein en de juiste manier om couverts neer te leggen. Wil je wel geloven dat ze hier speciale cursussen daarvoor geven?'
Ze keek naar haar handen alsof ze zich niet kon voorstellen dat die iets delicaats als porselein konden vasthouden.
'Alex, mijn werk stelt in feite niets voor. Ik ben een soort veredelde postdienst. Maar ik zal niet weggaan,' zei ze nadrukkelijk, alsof ze het tegen een ongeziene tegenstander had. 'Nog niet. Niet op dit moment in mijn leven. Wanneer ik wakker word, zie ik het meer. Ik heb mijn boeken en een goede stereo-installatie. Niet ver hiervandaan kan ik verse bramen plukken en die eet ik 's morgens met slagroom op.'
Ik zei niets.
'Ga je me verraden?' vroeg ze.
'Natuurlijk niet, Margaret.'
'Ga dan weg en zie ervan af Jedson in je artikel te noemen. Een buitenstaander heeft hier niets te zoeken.'
'Dat kan ik niet doen.'
Ze ging kaarsrecht zitten.
'Waarom niet?' Doodsangst en woede klonken in haar stem door en in haar ogen lag beslist een dreigende blik. Ik kon best begrijpen waarom haar minnaar naar de eenzaamheid was gevlucht. Voor mij stond het vast dat hij niet alleen had willen ontsnappen aan de studenten van Jedson, met wie hij toch niets kon beginnen.
Om de communicatielijnen open te houden kon ik haar niets anders bieden dan de waarheid en de kans met mij onder één hoedje te spelen. Ik haalde diep adem en vertelde haar de werkelijke reden van mijn bezoek. Toen ik klaar was, zag ik haar even bezitterig en tegelijkertijd afhankelijk kijken als op het kiekje. Ik wilde wat verder uit haar buurt schuiven, maar mijn stoel stond niet meer dan een paar centimeter van de deur vandaan.

'Het is gek,' zei ze. 'Ik zou me uitgebuit en gebruikt moeten voelen, maar dat is niet zo. Je hebt een eerlijk gezicht. Zelfs je leugens klinken rechtschapen.'
'Ik ben niet meer rechtschapen dan jij. Ik wil alleen wat feiten achterhalen. Help me daarbij.'
'Ik ben lid geweest van de studentenbeweging die zich inzette voor een democratische maatschappij, weet je. In die tijd vond ik politiemensen zwijnen.'
'We leven nu in een andere tijd. Ik ben niet van de politie en we hebben het niet over abstracte theorieën of een revolutie. Margaret, het gaat om drie moorden, kindermishandeling en misschien nog wel meer. Niet over politieke moorden. Onschuldige mensen die in bloedige mootjes zijn gehakt, van wie menselijk moes is gemaakt. Kinderen die op een eenzame weg worden doodgereden.'
Ze rilde, draaide van me weg, streek met een ongelakte vingernagel over een tand en keek me toen weer aan.
'En jij denkt dat iemand die hier ooit heeft gestudeerd voor dat alles verantwoordelijk is?' Het idee alleen al stond haar in hoge mate aan.
'Ik denk dat twee van hen er iets mee te maken hebben gehad.'
'Waarom doe je dit? Je zegt dat je psychiater bent.'
'Psycholoog.'
'Wat dan ook. Wat word je er zelf wijzer van?'
'Niets. In elk geval niets dat jij zou geloven.'
'Zeg het me toch maar.'
'Ik wil dat er gerechtigheid geschiedt. Dit alles vreet aan me.'
'Ik geloof je,' zei ze zacht.

Ze bleef twintig minuten weg en toen ze terugkwam, had ze een armvol boeken bij zich die in een donkerblauw marokijnleer gebonden waren.
'Dit zijn de jaarboeken en ik hoop dat je de leeftijden van die twee lui min of meer juist hebt geschat. Ik laat ze bij jou achter en ga zelf op zoek naar de dossiers van onze alumni. Doe de deur achter me op de grendel en laat niemand binnen. Ik klop eerst drie en dan twee keer. Dat is ons signaal.'
'*Roger.*'
'Ha!' Ze lachte en zag er voor het eerst bijna aantrekkelijk uit.
Timothy Kruger had gelogen toen hij zei dat hij arm was geweest in

de tijd dat hij op Jedson zat. Zijn familie had het college een paar gebouwen geschonken en ook na het vluchtig doorbladeren van het jaarboek was het me al duidelijk dat de Krugers héél belangrijke mensen waren. Over zijn atletische prestaties had hij niet gelogen. Hij was uitmuntend geweest in lichte atletiek, honkbal en Grieks-Romeins worstelen. Op de foto's in het jaarboek leek hij op de man die ik een paar dagen geleden had gesproken. Er waren foto's van hem terwijl hij aan het hordenlopen en speerwerpen was, en verderop in het boek zag ik toneelfoto's waarop hij de rollen van Hamlet en Petruchio speelde. Ik had de indruk dat hij een belangrijk man op de campus was geweest en vroeg me af hoe hij uiteindelijk met behulp van valse getuigschriften in La Casa de los Niños was beland.

De foto van L. Willard Towle liet zien dat hij in zijn jonge jaren een Tab Hunter-type was geweest. Hij bleek voorzitter te zijn geweest van de club van studenten in de medicijnen en die in de biologie, en tevens aanvoerder van het roeiteam. Een sterretje verwees naar een voetnoot die de lezer aanraadde de laatste bladzijde van het boek op te slaan. Dat deed ik en ik zag een zwartomrande foto, dezelfde foto die ik in Towles kantoor had gezien van zijn vrouw en zoon, met een meer en bergen op de achtergrond. Onder de foto stond:

In Memoriam
Lilah Hutchison Towle
1930-1951

Lionel Willard Towle Jr.
1949-1951

Daaronder vier versregels:

Hoe snel beweegt zich niet de nacht
Om een eind te maken aan onze hoop en dromen;
Maar zelfs in de allerdonkerste nacht
Is nog een straal van vrede te bespeuren.

Het was ondertekend met 'S'.

Ik herlas het gedicht toen Margaret Dopplemeier op de afgesproken manier op de deur klopte. Ik schoof de grendel eraf en ze kwam binnen met een bruine envelop. Ze deed de deur weer op de grendel, ging achter haar bureau zitten, maakte de envelop open en schudde er twee kaarten van zeven bij twaalf centimeter uit.

'Deze komen rechtstreeks uit het heilige alumni-dossier.' Ze keek even naar een van de kaarten en gaf die toen aan mij. 'Dit is de psychiater.'

Towles naam stond bovenaan, in een fraai handschrift geschreven. Daaronder meerdere aantekeningen, in verschillende handschriften en verschillende kleuren inkt. De meeste waren afkortingen of codes.

'Kun je me vertellen wat die aantekeningen betekenen?'

Ze liep om haar bureau heen, ging naast me zitten, pakte de kaart en bestudeerde die.

'Daar is niets mysterieus aan. De afkortingen dienen om ruimte te besparen. De eerste vijf cijfers na de naam is de code van de alumnus, die wordt gebruikt voor het verzenden van post, het opbergen van stukken en zo. Daarna volgt een drie, wat betekent dat hij de derde van zijn familie is die hier heeft gestudeerd. Het MED zal duidelijk zijn. Dat is een codering voor het gekozen beroep. F: MED betekent dat er veel artsen in de familie zijn en waren. Als het scheepsbouwers waren geweest, zou er SCHPSB hebben gestaan enzovoort. K:51 duidt op het jaar waarin hij zijn kandidaats heeft gehaald. G:J.148793 geeft aan dat hij met een studente van hier is getrouwd en dat men ook onder haar code kan kijken. Hier zie ik iets interessants. Na de code van zijn echtgenote staat een kleine o tussen haakjes, wat betekent dat ze is overleden. Op 17-6-'51, toen hij hier nog studeerde. Wist jij dat?'

'Ja. Zouden we daar op de een of andere manier wat meer over te weten kunnen komen?'

Ze dacht even na.

'We zouden in de plaatselijke kranten van die week kunnen zoeken naar een overlijdensbericht of een rouwadvertentie.'

'Wat zou je denken van de studentenkrant?'

'De *Spartan* is een blad van niks, maar ik neem aan dat aan zoiets wel aandacht is besteed. De jaargangen worden bewaard in de bibliotheek, aan de andere kant van de campus. Daar kunnen we later naartoe gaan. Denk je dat het relevant is?'

Ze was opgewonden, meisjesachtig, ging volledig op in onze kleine intrige.

'Dat zou het kunnen zijn, Margaret. Ik wil zoveel mogelijk over die mensen te weten komen.'

'Van der Graaf,' zei ze.
'Wat zeg je?'
'Professor Van der Graaf, van de geschiedenisfaculteit. Hij is de oudste van de oude garde en loopt hier al langer rond dan alle anderen die ik ken. Bovendien roddelt hij graag. Ik heb tijdens een tuinfeest naast hem gezeten en die lieve oude man heeft me toen allerlei wetenswaardigheidjes verteld: wie met wie naar bed ging, de vuile was binnen de faculteit en zo.'
'Steekt niemand daar een stokje voor?'
'Hij loopt tegen de negentig, bulkt van het geld, is niet getrouwd en heeft geen erfgenamen. Ze wachten gewoon tot hij zijn laatste adem uitblaast en alles aan het college nalaat. Hij is allang met emeritaat, maar hij heeft nog wel een werkkamer op de campus en zondert zich daar af om boeken te schrijven. Het zou me niet verbazen wanneer hij er ook slaapt. Hij weet meer over Jedson dan wie dan ook.'
'Denk je dat hij bereid zou zijn met mij te praten?'
'Als hij in de juiste stemming is. Om je de waarheid te zeggen moest ik aan hem denken toen je me over de telefoon zei dat je meer wilde weten over beroemde alumni. Maar ik dacht dat het te riskant was om hem met een verslaggever alleen te laten. Je weet nooit wat hij zal doen of zeggen.'
Ze giechelde, genietend van het vermogen van de oude man om vanuit zijn machtspositie te rebelleren.
'Maar nu ik weet wat jij wilt, is hij de perfecte man om een praatje mee te maken,' ging ze verder. 'Je zult wel een verhaaltje moeten verzinnen waarom je over Towle wilt praten, maar ik denk niet dat dat voor iemand die zo sluw is als jij een probleem zal zijn.'
'Wat zou je hiervan denken? Ik ben een verslaggever van *Medical World News*. Noem me maar Bill Roberts. Towle is gekozen tot president van de Academie van Kindergeneeskunde en ik ben bezig met een achtergrondartikel over hem.'
'Dat klinkt goed. Ik zal hem meteen bellen.'
Ze pakte de telefoon en ik keek weer naar de kaart van Towle. Ze had alleen geen nadere toelichting gegeven op een reeks aantekeningen onder de kop $. Donaties aan het college, nam ik aan. Gemiddeld tienduizend dollar per jaar. Towle was een trouwe zoon.
'Professor Van der Graaf,' zei ze, 'u spreekt met Margaret Dopplemeier van de afdeling public relations. Met mij gaat het goed. Dank u.

En met u? Prima... O, ik twijfel er niet aan dat we daar een oplossing voor kunnen vinden, professor.' Ze legde een hand op het mondstuk van de hoorn, knipoogde naar me en vormde met haar lippen de woorden 'goeie bui'. 'Ik wist niet dat u pizza's lekker vond, professor. Nee, nee. Ik hou ook niet van ansjovis. Ja, Duesenbergs vind ik wel mooi. Ik weet dat u dat doet... Ja, dat weet ik. Het was aan het stortregenen, professor. Ja, dat wil ik best doen. Wanneer het weer opklaart. Met het dak omlaag. Ik zal een pizza voor u halen.'
Ze flirtte nog vijf minuten met Van der Graaf en begon toen over mijn bezoek. Ze luisterde, gaf me met duim en wijsvinger een teken dat het goed was en flirtte verder. Ik pakte de kaart van Kruger.
Hij was de vijfde telg uit zijn familie die aan Jedson had gestudeerd en was volgens de lijst vijf jaar geleden afgestudeerd. Er stond niet vermeld waar hij nu werkte. Volgens de codes was de familie actief in de staalindustrie en in de onroerend-goedwereld. Er werd geen melding gemaakt van een huwelijk en hij had ook geen geld aan het college geschonken. Ik zag wel een interessante referentie. Onder VERW stond de naam van Towle. Onderaan op de kaart stonden drie letters – GER – met grote blokletters geschreven.
Margaret legde de hoorn op de haak.
'Hij is bereid je te ontvangen mits ik meekom en hem, ik citeer: een stevige massage geef, jongedame. Daarmee zul je de tijd die een levend fossiel nog op deze aarde kan doorbrengen, verlengen. Einde citaat. Die ouwe geilbaard,' voegde ze er teder aan toe.
Ik vroeg haar naar Towles naam op de kaart van Kruger.
'VERW is een afkorting van verwanten. Towle en Kruger zijn kennelijk neven van elkaar of zoiets.'
'Waarom staat dat dan niet op de kaart van Towle vermeld?'
'Ik neem aan dat die aantekening na Krugers afstuderen is aangebracht. Dat is aanzienlijk makkelijker dan zo'n gegeven ook op oudere kaarten te vermelden. Ik moet je zeggen dat GER een interessantere aantekening is. Dat betekent dat hij is geroyeerd. Uit onze officiële dossiers is geschrapt.'
'Waarom?'
'Dat weet ik niet, want dat staat er niet bij. Zoiets wordt overigens nooit vermeld. Hij zal zijn boekje op de een of andere manier wel te buiten zijn gegaan en gezien de achtergrond van zijn familie kan het geen licht vergrijp zijn geweest, maar iets waardoor het college heeft

besloten de handen van hem af te trekken.' Ze keek me aan. 'Dit begint interessant te worden, nietwaar?'
'Heel interessant.'
Ze stopte de kaarten terug in de envelop, borg ze op in een bureaulade en deed die op slot.
'Ik zal je nu meenemen naar Van der Graaf.'

22

Een vergulde kooi die als lift dienst deed, nam ons mee naar de vierde verdieping van een gebouw met een koepel aan de westkant van de campus. Hij deed zijn kaken open en we stapten een stille, stoffige marmeren gaanderij op. Het concave plafond was van pleisterwerk met een inmiddels vergeelde schildering van hoorn spelende engeltjes erop. De muren van de koepel waren van steen en roken naar rottend papier. Een ruitvormig raam scheidde twee eiken deuren van elkaar. Op de ene stond: KAARTENKAMER. Die leek al in geen eeuwen gebruikt. Op de andere deur was geen bordje aangebracht.
Margaret klopte op die laatste deur en toen er niet werd gereageerd, duwde ze hem open. De kamer was groot, had een hoog plafond en kathedraalramen die uitzicht boden op de haven. Elke vrije centimeter muur werd in beslag genomen door planken waarop oude boeken willekeurig waren neergezet. De boeken die geen plaatsje op de planken hadden kunnen krijgen, stonden in wankele stapels op de grond. In het midden van de kamer stond een schraagtafel met manuscripten en nog meer boeken erop. Een aardbol op een standaard met wielen en een oud bureau met klauwpoten waren in een hoek gezet. Boven op het bureau lagen een doosje van McDonald's en een paar verfrommelde, vette servetten.
'Professor?' zei Margaret. Tegen mij: 'Ik vraag me af waar hij naartoe is gegaan.'
'Kiekeboe!' Het geluid kwam ergens achter de schraagtafel vandaan.
Margaret schrok en haar tas vloog uit haar handen. De inhoud ervan belandde op de grond.
Een verweerd hoofd verscheen om de omgekrulde randen van een stapel vergeeld papier.
'Sorry dat ik je aan het schrikken heb gemaakt, schatje.'

Het hoofd kwam nog verder te voorschijn, in de nek gegooid, geluidloos lachend.
'Professor, u moet u schamen,' zei Margaret. Ze bukte zich om haar spulletjes weer op te rapen.
Hij kwam achter de tafel vandaan en keek schaapachtig. Tot dat moment had ik gedacht dat hij zat. Maar toen zijn hoofd niet verder omhoog kwam, besefte ik dat hij aldoor al had gestaan.
Hij was ongeveer een meter veertig. Zijn lichaam had verder normale afmetingen, maar was bij zijn middel gebogen, de ruggegraat vervormd tot een s. Op de misvormde rug een bochel met de maat van een volgepakte rugzak. Zijn hoofd leek te groot voor de rest van zijn lichaam: een gerimpeld ei met wat witte haartjes erop. Toen hij zich bewoog, leek hij op een slaperige schorpioen.
Hij keek gespeeld berouwvol, maar de pretlichtjes in de blauwe ogen zeiden veel meer dan de omlaag getrokken, liploze mond.
'Kan ik je ergens mee helpen, schatje?' De stem was laag en heel beschaafd.
Margaret pakte haar laatste spulletjes van de grond en stopte ze in haar tas.
'Nee, dank u, professor. Ik heb alles al.' Ze probeerde een rustige indruk te wekken.
'Ga je nog met me picknicken, met een pizza?'
'Alleen wanneer u belooft dat u zich netjes zult gedragen.'
'Dat beloof ik je, schatje,' zei hij.
'Oké. Professor, dit is Bill Roberts, de journalist over wie ik u heb verteld. Bill, dit is professor Garth Van der Graaf.'
'Hallo, professor.'
Hij keek me van onder slaperige oogleden aan.
'Je ziet er niet uit als Clark Kent,' zei hij.
'Pardon?'
'Worden alle journalisten niet geacht op Clark Kent te lijken?'
'Ik was me niet bewust van die specifieke vakbondsregel.'
'Na de oorlog ben ik geïnterviewd door een journalist. De grote oorlog, de Tweede Wereldoorlog dus. Hij wilde weten welke plaats die oorlog in de geschiedenis zou gaan innemen. Híj leek op Clark Kent.' Hij streek met een hand over zijn schedel vol levervlekjes. 'Je hebt niet toevallig een bril of zo, jongeman?'
'Sorry, professor, maar mijn ogen zijn nog perfect in orde.'

Hij draaide me zijn rug toe en liep naar een van de boekenplanken. Zijn bewegingen hadden een eigenaardige, reptielachtige gratie. Het gebogen lichaam leek zich naar opzij te bewegen, terwijl het in feite naar voren ging. Hij klauterde langzaam op het krukje, stak een hand uit, pakte een in leer gebonden boek, stapte het krukje weer af en liep naar ons terug.

'Kijk.' Hij sloeg het boek open en ik zag nu dat het een opbergmap was met een verzameling stripboeken erin. 'Deze man bedoel ik.' Een trillende vinger wees op een tekening van de sterverslaggever van de *Daily Planet*, die een telefooncel inliep. 'Clark Kent. Dàt is een journalist.'

'Professor, ik twijfel er niet aan dat meneer Roberts weet wie Clark Kent is.'

'Dan moet hij terugkomen wanneer hij meer op hem lijkt en dan zal ik met hem praten,' zei de oude man kortaf.

Margaret en ik wisselden hulpeloze blikken uit. Ze wilde iets zeggen. Van der Graaf gooide zijn hoofd weer in zijn nek en kakelde droog.

'Eén april!' Hij lachte voluit om zijn eigen grapje en dat gelach veranderde in een hoestbui met veel slijm.

'O, professor!' zei Margaret berispend.

Ze kruisten opnieuw verbaal de degens. Ik begon te vermoeden dat ze het al lang uitstekend met elkaar konden vinden. Ik stond langs de zijlijn en voelde me een onwillige toeschouwer van een show van zonderlingen.

'Geef nu maar toe, ik heb je in de maling genomen, schatje.' Van de pret stampte hij met een voet op de grond. 'Je dacht dat ik volslagen seniel was geworden.'

'U bent niet senieler dan ik,' zei ze. 'Maar u bent wel een ondeugende jongen.'

Met de seconde kreeg ik minder hoop dat deze gekrompen, gebochelde man me iets wijzer zou kunnen maken. Ik schraapte mijn keel.

Ze hielden hun mond en staarden me aan. Bij een mondhoek van Van der Graaf zat een belletje spuug. Zijn trillende handen verrieden een lichte vorm van de ziekte van Parkinson. Margaret torende hoog boven hem uit, haar benen stonden gekruist.

'Nu wil ik dat u meneer Roberts helpt,' zei ze streng.

Van der Graaf zond me een gemelijke blik toe.

'Oké,' zei hij klaaglijk. 'Maar alleen wanneer je me daarna in mijn ''Doosie'' het meer rondrijdt.'

'Dat heb ik al beloofd.'
'Ik heb een Duesenberg uit zevenendertig,' legde hij mij uit. 'Schitterende kar. Vierhonderd snuivende paardekrachten onder een glanzende, robijnrode motorkap. Pijpen van chroom. Ik kan er niet langer in rijden, maar Maggie is een grote meid en zij zou er onder mijn leiding best mee overweg kunnen. Maar dat wil ze niet.'
'Professor, daar had ik een goede reden voor. Het regende keihard en ik wilde in dat weer niet achter het stuur gaan zitten van een auto die tweehonderdduizend dollar waard is.'
'Onzin. Ik ben in vierenveertig met mijn schatje hiervandaan naar Sonoma gereden. Hij gedijt bij meteorologische tegenslagen.'
'Oké. Ik zal u rijden. Morgen. Wanneer meneer Roberts me heeft gemeld dat u zich netjes hebt gedragen.'
'Ik ben de prof. Ik geef de cijfers.'
Ze negeerde hem.
'Meneer Roberts, ik moet naar de bibliotheek. Kunt u zelf de weg terug naar mijn kantoor vinden?'
'Zeker.'
'Dan zie ik u wel weer wanneer u hier klaar bent. Tot ziens, professor.'
'Morgen om één uur, of het nu regent of de zon schijnt,' riep hij haar na.
Toen de deur dicht was vroeg hij me te gaan zitten.
'Ik blijf zelf liever staan, want ik kan geen enkele stoel vinden waarin ik pas. Toen ik jong was heeft mijn vader overlegd met timmerlui en houtbewerkers, in de hoop dat die een stoel konden ontwerpen waarin ik gemakkelijk zou zitten. Dat is niet gelukt, al hebben ze wel enige fascinerende abstracte sculpturen afgeleverd.' Hij lachte en hield de schraagtafel als steuntje vast. 'Ik heb het merendeel van mijn leven gestaan. Uiteindelijk heb ik daar waarschijnlijk baat bij gehad. Ik heb ijzersterke benen en mijn bloedsomloop is even goed als van een man die half zo oud is als ik.'
Ik ging in een leren fauteuil zitten. We konden elkaar recht aankijken.
'Maggie is zo'n zielige vrouw,' zei hij. 'Ik flirt met haar en probeer haar zo op te vrolijken. Ze lijkt het merendeel van de tijd zo eenzaam.'
Hij rommelde tussen zijn papieren en haalde een flacon te voorschijn.
'Ierse whiskey. In de bovenste la van het bureau kun je twee glazen vinden. Wil je die pakken en aan me geven?'

Ik vond de glazen, die er niet al te schoon uitzagen. Van der Graaf schonk in elk ervan tweeëneenhalve centimeter whiskey, zonder ook maar een druppel te morsen.
'Alsjeblieft.'
Ik zag hem een slokje nemen en volgde zijn voorbeeld.
'Denk je dat ze nog maagd is? Is dat in deze tijd nog mogelijk?' Hij benaderde de vraag alsof die een kennistheoretisch probleem was.
'Dat zou ik echt niet weten, professor. Ik heb haar een uur geleden pas leren kennen.'
'Ik kan me niet voorstellen dat een vrouw van haar leeftijd nog maagd is. Maar toch is het idee dat die melkwitte dijen om een paar stotende billen zijn geklemd, even belachelijk.' Hij dronk nog meer whiskey, dacht zwijgend over het sexleven van Margaret Dopplemeier na en staarde voor zich uit.
Uiteindelijk zei hij: 'Jij bent een geduldige jongeman, en dat is een zeldzame eigenschap.'
Ik knikte.
'U zult wel beginnen wanneer u er klaar voor bent, professor.'
'Ik moet toegeven dat ik me behoorlijk kinderachtig kan gedragen. Dat voorrecht heb ik door mijn leeftijd en mijn status verkregen. Weet je hoe lang het geleden is dat ik college heb gegeven of een wetenschappelijk artikel heb geschreven?'
'Geruime tijd, denk ik zo.'
'Meer dan twintig jaar. Sinds die tijd denk ik hier zogenaamd diep na, terwijl ik in feite rondlummel. Toch ben ik een geëerde emeritus professor. Vind je een systeem dat zoiets belachelijks tolereert, niet absurd?'
'Misschien heeft men het gevoel dat u het recht om eervol met pensioen te gaan, wel degelijk hebt verdiend.'
'Onzin!' Hij zwaaide met een hand door de lucht. 'Naar mijn smaak riekt dat te veel naar de dood. Eervol met pensioen gaan, met maden die aan je tenen knagen. Ik moet je bekennen, jongeman, dat ik nóóit iets heb verdiend. Ik heb zevenenzestig pagina's in geleerde vaktijdschriften volgeschreven en op vijf na behelsden die niets anders dan pure nonsens. Ik heb meegewerkt aan drie boeken die niemand ooit heeft gelezen en in het algemeen het leven van een verwende nietsnut geleefd. Het was geweldig.'
Hij dronk zijn whiskey op en zette het glas met een klap op de tafel.

'Ze houden me hier omdat ik miljoenen dollars in een belastingvrij fonds heb dat mijn vader voor me heeft gesticht en ze hopen dat ik alles aan hen zal nalaten.' Hij glimlachte ondeugend. 'Misschien doe ik dat wel, maar misschien ook niet. Misschien moet ik alles nalaten aan de een of andere zwarte organisatie of iets even krankzinnigs. Een groep die vecht voor de rechten van lesbiennes, wellicht. Bestaat er zo'n intrigantenkliek?'
'Dat zal vast wel.'
'In Californië, ongetwijfeld. Nu we het daar toch over hebben... je wilde meer weten over Willie Towle uit Los Angeles, toch?'
Ik herhaalde het verhaal over de *Medical World News*.
'Oké, als je erop staat zal ik proberen je te helpen.' Hij zuchtte. 'Al weet alleen God waarom iemand belangstelling zou kunnen hebben voor Willie Towle. Nooit heeft een saaiere man een voet op deze campus gezet. Toen ik hoorde dat hij arts was geworden, was ik verbaasd. Ik had hem daar intellectueel nooit toe in staat geacht. Natuurlijk zijn veel familieleden van hem arts geworden; een van de Towles was tijdens de Burgeroorlog Grants privé-chirurg; dat is iets dat je misschien voor je artikel kunt gebruiken. Ik neem aan dat het niet veel moeite heeft gekost Willie op de medische faculteit ingeschreven te krijgen.'
'Hij is een behoorlijk succesvolle psychiater geworden.'
'Dàt verbaast me níet. Er bestaan verschillende vormen van succes. Eén vorm vereist een combinatie van persoonlijke karaktertrekken die Willie inderdaad had: doorzettingsvermogen, gebrek aan verbeeldingskracht en een aangeboren conservatieve houding. Natuurlijk zullen een goed, recht lijf en een conventioneel aantrekkelijk gezicht je ook geen kwaad doen. Ik durf te wedden dat hij niet hogerop is gekomen omdat hij een diepzinnig wetenschappelijk denker of een vernieuwend onderzoeker was. Zijn sterke punten zijn van een wereldser aard, hè?'
'Hij geniet de reputatie een goede arts te zijn,' hield ik vol. 'Zijn patiënten hebben alleen maar goede dingen over hem te melden.'
'Hij zegt ongetwijfeld precies tegen hen wat ze graag willen horen. Daar is Willie altijd goed in geweest. Heel populair, voorzitter van dit en van dat. Hij heeft bij mij colleges in de Europese beschaving gevolgd en hij was een echte charmeur. Ja, professor, nee, professor. Altijd paraat om een stoel voor me klaar te houden. Mijn god, wat heb ik dat gehaat. Om nog maar te zwijgen over het feit dat ik vrijwel nooit

zit.' Hij trok een gezicht toen hij zich dat herinnerde. 'Hij had inderdaad een zekere banale charme. Dat vinden mensen prettig bij een arts. Goede manieren wanneer je naast het bed van je patiënt staat. Natuurlijk waren zijn essays het meest veelzeggend, want die lieten zien uit welk hout hij in werkelijkheid was gesneden. Voorspelbaar, accuraat, maar niet verhelderend. Grammaticaal juist, maar niet literair.' Hij zweeg even. 'Dit is niet de informatie waar je op hoopte, hè?'

Ik glimlachte. 'Niet direct.'

'Dit kun je zeker niet publiceren?' Hij klonk teleurgesteld.

'Ik ben bang dat het een lovend artikel moet worden.'

'Een hoop blabla en dus geouwehoer? Vind je het niet saai om zulke nonsens te moeten schrijven?'

'Soms wel, maar ik kan er mijn rekeningen mee betalen.'

'Natuurlijk. Heel arrogant van me om daar niet aan te denken. Ik heb nooit rekeningen hoeven te betalen. Dat doen mijn bankiers voor me. Ik heb altijd veel meer geld gehad dan ik mogelijkerwijs kon uitgeven en dat maakt je ongelooflijk naïef. Dat hebben alle luie mensen gemeen. We zijn ongelooflijk naïef. En er is sprake van inteelt, wat psychische en lichamelijke aberraties met zich brengt.' Hij glimlachte en tikte met een hand op zijn bochel. 'Deze campus is een toevluchtsoord voor de kinderen van indolente, naïeve en door inteelt voortgebrachte rijkelui. Inclusief jouw dokter Willie Towle. Hij komt voort uit een van de meest zeldzame milieus die je ooit zult kunnen vinden. Wist je dat?'

'Omdat hij de zoon van een arts is?'

'Nee, nee.' Hij deed alsof ik een erg stomme student was. 'Hij is er een van de Tweehonderd. Heb je nooit iets over hen gehoord?'

'Nee.'

'Haal de oude kaart van Seattle dan maar eens uit de onderste la van mijn bureau.'

Dat deed ik. De kaart lag onder een aantal oudere exemplaren van *Playboy*.

'Geef hem aan mij,' zei hij ongeduldig. Hij vouwde de kaart open en legde hem op de tafel neer. 'Kijk hier maar eens naar.'

Ik keek over zijn schouder en zijn vinger wees op een plaats bij het noordelijke uiteinde van de Sound. Op een klein eiland met de vorm van een ruit.

'Brindamoor Island. Een kleine vijf vierkante kilometer onaantrekkelijk terrein waarop tweehonderd landhuizen zijn gebouwd die zich kunnen meten met welke andere in de Verenigde Staten dan ook. Josiah Jedson had daar zijn eerste huis gebouwd, een gotisch monstrum, en zijn soortgenoten hadden hem nageaapt. Ik heb neven die daar wonen – de meeste van ons zijn op de een of andere manier wel familie van elkaar – hoewel mijn vader òns huis op het vasteland heeft gebouwd, in Windermere.'

'Je kunt dat eilandje nauwelijks op de kaart zien.'

Het was een stipje in de Grote Oceaan.

'Dat was ook de bedoeling, m'n jongen. Op veel oudere kaarten staat het eiland niet eens aangegeven. Natuurlijk kun je het over het vasteland niet bereiken. De veerboot gaat er vanuit de haven één keer per dag naartoe en vaart dan weer terug als de weersomstandigheden en het getij dat toestaan. Soms is dat een, twee weken lang niet het geval. Sommige mensen die daar wonen hebben een eigen vliegtuig en een landingsbaan op hun terrein. De meesten zijn er tevreden mee in "splendid isolation" te leven.'

'Is Towle daar opgegroeid?'

'Zeker. Ik geloof dat het voorouderlijk optrekje inmiddels is verkocht. Hij was enig kind en toen hij naar Californië verhuisde leek er geen reden te zijn om het aan te houden. De meeste huizen daar zijn veel groter dan een huis zou mogen zijn. Architectonische dinosaurussen. Ontzettend duur in onderhoud. Zelfs de Tweehonderd moeten tegenwoordig budgetteren. Ze hadden niet allemaal voorouders die even slim waren als mijn vader.'

Hij klopte zich feliciterend op zijn middenrif.

'Hebt u het idee dat Towles jeugd op zo'n geïsoleerde plaats invloed op hem heeft gehad?'

'Jongeman, nu klink je als een psycholoog.'

Ik glimlachte.

'Om je vraag te beantwoorden: zeer zeker. De kinderen van de Tweehonderd waren onverdraaglijk snobistisch en je moet uitzonderlijk chauvinistisch zijn om die reputatie op het Jedson College te krijgen. Ze vormden een eigen clan, waren egocentrisch, verwend en niet bijzonder intelligent. Velen hadden broers of zusters met chronische lichamelijke of geestelijke problemen; mijn opmerking over inteelt meende ik heel serieus. Maar dat leek die jongelui vooral gevoelloos en onverschillig te maken.'

'U gebruikt de verleden tijd. Zijn ze er tegenwoordig niet meer?'
'Er zijn nog maar verbazingwekkend weinig jonge mensen die daar wonen. Ze kunnen aan de buitenwereld proeven en aarzelen dan om terug te keren naar Brindamoor, dat een heel onaantrekkelijk eiland is, ondanks de tennisbanen en de armzalige sociëteit.'
Om niet uit mijn rol te vallen, moest ik Towle verdedigen.
'Professor, ik ken Towle niet goed, maar er wordt zeer lovend over hem gesproken. Ik heb hem ontmoet en hij lijkt een sterke man met een sterk karakter. Is het niet mogelijk dat je individualiteit wordt versterkt wanneer je opgroeit in een omgeving als het door u beschreven Brindamoor?'
De oude man keek me minachtend aan.
'Onzin! Ik begrijp dat je zijn imago moet oppoetsen, maar van mij zul je niets anders dan de waarheid horen. In de club uit Brindamoor was niet één individu te vinden. Jongeman, eenzaamheid is de nectar van de individualiteit. Onze Willie Towle hield er niet van.'
'Waarom zegt u dat?'
'Ik kan me niet herinneren dat ik hem ooit heb gezien zonder dat er anderen bij hem waren. Hij was goede maatjes met twee andere sufferds van het eiland. Dat drietal liep hier rond als een stel kleine dictators. Achter hun rug werden ze de Drie Staatshoofden genoemd – opgeblazen jongens vol pretenties. Willie, Stu en Eddy.'
'Stu en Eddy?'
'Ja, ja, dat zei ik. Stuart Hickle en Edwin Hayden.'
Ik schrok onwillekeurig toen ik die namen hoorde. Ik deed mijn best mijn gezicht weer in een neutrale plooi te krijgen en hoopte dat de oude man mijn reactie niet had gezien. Dat leek gelukkig het geval te zijn. Met perkamentachtige stem ging hij door. 'Hickle was een ziekelijke rotzak met een puistekop en griezelige ideeën. De andere twee oefenden censuur uit op alles wat hij zei. Hayden was een gemene stiekemerd. Ik heb hem tijdens een examen op bedrog betrapt en toen heeft hij geprobeerd me om te kopen met het aanbod een Indiaanse hoer naar me toe te sturen die zogenaamd exotische talenten had. Kun je je die brutaliteit voorstellen? Alsof ik in dat opzicht niet voor mezelf kon zorgen! Natuurlijk heb ik hem laten zakken en een scherpe brief naar zijn ouders geschreven. Daar is nooit op gereageerd. Ze zullen hem wel nooit hebben gelezen omdat ze ergens in Europa op vakantie waren. Weet je wat er van hem is geworden?' vroeg hij tot slot retorisch.

'Nee,' loog ik.
'Hij is nu rechter. In Los Angeles. Ik geloof trouwens dat de glorieuze Staatshoofden alle drie naar Los Angeles zijn vertrokken. Hickle is een soort laborant geworden. Hij wilde net als Willie dokter worden en ik geloof dat hij ook echt medicijnen is gaan studeren. Maar hij was te stom om die studie te kunnen afmaken.'
'echter,' herhaalde hij. 'Wat zegt dat over ons rechtssysteem?'
De informatie werd heel snel op me afgevuurd en als een arme sloeber die opeens een aanzienlijke erfenis heeft gekregen, wist ik niet goed hoe ik ermee moest omgaan. Ik wilde de oude man vertellen wie ik in werkelijkheid was en elk brokje informatie zo nodig uit hem persen, maar ik moest rekening houden met het onderzoek en mijn beloften aan Margaret.
'Ik ben een vervelende oude vent, nietwaar?' zei Van der Graaf kakelend.
'U lijkt me een uitstekend waarnemer, professor.'
'Werkelijk?' Hij glimlachte sluw. 'Zou ik je nog wat wijzer kunnen maken?'
'Ik weet dat Towle jaren geleden zijn vrouw en zijn kind heeft verloren. Wat kunt u me daarover vertellen?'
Hij staarde me aan, schonk zijn glas nog eens vol en nam een slokje. 'Hoort dit allemaal bij je verhaal?'
'Ja, om het portret levendiger te maken,' zei ik. Het klonk zwak.
'Natuurlijk. Nou, het was een tragedie, dat staat vast, en jouw dokter was nog wat te jong om het te kunnen verwerken. Hij was in zijn tweede jaar getrouwd met een mooi meisje uit een goede familie uit Portland. Mooi, maar niet uit zijn eigen kring. De Tweehonderd trouwden vaak onderling. De verloving was enigszins een verrassing. Zes maanden later schonk de vrouw het leven aan een zoon en was dat mysterie opgehelderd.
Een tijdlang leek het trio uit elkaar te zijn. Hickle en Hayden bleven met elkaar omgaan, terwijl Willie zijn plichten als echtgenoot vervulde. Toen vonden zijn vrouw en zoontje de dood en waren de Staatshoofden weer herenigd. Ik neem aan dat het normaal is dat een man na zo'n verlies de troost van vrienden zoekt.'
'Hoe is het gebeurd?'
Hij keek naar zijn glas en dronk de laatste druppels op.
'Het meisje, de moeder, was met het kind onderweg naar het zieken-

huis. Hij was wakker geworden met een aanval van kroep of zoiets. De dichtstbijzijnde Spoedopname was in het Orthopedisch Kinderziekenhuis op het universiteitsterrein. Het was in de vroege ochtend en het was nog donker. Haar auto is vanaf de Evergreen Bridge het meer in geschoten. Pas toen het licht werd, is die gevonden.'
'Waar was Towle?'
'Aan het studeren, de hele nacht door. Natuurlijk voelde hij zich erg schuldig. Hij was er echt beroerd aan toe. Hij nam het zichzelf ongetwijfeld kwalijk dat hij er niet bij was geweest en daardoor niet zelf de verdrinkingsdood was gestorven. Je kent het wel, die zelfkastijding van mensen die dierbaren hebben verloren.'
'Een tragisch geval.'
'Inderdaad. Ze was een heel aantrekkelijke jonge vrouw.'
'Towle heeft een foto van haar in zijn spreekkamer.'
'Sentimentele man?'
'Dat vermoed ik.' Ik nam een slokje whiskey. 'Na die tragedie ging hij weer vaker met zijn vrienden om?'
'Ja, maar nu je dat zo stelt, moet ik opeens wel ergens aan denken. Bij vriendschap hoort naar mijn idee affectie, een zekere mate van wederzijdse waardering. Maar deze drie zagen er altijd zo grimmig uit wanneer ze samen waren. Ze leken niet eens van elkaars gezelschap te genieten. Ik heb nooit geweten welke band er tussen hen bestond, maar hij was er wel. Willie ging medicijnen studeren en Stuart volgde hem. Edwin Hayden besloot aan dezelfde universiteit rechten te gaan studeren. Ze gingen in dezelfde stad wonen. Je zult vast wel contact met die andere twee opnemen om lovende citaten voor je artikel te verzamelen. Als er tenminste een artikel zal worden geschreven.'
Het kostte me moeite om kalm te blijven.
'Hoe bedoelt u dat?'
'O, ik denk dat je dat wel weet, m'n jongen. Maar ik zal je niet vragen je te legitimeren om te bewijzen dat je bent wie je zegt te zijn. Dat zou trouwens op zich nog niets bewijzen. Ik vind je een aardige, intelligente jongeman en hoe vaak denk je dat ik bezoek krijg van iemand met wie ik een zinnig praatje kan maken? Nu heb ik er wel genoeg over gezegd.'
'Dat waardeer ik, professor.'
'Terecht. Ik neem aan dat je redenen hebt om me naar Willie te vragen. Die zullen ongetwijfeld niet interessant zijn en ik wil ze niet weten. Heb ik je geholpen?'

'Meer dan dat.' Ik schonk opnieuw in en we dronken samen nog een glas, zonder dat er iets werd gezegd.
'Zou u bereid zijn me nog iets meer te helpen?' vroeg ik.
'Dat hangt ervan af.'
'Towle heeft een neef, Timothy Kruger. Ik vraag me af of u me iets over hem kunt vertellen.'
Van der Graaf bracht met trillende handen zijn glas naar zijn lippen en zijn gezicht betrok.
'Kruger.' Hij sprak die naam uit alsof het een grafschrift was.
'Ja.'
'Oomzegger. Verre achterneef. Geen neef.'
'Oké. Verre achterneef.'
'Kruger. Een oude familie. Allemaal Pruisen. Handelen in macht. Een machtige familie.' Hij spuugde de woorden met een mechanische intonatie uit. 'Pruisen.'
Hij zette een paar wankele stappen, bleef toen weer staan en liet zijn armen slap langs zijn lichaam hangen.
'Dit moet een zaak van de politie zijn,' zei hij.
'Waarom zegt u dat?'
Zijn gezicht werd donker van woede en hij stak een tot een vuist gebalde hand omhoog, als een profeet die de verdoemenis voorspelt.
'Jongeman, speel geen spelletje met me. Als dit iets met Timothy Kruger te maken heeft, kan het weinig anders zijn.'
'Het maakt deel uit van een onderzoek naar een misdrijf. Ik kan niet op de details ingaan.'
'O nee? Ik heb je van alles en nog wat verteld zonder te eisen dat je me op de hoogte stelde van je ware bedoelingen. Even geleden dacht ik dat die oninteressant zouden zijn. Nu ben ik van gedachten veranderd.'
'Professor, waarom maakt de naam Kruger u zo bang?'
'Het kwaad maakt me bang,' zei hij. 'Je zegt dat je me die vragen stelt in verband met een onderzoek naar een misdrijf. Hoe kan ik weten aan wiens kant je staat?'
'Ik werk samen met de politie, maar ik ben geen politieman.'
'Raadseltjes tolereer ik niet! Of je komt met de waarheid op de proppen, of je vertrekt.'
Ik dacht over die keus na.
'Ik wil niet dat Margaret Dopplemeier wordt ontslagen door iets wat ik u vertel,' zei ik.

'Maggie?' Hij snoof. 'Maak je over haar geen zorgen. Ik ben niet van plan iemand te laten weten dat zij je naar me toe heeft gebracht. Ze is een zielige jonge vrouw, die intriges nodig heeft om haar leven wat te kruiden. Ik ken haar goed genoeg om te weten dat ze een hartstochtelijke aanhangster van de komplottheorie is. Wanneer je haar daar een voorbeeld van voor de neus houdt, duikt ze erop af als een forel op een lokaas. De moorden op de gebroeders Kennedy, vliegende schotels, kanker, rottende kiezen... allemaal het resultaat van een grootse botsing tussen anonieme demonen. Ongetwijfeld heb je dat gemerkt en er gebruik van gemaakt.'
Hij liet het machiavellistisch klinken. Ik tekende er geen protest tegen aan.
'Ik ben absoluut niet van plan Maggies leven te verwoesten. Ze is een vriendin van me. Bovendien ben ik dit college zeker niet blindelings trouw. Ik veracht bepaalde aspecten en elementen ervan, hoewel ik het in sommige opzichten ook als mijn ware thuis beschouw.'
'Elementen zoals de Krugers, bedoelt u?'
'Een omgeving die het Krugers en hun soortgenoten toestaat te gedijen.'
Het te grote hoofd wiebelde op zijn misvormde basis.
'De keus is aan jou, jongeman. Vertel me de waarheid of hou verder je mond.'
Ik vertelde hem de waarheid.

'Niets in je verhaal verbaast me,' zei hij. 'Ik wist niet dat Stuart Hickle seksueel verknipt en inmiddels dood was, maar geen van beide gegevens schokt me. Hij was een slechte dichter, een heel slechte dichter. En niets is een slechte dichter te gek.'
Ik herinnerde me de versregels voor Lilah Towle in het jaarboek. Het was nu duidelijk wie 'S' was.
'Toen je Timothy noemde schrok ik, omdat ik niet wist of de Krugers je in de arm hadden genomen. De legitimatie die je me hebt laten zien, is prima, maar die dingen kun je makkelijk vervalsen.'
'Belt u rechercheur Delano Hardy op het bureau van het westelijke deel van Los Angeles dan maar. Hij zal u zeggen aan wiens kant ik sta.' Ik hoopte dat hij dat niet zou doen, want ik had er geen idee van hoe Hardy zou reageren.
Hij keek me nadenkend aan. 'Nee, dat is niet nodig. Je bent een heel

slechte leugenaar. Ik geloof dat ik intuïtief weet wanneer je de waarheid spreekt.'
'Dank u.'
'Graag gedaan. Het was bedoeld als een compliment.'
'Vertelt u me alstublieft wat meer over Timothy Kruger,' zei ik.
Hij stond daar als een dwerg, knipperend met zijn ogen: iets dat was bedacht in een laboratorium voor speciale effecten in Hollywood.
'Het eerste dat ik met nadruk wil stellen, is dat de kwaadaardigheid van de Krugers niets met rijkdom te maken heeft. Ze hadden ook kwaadaardige armoedzaaiers kunnen zijn en ik denk dat ze dat ooit ook zijn geweest. Als je dat defensief vindt klinken, klopt dat.'
'Ik begrijp het wel.'
'Erg rijke mensen zijn niet kwaadaardig, alle bolsjewistische propaganda ten spijt. Zij doen niemand kwaad, worden overdreven beschermd, leiden een teruggetrokken leven, zijn tot uitsterven gedoemd.' Hij deed een stap naar achteren, alsof hij van zijn eigen voorspelling terugschrok.
Ik wachtte.
'Timothy Kruger is een moordenaar,' zei hij uiteindelijk. 'Zo eenvoudig ligt het. Het feit dat hij nooit is gearresteerd, berecht en veroordeeld, maakt hem in mijn ogen niet minder schuldig. Voor dit verhaal moet ik zeven, nee acht jaar in de tijd teruggaan. Er was hier een student, een boerenzoon uit Idaho. Heel intelligent en een ware adonis. Hij heette Saxon. Jeffrey Saxon. Hij kwam hier om te studeren – hij was de eerste uit zijn familie die de high school had afgemaakt – en droomde ervan schrijver te worden.
Hij werd aangenomen omdat hij een atletiekbeurs had gekregen – roeien, honkbal, football, worstelen – en muntte in al die sporten uit terwijl hij ook heel hoge cijfers haalde. Als hoofdvak koos hij geschiedenis en ik was zijn mentor, al gaf ik in die tijd al geen colleges meer. We hebben hier in deze kamer vaak met elkaar gepraat. Het was een genoegen om met die jongen te kletsen. Hij stond enthousiast tegenover het leven en dorstte naar kennis.'
Er verscheen een traan in de hoek van een blauw oog.
'Sorry.' De oude man pakte een linnen zakdoek en depte daar zijn wang mee. 'Het is hier stoffig. Ik moet de schoonmaakploeg maar eens laten aanrukken.' Hij nam een slokje whiskey, en toen hij verder sprak, klonk zijn stem zwakker door herinneringen die hem overweldigden.

'Jeffrey Saxon was leergierig en had de aard van een ware wetenschapper. Ik kan me de eerste keer nog herinneren dat hij hier kwam en al die boeken zag. Hij leek wel een kind dat in een speelgoedzaak wordt losgelaten. Ik leende hem mijn mooiste oude boeken: van de Londense editie van de *Kronieken* van Josephus tot antropologische verhandelingen. Hij verslond ze. ''Professor, je zou meerdere levens nodig hebben om maar een fractie te weten te komen van wat er te weten valt,'' zei hij. Dat typeert volgens mij de ware intellectueel: je bewust zijn van eigen onbeduidendheid wanneer je de totale kennis van het mensdom in aanmerking neemt.
De anderen vonden hem natuurlijk een boerenkinkel, een stom provinciaaltje. Ze staken de draak met zijn kleren, zijn manier van doen, zijn gebrek aan distinctie. Hij sprak daar met mij over – ik denk dat ik een soort plaatsvervangende grootvader voor hem was geworden – en ik verzekerde hem dat hij was voorbestemd voor beter gezelschap dan Jedson te bieden had. Ik heb hem zelfs aangemoedigd te verkassen naar een universiteit in het oosten – Yale, Princeton – waar hij intellectueel beduidend zou kunnen groeien. Met zijn cijfers en een aanbevelingsbrief van mij zou hem dat misschien ook zijn gelukt. Maar hij heeft er nooit de kans toe gekregen.
Hij werd verliefd op een jongedame, een van de Tweehonderd. Best aantrekkelijk om te zien, maar geesteloos. Op zich was dat geen vergissing, omdat het hart en de geslachtsklieren nu eenmaal ook bevredigd moeten worden. Maar de vergissing school 'm in het feit dat hij een vrouw koos die al door een ander werd begeerd.'
'Door Tim Kruger?'
Van der Graaf knikte triest.
'Dit valt me niet mee. Het haalt zoveel naar boven.'
'Als het te moeilijk voor u is, professor, kan ik nu weggaan en later nog een keer terugkomen.'
'Nee, nee, dat zou geen enkel doel dienen.' Hij haalde diep adem. 'Het heeft wel iets van zo'n misselijke soap. Jeffrey en Kruger hadden belangstelling voor hetzelfde meisje en maakten daar in het openbaar ruzie over. De emoties liepen hoog op, maar het leek weer over te gaan. Jeffrey kwam naar me toe en spuwde zijn gal. Ik speelde voor amateur-psycholoog. Professoren moeten hun studenten heel vaak emotioneel steunen en het ging mij prima af. Ik raadde hem aan het meisje verder te vergeten, omdat ik haar type kende en zeker wist dat

Jeffrey het gevecht om haar zou verliezen. De jongelui van Jedson zijn net postduiven, even voorspelbaar als hun voorouders: ze keren altijd naar het oude nest terug. Het meisje was voorbestemd om met een van haar soortgenoten te trouwen. Jeffrey wachtten mooiere en betere dingen: een leven vol kansen en avonturen.
Hij wilde niet naar me luisteren. Hij leek wel een ridder die ervan overtuigd was dat zijn missie nobel was. Overwin de Zwarte Tegenstander tijdens een steekspel, red de mooie maagd. Complete onzin, maar hij was zo naïef. Zo onschuldig.'
Van der Graaf zweeg, buiten adem. Zijn gezicht had een ziekelijke, groenachtige kleur gekregen en ik vreesde voor zijn gezondheid.
'Misschien kunnen we er nu beter mee stoppen,' stelde ik voor. 'Ik kan morgen terugkomen.'
'Geen sprake van! Ik wil hier niet alleen achterblijven met een giftige prop in mijn keel!' Hij schraapte zijn keel. 'Ik ga door. Jij moet blijven zitten en heel goed naar me luisteren.'
'Ja, professor.'
'Waar was ik gebleven? O ja. Jeffrey als de reddende ridder. Dwaze jongen. De vijandigheid tussen hem en Timothy Kruger bleef bestaan en werd een soort etterende wond. Jeffrey werd door alle anderen doodverklaard. Kruger was een ster op de campus en had een hoge maatschappelijke status. Ik was geleidelijk aan de enige die Jeffrey nog steunde. Onze gesprekken veranderden. Het waren niet langer intellectuele discussies. Ik was nu full-time psychotherapie aan het beoefenen, een activiteit die me een hoogst ongemakkelijk gevoel gaf, maar ik had het idee dat ik de jongen niet in de steek kon laten. Ik was alles wat hij nog had.
Het kwam tot een climax tijdens een worstelwedstrijd. Beide jongens waren Grieks-Romeinse worstelaars. Ze hadden afgesproken elkaar 's avonds laat in de lege gymzaal te treffen. Alleen zij beiden, om het uit te vechten. Het zal je om voor de hand liggende redenen duidelijk zijn dat ik geen worstelaar ben, maar ik weet dat die sport in hoge mate gestructureerd is. Veel regels, de criteria voor een overwinning zijn duidelijk vastgelegd. Om die reden vond Jeffrey het een prettige sport. Voor een nog zo jong iemand had hij een heel grote discipline. Hij is die gymzaal levend ingelopen en eruit gedragen op een stretcher. Zijn nek en zijn ruggegraat waren gebroken en hij leefde alleen nog als een plant. Drie dagen later was hij dood.'

'En toen is verklaard dat het een ongeluk was geweest,' zei ik zacht. 'Zo luidde inderdaad het officiële verhaal. Kruger zei dat ze een reeks ingewikkelde grepen hadden uitgevoerd en dat Jeffrey gewond was geraakt toen hun torso's, armen en benen met elkaar verstrengeld raakten. Wie had daar vraagtekens bij kunnen zetten? Tijdens worstelwedstrijden doen zich wel vaker ongelukken voor. Op z'n ergst hadden twee onvolwassen mannen zich onverantwoord gedragen. Maar voor degenen die Timothy kenden en wisten hoe diep de rivaliteit tussen die twee was, was dat een verre van bevredigende verklaring. Het college wilde het in de doofpot gestopt zien en de politie ging daar maar al te graag mee akkoord. Waarom zou je tegen de Kruger-miljoenen ingaan terwijl er honderden arme mensen zijn die misdaden begaan?
Ik heb de begrafenis van Jeffrey bijgewoond, ben ervoor naar Idaho gevlogen. Voor mijn vertrek liep ik Timothy op de campus tegen het lijf. Nu ik erop terugkijk, moet hij naar me op zoek zijn geweest.' Van der Graafs mond veranderde in een streep. De rimpels werden dieper, alsof er aan inwendige touwtjes was getrokken. 'Hij liep op me af in de buurt van het standbeeld van de stichter van dit college. ''Ik heb gehoord dat u op reis gaat, professor,'' zei hij. ''Dat klopt,'' zei ik. ''Ik vlieg vanavond naar Boise.'' ''Om de laatste eer aan uw jonge student te bewijzen?'' vroeg hij. Hij keek volkomen onschuldig, gespeeld onschuldig. Hij was een acteur en kon zijn gelaatstrekken naar believen bespelen.
''Wat heb jij daarmee te maken?'' vroeg ik. Hij bukte zich, pakte een droog twijgje, trok een grijnzend, arrogant smoel – hetzelfde arrogant smoel dat je op foto's van nazi-bewakers van een concentratiekamp ziet wanneer zij hun slachtoffers aan het martelen zijn – brak het twijgje tussen zijn vingers en liet het weer op de grond vallen. Toen lachte hij.
Nog nooit in mijn leven had ik zo'n zin om een moord te plegen. Als ik jonger, sterker en gewapend was geweest, zou ik het ook hebben gedaan. Maar dat was ik niet en ik bleef daar gewoon staan, omdat ik die ene keer in mijn leven niet wist wat ik moest zeggen. ''Een goede reis,'' zei hij en liep achteruit van me vandaan, nog steeds met dat arrogant grijnzend smoel. Mijn hart ging zo tekeer dat ik er duizelig van werd, maar ik vocht om mijn evenwicht niet te verliezen. Toen hij uit mijn gezichtsveld was verdwenen, stortte ik in en barstte in snikken uit.'

Een lang moment bleef het stil tussen ons.
Toen hij zichzelf weer voldoende in de hand leek te hebben, vroeg ik: 'Weet Margaret dit? Over Kruger?'
Hij knikte.
'Ik heb het haar verteld. Ze is mijn vriendin.'
Dus bleek de p.r.-dame toch eerder een spin dan een vlieg te zijn. Dat idee vrolijkte me om de een of andere reden op.
'Nog één ding: dat meisje om wie ze aan het vechten waren. Wat is er van haar geworden?'
'Wat denk je?' vroeg hij snierend. Iets van het oude vitriool was weer hoorbaar in zijn stem. 'Ze meed Kruger, net als de meeste anderen deden. Ze waren bang van hem. Ze is hier nog drie jaar onopvallend aanwezig geweest. Daarna is ze met een bankier getrouwd en naar Spokane verhuisd. Ze zal nu ongetwijfeld een goede huisvrouw zijn die de kinderen naar school brengt, in de club luncht en met de boodschappenjongen neukt.'
'De oorlogsbuit,' zei ik.
Hij schudde zijn hoofd. 'Zo zonde.'
Ik keek op mijn horloge. Ik was iets meer dan een uur in de koepel geweest, maar het leek langer. Van der Graaf had in die tijd een lading rioolwater gespuid, maar hij was historicus en historici waren daarin getraind. Ik voelde me moe en gespannen en verlangde naar wat frisse lucht.
'Professor, ik weet niet hoe ik u moet bedanken,' zei ik.
'Een goed gebruik van de door mij verstrekte informatie zou al een stap in de juiste richting zijn.' De twee blauwe ogen straalden als twee gaslampen. 'Breek zelf ook maar eens een paar twijgjes.'
'Ik zal mijn best doen.' Ik ging staan.
'Ik neem aan dat je zelf de weg naar buiten kunt vinden?'
Ik vertrok.
Toen ik halverwege de galerij was, riep hij me na: 'Herinner Maggie aan onze pizza-picknick!'
Zijn woorden werden door de gladde, koude stenen weerkaatst.

23

Bepaalde primitieve stammen geloven dat het, wanneer je een vijand hebt verslagen, niet voldoende is om alle sporen van diens stoffelijk leven te verwijderen. Ook de ziel moet worden overwonnen. Dat geloof ligt ten grondslag aan de diverse vormen van kannibalisme waarvan we weten dat die in veel delen van de wereld hebben bestaan en nòg bestaan. Je bent wat je eet. Verslind het hart van je vijand en dan is zijn wezen het jouwe geworden. Wanneer je zijn penis tot stof vermaalt en het stof doorslikt, is zijn mannelijkheid de jouwe.
Ik dacht aan Timothy Kruger, aan de jongen die hij had gedood, aan hoe hij zich de identiteit had aangemeten van een beursstudent die financieel maar moeizaam het hoofd boven water kon houden toen hij zichzelf tegenover mij beschreef. Visioenen van smakkende lippen en botten die werden vermalen drongen de idyllische groene wereld van de campus van Jedson binnen. Ik deed nog steeds mijn best een eind aan die visioenen te maken terwijl ik de marmeren trap van Crespi Hall opliep.
Toen ik op de afgesproken manier op de deur klopte, zei Margaret Dopplemeier: 'Een momentje!' Daarna maakte ze de deur open, liet me binnen en schoof de grendel weer op zijn plaats.
'Heeft Van der Graaf je kunnen helpen?' vroeg ze luchtig.
'Hij heeft me alles verteld. Over Jeffrey Saxon en Tim Kruger en het feit dat hij jou in vertrouwen had genomen.'
Ze bloosde.
'Je kunt niet van me verwachten dat ik me schuldig voel omdat ik je een rad voor ogen heb gedraaid, want jij hebt met mij hetzelfde gedaan,' zei ze.
'Ik neem het je ook niet kwalijk,' verzekerde ik haar. 'Ik wil alleen dat je weet dat hij me vertrouwde en me alles heeft verteld. Ik weet dat jij dat niet kon doen voordat hij het had gedaan.'
'Ik ben blij dat je het begrijpt,' zei ze stijfjes.
'Ik wil je bedanken voor het feit dat je me naar hem toe hebt gebracht.'
'Graag gedaan, Alex. Maak wel goed gebruik van de informatie.'
Dat was de tweede keer in tien minuten dat ik die opdracht kreeg. Raquel Ochoa had me die al eerder gegeven en het voelde aan als een zware belasting.

'Dat zal ik doen. Heb je het knipsel?'
'Alsjeblieft.' Ze gaf me een fotokopie. De dood van Lilah Towle en 'Kleine Willie' had de voorpagina gehaald, deelde die met een verslag over studentenactiviteiten en een artikel van Associated Press over de gevaren van 'marihuanasigaretten'. Ik begon te lezen, maar de kopie was vaag en nauwelijks leesbaar. Margaret zag dat ik mijn best deed.
'De drukinkt op het origineel was uitgelopen.'
'Hindert niet.' Ik bekeek het artikel lang genoeg om te weten dat het overeenstemde met de herinneringen van Van der Graaf.
'Hier is een ander artikel van een paar dagen later, over de begrafenis. Dat is beter leesbaar.'
Ik pakte het van haar aan en bekeek het. De affaire-Towle was nu verbannen naar pagina zes. Het verslag van de plechtigheid was overdreven sentimenteel en er werden veel namen in genoemd. Een foto onderaan trok mijn aandacht.
Towle liep voorop in de rouwstoet. Hij zag er beroerd en grimmig uit en hield zijn handen voor zijn lichaam gevouwen. Naast hem liep aan de ene kant een jongere maar nog altijd padachtige Edwin Hayden. Aan de andere kant, iets achter Towle, zag ik een rijzige gestalte. Ik wist volkomen zeker wie die man was.
Het haar was zwart, het gezicht opgeblazen en glimmend. De bril met het zware montuur die ik een paar dagen eerder had gezien, was op deze foto vervangen door een ronde bril met een goudkleurig montuur, dat laag op een dikke neus stond.
Het was de eerwaarde Augustus McCaffrey in zijn jongere jaren.
Ik vouwde beide kopieën op en stopte ze in mijn jaszak.
'Bel Van der Graaf,' zei ik.
'Hij is een oude man. Denk je niet dat je hem voldoende vra...'
'Bel hem,' onderbrak ik haar. 'Als je dat niet doet, ren ik zelf naar hem terug.'
Ze schrok van mijn reactie, maar draaide het nummer.
Toen Van der Graaf had opgenomen, zei ze: 'Sorry dat ik u stoor, professor, maar híj wil nog iets weten.' Ze luisterde, zond me een ongelukkige blik toe, hield de hoorn op armslengte en gaf hem aan mij.
'Dank je,' zei ik poeslief. Toen, in de telefoon: 'Professor, ik moet u nog iets vragen over een andere student. Het is belangrijk.'
'Ga je gang. Mijn aandacht wordt op dit moment alleen in beslag genomen door Miss November van 1973. Om wie gaat het?'

'Augustus McCaffrey. Was hij ook een vriend van Towle?'
Er volgde een stilte aan de andere kant van de lijn, gevolgd door gelach.
'O, mijn hemel! Wat een giller. Gus McCaffrey, een student van Jedson! Wil je hem ook al met een teerkwast bewerken?' Hij bleef lachen en het duurde even voordat hij op adem was gekomen. 'Heilige Moeder Gods, nee, Alex. Hij was geen student.'
'Ik heb hier een foto waarop hij te zien is tijdens de begrafenis van de vrouw van Towle.'
'Dat kan best, maar hij heeft hier niet gestudeerd. Gus McCaffrey was conciërge: ik geloof dat die lui zich tegenwoordig onderhoudsdeskundigen noemen. Hij veegde de slaapzalen schoon, bracht vuilnis weg, dat soort dingen.'
'Wat deed hij dan op de begrafenis? Het lijkt alsof hij vlak achter Towle loopt, klaar om hem op te vangen als hij zou vallen.'
'Dat verbaast me niet. Hij was oorspronkelijk een werknemer van de familie Hickle. Zij hadden een van de grootste huizen op Brindamoor. Zulke bedienden kunnen een heel nauwe band krijgen met hun werkgever. Ik geloof dat Stuart hem heeft meegenomen toen hij hier ging studeren. Hij heeft uiteindelijk een wat hogere functie gekregen, hoofdconciërge of zoiets. Dat hij van Brindamoor weg is gegaan kan voor hem een schitterende kans zijn geweest. Wat doet die grote Gus tegenwoordig?'
'Hij is geestelijke geworden en heeft de leiding over dat kindertehuis waarover ik u heb verteld.'
'O. Nu brengt hij dus bij wijze van spreken Gods afval weg.'
'Bij wijze van spreken. Kunt u me iets over hem vertellen?'
'Ik ben bang dat ik dat echt niet kan. Ik had geen contact met de niet-academische werknemers. In de loop der tijden is de neiging ontstaan om net te doen alsof ze onzichtbaar zijn. Hij was een beest van een kerel. Dat kan ik me nog wel herinneren. Onverzorgd, leek behoorlijk sterk, kan best intelligent zijn geweest. Jouw informatie wijst beslist in die richting en ik ben geen darwinist die daar per se over wil gaan discussiëren. Maar dat is echt alles wat ik je kan vertellen. Sorry.'
'Daar hoeft u zich niet voor te verontschuldigen. Nog een laatste vraag. Waar zou ik een plattegrond van Brindamoor Island kunnen krijgen?'
'Voor zover ik weet is die alleen te bekijken in het gemeentearchief.

Nee, wacht eens even! Een studente van me heeft ooit een doctoraalscriptie geschreven over de geschiedenis van dat eiland en daar een plattegrond aan toegevoegd waarop je kon zien wie waar woonde. Ik heb er geen kopie van, maar ik denk dat je de scriptie kunt vinden in de bibliotheek. Hoe heette die studente ook al weer? Laat me eens even nadenken. Church? Nee, iets anders dat je aan de kerk doet denken. Chaplain. Gretchen Chaplain. Kijk onder de c, dan moet je die kunnen vinden.'
'Nogmaals hartelijk bedankt, professor. Tot ziens.'
'Tot ziens.'
Margaret Dopplemeier zat achter haar bureau nijdig naar me te kijken.
'Sorry dat ik zo kortaf tegen je deed,' zei ik, 'maar het was belangrijk.'
'Oké. Ik vind alleen wel dat je wat beleefder had kunnen zijn gezien alles wat ik voor je heb gedaan.' De bezitterige blik kwam weer in haar ogen terug.
'Je hebt gelijk. Ik had beleefder moeten zijn. Ik zal je verder niet lastig vallen.' Ik stond op. 'Heel hartelijk bedankt voor alles.' Ik stak mijn hand uit en toen ze aarzelend hetzelfde deed, drukte ik de hare. 'Hier heb ik echt heel veel aan gehad.'
'Prettig dat te weten. Hoe lang blijf je hier nog?'
Voorzichtig maakte ik mijn hand uit de hare los. 'Niet lang.' Ik liep achteruit, glimlachte haar toe, kon eindelijk mijn hand op de deurknop leggen en duwde. 'Het allerbeste, Margaret. Geniet van je bramen.'
Ze wilde iets zeggen, maar bedacht zich toen. Ik liet haar achter terwijl ze achter haar bureau stond. Een stukje roze tong was zichtbaar bij een hoek van haar onaantrekkelijke mond, op zoek naar de smaak van het een of ander.

De bibliotheek zag er gepast streng uit en was voor een college met de grootte van Jedson heel goed bevoorraad met boeken en tijdschriften. De leeszaal was een soort marmeren kathedraal met veel zwaar, rood fluweel en om de drie meter immense ramen. Er stonden eiken leestafels in, lampen met groene kappen en leren stoelen. Het enige dat ontbrak waren mensen die de doorluchtige boeken van de planken langs de muren hadden gepakt om ze te lezen.
De bibliothecaris was een jongeman met gemillimeterd haar en een smalle snor. Hij zag er uitgeblust uit. Zijn shirt had een rode ruit, zijn

gebreide das was geel. Hij zag achter zijn tafel een recent nummer van *Artforum* te lezen. Toen ik hem vroeg waar ik de doctoraalscripties kon vinden, keek hij op met de verbaasde gezichtsuitdrukking van een kluizenaar die iemand zijn toevluchtsoord ziet binnendringen.
'Daar,' zei hij mat en wees op een punt in het zuidelijke deel van de zaal.
In een eiken kaartenbak stond een kaart met de beschrijving van de scriptie van Gretchen Chaplain. De titel van haar magnum opus luidde: *Brindamoor Island: de geschiedenis en de geografie.*
De scripties van Frederick Chalmers en O. Winston Chastain waren er, maar de plaats daartussenin, waar Gretchens scriptie had moeten staan, was leeg. Ik controleerde tot twee keer toe het Library of Congress-nummer, maar dat was een vruchteloos ritueel. De scriptie over Brindamoor was er niet meer.
Ik liep terug naar de man met het geruite shirt en moest twee keer mijn keel schrapen voordat hij zich kon losmaken uit een artikel over Billy Al Bengston.
'Ja?'
'Ik ben naar een bepaalde scriptie op zoek maar die kan ik niet vinden.'
'Hebt u in de kaartenbak gekeken? Weet u zeker dat wij die hebben?'
'De kaart is er wel, maar de scriptie niet.'
'Wat vervelend. Dan zal zij wel zijn uitgeleend.'
'Zou u dat voor me kunnen nakijken?'
Hij zuchtte en deed er lang over om zijn stoel uit te komen. 'Hoe heet de auteur?'
Ik gaf hem alle noodzakelijke informatie en hij liep met een gekwetste gezichtsuitdrukking naar de uitleenbalie. Ik ging achter hem aan.
'Brindamoor Island. Saai oord. Waarom wilt u dáár nu iets over weten?'
'Ik ben een prof van de UCLA en het heeft te maken met een wetenschappelijk onderzoek dat ik verricht. Ik wist overigens niet dat ik dat moest uitleggen.'
'Dat hoeft u ook niet te doen,' zei hij snel en begroef zijn neus in een stapel kaarten. Hij pakte een deel van de kaarten en schudde ze als een Vegas-professional. 'Gevonden. Die scriptie is zes maanden geleden uitgeleend. Mijn hemel, dan had zij allang moeten zijn teruggebracht, hè?'

Ik pakte de kaart van hem aan. Er was weinig belangstelling voor Gretchens meesterwerk geweest. Afgezien van de meest recente keer dat het was uitgeleend, was het voor het laatst opgevraagd in 1954, door Gretchen zelf. Ze had haar scriptie waarschijnlijk aan haar kinderen willen laten zien: mama heeft eens echt wetenschappelijk werk verricht, schatjes...
'Soms lopen we een achterstand op met het controleren van boeken die niet op tijd terug zijn. Ik zal dit meteen afhandelen, professor. Wie heeft die scriptie de laatste keer geleend?'
Ik keek naar de handtekening en zei hem wie. Terwijl de naam over mijn lippen kwam, verwerkten mijn hersenen die informatie. Toen de twee woorden waren verklonken, wist ik dat mijn missie niet afgerond zou zijn zonder een tocht naar het eiland.

24

De veerboot naar Brindamoor vertrok om halfacht 's morgens.
Toen ik om zes uur door de telefoniste van mijn hotel werd gewekt, had ik al een douche genomen en me geschoren. Ik was gespannen en voelde dat aan mijn ogen. Kort na middernacht was het weer gaan regenen. Ik was door die regen, die tegen de glazen wanden van de suite kletterde, ontwaakt uit een droommoment waarin ik zeker meende te weten dat ik op de gang het geluid van op hol geslagen paarden hoorde. Toch was ik weer in slaap gevallen. Nu was het nog steeds aan het stortregenen en leek het alsof ik de stad onder mij vanuit de binnenkant van een smerig aquarium bekeek.
Ik trok een dikke broek aan, een leren jas en een wollen coltrui en ik nam de enige regenjas mee die ik had: een niet gevoerd double-breasted exemplaar van popeline, dat prima dienst deed in Californië maar voor mijn huidige omgeving misschien minder geschikt was. Ik ontbeet snel: gerookte zalm, broodjes, vruchtesap en koffie. Om tien over zeven was ik op de kade.
Ik was een van de eersten die in de rij ging staan op de plaats waar auto's aan boord konden. De rij kwam in beweging en ik reed de veerboot op achter een Volkswagenbusje met stickers op de achterbumper die verklaarden dat walvissen gered dienden te worden. Ik gaf gevolg aan de gebaren van een bemanningslid in een lichtgevende oranje

overall en parkeerde zes centimeter van de vochtige witte wand van het autodek vandaan. Ik ging twee trappen op en was toen op het passagiersdek. Ik liep langs een cadeauwinkeltje, een tabakswinkel en een donkere ruimte vol videospelletjes. Een ober stond in z'n eentje Pac Man te spelen, verslond met geconcentreerd gefronste wenkbrauwen het ene na het andere stippeltje.
Op het achterschip vond ik een plaatsje met een fraai uitzicht. Ik vouwde mijn regenjas op, legde hem op mijn schoot en maakte het me gemakkelijk voor de overtocht die een uur zou duren.
Er waren weinig passagiers aan boord. De paar medepassagiers waren jong en gekleed om naar het werk te gaan: ingehuurde krachten van het vasteland, die op en neer reisden naar de grote huizen op Brindamoor. Wanneer de boot terugvoer, zou die ongetwijfeld worden bevolkt door een ander type forenzen: juristen, bankiers, andere figuren uit de financiële wereld, allen onderweg naar kantoren in de stad en gelambrizeerde directiekamers.
De oceaan stampte en gierde, de golven kregen schuimkoppen door de wind die over het wateroppervlak joeg. Er waren ook kleinere boten op zee, voornamelijk vissersboten, sleepboten en pramen, die allemaal hevig deinden. De veerboot lag zo rustig in het water dat hij een modelbootje op een plank had kunnen zijn.
Een groep van zes jongens die nog net geen tiener af waren, kwam aan boord. Ze gingen een meter of drie van me vandaan zitten. Blond, baarden die geen van alle echt goed waren verzorgd, gekleed in gekreukt kaki en spijkerbroeken die grijs van het stof waren. Ze lieten een thermosfles rondgaan die beslist niet met koffie was gevuld, maakten grapjes, rookten, deponeerden hun voeten op een stoel en lachten uitbundig. Een van hen zag mij en hield de thermosfles omhoog.
'Wilt u ook een slok?' bood hij aan.
Ik glimlachte en schudde mijn hoofd.
Hij haalde zijn schouders op en draaide zich om. Het feest ging weer verder.
De scheepstoeter van de veerboot klonk, het gerommel van de motoren deed de vloerplanken trillen en we kwamen in beweging.
Halverwege de overtocht liep ik naar de plaats waar de zes jonge drinkebroers zaten. Drie van hen waren inmiddels in slaap gevallen en snurkten met open mond, een jongen zat een obsceen stripboek te le-

zen. De twee anderen, onder wie degene die me een slok had aangeboden, zaten te roken en leken gehypnotiseerd door de brandende punt van hun sigaret.
'Mag ik even storen?'
De twee rokers keken op. De jongen die zat te lezen besteedde geen enkele aandacht aan me.
'Ja?' De vrijgevige jongeman glimlachte. Hij miste de helft van zijn voortanden: slechte mondhygiëne of een opvliegende natuur. 'Sorry, maar de soep is op.' Hij pakte de thermosfles en schudde die. 'Dat klopt, hè, Dougie?'
Zijn metgezel, een dikke jongeman met een hangsnor en bakkebaarden, lachte en knikte.
'Die is inderdaad op. Kippesoep. Negentig procent.'
Vanaf de plaats waar ik stond stonk de hele groep naar een distilleerderij.
'Dat hindert niet. Ik waardeer het aanbod. Ik vroeg me alleen af of jullie me wat informatie kunnen geven over Brindamoor.'
Beide jongelui keken verbaasd, alsof ze nooit hadden gedacht dat zij iemand informatie zouden kunnen verstrekken.
'Wat wilt u weten? Het is een doodsaai eiland,' zei de vrijgevige jongeman.
'Klopt als een bus.' Zijn dikke makker knikte instemmend.
'Ik ben op zoek naar een bepaald huis op het eiland, en ik kan nergens een plattegrond op de kop tikken.'
'Dat komt omdat er geen plattegrond van bestaat. De mensen die daar wonen, verbergen zich graag voor de rest van de wereld. Ze hebben een particuliere politiemacht in dienst die al in actie komt wanneer je de verkeerde kant op spuugt. Ik en Doug en de anderen werken op de golfbaan. Afval oprapen en zo. Als onze werkdag erop zit, gaan we regelrecht terug naar de boot. We willen onze banen houden en doen precies wat ze van ons verlangen.'
'Dat klopt,' zei de dikke. 'Geen jacht maken op de plaatselijke bever, geen feestje bouwen. Zo gaat het voor ons arbeiders al jaren en jaren. Mijn pa heeft op Brindamoor gewerkt voordat hij lid van de vakbond werd en ik doe dit totdat hij mij ook in de bond kan krijgen. Dan kunnen die kluizenaars stikken. Hij heeft me verteld dat ze er destijds een liedje over zongen: sjouwen en pezen en dan met de boot wegwezen.' Hij lachte en gaf zijn makker een dreun op diens rug.

'Welk huis zoekt u?' De vrijgevige jongeman stak een nieuwe sigaret op en zette die klem op de plaats waar zijn twee middelste boventanden hadden moeten zitten.
'Dat van de familie Hickle.'
'Bent u familie?' vroeg Doug. Zijn ogen hadden de kleur van de zee, bloeddoorlopen en opeens dof, alsof hij zich afvroeg of ik iemand was die zijn woorden tegen hem zou gebruiken.
'Nee. Ik ben architect en wil Brindamoor eens bekijken. Ik heb me laten vertellen dat het huis van de Hickles interessant is. Het schijnt het grootste op het eiland te zijn.'
'Man, ze zijn allemaal groot. De hele wijk waarin ik woon zou verdomme in een van die huizen passen,' zei hij.
'Architect?' Het gezicht van de vrijgevige jongeman lichtte belangstellend op. 'Hoe lang moet je daarvoor naar school?'
'Vijf jaar.'
'Vergeet het dan maar,' zei zijn dikke makker plagend. 'Harm, jij bent een leeghoofd. Je zou eerst moeten leren lezen en schrijven.'
'Barst!' zei zijn vriend goedgehumeurd. Tegen mij: 'De afgelopen zomer heb ik in de bouw gewerkt. Architectuur zal wel behoorlijk interessant zijn.'
'Ja. Ik hou me voornamelijk bezig met particuliere woningen en ik ben altijd op zoek naar nieuwe ideeën.'
'Kan ik me indenken. Je moet je werk altijd interessant proberen te houden.'
'Man, wij doen nooit iets interessants,' zei Doug berispend. 'We ruimen rotzooi op. Man, ik kan je overigens wel vertellen dat er op die golfclub heel wat lol wordt getrapt. Vorige week hebben Matt en ik bij hole nummer elf een paar gebruikte condooms gevonden. Maar wij mogen niet deelnemen aan de pret.'
'Ik heb die mensen niet nodig om lol te hebben,' zei Harm. Toen, tegen mij: 'Als u wat meer over huizen wilt weten, moeten we Ray daar maar eens naar vragen.' Hij boog zich over een van zijn slapende kameraden heen en gaf de jongeman met het stripboek, die niet één keer had opgekeken, een por. Nu hij wel opkeek, zag ik een wazige blik in zijn ogen, alsof hij heel stom of heel stoned was.
'Wat is er?'
'Ray, deze meneer wil wat weten over het huis van de Hickles.'
De jongen knipperde niet-begrijpend met zijn ogen.

'Ray, zeg eens even waar het huis van de Hickles staat?'
'Hickle,' zei Ray. 'Mijn pa heeft daar gewerkt. Griezelig huis, zei hij altijd. Eigenaardig. Ik geloof dat het aan Charlemagne staat. Mijn pa zei altijd...'
'Oké.' Harm duwde Ray's hoofd weer omlaag, richting stripboek. 'Ze hebben de straten op het eiland vreemde namen gegeven,' zei hij tegen mij. 'Charlemagne, Alexander, Suleiman.'
Veroveraars. Het grapje van de puissant rijken werd door de doelgroep duidelijk niet begrepen.
'Charlemagne is een weg die landinwaarts loopt. U moet de hoofdweg aflopen, langs de supermarkt. Een meter of vierhonderd. Goed opletten, want de straatnaambordjes zijn door de bomen vaak niet te zien. Dan... even denken... rechtsaf slaan. Dat is Charlemagne. Daar kunt u het best verder de weg vragen.'
'Bedankt,' zei ik. Ik haalde mijn portefeuille te voorschijn en wilde hem een biljet van vijf dollar geven.
Harm stak een hand uit, protesterend, niet om het geld aan te nemen. 'Laat maar zitten. We hebben niks bijzonders gedaan.'
Doug keek hem nijdig aan en bromde iets.
'Dougie, je kunt barsten,' zei Harm. 'We hebben niks gedaan om het geld van die man te verdienen.' Ondanks zijn onverzorgde haar en het fietsenrek in zijn mond was hij niet dom en had hij een zekere waardigheid. Hij was het type jongen dat ik best naast me zou hebben willen staan wanneer ik in de problemen kwam.
'Mag ik jullie dan een rondje aanbieden?'
'Nee, dank u,' zei Harm. 'We kunnen nu niet meer drinken, want over een halfuur moeten we op de baan zijn en die is op een dag als deze spekglad. Wanneer deze dikbil die hier naast me zit nog iets drinkt, kan hij boven op ons vallen en ons allemaal pletten.'
'Barst, Harm,' zei Doug.
Ik borg het bankbiljet weer op. 'Nogmaals hartelijk bedankt.'
'Graag gedaan. Wanneer u een paar huizen gaat bouwen waar u de hulp van de vakbond niet bij nodig hebt, maar wel betrouwbare, gespierde bouwvakkers, moet u nog maar eens aan Harmon Lundquist denken. Ik sta in de telefoongids.'
'Dat zal ik zeker doen.'

Tien minuten voordat de boot de kust had bereikt, kwam het eiland te

voorschijn van achter een scherm van regen en mist: langwerpig, grijs, rotsachtig. Als er langs de kust geen bomen hadden gestaan, had het Alcatraz kunnen zijn.
Ik liep naar het autodek, ging achter het stuur van de Nova zitten en was klaar toen de man in de oranje overall me een teken gaf dat ik van boord kon rijden. Wat ik buiten zag had zo Londen kunnen zijn. Er waren voldoende zwarte overjassen, zwarte paraplu's en zwarte hoeden om Piccadilly te vullen. Roze handen hielden aktentassen en de *Wall Street Journal* van die morgen vast. Ogen staarden recht vooruit. Lippen vormden grimmige strepen. Toen het hek bij de loopplank werd geopend, gingen ze keurig aan boord, elke glanzende zwarte schoen stappend op het ritme van een ongeziene drummer. Een eskadron perfecte heren. Een herenbrigade...
Even voorbij de haven van Brindamoor was een klein, vierkant plein rond een immens grote olm. Ik zag een bank met donkere ramen, een makelaarskantoor, drie of vier duur ogende modezaken met conservatief geklede poppen zonder gezicht in de etalages, een groenteboer, een slager, een stomerij waarin ook het plaatselijke postkantoor was ondergebracht, een boekhandel, twee restaurants – het ene Frans, het andere Italiaans – een cadeauwinkel en een juwelierszaak. Alle winkels waren dicht. De straten waren leeg en afgezien van een groep duiven onder de olm was er geen teken van leven te bespeuren.
Ik volgde Harms aanwijzingen op en vond Charlemagne Lane zonder problemen. Ongeveer een kilometer voorbij het plein werd de weg smaller en donkerder, overschaduwd door muren van varens, klimop en esdoornstruiken. Het groen werd af en toe door een hek van gietijzer of roodhout onderbroken, met achter het gietijzer vaak nog eens staalplaten. Er stonden geen brievenbussen langs de weg en naambordjes waren al evenmin te zien. De landgoederen leken vrij ver van elkaar te liggen. Soms kon ik er achter de hekken een glimp van opvangen: glooiende gazons en oprijlanen geplaveid met steen en baksteen, de huizen groots en imponerend – tudor-, regency- en koloniale stijl – de oprijlanen met Rolls-Royces, Mercedessen en Cadillac limousines plus bruikbaardere neefjes op vier wielen: stationcars met nephout, Volvo's, stadswagentjes. Een paar keer zag ik tuinlieden in de regen sloven met sputterende en boerende grasmaaimachines.
De weg liep nog een meter of zeshonderd door. De huizen werden groter en stonden verder van de hekken vandaan. Bij een paar cipres-

sen eindigde de weg abrupt. Er was geen hek, geen zichtbare ingang, alleen negen meter hoge bomen die wel een bos leken te vormen. Even dacht ik dat me de verkeerde weg was gewezen.
Ik trok mijn regenjas aan, zette de kraag op en stapte uit. Op de grond lagen veel naalden van pijnbomen en natte bladeren. Ik keek door de takken van de bomen heen. Een meter of zes recht voor me, bijna volledig aan het oog onttrokken door verstrengelde takken en druipende vegetatie, zag ik een stenen pad dat naar een houten hek leidde. De bomen waren neergezet om de ingang te blokkeren en te oordelen naar hun maat waren ze minstens twintig jaar oud. Ik achtte het niet mogelijk dat iemand de moeite had genomen om een twaalftal volgroeide cipressen naar die plaats te laten overbrengen en kwam tot de conclusie dat het lang geleden was dat mensen hier een normaal leven hadden geleefd.
Ik baande me een weg naar het hek en probeerde dat open te maken. Het was dichtgespijkerd. Ik keek er nog eens goed naar. Twee platen gegroefd roodhout, de scharnieren aan bakstenen staanders bevestigd. Die staanders waren weer verbonden met een harmonikahek. Geen tekenen van een elektrisch beveiligingssysteem of prikkeldraad. Ik zette mijn voet op een natte steen, gleed daar een paar keer af, maar slaagde er uiteindelijk in over het hek te komen.
Ik landde in een andere wereld. Hectares braakliggend land. Wat eens een gazon was geweest, was nu een moeras vol onkruid, dood gras en kapotte stenen. Op verschillende plaatsen was de grond verzakt. In die kuilen stonden plassen water: oases voor de verschillende muggen die erboven vlogen. Eens edele bomen waren gereduceerd tot stompjes. Andere waren gekapt en beschimmeld. Verroeste auto-onderdelen, oude banden en weggegooide blikken en flessen lagen op een terrein dat nu een doorweekte vuilstortplaats leek. Regen viel op metaal en maakte een hol, kletterend geluid.
Ik liep een pad op. Het was met bakstenen in een visgraatmotief geplaveid, verstikt door onkruid en begroeid met slijmerig mos. Op de plaatsen waar de wortels door het pad heen gekomen waren, staken de bakstenen uit de grond als losse tanden in een gebroken kaak. Ik trapte een verdronken veldmuis opzij en sopte naar het huis waarin eens de Hickle-clan had gewoond.
Dat was een massief, drie verdiepingen tellend bouwwerk van met de hand uitgehouwen steen die in de loop der tijd zwart was geworden. Ik

kon me niet voorstellen dat het ooit mooi was geweest, maar het was eens ongetwijfeld wel groots geweest: een broedend landhuis met een leistenen dak en opzichtige versieringen, overhangende dakranden en gevelspitsen, omgeven door brede stenen veranda's. Op de veranda aan de voorkant stonden roestende gietijzeren tuinmeubels. Een bijna drie meter hoge kathedraalachtige deur, een windwijzer op de hoogste spits, in de vorm van een heks op een bezemsteel. Die ouwe heks draaide rond in de wind, hoog en veilig boven de desolate grond.
Ik liep het trapje op. Onkruid was tot aan de eveneens dichtgespijkerde voordeur gegroeid. Voor de potdichte ramen waren planken getimmerd. Ondanks de afmetingen, of misschien juist wel daardoor, oogde het huis pathetisch: een vergeten weduwe die zich zo alleen gelaten voelt dat het haar niets meer kan schelen hoe ze eruitziet, veroordeeld om in stilte steeds verder in verval te raken.
Het huis was minstens zestien meter lang en het duurde een tijdje voordat ik alle ramen op de begane grond had gecontroleerd. Ze waren stuk voor stuk dichtgetimmerd.
Achter het huis nog meer moeras. Een garage voor vier auto's, ontworpen als een miniatuur van het huis, was eveneens ontoegankelijk. Een zwembad met een lengte van ruim vijftien meter stond vrijwel droog. In het kleine laagje modderig water dreef allerlei organisch afval. De restanten van een wijngaard en een rozentuin met veel latwerk waren niets anders dan een warwinkel van hout waarvan de verf afbladderde en gebarsten stenen met vogelnestjes van dode twijgjes. Stenen banken. Standbeelden die scheef op kapotte sokkels stonden: Pompeji na de uitbarsting van de Vesuvius.
Het begon harder te regenen en de regen voelde ook kouder aan. Ik stopte mijn handen in de zakken van mijn doorweekte regenjas en zocht naar een plekje waar ik kon schuilen. Ik zou gereedschap – een hamer en een koevoet – nodig hebben om het huis of de garage in te kunnen komen en er waren geen grote bomen die niet elk moment konden omvallen. Ik stond daarbuiten als een zwerver die is overvallen door een bombardement.
Ik zag een lichtflits en bereidde me voor op een onweersbui. Door de neerstromende regen kon ik niets duidelijk zien, maar de derde keer dat ik het licht zag kon ik bepalen van welke kant het kwam. Een aantal zompige voetstappen later zag ik dat het licht uit een broeikas aan de grens van het landgoed kwam, net voorbij het platgebombardeerde

prieel. Het glas was ondoorzichtig door de troep erop, die her en der in bruine strepen omlaagsijpelde, maar de kas leek nog wel intact te zijn. Ik rende erheen, volgde het licht dat flikkerde, danste, verdween en dan weer begon te flikkeren.
De deur van de kas was dicht, maar ging open toen ik er met mijn hand tegen duwde. Binnen was het warm en ik rook de zure lucht van rottend afval. Houten tafels die tot mijn middel reikten stonden langs de twee zijkanten van de glazen ruimte en daartussen was een pad dat was bedekt met houtsnippers, turf, mulch en aarde. Een verzameling tuingereedschap – hooivorken, harken, schoppen en schoffels – stond in een hoek.
Op de tafels potten met planten: orchideeën, bromelia's, blauwe *hydrangea*, begonia's in alle kleuren, rode en witte *impatiens*, alle volop in bloei in hun terracotta pot. Een houten balk waarin metalen haken waren geschroefd, was boven de tafels bevestigd. Daaraan hingen purperen fuchsia's, varens, slingerplanten en nog meer begonia's. Het was de hof van Eden in de Grote Leegte.
Het geluid van de stromende regen werd door het glas weerkaatst. Opnieuw zag ik het licht dat me hierheen had getrokken, nu feller en dichterbij. Ik kon een figuur aan de andere kant van de kas zien: iemand in een gele oliejas met capuchon, die een zaklantaren vasthield. De figuur richtte het licht van de zaklantaren op planten, pakte hier een blad en daar een bloem, bekeek de aarde, brak een dood takje af.
'Hallo,' zei ik.
De figuur draaide zich bliksemsnel om en het licht bescheen mijn gezicht. Ik kneep mijn ogen samen tot spleetjes en bracht mijn hand omhoog om mijn ogen te beschermen.
De figuur kwam dichter naar me toe.
'Wie bent u?' vroeg een hoge, bange stem.
'Alex Delaware.'
De zaklantaren werd nu wat lager gericht en ik wilde verder lopen.
'Blijf staan waar u staat!'
Dat deed ik.
De capuchon werd naar achteren getrokken. Ik zag een rond, plat, zuiver Aziatisch gezicht, vrouwelijk en tegelijkertijd niet vrouwelijk. De ogen waren twee messcherpe spleetjes in de perkamentachtige huid, de mond was een strak streepje.
'Hallo, mevrouw Hickle.'

'Hoe weet u wie ik ben? Wat wilt u van me?' De stem klonk hard maar had een ondertoon van angst, het harde van iemand die met succes op de vlucht is geslagen en weet dat hij of zij altijd waakzaam zal moeten blijven.
'Ik wilde u gewoon een bezoekje brengen.'
'Ik heb geen enkele behoefte aan bezoek. Ik ken u niet.'
'O nee? Ik ben Alex Delaware. Zegt die naam u niets?'
Ze nam de moeite niet om te liegen, hield gewoon haar mond.
'Die lieve Stuart had mijn kantoor uitgekozen als de plaats voor zijn laatste grote act. Of misschien was die plaats wel door iemand anders voor hem uitgekozen.'
'Ik weet niet waar u het over hebt. Ik heb geen behoefte aan uw gezelschap.' Haar Engels klonk kortaf en niet helemaal accentloos.
'Waarom roept u de butler dan niet om me het terrein af te laten zetten?'
Haar kaken bewogen zich. De witte vingers hielden de zaklantaren steviger vast.
'Weigert u weg te gaan?'
'Het is buiten koud en nat. Ik zou het waarderen als ik even mag opdrogen.'
'En daarna gaat u weg?'
'Daarna blijf ik om nog een tijdje met u te praten. Over wijlen uw echtgenoot en een paar van zijn makkers.'
'Stuart is dood. Er valt niets te bespreken.'
'Ik denk dat we meer dan genoeg te bespreken hebben. Ik heb heel wat vragen.'
Ze legde de zaklantaren neer en sloeg haar armen over elkaar. Het gebaar had iets tartends. Elk spoortje van angst was verdwenen en ze was nu geïrriteerd omdat ze was gestoord. Het verbaasde me. Ze was een eenzame vrouw die op een verlaten plek door een vreemde werd aangesproken, maar ze raakte niet in paniek.
'Dit is uw laatste kans,' zei ze.
'Ik zal uw verblijfplaats niet verraden. Laat u me alleen...'
Ze klakte met haar tong tegen haar gehemelte.
Een grote schaduw veranderde in iets levends en ademends.
Ik zag wat het was en mijn maag verkrampte.
'Dat is Otto. Hij houdt niet van vreemden.'
Het was de grootste hond die ik ooit had gezien, een immense Deense

dog met de maat van een gezonde pony, wit-grijszwart gevlekt als een dalmatiër. Eén oor was gedeeltelijk aan flarden gescheurd. Zijn lippen waren zwart en nat van het speeksel, geweken tot die halve glimlach, halve snauw die zo typerend is voor waakhonden. Ik zag parelwitte tanden en een tong met de afmetingen van een kruik. Zijn ogen waren varkensachtig en te klein voor zijn kop. Ze namen me op en ik zag er oranje spikkeltjes in.
Ik moet hebben bewogen, want zijn oren gingen omhoog. Hij hijgde en keek naar zijn bazin. Ze sprak hem toe met lieve woordjes. Hij hijgde sneller en likte haar hand met de grote, roze tong.
'Hallo, grote jongen,' zei ik. De woorden kwamen moeizaam door mijn strot. Zijn kaken gingen verder open en hij gromde.
Ik zette een paar stappen naar achteren en de hond rekte zijn hals. Het was een gespierd beest, van kop tot trillende lendenen.
'Misschien wil ik nu niet meer dat u weggaat,' zei Kim Hickle.
Ik liep nog verder naar achteren. Otto ademde uit en maakte een geluid dat diep uit zijn onderbuik kwam.
'Ik heb u al gezegd dat ik u niet zal verraden.'
'Dat zègt u.'
Ik zette nog twee stappen naar achteren. Babystapjes: een krankzinnige versie van Simon Says. De hond liep dichter naar me toe.
'Ik wil gewoon met rust worden gelaten,' zei ze. 'Ik wil niet dat iemand me lastig valt. Mij en Otto.' Ze keek de grote hond liefhebbend aan. 'U hebt me gevonden. U valt me lastig. Hoe hebt u me gevonden?'
'U hebt uw naam achtergelaten op een kaart in de bibliotheek van het Jedson College.'
'Dus u bent naar me op zoek geweest.'
'Nee. Ik heb die kaart bij toeval gevonden. Ik heb het niet op u gemunt.'
Ze klakte opnieuw met haar tong en Otto liep nog wat dichter naar me toe. Zijn boosaardige grijns was duidelijker te zien. Ik kon hem ruiken: ranzig, enthousiast.
'Nu bent ú hier en later zullen anderen volgen. Ze zullen vragen stellen. Ze zullen mij er de schuld van geven en zeggen dat ik een slechte vrouw ben. Dat ben ik niet. Ik ben een goede vrouw, goed voor kinderen. Ik was een goede echtgenote van een zieke man. Ik ben geen zieke vrouw.'

'Dat weet ik,' zei ik geruststellend. 'Het was uw schuld niet.'
Opnieuw klakte ze met haar tong. De hond stond nu zo dicht bij me dat hij me kon bespringen. Ze had hem volkomen onder controle, als een elektrisch speelgoedje. Lopen, Otto. Blijven staan, Otto. Aanvallen, Otto...
'Nee. Niet mijn schuld.'
Ik deed een stap naar achteren. Otto volgde me, een poot over de grond schrapend, zijn korte haren overeind.
'Ik zal weggaan,' zei ik. 'We hoeven niet met elkaar te praten. Zo belangrijk is het niet. U verdient uw privacy.' Ik ratelde maar door, probeerde tijd te winnen, keek naar het tuingereedschap in de hoek. In gedachten mat ik de afstand tot de hooivork, oefende de beweging die ik misschien zou moeten maken.
'Ik heb u een kans gegeven en die hebt u niet gepakt. Nu is het te laat.'
Ze klakte twee keer met haar tong en de hond sprong grommend en met opengesperde kaken op me af. Ik zag in een fractie van een seconde zijn voorpoten in de lucht, de natte, hongerige bek, de oranje ogen strak op het doel gericht. Nog altijd binnen die ene seconde zwenkte ik naar rechts, zakte door mijn knieën en dook op de hooivork af. Mijn vingers omsloten hout. Ik trok de hooivork omhoog.
Hij viel op me, een gespierd monster dat een ton woog, perste de lucht uit mijn longen, krabde met zijn poten, hapte met zijn bek. Iets ging door stof, door leer en toen door mijn huid heen. Ik voelde een vlijmscherpe en misselijk makende pijn in mijn arm, van mijn elleboog tot mijn schouder. De steel van de hooivork gleed uit mijn hand. Ik beschermde mijn gezicht met een mouw terwijl Otto zijn natte neus tegen me aandrukte en probeerde zijn kaken om mijn hals te krijgen. Ik draaide weg, stak blindelings mijn hand uit naar de hooivork, pakte die, raakte hem weer kwijt, pakte hem opnieuw. Ik balde mijn andere hand tot een vuist en gaf het dier een dreun op zijn schedel, die wel van gewapend beton leek. Hij ging op zijn achterpoten staan, brulde van woede en dook opnieuw op me af. Ik draaide de tanden van de hooivork naar boven. Hij viel met zijn volle gewicht mijn kant op. Ik klapte met mijn rug op de grond. Ik kon geen adem meer halen en moest vechten om mijn bewustzijn niet te verliezen. Ik leek te worden opgeslokt door de hondevacht en deed mijn uiterste best de hooivork tussen ons in te houden.
Toen jankte hij schril. Tegelijkertijd voelde ik de tanden van de hooi-

vork bot raken, schrapen en glijden terwijl ik de steel vol haat ronddraaide. De tanden verdwenen in het dier als een warm mes in boter.
We omhelsden elkaar, de tong van de hond op mijn oor, zijn bek van pijn opengesperd, slechts een paar centimeter van mijn gezicht vandaan. Ik zette al mijn kracht achter de hooivork, duwde en draaide, was me er vaag van bewust dat de vrouw krijste. De hond piepte als een pup. De tanden van de hooivork verdwenen nog een paar centimeter dieper in hem en konden toen niet verder. Zijn ogen gingen ver open van gekwetste trots, knipperden spastisch, vielen toen dicht. Het immense lijf lag trillend boven op me. Uit zijn bek stroomde bloed op mijn gezicht, mijn lippen en mijn kin. Ik kokhalsde door de warme, zoute smaak. Hij blies de laatste adem uit en ik probeerde onder hem vandaan te rollen.
Het had alles bij elkaar nog geen halve minuut geduurd.
Kim Hickle keek naar de dode hond, toen naar mij, en rende naar de deur. Ik ging staan, trok de hooivork uit de brede hondeborst en blokkeerde haar pad.
'Naar achteren,' zei ik, naar adem snakkend. Ik zwaaide met de hooivork en druppels bloed vlogen door de lucht. Ze bleef doodstil staan.
Het was stil in de kas. Het was opgehouden met regenen. De stilte werd verbroken door een laag, rommelend geluid: gasbellen die uit het lijk van de grote hond ontsnapten. Er volgde een berg stront die langs de slappe poten gleed en zich met de mulch vermengde.
Ze keek ernaar en begon te huilen. Toen ging ze op de grond zitten met de hopeloze, verdoofde blik van een vluchtelinge in haar ogen.
Ik ramde de hooivork de grond in en gebruikte hem als steuntje. Het duurde een volle minuut voordat ik weer op adem was gekomen en nog eens twee of drie minuten om de opgelopen schade te controleren. De regenjas was gescheurd en met bloed doordrenkt. Met enige moeite trok ik hem uit en liet hem op de grond vallen. Een mouw van het leren jack was eveneens aan flarden gescheurd. Dat trok ik ook uit en rolde toen de mouw van mijn coltrui op. Ik bekeek mijn bovenarm. De vele lagen kleding hadden een echte ramp voorkomen, maar fraai zag het er niet uit: drie beten waren al opgezet, werden omgeven door een doolhof van blauwe plekken en schaafwonden. De arm voelde stijf aan en deed zeer. Ik boog hem en had het idee dat er niets gebroken was. Hetzelfde gold voor mijn ribben en mijn andere ledematen, al deed mijn hele lijf wel zeer. Ik rekte me voorzichtig uit, op een manier

die ik van Jaroslav had geleerd. Daardoor voelde ik me iets beter.
'Was Otto ingeënt?' vroeg ik.
Ze reageerde niet. Ik herhaalde de vraag en benadrukte die door de steel van de hooivork weer vast te pakken.
'Ja. Daar heb ik de papieren van.'
'Die wil ik zien.'
'Het is waar. U kunt me geloven.'
'U hebt net geprobeerd dat monster mijn keel open te laten scheuren. Uw geloofwaardigheid is op dit moment niet zo groot.'
Ze keek naar het dode dier en begon in een soort trance heen en weer te zwaaien. Ze leek aan wachten gewend. Ik was niet in de stemming om aan een uithoudingstest mee te doen.
'Mevrouw Hickle, u kunt uit twee dingen kiezen. Als u met me meewerkt zal ik u hier in uw kleine Walden achterlaten. Maar u kunt het me ook moeilijk maken en in dat geval zal ik ervoor zorgen dat uw verhaal de voorpagina van de *L.A. Times* haalt. Denkt u daar maar eens over na. ''Echtgenote van man die kinderen seksueel heeft misbruikt, neemt haar toevlucht tot verlaten huis.'' Poëtisch, hè? Tien tegen een dat de landelijke kranten het bericht zullen overnemen.'
'Wat wilt u van me?'
'Antwoorden op vragen. Ik heb geen reden om u iets aan te doen en dat wil ik ook niet.'
'Bent u echt degene in wiens kantoor Stuart is... overleden?'
'Ja. Wie had u hier verder nog verwacht?'
'Niemand,' zei ze, te snel.
'Towle? Hayden? McCaffrey?'
Toen ik die namen noemde, registreerde haar gezicht steeds meer pijn, alsof haar botten in fasen werden gebroken.
'Ik behoor niet tot hun club, maar ik wil wel meer over hen weten.'
Ze ging op haar hurken zitten, kwam toen helemaal overeind en pakte de bebloede regenjas van de grond. Voorzichtig legde ze die over de onbeweeglijke hond.
'Ik zal met u praten,' zei ze.

25

Je kon de grote garage inkomen op een manier die mij was ontgaan. Op de begane grond, verborgen achter een ongesnoeide blauwe spar, was een raam met kippegaas ervoor. De vrouw knielde en trok aan een paar strategisch vastgezette stukjes ijzerdraad. Toen kwam het gaas los. Ze duwde het raam open en wurmde zich erdoorheen. Ik ging achter haar aan. Ik was veel groter dan zij en het viel me niet mee. Mijn gewonde arm streek langs de ruit en ik moest mijn adem inhouden om het niet uit te schreeuwen toen ik me naar binnen wurmde.

Een halve sprong en ik stond in een kleine kelder. Het was er vochtig en donker en aan de muren waren smalle houten planken bevestigd. Boven het raam was een houten luik dat omhoog werd gehouden met een haak en een oog. Ze maakte de haak los en het luik sloot met een klap. Er volgde een seconde van volledige duisternis waarin ik me schrap zette omdat ik weer een gemene streek verwachtte. Maar in plaats daarvan rook ik de aangename geur van petroleum, die me aan een jeugdliefde bij de gloed van een kampvuur deed denken, en zag rokerig licht. Ze zette de latten van het luik zo dat er ook van buitenaf nog wat licht naar binnen kwam, maar iemand die in de tuin stond, zou ons niet kunnen zien.

Mijn ogen raakten aan het licht gewend en ik kon details zien: een dunne matras en opgerold beddegoed op de grond. De petroleumlamp, een elektrisch kookplaatje, een blik Sterno en een pakje met plastic bestek lagen op het blad van een gammele houten tafel die zo vaak was geschilderd dat hij er als een beeldhouwwerk van een of ander zacht materiaal uitzag. In een hoek was een klein aanrecht met daarboven een rek met een leeg jampotje, een tandenborstel, tandpasta, een scheermes en een stuk zeep. Het merendeel van de rest van de vloerruimte werd in beslag genomen door houten melkkistjes van een soort dat ik sinds mijn jeugd niet meer had gezien. De kistjes hadden aan twee kanten een handvat en waren voorzien van de tekst: 'Zuivelprodukten van boer Del, Tacoma, Wash – onze boter is de allerbeste, gaat u hem maar eens testen.' Onder de slogan een afbeelding van een verveeld ogend koekalf en een telefoonnummer met een kengetal van twee cijfers. Op sommige plaatsen had ze die kistjes drie hoog opgestapeld en ik kon zien wat erin zat: pakken vriesgedroogd eten, ingeblikte etenswaren, papieren handdoeken, opgevouwen kleren. Drie paar schoenen, alle stevig en met rubberzolen, stonden keurig op een rij langs de muur. In de steunbalk aan het plafond waren metalen haken geslagen. Ze hing haar oliejas aan een daarvan en ging op een rechte stoel van onafgewerkt hardhout zitten. Ik koos een omgekeerd kistje als zitplaats uit.

We keken elkaar aan.

Nu ik geen andere prikkels meer kreeg, werd de pijn in mijn arm overheersend. Ik kromp ineen en dat zag ze.

Ze ging staan, doorweekte een papieren handdoek met warm water, liep naar me toe en maakte de wond schoon. In een van de kistjes zocht en vond ze steriel gaas, leukoplast en waterstofperoxyde. Als een tweede Florence Nightingale verbond ze mijn arm. Ik besefte hoe krankzinnig deze situatie was. Een paar minuten geleden had ze geprobeerd me te vermoorden, nu klakte ze moederlijk met haar tong terwijl ze de laatste hand aan het verband legde. Ik bleef op mijn hoede omdat ik verwachtte dat ze elk moment weer moordneigingen kon krijgen, haar vingers in de wond zou zetten en van de verblindende pijn gebruik zou maken om me de ogen uit te steken.

Maar toen ze klaar was liep ze terug naar haar stoel.

'De papieren,' bracht ik haar in herinnering.

Ze ging weer op zoek. Snel ditmaal. Ze wist precies waar alles was. Een stapel papieren met een dik elastiek eromheen werd aan mij overhandigd. Ik zag rekeningen van een dierenarts, bewijzen dat de hond tegen hondsdolheid was ingeënt, de registratie van een kynologenclub. De hond had officieel Otto Klaus von Schulderheis geheten. Ouders: Stuttgart-Munsch en Sigourn-Daffodil. Eigenaardig. Er waren ook diploma's van twee gehoorzaamheidscursussen die in L.A. waren gegeven en een certificaat dat meldde dat Otto alleen voor defensieve doeleinden als waakhond was getraind. Ik gaf haar de papieren terug.

'Dank u,' zei ze.

We zaten tegenover elkaar, gezellig, alsof we oude schoolkameraden waren. Ik bekeek haar eens goed en probeerde echte vijandschap te voelen. Wat ik zag was een triest ogende oosterse vrouw van ergens in de veertig, haar haren kortgeknipt als van een porseleinen pop, mager, breekbaar, gekleed in wijd vallende werkkleding. Ze zag er miezerig als een kerkmuis uit en zat daar dociel, haar handen in haar schoot gevouwen. De haat wilde niet komen.

'Hoe lang woont u al hier?'
'Zes maanden. Sinds de dood van Stuart.'
'Waarom hier en niet gewoon in het huis?'
'Ik vond dit een betere plaats om me schuil te houden. Ik wil alleen met rust worden gelaten.'
Ze zou nooit een tweede Garbo worden.
'Voor wie wilt u zich schuilhouden?'
Ze keek naar de grond.
'Zegt u me dat nu maar. Ik zal u heus niets aandoen.'
'De anderen, die ziek zijn.'
'Namen?'
'De namen die u al hebt genoemd, en andere.' Ze spuugde nog een zestal namen uit die ik niet herkende.
'Laten we het eens wat duidelijker stellen. Met "ziek" bedoelt u mensen die zich aan kinderen vergrijpen? Doen al die mannen dat?'
'Ja, maar dat wist ik niet. Stuart heeft het me later verteld, toen hij in de gevangenis zat. Ze meldden zich aan om vrijwilligerswerk in een kindertehuis te doen en namen de kinderen dan mee naar hun eigen huis. Daar deden ze zieke dingen met ze.'
'In uw kinderdagverblijf is dat ook gebeurd.'
'Nee! Daar was Stuart de enige die dat deed. De anderen kwamen nooit naar het kinderdagverblijf toe. Die gingen alleen naar het kindertehuis.'
'La Casa de los Niños. Uw man was lid van de Herenbrigade.'
'Ja. Hij zei dat hij dat deed om kinderen te helpen. Zijn vrienden hadden hem gerekruteerd, zei hij. De rechter, de dokter, de anderen. Ik vond het zo aardig van hem – we hadden zelf geen kinderen – en ik was trots op hem. Ik heb nooit geweten wat hij in werkelijkheid deed, zoals ik ook niet wist wat hij in het kinderdagverblijf deed.'
Ik zei niets.
'Ik weet wat u denkt, wat ze allemaal dachten. Dat ik het aldoor had geweten. Hoe had ik niet kunnen weten wat mijn eigen echtgenoot in mijn eigen huis deed? U geeft mij er even hard de schuld van als Stuart, maar ik zeg u dat ik het niet wist!'
Ze strekte haar armen smekend naar me uit en de handen leken saffraankleurige klauwen. Ik zag dat ze haar nagels ver had afgebeten. Op haar gezicht lag een wanhopige uitdrukking.
'Ik wist het niet,' herhaalde ze en ze veranderde die woorden in een

mantra waarmee ze zichzelf leek te willen straffen. 'Ik wist het niet. Hij was mijn echtgenoot, maar ik wist het niet.'
Ze had behoefte aan absolutie, maar ik voelde me geen biechtvader. Ik hield mijn lippen op elkaar geklemd en dwong mezelf haar afstandelijk op te nemen.
'U moet het soort van huwelijk tussen Stuart en mij begrijpen om in te zien hoe hij al die dingen heeft kunnen doen zonder dat ik er iets van wist.'
Overtuig me daar dan maar eens van, was de boodschap die mijn zwijgen overbracht.
Ze boog haar hoofd en begon.
'We hebben elkaar kort na de oorlog in Seoel leren kennen,' zei ze. 'Mijn vader had als prof taalkunde gedoceerd. We waren een welvarende familie, maar we onderhielden banden met de socialisten en de KCIA heeft die allemaal gedood. Na de oorlog sloegen ze helemaal door, vermoordden intellectuelen, iedereen die geen blinde slaaf van het regime was. Alles wat we bezaten werd in beslag genomen of vernietigd. Mijn ouders hadden mij aan vrienden meegegeven op de dag voordat die boeven naar ons huis kwamen en iedereen de keel doorsneden: familieleden, bedienden, zelfs de dieren. Daarna werd het allemaal nog erger, omdat de regering nog strengere maatregelen nam. De familie die mij in huis had genomen werd bang en ik werd op straat gezet. Ik was vijftien, maar wel heel klein en mager: ik zag er eerder als een meisje van twaalf uit. Ik bedelde, at wat ik op straat kon vinden. Ik... ik heb mezelf verkocht. Dat moest ik wel. Om in leven te kunnen blijven.'
Ze zweeg, keek langs me heen, verzamelde moed en ging weer verder. 'Toen Stuart me vond had ik koorts. Ik zat onder de luizen en had een geslachtsziekte, plus allerlei etterende wonden. Het was avond. Ik lag onder kranten in een steegje achter een café waar Amerikaanse soldaten kwamen eten en drinken en op zoek gingen naar een barmeisje. Ik wist dat het goed was om in de buurt van zo'n café te wachten, omdat de Amerikanen altijd zoveel eten weggooiden dat je er een hele familie mee zou kunnen voeden. Ik was zo ziek dat ik me nauwelijks kon bewegen, maar ik wachtte urenlang en dwong mezelf wakker te blijven, zodat de katten mijn diner niet eerder konden verorberen dan ik. Het restaurant ging kort na middernacht dicht. De soldaten kwamen naar buiten en wankelden luidruchtig en dronken het steegje door.

Toen kwam Stuart naar buiten, in zijn eentje, nuchter. Later ontdekte ik dat hij nooit alcohol dronk. Ik probeerde me stil te houden, maar van de pijn slaakte ik een kreet. Dat hoorde hij. Hij liep naar me toe, zo groot, een reus in uniform, boog zich over me heen en zei: ''Wees maar niet bang, meisje.'' Hij tilde me op en droeg me in zijn armen naar zijn appartement. Hij had veel geld, genoeg om buiten de basis een eigen onderkomen te huren. De soldaten waren met verlof, vierden feest, maakten heel wat ongewenste kindertjes. Stuart deed daar niet aan mee. Hij gebruikte zijn appartement om gedichten te schrijven. Om met zijn camera's te spelen. Om alleen te zijn.'
Het leek of ze de tijd en haar omgeving had vergeten, en ze staarde afwezig naar de donkere, houten muren.
'Hij nam u mee naar zijn appartement,' zei ik.
'Vijf weken lang heeft hij me verpleegd. Hij liet dokters komen en kocht medicijnen. Hij gaf me te eten, waste me, zat naast mijn bed om stripboeken voor te lezen. Ik was dol op Amerikaanse stripboeken omdat mijn vader die altijd van zijn reizen voor me had meegenomen. Annie het weesmeisje. Terry en de piraten. Dagwood. Blondie. Hij las ze me allemaal voor met zijn zachte, vriendelijke stem. Hij was anders dan alle mannen die ik eerder had ontmoet. Mager, rustig, als een docent, met die bril die zijn ogen zo groot deed lijken, als die van een grote vogel.
In het begin van de zesde week was ik beter. Hij kwam naast me in bed liggen en vree met me. Nu weet ik dat dat bij zijn ziektebeeld hoorde. Hij dacht waarschijnlijk dat ik een kind was en dat heeft hem denk ik opgewonden. Maar ik voelde me een vrouw. Toen ik na verloop van jaren echt een vrouw werd en duidelijk niet langer een kind was, verloor hij zijn belangstelling voor me. Hij vond het prettig me kinderkleding aan te geven. Ik was zo klein dat die me paste. Maar toen ik ouder werd en de buitenwereld bewust zag, wilde ik dat absoluut niet meer. Dat zei ik hem nadrukkelijk en hij trok zich terug. Misschien is hij zich toen aan kinderen gaan vergrijpen. Misschien is het toch wel mijn schuld geweest,' zei ze triest. 'Omdat ik hem niet langer bevredigde.'
'Nee. De man had problemen. Die verantwoordelijkheid hoeft u niet te dragen,' zei ik, niet helemaal gemeend. Ik wilde niet dat dit zou ontaarden in een sessie waarin ze zichzelf in tranen allerlei dingen verweet.

'Ik weet het niet. Zelfs nu lijkt het nog zo onwerkelijk. De kranten, de verhalen over hem. Over ons. Hij was zo'n vriendelijke, aardige en rustige man.'
Ik had soortgelijke beschrijvingen gehoord van andere mannen die kinderen seksueel hadden misbruikt. Vaak waren dat uitzonderlijk mild gemanierde mannen, die een speciale gave hadden om een goede verstandhouding met hun jonge slachtoffertjes op te bouwen. Maar natuurlijk kon dat ook niet anders. Kinderen lopen niet spontaan op een ongeschoren monster in een smerige regenjas af. Ze voelen zich wel aangetrokken tot oom Wally die zoveel aardiger is dan die gemene ouwe ma en pa en alle andere volwassenen die je niet begrijpen. Ze voelen zich wel aangetrokken tot oom Wally met zijn goocheltrucs, zijn mooie verzameling honkbalplaatjes en de werkelijk schitterende speeltjes bij hem thuis, de steppen, de videorecorders en camera's en de o zo leuke, eigenaardige boeken...
'U moet begrijpen hoeveel ik van hem hield,' zei ze. 'Hij had mijn leven gered. Hij was een Amerikaan. Hij was rijk. Hij zei dat hij ook van mij hield. ''Mijn kleine geisha'' noemde hij me. Dan schoot ik in de lach en zei: ''Nee, ik ben een Koreaanse, dommerd. De Japanners zijn zwijnen.'' Dan glimlachte hij en noemde me weer zijn kleine geisha.
We hebben vier maanden in Seoel samengewoond. Ik wachtte tot hij met verlof van de basis mocht, kookte voor hem, maakte het huis schoon en gaf hem zijn pantoffels. Ik was zijn vrouw. Toen hij uit de dienst werd ontslagen, zei hij dat hij me zou meenemen naar de Verenigde Staten. Ik was in de zevende hemel. Natuurlijk wilde zijn familie – hij had alleen nog een moeder en een paar oude tantes – niets met me te maken hebben. Dat kon Stuart niets schelen. Hij had zijn eigen geld, dat door zijn vader in fondsen was vastgezet. We reisden samen naar Los Angeles. Hij zei dat hij daar medicijnen had gestudeerd, maar was afgehaakt. Hij ging als laborant werken. Hij hóefde helemaal niet te werken en het salaris dat hij kreeg stelde niet veel voor, maar hij vond het leuk en zei dat het hem bezighield. Hij vond de apparaten – de metertjes en de reageerbuizen – leuk. Hij was altijd graag aan het knutselen. Hij droeg zijn volledige salaris aan me af, alsof het kleingeld was, en zei dat ik dat voor mezelf moest uitgeven.
Op die manier hebben we drie jaar samengewoond. Ik wilde met hem trouwen, maar kon daar niet om vragen. Het duurde een tijdje voordat

ik aan de Amerikaanse manier van leven was gewend, aan het feit dat vrouwen eigen rechten hadden en niet alleen het bezit van een man waren. Ik begon pas op een huwelijk aan te dringen toen ik kinderen wilde. Het maakte Stuart niet uit; hij vond het wel best. We trouwden. Ik probeerde zwanger te raken, maar dat lukte niet. Ik ben naar artsen gegaan en ze zeiden allemaal dat ik te veel littekens had. Ik was in Korea zo ziek geweest dat het me niet had moeten verbazen, maar ik wilde het niet geloven. Achteraf weet ik dat het goed is dat we geen kinderen hebben gekregen. Toen ik dat eindelijk had geaccepteerd, werd ik depressief. Heel erg teruggetrokken. Ik weigerde te eten. Uiteindelijk kon Stuart dat niet langer negeren. Hij stelde voor dat ik naar school zou gaan. Als ik zo van kinderen hield kon ik met hen werken, les gaan geven. Misschien had hij daar toen zijn eigen redenen al voor, maar hij leek zich echt zorgen te maken. Wanneer ik ziek of depressief was, was hij op z'n best.
Ik ben gaan studeren en heb heel veel geleerd. Ik was een goede studente.' Ze glimlachte toen ze zich dat herinnerde. 'Heel gemotiveerd. Voor het eerst zag ik de wereld en kwam ik in contact met andere mensen. Tot die tijd was ik echt Stuarts kleine geisha geweest. Nu begon ik voor mezelf te denken. Tegelijkertijd vervreemdde hij steeds meer van me. Woede of wrok heeft hij nooit geuit. Hij bracht gewoon meer tijd door met zijn camera's en zijn boeken over vogels. Hij las graag boeken en tijdschriften over de natuur, hoewel hij nooit wandeltochten maakte. Hij was iemand die vanuit zijn makkelijke stoel van vogels hield. Hij was iemand die eigenlijk zelden zijn makkelijke stoel uit kwam.
We werden als een verre neef en nicht die hetzelfde huis deelden. Dat vonden we geen van beiden erg. We hadden het druk. Ik studeerde elk moment dat ik vrij had, omdat ik het niet bij mijn kandidaats wilde laten en me wilde specialiseren in de opvang van jonge kinderen. We gingen ieder onze eigen weg. Er waren weken dat we elkaar niet zagen. Van communicatie was geen sprake, van een huwelijk in feite ook niet meer. Maar we spraken ook niet over een echtscheiding. Wat zou de zin daarvan zijn geweest? We maakten geen ruzie. Het was leven en laten leven. Mijn nieuwe vriendinnen, mijn studiegenoten, zeiden dat ik geëmancipeerd was, dat ik gelukkig moest zijn met een echtgenoot die het me niet lastig maakte. Wanneer ik me eenzaam voelde begroef ik me dieper in mijn studieboeken.

Ik studeerde af en ging praktijkervaring opdoen op crèches in de buurt. Ik vond het prettig om met die kleintjes te werken, maar dacht dat ik een beter dagverblijf zou kunnen runnen dan ik van anderen had gezien. Ik sprak er met Stuart over en hij had er geen bewaar tegen. Het was best als het mij gelukkig maakte en ik hem niet voor de voeten liep. We kochten een groot huis in Brentwood – er leek altijd overal geld voor te zijn – en ik begon Kim's Korner. Het was een geweldig kinderdagverblijf en voor mij was het een heerlijke tijd. Ik treurde eindelijk niet meer om het feit dat ik zelf geen kinderen had. Toen begon hij...'

Ze zweeg, sloeg haar handen voor haar gezicht en wiegde heen en weer.

Ik ging staan en legde een hand op haar schouder.

'Doet u dat alstublieft niet. Dat moet u niet doen. Ik heb geprobeerd u door Otto te laten doden.' Ze hief haar droge, gladde gezicht naar me op. 'Begrijpt u dat? Ik wilde dat hij u doodde. Nu doet u zo aardig en begrijpend en daardoor voel ik me nog beroerder.'

Ik haalde mijn hand weg en ging weer zitten.

'Waarom had u een dier als Otto nodig? Waarom bent u bang?'

'Ik dacht dat u hierheen was gestuurd door degenen die Stuart hebben vermoord.'

'Volgens de officiële uitspraak heeft hij zelfmoord gepleegd.'

Ze schudde haar hoofd.

'Nee, dat heeft hij niet gedaan. Ze zeiden dat hij depressief was, maar dat was een leugen. Natuurlijk was hij heel neerslachtig toen hij net was gearresteerd. Hij voelde zich vernederd en schuldig. Maar hij was er weer snel overheen. Zo was hij. Hij kon de werkelijkheid even makkelijk blokkeren als dat je een filmrolletje aan het daglicht blootstelt. Poef! Weg beeld! De dag voordat hij officieel in staat van beschuldiging werd gesteld, hebben we elkaar over de telefoon gesproken. Hij was heel opgewekt. Als je hem hoorde praten zou je denken dat die arrestatie het beste was dat hem... ons ooit was overkomen. Hij was ziek geweest en nu zou hij hulp krijgen. We zouden helemaal opnieuw beginnen zodra hij uit het ziekenhuis was ontslagen. Ik zou zelfs in een andere stad een ander kinderdagverblijf kunnen beginnen. Hij stelde Seattle voor en sprak erover het ouderlijk huis weer te gaan bewonen. Daardoor ben ik op het idee gekomen om hierheen te gaan. Ik wist dat dat nooit zou gebeuren. Toen had ik al besloten hem te verlaten. Maar ik ging mee met zijn fantasieën en zei ja, schat, zeker, Stuart. Later hebben we opnieuw met elkaar gesproken en de teneur van de gesprekken was altijd dezelfde. Het leven zou beter worden dan ooit. Hij sprak niet als een man die op het punt stond zich een kogel door z'n kop te jagen.'

'Zo eenvoudig ligt zoiets niet. Mensen plegen vaak zelfmoord nadat ze even in een veel optimistischere stemming zijn geweest. Zoals u misschien wel weet, worden er in de lente de meeste zelfmoorden gepleegd.'

'Misschien is dat wel zo, maar ik ken Stuart en ik weet dat hij dat niet heeft gedaan. Hij was te oppervlakkig om zich lang om iets als een arrestatie druk te maken. Hij kon alles ontkennen. Hij heeft al die jaren mij en ons huwelijk in wezen genegeerd. Daarom kon hij die dingen doen zonder dat ik er iets van wist. We waren vreemden voor elkaar.'

'Maar u kent hem goed genoeg om er zeker van te zijn dat hij geen zelfmoord heeft gepleegd.'

'Ja,' hield ze vol. 'Dat verhaal over dat telefoontje naar u en het geforceerde slot. Zoiets is... was niks voor Stuart. Hoe ziek hij ook was, hij was naïef, bijna een echt simpele ziel. Plannen kon hij niet.'

'Er was planning voor nodig om die kinderen de kelder in te krijgen.'

'U hoeft me niet te geloven. Het kan me niets schelen. Hij heeft mensen veel schade berokkend. Nu is hij dood en leef ik in een eigen kelder.'

Haar glimlach was meelijwekkend.

De lamp sputterde. Ze stond op om het kousje hoger te draaien en er wat petroleum bij te doen. Toen ze weer ging zitten vroeg ik: 'Wie heeft hem vermoord en waarom?'

'De anderen. Zijn zogenaamde vrienden. Om te voorkomen dat hij hen zou verraden. Dat zou hij namelijk zeker hebben gedaan. De laatste keren dat ik hem bezocht zinspeelde hij daarop. Maakte opmerkingen als: "Ik ben niet de enige zieke, Kimmy" of "De Heren zijn anders dan ze lijken te zijn." Ik wist dat hij wilde dat ik hem ernaar vroeg, om hem te helpen zijn hart te luchten. Maar dat heb ik niet gedaan. Ik verkeerde nog in een shocktoestand omdat ik mijn kinderdagverblijf had verloren en voelde me zelf zo beschaamd dat ik niets meer over perversie wilde horen. Ik onderbrak hem telkens en veranderde van gespreksonderwerp. Nadat hij was overleden herinnerde ik het me weer en kon ik van een en een twee maken.'

‘Heeft hij iemand met name genoemd?’
‘Nee, maar waar kan hij anders op hebben gedoeld? Ze kwamen hem ophalen, parkeerden hun grote auto’s op de oprijlaan, gingen gekleed in die sportjacks met het insigne van La Casa erop. Hij was opgewonden wanneer hij met hen op pad ging. Zijn handen trilden dan. De volgende morgen kwam hij in de vroege uren uitgeput thuis. Is het niet duidelijk wat ze dan deden?’
‘U hebt met niemand over uw achterdocht gesproken?’
‘Wie zou me hebben geloofd? Die mannen zijn machtig. Het zijn artsen, juristen, directeuren en die afschuwelijke kleine rechter Hayden. Ik had als de echtgenote van iemand die zich aan kinderen had vergrepen, geen schijn van kans dat iemand naar me zou luisteren. In de ogen van het grote publiek ben ik even schuldig als Stuart. En er zijn geen bewijzen. Kijk maar eens wat zij hebben gedaan om hem definitief de mond te snoeren. Ik moest wel op de vlucht slaan.’
‘Heeft Stuart ooit tegen u gezegd dat hij McCaffrey uit Washington kende?’
‘Nee. Was dat zo?’
‘Ja. En er is nog een kind, Cary Nemeth. Is zijn naam wel eens genoemd?’
‘Nee.’
‘Elena Gutierrez? Morton Handler, doctor Morton Handler?’
‘Nee.’
‘Maurice Bruno?’
Ze schudde haar hoofd. ‘Nee. Wie zijn die mensen?’
‘Slachtoffers.’
‘Net als de anderen seksueel misbruikt?’
‘Op een ultieme manier misbruikt. Ze zijn dood. Vermoord.’
‘O, mijn god.’ Ze bracht haar handen naar haar gezicht.
Ze was gaan transpireren toen ze haar verhaal vertelde. Pieken zwart haar plakten op haar voorhoofd. ‘Dus het gaat nog door,’ zei ze triest.
‘Daarom ben ik hier. Om er een eind aan te maken. Zou u me nog iets anders kunnen vertellen waar ik wat aan heb?’
‘Niets. Ik heb u alles verteld. Ze hebben hem gedood. Het zijn boosaardige mannen die hun smerige geheim toedekken met de mantel van fatsoen. Ik ben op de vlucht gegaan om aan hen te ontsnappen.’
Ik keek in de smerige ruimte om me heen.
‘Hoe lang kunt u zo nog doorgaan?’

'Voor altijd wanneer niemand me verraadt. Het eiland ligt afgelegen en dit landgoed is vanaf de weg niet te zien. Wanneer ik naar het vasteland moet om boodschappen te doen, kleed ik me als een werkster. Niemand let op me. Ik sla zo groot mogelijke voorraden in, om me zo min mogelijk te hoeven laten zien. De laatste keer dat ik op de veerboot heb gezeten is nu al meer dan een maand geleden. Ik leef eenvoudig. De bloemen zijn de enige extravagantie die ik me veroorloof. Ik heb ze gekweekt uit zaadjes en bloembollen. Ze houden me bezig, omdat ik ze water moet geven, moet snoeien en verpotten. De dagen gaan snel voorbij.'
'Hoe veilig kunt u hier zijn? Towle en Hayden zijn hier geboren en getogen.'
'Dat weet ik, maar hun families wonen hier al een generatie niet meer. Dat ben ik nagegaan. Ik ben zelfs langs hun vroegere huizen gelopen. Nieuwe gezichten, nieuwe namen. Ze hebben geen reden om hier naar mij te gaan zoeken. Tenzij u hun die geeft.'
'Dat zal ik niet doen.'
'De volgende keer dat ik naar het vasteland moet zal ik een wapen kopen om voorbereid te zijn op hun eventuele komst. In dat geval zal ik ontsnappen en ergens anders naartoe gaan. Daar ben ik aan gewend. In mijn dromen komen herinneringen aan Seoel boven. Daardoor blijf ik waakzaam. Die andere moorden doen me verdriet, maar ik wil er niet meer over weten. Ik kan er toch niets aan doen.'
Ik ging staan en ze hielp me in mijn jack.
'Het gekke is dat dit landgoed waarschijnlijk van mij is,' zei ze. 'Net als het huis in Brentwood en de rest van het Hickle-fortuin. Ik ben Stuarts enige erfgename. Een aantal jaren geleden hebben we al een testament laten maken. Hij heeft met mij nooit over financiële zaken gesproken, dus weet ik niet hoeveel hij heeft nagelaten, maar het moet een niet onaanzienlijk fortuin zijn. Er waren aandelen aan toonder en nog ander onroerend goed hier langs de kust. Theoretisch gesproken ben ik een rijke vrouw. Zie ik daarnaar uit?'
'U kunt op geen enkele manier in contact komen met de executeur-testamentair?'
'Die is verbonden aan het kantoor van Edwin Hayden en voor zover ik weet is die man een van hen. Ik kan het best zonder rijkdom stellen als die me alleen een dure begrafenis zou opleveren.'
Ze gebruikte haar stoel om het raam uit te klimmen. Ik kwam achter

haar aan. We liepen in de richting van het grote, zwarte huis.
'U hebt de kinderen van mijn kinderdagverblijf behandeld. Hoe gaat het met hen?'
'Heel goed. De prognose is goed. Ze zijn verbazingwekkend veerkrachtig.'
'Gelukkig.'
Een paar stappen later: 'En de ouders? Haatten die mij?'
'Sommigen wel. Anderen waren verbazingwekkend loyaal en verdedigden u. Dat zorgde voor een scheiding in de groep, maar ze hebben er een oplossing voor gevonden.'
'Daar ben ik blij om. Ik denk vaak aan hen.'
Ze liep met me mee tot de rand van het moeras voor het huis.
'Nu zal ik u alleen verder laten gaan. Hoe gaat het met uw arm?'
'Die is stijf, maar het is niet ernstig. Ik overleef het wel.'
Ik stak mijn hand uit en die drukte ze.
'Het ga u goed,' zei ze.
'U ook.'
Ik liep door onkruid en modder, had het koud en voelde me moe. Toen ik omkeek was ze weg.

Ik bleef in de eetzaal van de veerboot zitten en dronk het merendeel van de tocht terug naar het vasteland koffie, terwijl ik nadacht over wat ik te weten was gekomen. Toen ik terug was in het hotel belde ik Milo op het bureau. Ik kreeg te horen dat hij daar niet was en draaide zijn privé-nummer. Rick Silverman nam op.
'Hallo, Alex. De lijn wordt gestoord. Bel je van buiten de stad?'
'Ja. Vanuit Seattle. Is Milo al terug?'
'Nee. Ik verwacht hem morgen. Hij is zogenaamd voor een vakantie naar Mexico gegaan, maar ik heb de indruk dat hij daar werk te doen had.'
'Dat klopt. Hij stelt een onderzoek in naar de achtergrond van een kerel die McCaffrey heet.'
'Hmmm. De geestelijke die dat kindertehuis leidt. Hij zei dat jij hem die kant op had gewezen.'
'Misschien heb ik zijn belangstelling voor die man gewekt, maar toen ik hem er de laatste keer over sprak, stuurde hij me met een kluitje in het riet. Heeft hij je verteld waarom hij heeft besloten die reis te maken?'

'Eens even nadenken. Ik herinner me dat hij zei dat hij de politie daar had gebeld, in een of andere kleine stad – de naam ben ik vergeten – en dat die hem tot het besluit had gebracht. Ze impliceerden dat ze een sappig brokje informatie voor hem hadden, maar dat hij een paar handen zou moeten smeren om te weten te komen wat dat behelsde. Dat verbaasde me, omdat ik dacht dat politiemensen samenwerkten, maar hij zei dat het altijd zo ging.'
'Dat is alles?'
'Dat is alles. Hij heeft me uitgenodigd om met hem mee te gaan, maar dat kon ik niet met mijn werkschema combineren. Ik moest vierentwintig uur dienst draaien en daardoor had ik te veel met de andere jongens moeten ruilen.'
'Heb je na zijn vertrek nog iets van hem gehoord?'
'Ik heb alleen een kaart gekregen, die vanaf het vliegveld van Guadalajara was verstuurd. Een oude boer met een pakezeltje naast een reuzencactus die van plastic leek. Heel fraai. ''Ik wou dat je hier was'' had hij erop geschreven.'
Ik lachte. 'Als hij je belt, vraag hem dan mij te bellen. Ik heb nog wat meer informatie voor hem.'
'Dat zal ik doen. Moet ik hem verder nog iets zeggen?'
'Nee. Vraag hem alleen me te bellen.'
'Oké.'
'Bedankt. Ik verheug me erop je een keer te ontmoeten, Rick.'
'Dat is dan wederzijds. Misschien wanneer hij terug is en dit alles is afgehandeld.'
'Dat lijkt me een uitstekend idee.'
Ik trok mijn kleren uit en bekeek mijn arm. Daar kwam wat vocht uit, maar geen pus. Kim Hickle had me goed verbonden. Ik deed een halfuur spieroefeningen en toen nog wat karateoefeningen. Daarna nam ik drie kwartier een heet bad en las de gids voor Seattle, die door het hotel gratis was geleverd.
Ik belde Robin, kreeg geen gehoor, kleedde me aan en ging een hapje eten. Ik herinnerde me een restaurant van mijn vorige bezoek aan Seattle, een met cederhout gelambrizeerde ruimte met uitzicht over Lake Union, waar ze zalm op een barbecue met sporkehout klaarmaakten. Ik vond dat met behulp van mijn gids en een kaart terug, en was er vroeg genoeg om een tafeltje met een fraai uitzicht te krijgen. Ik at een grote salade met roquefort, schitterende koraalroze, gefileerde zalm,

aardappelen, boontjes en warme bruine broodjes uit een mandje. Ik dronk er twee biertjes bij. Tot slot nam ik bramenijs en koffie. Met een volle buik keek ik naar de zonsondergang boven het meer.
Ik liep een paar boekhandels in de buurt van de universiteit in, kon niets opwindends of opwekkends ontdekken en reed terug naar het hotel. In de lobby was een winkeltje waar ze oosterse spullen verkochten. Het was nog open. Ik liep naar binnen en kocht een groene cloisonnéketting voor Robin. Toen ging ik met de lift terug naar mijn kamer. Om negen uur belde ik haar weer. Nu nam ze wel op.
'Alex! Ik hoopte al dat jij het zou zijn.'
'Hoe gaat het met je, schat? Ik heb een paar uur geleden ook al geprobeerd je te bereiken.'
'Ik ben buitenshuis gaan eten. Ik heb helemaal op mijn eentje een omelet verorberd in een hoekje van het café Pelican. Klinkt dat niet triest?'
'Ik heb ook in mijn eentje gegeten, mevrouw.'
'Wat zielig voor je. Alex, kom snel naar huis. Ik mis je.'
'Ik mis jou ook.'
'Heb je iets aan de reis gehad?'
'Heel veel.' Ik vertelde haar het verhaal gedetailleerd, maar maakte geen melding van mijn aanvaring met Otto.
'Je bent echt iets op het spoor. Geeft het je geen vreemd gevoel om al die geheimen te ontdekken?'
'Niet echt, maar ik kijk er niet vanaf de buitenkant naar.'
'Ik wel en geloof me, het is allemaal heel gek, Alex. Ik zal blij zijn wanneer Milo terug is en het weer van je kan overnemen.'
'Hmmm. Hoe gaat het met jou?'
'Ik heb lang niet zulke opwindende dingen meegemaakt als jij, maar ik heb wel een nieuwtje. Vanmorgen ben ik gebeld door het hoofd van een nieuwe feministische groepering: een soort Kamer van Koophandel voor vrouwen. Ik had de banjo van die vrouw een paar maanden geleden gerepareerd en toen ze die kwam ophalen raakten we aan de praat. Nu belde ze me op en vroeg of ik de volgende week voor hun groep een lezing wil houden met als titel ''De ambachtsvrouw in de hedendaagse maatschappij'' en als ondertitel ''Creativiteit ontmoet de zakenwereld'', of zoiets dergelijks.'
'Dat is fantastisch. Als ze me binnenlaten kom ik beslist naar je luisteren.'

'Waag het niet! Ik ben al zenuwachtig genoeg. Alex, ik heb nog nooit een lezing gegeven en ik vind het doodeng.'
'Maak je geen zorgen. Je weet waar je het over hebt. Je bent intelligent en kunt uitstekend uit je woorden komen. Ze zullen aan je voeten liggen.'
'Dat zeg jij.'
'Inderdaad. Luister. Als je echt zo zenuwachtig bent, wil ik je best onder hypnose brengen. Om je te helpen je te ontspannen. Dat zou een fluitje van een cent zijn.'
'Denk je dat hypnose me zou helpen?'
'Zeker. Gezien jouw verbeeldingskracht en creativiteit moet het uitstekend lukken.'
'Ik heb je wel eens horen vertellen dat je zoiets met patiënten hebt gedaan, maar ik heb er nooit over gedacht je te vragen mij onder hypnose te brengen.'
'Schatje, gewoonlijk bedenken wij andere manieren om onze tijd samen door te brengen.'
'Hypnose,' zei ze. 'Nu heb ik nog iets anders om me zorgen over te maken.'
'Je hoeft je er geen zorgen over te maken. Het kan totaal geen kwaad.'
'Echt niet?'
'Nee. In jouw geval echt niet. Je kunt alleen in de problemen komen wanneer degene die je onder hypnose wilt brengen, worstelt met grote emotionele conflicten of diepgewortelde problemen. In die gevallen kan een hypnose oerherinneringen naar boven halen, wat stress en grote angst tot gevolg kan hebben. Maar zelfs dat hoeft niet erg te zijn. Een goed opgeleide psychotherapeut zal die angst ten goede gebruiken en de patiënt helpen die te verwerken.'
'Maar zoiets kan mij niet overkomen?'
'Zeker niet. Dat kan ik je garanderen. Je bent de meest normale persoon die ik ooit heb ontmoet.'
'Ha! Je oefent al te lang je vak niet meer uit!'
'Ik daag je uit om me één symptoom van psychopathologie te noemen.'
'Wat zou je denken van extreme geilheid nu ik je stem hoor? Van het sterke verlangen je aan te raken, je te pakken en in me te brengen?'
'Hmmm. Dat klinkt serieus.'
'Kom dan maar snel terug om er iets aan te doen, doctor.'

'Ik ben morgen weer terug en zal dan meteen met de behandeling beginnen.'
'Hoe laat?'
'Het vliegtuig landt om tien uur. Een halfuur daarna.'
'Verdorie, ik was even helemaal vergeten dat ik morgenochtend naar Santa Barbara moet. Mijn tante ligt op de intensive care van het Cottage Hospital. Ik moet erheen, want het wordt een soort familiebijeenkomst. Als je eerder terug kunt zijn kunnen we samen ontbijten voordat ik wegga.'
'Ik pak het eerste toestel al, schatje.'
'Ik neem aan dat ik ook wat later op de dag naar haar toe zou kunnen gaan.'
'Ga jij nu maar rustig op de afgesproken tijd naar je tante toe. Dan gaan we gezellig samen dineren.'
'Het zou een laat etentje kunnen worden.'
'Kom maar meteen vanuit Santa Barbara naar mijn huis toe en dan zien we wel wat we gaan doen.'
'Oké. Ik zal proberen er om acht uur te zijn.'
'Geweldig. Wens je tante een snel herstel toe. Ik hou van je.'
'Ik hou ook van jou. Pas goed op jezelf.'

26

De volgende morgen zat iets me dwars. Dat gevoel bleef ik houden toen ik naar Sea-Tac reed en ook toen ik aan boord van het vliegtuig ging. Ik kon niet ontdekken wat in de onderste la van mijn geest verscholen lag en het bleef me achtervolgen terwijl ik at, naar de geforceerde glimlachjes van de stewardessen keek en naar de flauwe grapjes van de tweede piloot luisterde. Hoe meer ik mijn best deed om te achterhalen wat het was, hoe verder het in mijn onderbewuste leek weg te zakken. Ik voelde me net zo ongeduldig en gefrustreerd als een kind dat voor het eerst een tangram probeert op te lossen. Ik besloot me er maar niet meer in te verdiepen, op mijn gemak te gaan zitten en af te wachten of het me misschien vanzelf te binnen zou schieten.
Dat gebeurde pas kort voor de landing. Het telefoongesprek dat ik de vorige avond met Robin had gevoerd, was onbewust door mijn hoofd blijven spoken. Ze had me gevraagd naar de gevaren van een hypnose

en ik had haar gezegd dat het geen kwaad kon tenzij de ervaring latent aanwezige conflicten naar boven haalde. Ik had het woord 'oerherinneringen' gebruikt. Wanneer oerherinneringen naar boven kwamen, had dat vaak doodsangst tot gevolg...

Toen de wielen de landingsbaan raakten, was ik heel gespannen. Zodra ik het toestel uit was jogde ik de aankomsthal door en uit, haalde de Seville van het parkeerterrein, waarop je één nacht mocht blijven staan, betaalde een aanzienlijk losgeld om het hek door te komen en reed toen over Century Boulevard naar het oosten. In zijn oneindige wijsheid had Caltrans besloten tijdens de ochtendspits werkzaamheden aan het middelste deel van de weg uit te voeren, waardoor ik in een file terechtkwam en in de Cadillac zat te koken tot ik de anderhalve kilometer naar de oprit naar de San Diego Freeway had afgelegd. In noordelijke richting ging ik verder over de snelweg, draaide de Santa Monica West op en ging die even voor de Pacific Coast Highway weer af. Een rit over Ocean en een paar bochten brachten me naar de Palisades en de plaats waar Morton Handler en Elena Gutierrez het leven hadden gelaten.

De deur van het appartement van Bonita Quinn stond open. Ik hoorde binnen vloeken en liep door. In de voorkamer stond een man tegen de bank met de gebloemde bekleding te trappen en binnensmonds te mompelen. Hij was ergens in de veertig, had krullend haar, een huid met de kleur van stopverf, een ontmoedigde blik in zijn ogen en een sikje van staalwol dat zijn eerste kin van zijn tweede scheidde. Hij had een zwarte broek aan en een lichtblauw nylon shirt dat vastgeplakt zat aan elke rol en plooi van zijn drillerige torso. In een hand hield hij een sigaret, waarvan hij de as aftikte op het tapijt. De andere hand was achter een dik oor op zoek naar een schat. Hij trapte nogmaals tegen de bank, keek op, zag me en gebaarde met de rokende hand de kleine kamer rond.

'Oké. Je kunt aan de slag gaan.'

'Waarmee?'

'De troep weghalen. Ben je dan niet de verhuizer?' Hij keek nogmaals naar me, ditmaal oplettender. 'Nee, u ziet er niet uit als een verhuizer. Sorry.' Hij rechtte zijn schouders. 'Wat kan ik voor u doen?'

'Ik ben op zoek naar Bonita Quinn en haar dochter.'

'Dat zijn we dan alle twee.'

'Is ze weg?'

'Al drie dagen, verdomme. Met wie weet hoeveel cheques die lui al voor de huur hadden uitgeschreven. Ik kreeg klachten van huurders omdat ze niet op telefoontjes reageerde en over reparaties die niet waren verricht. Toen heb ik haar gebeld, maar er werd nog steeds niet opgenomen. Dus ben ik zelf hierheen gegaan en merkte toen dat ze al drie dagen weg was en al deze rotzooi gewoon heeft achtergelaten. Ik heb altijd al het idee gehad dat er iets met dat mens mis was. Je bewijst iemand een gunst en krijgt stank voor dank. Dat gebeurt zo vaak.'

Hij nam een trek van zijn sigaret, hoestte en nam nog een trek. Rond de irissen was het oogwit geel. Grijs, ongezond ogend vlees hing als zakken om de achterdochtige ogen heen. Hij zag eruit als een man die herstellende was van een hartaanval of op het punt stond er een te krijgen.

'Bent u van een incassobureau?'

'Ik ben een van de mensen die haar dochter behandelen.'

'O ja? Ga me alstublieft niets over artsen vertellen. Iemand van jullie soort heeft me in wezen met dit probleem opgezadeld.'

'Towle?'

Zijn wenkbrauwen gingen omhoog. 'Ja. Werkt u met hem samen? In dat geval heb ik...'

'Nee. Ik ken hem alleen.'

'Dan weet u dat hij een ouwe zeur is. Bemoeit zich met dingen waar hij niets mee te maken heeft. Als mijn vrouw me dit hoort zeggen, vermoordt ze me. Zij is stapel op die vent. Zegt dat hij geweldig met kinderen is. En wie ben ik om daar vraagtekens bij te zetten, toch? Wat voor een dokter bent u eigenlijk?'

'Eigenlijk ben ik psycholoog.'

'Dus dat kind had problemen? Dat zou me niets verbazen. Ze zag er een beetje onzeker uit, als u begrijpt wat ik bedoel.' Hij stak een hand uit en hield die schuin, als de vleugel van een zweefvliegtuig.

'U zei dat Towle u met Bonita Quinn in de problemen heeft gebracht?'

'Dat klopt. Ik had die man één, misschien twee keer ontmoet. Ik zou hem op straat zo voorbijgelopen zijn. Op een dag belt hij me zomaar op en vraagt me of ik een patiënte van hem aan een baan kan helpen. Hij had gehoord dat we een manager voor dit gebouw zochten en ik zou die dame er echt mee helpen. Ik vroeg of ze ervaring had, omdat het hier om grote appartementen gaat. Nee, zei hij, maar die kan ze opdoen. Ze heeft een kind en ze heeft het geld nodig. Luister, doc, zei ik, dit gebouw richt zich vooral op vrijgezellen en die baan is niet geschikt voor iemand met een kind. Het appartement van de manager is daar te klein voor.' Hij keek me nijdig aan. 'Zou u een kind in een hol als dit laten wonen?'

'Nee.'

'Ik ook niet. Je hoeft geen arts te zijn om te weten dat het niet geschikt is voor een kind. Dat heb ik ook tegen Towle gezegd. Doc, dit is een baan voor een vrijgezel, zei ik. Gewoonlijk neem ik een student van de UCLA voor zo'n baantje in de arm, want die lui hebben niet veel ruimte nodig. Ik zei tegen hem dat ik nog andere appartementengebouwen had. Aan Van Nuys, een paar in Canoga Park, die meer voor gezinnen bedoeld zijn. Ik bood aan mijn mannetje in de Valley te bellen en met hem te bekijken of ik die patiënte zou kunnen helpen.

Maar Towle zei dat het dit gebouw moest worden. Het kind zat al op een school hier in de buurt en haar daar weer van afhalen zou een traumatische ervaring zijn. Hij was haar arts en hij wist dat zeker. Ik zei dat kinderen in een gebouw als dit geen herrie mochten maken. Dat de bewoners vrijgezellen waren en sommigen graag uitslapen. Hij zei dat hij me kon garanderen dat het kind keurig was opgevoed en geen herrie zou maken. Ik dacht toen bij mezelf dat er iets met dat kind niet in orde moest zijn als ze dat niet deed en nu u hierheen bent gekomen, is het me allemaal duidelijk.

Ik probeerde hem met een kluitje in het riet te sturen, maar hij bleef me onder druk zetten. Hij is een ouwe zeur. Mijn vrouw is dol op hem en ze zou me vermoorden wanneer ik hem tegen de haren in streek, dus haalde ik bakzeil. Hij maakte een afspraak om me aan die vrouw voor te stellen en verscheen toen met haar en het kind. Ik was verbaasd. Ik had er de avond daarvoor nog eens over nagedacht en was tot de conclusie gekomen dat hij met die meid de koffer in dook en zich daarom als een Albert Schweitzer gedroeg. Ik had een vrouw van klasse verwacht, met de juiste rondingen op de juiste plaatsen. Een van die types die actrice willen worden, als u begrijpt wat ik bedoel. Hij is al wat ouder, maar ziet eruit als een man van klasse, nietwaar? Toen kwam hij met haar en dat kind aanzetten en ze zagen eruit als een stel uit de Dust Bowl: echte provinciaaltjes. De moeder was doodsbang en rookte meer dan ik, wat een hele prestatie is. Het kind

staart alleen de ruimte in, al moet ik meteen toegeven dat ze heel stil was. Ze gaf geen kik. Ik had mijn twijfels of mama de baan zou aankunnen, maar wat kon ik doen? Ik had die in feite al toegezegd. Ik nam haar in dienst en ze deed haar best. Ze werkte hard, al leerde ze langzaam. Maar ik kreeg geen klachten over het kind. Ze is een paar maanden gebleven en nu is ze 'm opeens gesmeerd. Ik zit met al deze troep en zij heeft waarschijnlijk een paar duizend dollar aan huur meegenomen. Ik zal de huurders zover moeten krijgen dat ze de uitgeschreven cheques blokkeren en mij nieuwe geven. Ik moet deze flat leeg laten halen en iemand anders in dienst nemen. Ik kan u wel vertellen dat ik geen artsen of wie dan ook meer moet.'
Hij sloeg zijn armen voor zijn borst over elkaar.
'U hebt er geen idee van waar ze naartoe is gegaan?' vroeg ik.
'Zou ik dan hier een praatje met u staan te maken?'
Hij liep de slaapkamer in, die er nog even troosteloos uitzag als ik me hem herinnerde.
'Kijk hier eens naar. Hoe kunnen mensen een kind zo grootbrengen? Ik heb drie kinderen. Ieder heeft zijn eigen kamer, een televisie, boekenplanken, een Pac Man en zo. Hoe kan de geest van een kind zich in een flat als deze ontwikkelen?'
'Als u iets van haar hoort, of te weten komt waar ze is, wilt u me dan alstublieft bellen?' Ik pakte een oud visitekaartje, streepte het nummer van mijn praktijk door en schreef mijn privé-nummer ervoor in de plaats.
Hij keek er even naar en stopte het in zijn zak. Hij streek over de bovenkant van de ladenkast en zijn vinger zat meteen onder het stof. 'Jasses. Ik haat stof,' zei hij en hij klopte zijn hand af. 'Ik heb alles graag keurig netjes, als u begrijpt wat ik bedoel. Mijn appartementen zijn altijd brandschoon. Ik betaal graag extra voor het beste schoonmaakbedrijf. Het is belangrijk dat huurders het gevoel hebben dat ze in een gezonde omgeving zijn.'
'U zult me bellen?'
'Ja, natuurlijk. En u belt mij wanneer u iets meer te weten komt. Afgesproken? Ik zou er geen bezwaar tegen hebben mevrouw Bonita te vinden, de cheques terug te krijgen en haar eens te zeggen hoe ik over haar denk.' Uit zijn zak haalde hij een portefeuille van slangeleer te voorschijn en daar viste hij een parelgrijs visitekaartje uit. M AND M PROPERTIES, BEDRIJFSPANDEN EN PARTICULIERE WONINGEN. MARDUK

I. MINASSIAN, PRESIDENT-DIRECTEUR. Gevolgd door een adres in Century City.
'Hartelijk dank, meneer Minassian.'
'Marty.'
Hij ging door met zijn inspectie van de kamer, maakte laden open, schudde zijn hoofd, bukte zich om onder het bed te kijken dat Bonita Quinn met haar dochter had gedeeld. Daar vond hij iets. Hij stond op, keek ernaar en smeet het in een metalen prullenbak, waar het op de bodem kletterde.
'Wat een troep.'
Ik keek in de prullenbak, zag wat hij had weggegooid en pakte het.
Het was het verschrompelde hoofd dat Melody me had laten zien op de dag die we samen op het strand hadden doorgebracht. Ik hield het in de palm van mijn hand en de ogen van bergkristal staarden me glanzend en boosaardig aan. Het merendeel van het synthetische haar was verdwenen, maar een paar zwarte pieken stonden nog recht overeind boven het wreed vertrokken gezicht.
'Rommel,' zei Minassian. 'Het is vies. Gooi maar weg.'
Ik sloot mijn hand om het souvenirtje van het kind en was er meer dan ooit zeker van dat de hypothese die ik in het vliegtuig had ontwikkeld, juist was. En dat ik snel in actie moest komen. Ik stopte het dingetje in mijn zak, glimlachte Minassian toe en vertrok.
'Hé!' riep hij me na. Toen mompelde hij iets dat klonk als: 'Idiote artsen!'

Ik keerde terug naar de snelweg en ging toen verder naar het oosten. Ik reed als een gek en hoopte dat de verkeerspolitie me niet in de smiezen zou krijgen. Ik had mijn legitimatiebewijs van de politie bij me, maar betwijfelde of ik daar veel aan zou hebben. Zelfs adviseurs van de politie worden niet geacht met een snelheid van honderddertig kilometer per uur aan het verkeer deel te nemen.
Ik had geluk. Het was rustig op de weg en de bewakers van het asfalt waren in geen velden of wegen te bekennen. Even voor enen was ik bij de afrit naar Silver Lake. Vijf minuten later liep ik het trapje op naar het huis van de familie Gutierrez. De oranje en gele klaprozen lieten hun kopjes hangen van de dorst. Er zat niemand op de veranda, die kraakte toen ik erop stapte.
Ik klopte op de deur. Cruz Gutierrez deed open, met breinaalden en

een bol roze wol in haar handen. Ze leek niet verbaasd me te zien.
'*Si señor*?'
'Ik heb uw hulp nodig, señora.'
'*No habio inglés*.'
'Alstublieft! U verstaat voldoende Engels om me te kunnen helpen.'
De uitdrukking op het donkere, ronde gezicht was neutraal.
'Señora, het leven van een kind staat op het spel.' Dat was nogal optimistisch uitgedrukt. '*Una niña*. Zeven jaar oud, *siete años*. Ze is in gevaar. Ze kan worden gedood. *Muerta*, net als Elena.'
Die mededeling liet ik bezinken. Handen vol levervlekjes hielden de blauwe naalden steviger vast. Ze keek een andere kant op.
'Net als het andere kind, die jongen die Nemeth van zijn achternaam heette en een leerling van Elena was. Hij is niet door een ongeluk om het leven gekomen, hè? Dat wist Elena en dat is haar dood geworden.'
Ze legde een hand tegen de deur en wilde die dichtdoen. Ik hield de deur met de muis van mijn hand tegen.
'Señora, ik leef met u mee omdat u Elena hebt verloren, maar haar dood kan nog enige betekenis krijgen als daardoor kan worden voorkomen dat er nog meer mensen worden vermoord. Alstublieft.'
Haar handen begonnen te trillen. De naalden rammelden als eetstokjes in de hand van iemand die spastisch is. Ze liet de breinaalden en de bol wol vallen. Ik bukte en raapte ze op.
'Alstublieft.'
Ze pakte ze aan en hield ze tegen haar boezem.
'Komt u alstublieft binnen,' zei ze in vrijwel accentloos Engels.
Ik was te gespannen om te willen zitten, maar toen ze op de bank van groen fluweel wees deed ik dat toch. Ze ging tegenover me zitten alsof ze haar vonnis afwachtte.
'In de eerste plaats moet u begrijpen dat het bezoedelen van de herinnering aan Elena wel het allerlaatste is dat ik wil,' zei ik. 'Als er geen andere levens op het spel stonden, zou ik hier helemaal niet zijn.'
'Ik begrijp het,' zei ze.
'Het geld... is het hier?'
Ze knikte, stond op, liep de kamer uit en kwam minuten later terug met een sigarendoos.
'Aanpakken.' Ze gaf me de doos alsof daar iets levends en gevaarlijks in zat.
De bankbiljetten waren van twintig, vijftig en honderd dollar, keurig

opgerold en bij elkaar gehouden door dikke elastiekjes. Ik telde het geld ruwweg. Er zat minstens vijftigduizend dollar in de doos, waarschijnlijk nogal wat meer.
'Dat moet u gebruiken,' zei ik.
'Nee, nee. Ik wil het niet. Zwart geld.'
'Houdt u het dan hier tot ik terugkom om het te halen. Weet iemand anders hier iets van? Een van uw zoons?'
'Nee.' Ze schudde nadrukkelijk haar hoofd. 'Rafael zou er alleen maar drugs van kopen. Nee. Ik ben de enige die het weet.'
'Hoe lang hebt u dat geld al hier?'
'Elena heeft het gebracht op de dag voordat ze werd vermoord.' De ogen van de moeder vulden zich met tranen. 'Wat is dit, waar heb je dat vandaan, vroeg ik. Ze zei dat ze me dat niet kon vertellen, maar dat ik het voor haar moest bewaren en dat ze terug zou komen om het te halen. Maar ze is nooit meer teruggekomen.' Ze haalde een met kant afgezet zakdoekje uit haar mouw en depte haar ogen.
'Verbergt u het alstublieft weer.'
'Alleen voor een tijdje dan nog, señor. Oké? Zwart geld. Boos oog. *Mal ojo*.'
'Als u wilt kom ik terug om het op te halen.'
Ze pakte de doos aan, verdween weer en kwam even later terug.
'Bent u er zeker van dat Rafael er niets van weet?'
'Ja. Anders was alles allang weg.'
Dat zou wel kloppen. Junkies stonden er al om bekend dat ze geen kleingeld in hun zak konden houden, laat staan dat ze een klein fortuin zouden laten liggen.
'Nog een vraag, señora. Raquel heeft me verteld dat Elena cassettebandjes had. Met muziek en ontspanningsoefeningen die Handler haar had gegeven. Toen ik de inhoud van die dozen van u mocht bekijken, heb ik geen bandjes gevonden. Weet u daar iets van af?'
'Nee, en dat is echt waar.'
'Had iemand die dozen al doorzocht voordat ik hier kwam?'
'Alleen Rafael en Antonio. Zij waren op zoek naar boeken, dingen om te lezen. De *policia* heeft die dozen als eerste gehad. Verder niemand.'
'Waar zijn uw zoons nu?'
Ze stond op, opeens geagiteerd.
'U mag hun niks aandoen. Het zijn goeie jongens en ze weten niets.'
'Ik zal hun ook niets aandoen. Ik wil alleen met ze praten.'

Ze keek opzij, naar de muur met de familieportretten. Naar haar drie kinderen, jong, onschuldig en glimlachend. De jongens met kort, ingevet haar met een scheiding, gekleed in een wit shirt met openstaande kraag. Het meisje tussen hen in, met een bloes met ruches aan. Naar de foto die was genomen op Elena's afstudeer-feest: ze had een baret op en een lang gewaad aan, keek enthousiast en vol zelfvertrouwen in de lens, klaar om de wereld in te gaan en die te veroveren met haar hersenen, haar charme en haar uiterlijk. Naar de somber getinte foto van haar al lang gestorven echtgenoot, stijf en plechtig in overhemd met een gesteven boord en een pak van grijze serge: een werkende man die niet gewend was aan de drukte die werd gemaakt wanneer je je aangezicht voor het nageslacht wilde laten vastleggen.
Ze keek naar de foto's en haar lippen bewogen zich bijna onmerkbaar. Ze leek in gedachten de lijken te tellen, als een generaal die een nog smeulend slagveld overziet.
'Andy is aan het werk,' zei ze. Ze gaf me het adres van een garage aan Figueroa.
'En Rafael?'
'Dat weet ik niet. Hij zei dat hij op zoek ging naar werk.'
Zij en ik wisten beiden waar hij was. Maar ik had die dag genoeg wonden opengereten, dus hield ik verder mijn mond toen ik haar had bedankt.

Ik vond hem nadat ik een halfuur Sunset en een aantal zijstraten op en af was gereden. Hij liep over Alvarado in zuidelijke richting, als je de manier waarop hij zich wankelend voortbewoog, met vooruitgestoken hoofd, zijn voeten volgend, tenminste lopen kon noemen. Hij bleef dicht bij de gebouwen, week uit richting straat wanneer mensen of dingen zijn pad blokkeerden, maar keerde zo snel mogelijk weer terug naar de schaduw van luifels. Het was ongeveer zevenentwintig graden, maar toch had hij een flanellen shirt met lange mouwen aan, dat tot zijn hals was dichtgeknoopt en over een kaki broek heen hing. Aan zijn voeten hoge gympen, de veter van één schoen los. Hij zag er nog magerder uit dan ik me hem herinnerde.
Ik reed langzaam in een rechte lijn zijn gezichtsveld uit en hield toen hetzelfde tempo aan als hij. Een keer liep hij langs een groep mannen van middelbare leeftijd. Het waren kooplui en ze wezen hem na, schudden hun hoofd en fronsten hun wenkbrauwen. Hij zag hen niet

eens, was afgesneden van de buitenwereld. Hij leek met zijn neus achter een bepaalde geur aan te gaan. Hij had een loopneus en hij veegde hem met zijn mouw af. Zijn ogen schoten onder het lopen van links naar rechts. Hij streek met zijn tong over zijn lippen, tikte in een vast staccato tegen zijn magere dijbenen, tuitte zijn lippen alsof hij aan het zingen was, liet zijn hoofd op en neer wippen. Hij deed zijn uiterste best er cool uit te zien, maar kon niemand in de maling nemen. Als van een dronken man die zijn best doet nuchter over te komen, waren zijn maniertjes overdreven en onnatuurlijk, en ze misten elke spontaniteit. Ze hadden precies het tegenovergestelde effect: hij leek een hongerige jakhals die wanhopig op jacht is, inwendig wordt verteerd en in zijn hele lijf pijn heeft. Zijn bleke huid glom van het zweet. Mensen weken voor hem uit wanneer ze hem zagen aankomen.

Ik meerderde vaart, reed twee blokken verder en bracht de auto toen langs de stoeprand tot stilstand in de buurt van een steegje achter een gebouw met op de begane grond een Latijns-Amerikaanse kruidenierszaak en appartementen op de twee verdiepingen daarboven.

Ik keek even achterom en zag dat hij nog steeds mijn kant opkwam.

Ik stapte uit en dook het steegje in, waar het stonk naar rottende levensmiddelen en urine. Overal lagen lege en kapotte wijnflessen. Een meter of dertig verderop was de leveranciersingang van de winkel. De stalen deuren waren dicht en vergrendeld. Aan beide zijden van het steegje stonden auto's, ondanks het parkeerverbod, en de uitgang aan de andere kant werd geblokkeerd door een vrachtwagen van een halve ton. Ergens in de verte speelde een mariachi-band 'Cielito Lindo'. Een kat krijste. Op de boulevard werd getoeterd. Een baby huilde.

Ik stak mijn hoofd even om de hoek van het steegje. Hij was nog een half huizenblok van me vandaan. Ik zette me schrap. Toen hij bij het steegje overstak, zei ik fluisterend: 'Hé, man, ik heb wat jij nodig hebt.' Toen hij dat hoorde bleef hij staan. Hij keek me vol liefde aan, dacht dat zijn redding nabij was. Ik maakte hem aan het schrikken toen ik zijn magere arm pakte en hem het steegje in trok. Ik sleepte hem een paar meter mee, tot we dekking konden zoeken achter een oude Chevy met afbladderende lak en twee platte banden. Ik sloeg hem tegen de muur aan. Hij bracht zijn handen beschermend omhoog. Ik trok ze weer omlaag en hield ze daar met een van mijn eigen handen op hun

plaats. Hij verzette zich, maar had geen kracht. Het was alsof ik met een peuter aan het vechten was.
'Man, wat wil je van me?'
'Antwoorden, Rafael. Herinner je je me nog? Ik ben een paar dagen geleden bij je op bezoek geweest. Met Raquel.'
'Ja, natuurlijk,' zei hij, maar in de waterige, lichtbruine ogen zag ik alleen een blik van verwarring. Er liep snot een neusgat uit en zijn mond in. Hij wachtte een tijdje voordat hij die troep met zijn tong probeerde weg te halen. 'Ja, dat herinner ik me, man. Met Raquel. Natuurlijk, man.' Hij keek het steegje op en af.
'Dan herinner je je dus ook dat ik een onderzoek doe naar de moord op je zuster.'
'O ja, natuurlijk. Elena. Smerige zaak, man.' Hij zei het zonder gevoel. Zijn zuster was aan mootjes gehakt en hij kon alleen denken aan het feit dat hij een zakje wit poeder nodig had dat tot zijn eigen bijzondere soort melk getransformeerd kon worden. Ik had tientallen boeken over verslaving gelezen, maar daar in dat steegje drong de werkelijke macht van de naald pas echt tot me door.
'Ze had cassettebandjes, Rafael. Waar zijn die?'
'Man, ik weet verdomme niks van bandjes.' Hij vocht om los te komen. Ik sloeg hem nogmaals tegen de muur. 'Man, ik heb pijn. Laat me daar iets aan doen en dan zal ik met je over die bandjes praten. Oké?'
'Nee. Ik wil het nu weten, Rafael. Waar zijn ze?'
'Dat weet ik niet, man. Dat heb ik je al gezegd!' Hij was aan het jammeren als een kind van drie, met een gezicht vol snot. Hij raakte steeds meer buiten zichzelf.
'Ik denk dat je het wel weet en ik wil het ook weten.'
Hij wipte op en neer, rammelde als een zak vol losse botten.
'Laat me los, klootzak,' zei hij hijgend.
'Rafael, je zuster is vermoord. In een hamburger veranderd. Ik heb foto's gezien van hoe ze eruitzag. Wie het haar ook hebben aangedaan, ze hebben er de tijd voor genomen. En jij bent bereid zaken met dat soort lui te doen.'
'Man, ik weet niet waar je het over hebt.'
Nog meer verzet. Ik sloeg hem nogmaals tegen de muur aan. Ditmaal zakte hij in elkaar en deed zijn ogen dicht. Even dacht ik dat ik hem bewusteloos had geslagen. Maar hij deed zijn ogen weer open, streek

met zijn tong over zijn lippen en hoestte droog en rauw.
'Rafael, je was afgekickt en toen ben je weer gaan spuiten. Meteen na Elena's dood. Waar heb je het geld vandaan gehaald? Voor hoeveel heb je haar verkocht?'
'Ik weet het niet.' Hij trilde spastisch. 'Laat me gaan. Ik weet niks.'
'Je eigen zuster,' zei ik. 'En je hebt haar aan haar moordenaars verkocht voor de prijs van een shot.'
'Assebliiieft, man. Laat me gaan.'
'Niet voordat je je mond hebt opengedaan. Ik heb geen tijd aan jou te verspillen. Ik wil weten waar die bandjes zijn. Als je me dat nu niet heel snel zegt neem ik je mee naar mijn huis, bind je vast en laat je in een hoek afkicken. Stel je dat eens voor. Denk eraan hoe beroerd je je nu al voelt, Rafael. Besef hoeveel erger het nog zal worden.'
Hij gaf toe.
'Ik heb ze aan de een of andere vent gegeven,' zei hij stotterend.
'Voor hoeveel?'
'Niet voor geld, man. Voor drugs. Hij heeft me drugs gegeven. Goed spul. Laat me nu gaan. Ik heb een afspraak.'
'Wie was die vent?'
'Gewoon een vent. Een blanke. Net als jij.'
'Hoe zag hij eruit?'
'Dat weet ik niet, man. Ik kan niet helder nadenken.'
'In een hoek, Rafael. Vastgebonden.'
'Vijf-, zesentwintig. Klein. Goedgebouwd. Stevig. Blond haar, over zijn voorhoofd. Oké?'
Hij had Tim Kruger beschreven.
'Waarom wilde hij die bandjes hebben?'
'Dat heeft-ie niet gezegd, man, en ik heb er niet naar gevraagd. Hij had goed spul, begrijp je wel?'
'Je zuster was dood en jij hebt je niet afgevraagd waarom een onbekende je heroïne wilde geven in ruil voor die bandjes?'
'Man, ik heb me niks afgevraagd. Ik vraag me niks af en ik denk niet na. Ik wil alleen vliegen en dat moet ik nu ook doen. Ik heb pijn. Laat me los, man.'
'Wist je broer dit?'
'Nee! Hij zou me vermoorden, man. Jij doet me pijn, maar hij zou me vermoorden, begrijp je wel? Zeg het niet tegen hem!'
'Wat stond er op die bandjes, Rafael?'

'Dat weet ik niet. Ik heb er niet naar geluisterd.'
Uit principe weigerde ik hem te geloven. 'In de hoek. Vastgebonden. Zonder iets te krijgen.'
'Man, alleen een kind dat aan het praten was. Dat zweer ik je. Ik heb niet alles gehoord, maar toen hij me die drugs aanbood heb ik even naar zo'n bandje geluisterd voordat ik ze aan die vent gaf. Een kind dat tegen mijn zuster praatte. Ze luistert, zegt dat hij haar meer moet vertellen en dan praat hij weer door.'
'Waarover?'
'Dat weet ik niet, man. Het was nogal serieus. Het kind huilde en Elena huilde. Toen heb ik het bandje afgezet. Ik wil het niet weten.'
'Waarom huilden ze, Rafael?'
'Man, dat weet ik niet. Iets over iemand die het kind pijn had gedaan. Elena vroeg of ze hem pijn hadden gedaan en toen zei hij ja. Toen begon zij te huilen en het kind ook.'
'En verder?'
'Dat is alles.'
Ik kneep zijn strot net ver genoeg dicht om hem te laten klappertanden.
'Man, ik kan best nog wat verzinnen als je dat wilt, maar meer weet ik echt niet.'
Hij gilde het uit en snakte snuivend naar adem.
Ik hield hem op armslengte van me af en liet hem toen los. Hij keek me ongelovig aan, liet zich langs de muur op de grond zakken, vond een plekje tussen de Chevy en een roestende Dodge bestelwagen. Terwijl hij naar me staarde veegde hij zijn neus af, dook tussen de twee auto's door en rende de vrijheid tegemoet.

Ik reed naar een benzinestation bij Virgil en Sunset, tankte en gebruikte de telefoon om La Casa de los Niños te bellen. De opgewekte receptioniste nam op. Ik zette een lijzige stem op en vroeg naar Kruger.
'De heer Kruger is er vandaag niet, meneer. U kunt hem morgen weer bereiken.'
'O ja, dat is waar. Hij heeft gezegd dat hij er niet zou zijn op de dag dat ik aankwam.'
'Wilt u een boodschap achterlaten?'
'Nee. Ik ben een oude schoolvriend. Tim en ik kennen elkaar al heel lang. Ik ben hier net gearriveerd, in verband met een zakenreis; ik ver-

koop gereedschap voor Becker Machine Works in San Antonio in Texas, en die ouwe Tim wilde dat ik hem opzocht. Hij heeft me zijn privé-telefoonnummer gegeven, maar dat ben ik kwijtgeraakt. Hebt u het?'
'Het spijt me, maar we mogen geen persoonlijke informatie doorgeven.'
'Dat kan ik begrijpen. Maar zoals ik al hebt gezegd, zijn Tim en ik ouwe vrienden. Waarom belt u hem niet thuis? Zeg maar dat u die ouwe Jeff Saxon aan de lijn hebt en dat-ie dolgraag bij hem langs wil komen, maar zijn adres niet meer heeft.'
Ik hoorde op de achtergrond allerlei andere telefoontoestellen rinkelen.
'Een ogenblikje, meneer.'
Toen ze weer aan de lijn kwam vroeg ik: 'Hebt u hem al gebeld, mevrouw?'
'Nee... Ik... Het is hier op dit moment nogal druk, meneer...'
'Saxon. Jeff Saxon. Belt u die ouwe Tim nu maar en zeg dat zijn ouwe makker Jeff Saxon in de stad is en dan garandeer ik u dat hij...'
'Zal ik u dan maar gewoon zijn telefoonnummer geven?' Ze noemde zeven cijfers, waarvan de eerste twee op een kuststad duidden.
'Heel hartelijk bedankt. Ik geloof dat Tim me heeft verteld dat hij dicht bij het strand woont. Is dat ver van het vliegveld vandaan?'
'Meneer Kruger woont in Santa Monica en dat is ongeveer twintig minuten rijden.'
'Dat is niet slecht. Misschien rij ik gewoon naar hem toe, om hem te verrassen. Wat denkt u daarvan?'
'Meneer, ik moet...'
'U hebt niet toevallig zijn adres? Ik kan u wel zeggen dat ik een afschuwelijke dag achter de rug heb. De luchtvaartmaatschappij heeft mijn koffer met monsters zoekgemaakt en ik heb morgen twee vergaderingen. Ik denk dat ik mijn adresboekje in die koffer had gedaan, maar nu ben ik er niet zeker van en...'
'Ik zal u het adres geven, meneer.'
'Heel erg hartelijk bedankt, mevrouw. U hebt me uitstekend geholpen en u hebt een leuke stem.'
'Dank u.'
'Bent u vanavond vrij?'
'Nee, meneer. Het spijt me.'

'Een man kan het altijd proberen, nietwaar?'
'Natuurlijk. Tot ziens.'

Nadat ik ruim vijf minuten naar het noorden was gereden hoorde ik gezoem. Toen besefte ik dat ik dat al had gehoord vanaf het moment dat ik van het benzinestation was weggereden. Ik keek in de achteruitkijkspiegel en zag op enige afstand achter me een motor rijden, die als een vlieg op een hete voorruit leek te dansen. De motorrijder draaide het gas verder open en de vlieg werd groter, als een monster in een Japanse horrorfilm.
Hij was nog twee lengten van me vandaan en die afstand werd al snel kleiner. Ik kon hem duidelijker zien: spijkerbroek, laarzen, zwart leren jack, zwarte helm met een gekleurd vizier waardoor zijn gezicht helemaal niet te zien was.
Hij bleef meerdere huizenblokken lang vrijwel op mijn bumper zitten. Ik veranderde van rijbaan. Hij haalde me niet in, liet een Ford vol nonnen tussen ons in komen. Zeshonderd meter voorbij Lexington sloegen de nonnen af. Ik draaide scherp naar de stoeprand en remde abrupt voor een Pup 'n Taco. De motor reed snel langs me heen. Ik wachtte tot hij verdwenen was, hield mezelf voor dat ik paranoïde werd en stapte uit de Seville. Ik keek of ik hem ergens zag, kon hem niet ontdekken, kocht een Coke, ging weer achter het stuur zitten en voegde me in het verkeer op de boulevard.
Bij Temple draaide ik naar het oosten in de richting van de snelweg naar Hollywood en toen hoorde ik hem weer. Doordat ik in de achteruitkijkspiegel keek miste ik de oprit. Ik reed verder over Temple, onder het viaduct door. De motor bleef me volgen. Ik gaf een dot gas en reed door een rood verkeerslicht. Hij deed hetzelfde. Bij het volgende kruispunt waren veel voetgangers, dus moest ik stoppen.
Ik bleef hem via de zijspiegel in de gaten houden. Hij reed dichter naar me toe, was een kleine meter van me vandaan en toen nog een centimeter of zestig. Een hand verdween onder het leren jack. Een jonge moeder duwde een klein kind in een buggy voort, vlak langs mijn voorbumper. Het kind huilde, de moeder kauwde kauwgom, had dikke benen, bewoog zich o zo traag. Iets metaalachtigs verscheen in de hand die ik in de zijspiegel zag. De motor was vlak achter me, bijna bij het raampje van mijn portier. Ik zag het wapen nu: een lelijk ding met een kleine loop, gemakkelijk verborgen te houden in een

grote handpalm. Ik gaf een dot gas, met de versnelling in zijn vrij. De kauwgum kauwende jonge moeder raakte er niet van onder de indruk. Ze leek zich in slow motion te bewegen en maalde traag met haar kaken terwijl het kind nu keihard aan het krijsen was. Nog nooit had een verkeerslicht zo lang op rood gestaan...

De loop van het wapen werd tegen het glas gedrukt, op mijn linkerslaap gericht. Een kilometers zwart gat, gevat in een concentrische zilverkleurige krans. De moeder sleepte haar zware lichaam nog steeds traag over het kruispunt, was nu bij mijn voorband, was zich er niet van bewust dat de man in de groene Cadillac elk moment naar de andere wereld kon worden geblazen. De vinger rond de trekker werd witter. De moeder was een paar centimeter mijn linker voorband voorbij. Ik draaide het stuur naar links, trapte het gaspedaal ver in en schoot diagonaal over het kruispunt heen, de baan van het tegemoetkomend verkeer op. Ik hoorde veel gevloek, geschreeuw, getoeter en piepende remmen. Toen schoot ik de eerste zijstraat in en kon nog net een frontale botsing vermijden met een wagen van het water- en elektriciteitsbedrijf, die vanaf de andere kant kwam aangereden.

De straat was smal en bochtig en er zaten veel kuilen in. De Seville was geen sportwagen en ik moest het stuur stevig vasthouden om in de bochten mijn snelheid te behouden en niet de macht over het stuur te verliezen. Ik ging een heuvel op en schoot er toen met een grote snelheid weer af. Onder aan de steile heuvel was een kruispunt. Ik zag geen verkeer en reed er bliksemsnel overheen. Drie huizenblokken lang een vlakke weg. Ik had een snelheid van een kleine honderdtien kilometer en ik hoorde het gezoem opnieuw, steeds luider. De motor, waarmee zoveel makkelijker gemanoeuvreerd kon worden, kwam snel dichterbij. De weg eindigde bij een gebarsten muur. Links- of rechtsaf? Beslissingen, beslissingen. De adrenaline schoot door mijn lijf, het gezoem was nu een geraas, mijn handen zweetten, gleden van het stuur. Ik keek in de spiegel, zag dat een hand van het stuur van de motor gehaald werd en dat het wapen op mijn banden werd gericht. Ik ging linksaf en gaf plankgas. De weg ging omhoog, langs lege zijstraten, nog verder omhoog de smog in: een achtbaan van een straat die door een krankzinnige was ontworpen. De motorrijder bleef vlak achter me, richtte het wapen zo vaak hij dat kon, probeerde goed te mikken...

Ik draaide voortdurend aan het stuur, maar de straat was smal en gaf me weinig speelruimte. Ik wist dat ik moest voorkomen dat ik onbewust een regelmatig ritme ging volgen – heen en weer, heen en weer, als een met benzine gevulde metronoom – want dan zou ik een makkelijk doelwit worden. Ik reed als een gek, bleef aan het stuur trekken, minderde vaart, meerderde vaart, schoot rakelings langs de stoeprand, verloor een wieldop die als een verchroomde frisbee wegrolde. Ik wist niet hoe lang de draagas van de Seville het na die klap nog zou volhouden.

We bleven verder omhooggaan. Na een bocht kon ik onder me Sunset zien. We waren terug in Echo Park, aan de zuidkant van de boulevard. We hadden het hoogste punt van de weg bereikt. Een kogel schoot zo dicht langs de Seville heen dat de portierraampjes ervan trilden. Ik draaide aan het stuur en een tweede kogel bleef verder bij me uit de buurt.

De omgeving veranderde naarmate we hoger kwamen. Steeds minder huizen, steeds meer stoffige, braakliggende stukken grond met her en der een gammele schuur. Geen telefoonpalen of auto's meer, geen tekenen van menselijke bewoning. Perfect om midden op een middag een moord te plegen.

We raceten de heuvel weer af en tot mijn grote schrik zag ik dat ik met volle snelheid over een doodlopende weg reed, die eindigde bij een berg troep voor de ingang van een verlaten bouwplaats. Ik kon op geen enkele manier ontsnappen, want de weg was ook nog eens geblokkeerd door stapels B2-blokken, stapelmuurtjes, hout en aarde. Als ik regelrecht op al die troep in zou denderen, zou ik òf meteen dood zijn òf volkomen vast komen te zitten, met hopeloos ronddraaiende wielen, onbeweeglijk als peterselie in aspic, een perfect, passief doelwit.

De motorrijder moet op hetzelfde moment dezelfde gedachten hebben gehad, want hij voerde meteen een aantal zelfverzekerde manoeuvres uit. De hand met het wapen werd weer van het stuur gehaald, hij ging langzamer rijden, zwenkte iets naar links, klaar om naast de Seville te gaan rijden op het moment dat ik geen kant meer op kon.

Ik deed het enige dat ik nog kon doen: ik trapte keihard op de rem. De Seville slipte als een gek, draaide, wipte op en neer, dreigde over de kop te gaan. Ik moest in een slip blijven, dus stuurde ik de andere kant op. De auto draaide rond als een rotorblad.

Opeens raakte ik iets. Ik werd naar rechts geslingerd.

De voorkant van de Seville was met de motor in botsing gekomen toen hij net weer een volledige draai achter de rug had. Het lichtere voertuig ketste op mijn auto af en vloog in een wijde boog over de berg aarde door de lucht. Ik zag dat de wegen van de man en de motor zich scheidden. De motor ging verder omhoog, alsof hij een geweldige stunt aan het uitvoeren was, en dook toen weer omlaag. De berijder schoot even nog hoger de lucht in, als een vogelverschrikker die is losgekomen van zijn stok, en landde toen op een plaats die ik niet kon zien.
De Seville was uit zijn slip en de motor sloeg af. Ik ging weer rechtop zitten. Mijn gewonde arm was tegen het paneel van het rechter voorportier geslagen en deed erg zeer. Ik keek om me heen en zag geen enkele beweging. Ik stapte zo geruisloos mogelijk uit, ging op mijn hurken achter de auto zitten en wachtte tot mijn hoofd niet meer bonsde en ik langzamer kon ademhalen. Nog steeds geen enkele beweging. Ik zag niet al te ver van me vandaan een grote steen liggen, pakte die, hield hem vast als een wapen en liep om de berg troep heen, waarbij ik zo laag mogelijk bij de grond bleef. Ik zag dat er gedeeltelijk een fundament voor een of ander bouwwerk was gelegd: twee haaks op elkaar staande stukken beton waar stalen pinnen uitstaken, als stelen zonder bloemen. De resten van de motor kreeg ik meteen in het vizier: een berg verwrongen metaal en een kapot windscherm.
Ik moest enige minuten in de troep zoeken voordat ik het lichaam had gevonden. Dat was terechtgekomen op de plaats waar de twee armen van beton elkaar raakten, naast een kapotte douchecabine, half aan het oog onttrokken door beschimmelde stukken isolatiemateriaal.
De donkere helm stond nog op het hoofd van de motorrijder, maar had hem niet kunnen beschermen tegen de stalen buis die dwars door zijn keel was gegaan en vlak onder zijn adamsappel weer naar buiten was gekomen. Bloed sijpelde uit de wond en werd modderig in het stof. De luchtpijp was te zien: hij was nog roze, maar er zat geen lucht meer in en er kwam vloeistof uit. Op de punt van de staaf zag ik geronnen bloed.
Ik knielde, maakte de riem van de helm los en probeerde hem van het hoofd af te halen. De nek was onnatuurlijk verdraaid toen die werd doorboord, en het was een lastig karwei. Terwijl ik bezig was voelde ik staal langs wervels en kraakbeen schuren. Ik werd er misselijk van. Ik draaide me om en gaf over in het stof.

Met een bittere smaak in mijn mond en tranen in mijn ogen, snel en luid ademend, ging ik verder met het afschuwelijke karwei. Eindelijk kwam de helm los en de nu onbeschermde schedel plofte op de grond. Ik staarde naar het levenloze, bebaarde gezicht van Jim Halstead, de coach van La Casa de los Niños. Zijn lippen waren opgetrokken in een blijvende grijns. Door de snelheid waarmee hij na zijn vrije val op de grond terecht was gekomen, waren zijn kaken op zijn tong dichtgeklapt en het afgehakte puntje lag als een parasiet op zijn harige kin. Zijn ogen waren open en weggedraaid, het wit met bloed doorstroomd. Hij huilde felrode tranen.

Ik keek een andere kant op en zag dat het licht van de zon wat verderop door iets glanzends werd weerkaatst. Ik liep erheen, vond het wapen en bekeek het. Een .38, met veel chroom. Ik pakte het op en stopte het achter mijn broekriem.

De grond onder mijn voeten straalde hitte uit, en de stank van iets brandends. Gestolde teer. Giftig afval. Bio-afval dat niet kon worden afgebroken. Vegetatie van polyvinyl. Een vogel was op Halsteads gezicht neergestreken en pikte aan zijn ogen.

Ik vond een stoffig dekzeil met spikkeltjes opgedroogd cement erop. De vogel vluchtte toen ik zijn kant op kwam. Ik dekte het lichaam met het zeil toe, legde zware stenen op de hoeken en liet hem zo achter.

27

Het adres dat de receptioniste me voor Tim Kruger had gegeven, stemde overeen met de grote stalen cijfers op de voorgevel van een spierwit flatgebouw aan Ocean, zo'n anderhalve kilometer van de plaats waar Handler en Gutierrez waren vermoord vandaan.

De hal had een marmeren vloer en veel spiegels. Er stonden een witkatoenen bank in, en twee rubberplanten in rieten manden. De bovenste helft van één muur werd in beslag genomen door rijen alfabetisch gerangschikte koperen brievenbussen. Het duurde niet lang voordat ik Krugers appartement op de elfde verdieping had gevonden. Ik nam de lift, die grijs gecapitonneerd was, en liep een gang op met een koningsblauwe vaste vloerbedekking en groen behang.

Krugers appartement bevond zich in de noordwestelijke hoek van het gebouw. Ik klopte op de koningsblauwe deur.

Hij deed open, gekleed in een joggingshort en een T-shirt van La Casa de los Niños. Hij glom van het zweet en rook alsof hij druk aan het trainen was geweest. Toen hij me zag onderdrukte hij zijn verbazing en zei met een toneelstem: 'Hallo, meneer Delaware.' Toen zag hij het wapen in mijn hand en kreeg zijn onverstoorbare gezicht een gemene uitdrukking.
'Wat heeft dit...'
'Naar binnen,' zei ik.
Hij liep achteruit en ik kwam achter hem aan. Het was een klein appartement met lage, witgepleisterde plafonds met glittertjes. De muren en het tapijt waren beige. Er stonden weinig meubels in en die leken allemaal bij de huur inbegrepen te zijn. Een glaswand bood een panoramisch uitzicht op de baai van Santa Monica en voorkwam dat je de indruk kreeg in een cel opgesloten te zijn. Er hingen geen prenten aan de muren, met uitzondering van een enkele ingelijste Hongaarse poster van worstelaars. Aan de ene kant van de kamer grensde een kleine keuken, aan de andere een hal.
Een groot deel van de kamer werd in beslag genomen door sportspullen: ski's en sneeuwlaarzen, een paar houten roeiriemen die goed in de was waren gezet, een aantal tennisrackets, gymschoenen, een rugzak voor een bergbeklimmer, een voetbal, een basketbal, een boog en een pijlkoker. Op de beige geschilderde schoorsteenmantel stonden een heleboel trofeeën.
'Tim, je bent een actieve jongeman.'
'Wat wil je verdomme van me?' De geelbruine ogen schoten in hun kassen heen en weer als pachinko-ballen.
'Waar is het meisje? Melody Quinn?'
'Ik weet niet waar je het over hebt. Berg dat ding op.'
'Je weet verdomd goed waar ze is. Jij en je medemoordenaars hebben haar drie dagen geleden ontvoerd omdat ze getuige is geweest van jullie smerige werk. Hebben jullie haar ook vermoord?'
'Ik ben geen moordenaar en ik ken geen kind dat Quinn heet. Je bent gek.'
'Geen moordenaar? Ik weet niet of Jeffrey Saxon dat met je eens zou zijn.'
Zijn mond viel open. Toen deed hij hem snel weer dicht.
'Tim, je hebt een spoor achtergelaten. Nogal arrogant om te denken dat niemand er ooit achter zou komen.'

'Wie ben jij verdomme eigenlijk?'
'Ik ben wie ik zei dat ik was. Een betere vraag is wie jíj bent. Een rijke jongen die maar niet uit de problemen lijkt te kunnen komen? Een kerel die ervan geniet twijgjes te breken en op tranen te wachten? Of gewoon een amateurtoneelspeler die de rol van Jack the Ripper beter kan spelen dan welke andere dan ook?'
'Je kunt mij nergens de schuld van geven!' Hij balde zijn handen tot vuisten.
'Handen omhoog.' Ik zwaaide met het wapen.
Hij gehoorzaamde heel langzaam, strekte zijn dikke, bruine armen en hield ze boven zijn hoofd. Dat leidde mijn aandacht van zijn voeten af, waardoor hij in actie kon komen.
De trap kwam als een boemerang. Zijn voet raakte de onderkant van mijn pols, waardoor mijn vingers werden verdoofd. Het wapen vloog uit mijn hand en kwam met een plof op de vloerbedekking terecht. We doken er alle twee op af en rolden vechtend over de grond. De pijn deerde me niet. Ik kookte van woede. Ik wilde hem uitschakelen.
Hij was een man van ijzer en ik had het gevoel met een buitenboordmotor te worstelen. Ik klauwde naar zijn onderbuik, maar kon geen centimetertje vet vinden. Ik gaf hem met mijn elleboog een por in zijn ribbenkast. Hij schoot naar achteren, maar veerde meteen weer op en gaf me een dreun op mijn kaak die me lang genoeg uit mijn evenwicht bracht om hem in staat te stellen zijn arm om mijn nek te klemmen en me vervolgens heel handig zo ver van zich af te houden dat ik met mijn armen niets meer kon uitrichten.
Hij gromde en verhoogde de druk. Ik had het gevoel dat mijn hoofd elk moment kon exploderen. Ik kon niet scherp meer zien. Hulpeloos haalde ik naar hem uit. Met een vreemde finesse danste hij buiten mijn bereik en kneep nog harder. Toen trok hij mijn hoofd naar achteren. Nog een stukje verder en mijn nek zou breken. Opeens voelde ik me verwant met Jeffrey Saxon, putte uit een reservevoorraad kracht en zette mijn hak keihard op zijn instapschoen. Hij schreeuwde het uit van de pijn en liet me in een reflex los. Toen probeerde hij me weer vast te pakken, maar daar was het te laat voor. Ik gaf hem een trap waardoor zijn hoofd naar opzij sloeg en haalde daarna met gestrekte arm een paar keer keihard uit naar zijn onderbuik. Toen hij dubbelsloeg, sloeg ik met de zijkant van mijn hand op de plaats waar zijn hoofd overging in zijn nek. Hij liet zich op zijn knieën zakken, maar

ik nam geen enkel risico. Hij was sterk en uitstekend getraind. Nog een trap in zijn gezicht. Nu lag hij op de grond. Ik zette een voet onder zijn neus. Een snelle, voorwaartse beweging en dan zouden botsplinters zijn hersenkwab binnendringen. Het bleek een onnodige voorzorgsmaatregel te zijn. Hij was bewusteloos.
In de rugzak vond ik een dik nylon touw. Daar bond ik zijn voeten en polsen mee vast terwijl hij op zijn buik lag. Toen bond ik voeten en polsen nog eens aan elkaar. Ik trok de knopen zo strak mogelijk aan en sleepte hem uit de buurt van alles wat hij als wapen zou kunnen gebruiken. Ik pakte de .38, hield die in één hand, liep naar de keuken en doordrenkte een handdoek met koud water.
Toen ik hem een paar minuten lang met die natte handdoek in zijn gezicht had geslagen en hij nog steeds niets anders deed dan half bewusteloos kreunen, liep ik terug naar de keuken, haalde een schaal uit het afdruiprek, vulde hem met water en goot hem leeg boven zijn hoofd. Daardoor kwam hij weer bij zijn positieven.
'O, Jezus,' kreunde hij. Hij probeerde los te komen, knarsetandde, besefte uiteindelijk dat hij niets kon doen en ging hijgend weer liggen.
Ik duwde de loop van de .38 tegen de achterkant van een van zijn benen.
'Tim, je houdt van sporten en dat is prettig voor je, omdat ze je in de gevangenis de gelegenheid geven om te trainen. Zo niet, kan de tijd heel langzaam verstrijken. Maar ik ga je nu vragen stellen en wanneer je me daar geen bevredigende antwoorden op geeft, zal ik je stukje bij beetje verminken. Eerst zal ik je hier een kogel door je lijf jagen.' Ik drukte koud staal in warm vlees. 'Misschien kan dat been je dan nog net naar de plee brengen. Daarna doe ik hetzelfde met je andere been. Vervolgens zijn je vingers, je polsen en je ellebogen aan de beurt en kun je je straftijd als een plant uitzitten.'
Ik luisterde naar mezelf als naar een vreemde. Tot op de dag van vandaag weet ik niet of ik dat dreigement ten uitvoer zou hebben gebracht. Maar het was niet nodig.
'Wat wil je van me?' Hij sprak hortend door de oncomfortabele houding en het feit dat zijn keel van angst was dichtgeknepen.
'Waar is Melody Quinn?'
'In La Casa.'
'Waar in La Casa?'
'De bunkers bij het bos.'

'Die gebouwen waar je niets over wilde zeggen toen je mij een rondleiding gaf?'
'Ja.'
'Welk gebouw? Er zijn er vier.'
'Het achterste... het dichtst bij het bos.'
Het tapijt bij mijn voeten werd donkerder door een zich steeds verder uitbreidende plas. Hij had het in zijn broek gedaan.
'Jezus,' zei hij.
'Ga door, Tim. Tot nu toe doe je het prima.'
Hij knikte, alsof hij graag lovende woorden hoorde.
'Leeft ze nog?'
'Voor zover ik weet wel. Neef Will... dokter Towle wilde dat ze in leven bleef. Gus en de rechter waren het met hem eens. Ik weet niet hoe lang dat nog zo zal blijven.'
'En de moeder?'
Hij deed zijn ogen dicht en zei niets.
'Doe je mond open, Tim, want anders gaat je been eraan.'
'Zij is dood. De man die ze erop uit hadden gestuurd om haar en het kind te halen, heeft haar vermoord. Ze hebben haar in de wei begraven.'
Ik herinnerde me het veld aan de noordkant van La Casa. Hij had me verteld dat ze van plan waren daar een groentetuin te beginnen...
'Wie is die man?'
'Een krankzinnige vent. Een mankepoot, die aan één kant verlamd is. Gus noemt hem Earl.'
Dat was niet de naam die ik verwacht had te horen, maar de beschrijving klopte.
'Waarom heeft hij het gedaan?'
'Om geen sporen achter te laten.'
'Op bevel van McCaffrey?'
Hij zweeg. Ik zette druk achter het wapen. Zijn dijbeen trilde.
'Ja, op zijn bevel. Earl doet niks op eigen houtje.'
'Waar is die Earl nu?'
Opnieuw een aarzeling. Zonder erbij na te denken haalde ik de loop van de .38 hardhandig over zijn knieschijf. Zijn ogen werden groot van verbazing en pijn en er druppten tranen uit.
'O, mijn god.'
'Je hoeft niet gelovig te worden. Praten is voldoende.'

'Hij is dood. Gus heeft hem door Halstead naar de andere wereld laten helpen. Nadat ze de vrouw hadden begraven. Hij was het graf aan het dichtmaken en toen heeft Halstead hem met de schop bewusteloos geslagen, het graf ingeduwd en ze toen alle twee met aarde bedekt. Hij en Gus hebben er later om gelachen. Halstead zei dat hij een hol geluid had gehoord toen hij Earl een dreun op zijn kop gaf. Zo praatten ze achter zijn rug wel meer over hem. Ze noemden hem een mankepoot, een beschadigd exemplaar...'
'Gemene kerel, die Halstead.'
'Ja, dat is-ie.' Krugers gezicht lichtte op. Hij wilde me dolgraag ter wille zijn. 'Hij heeft het ook op jou gemunt, omdat je aan het rondneuzen was. Gus wist niet hoeveel dat kind jou had verteld. Ik kan je aanraden om op je hoede te zijn.'
'Dank voor die waarschuwing, maar van Halstead heb ik niets meer te vrezen. Niemand, trouwens.'
Hij keek naar me op. Ik beantwoordde de onuitgesproken vraag met een snel knikje.
'Jezus,' zei hij, gebroken.
Ik gaf hem geen tijd om na te denken.
'Waarom heb je Handler en Gutierrez vermoord?'
'Ik heb je al gezegd dat ik dat niet heb gedaan. Dat hebben Halstead en Earl geregeld. Gus had opdracht gegeven het op een sexmoord te laten lijken. Halstead heeft me later verteld dat Earl er geknipt voor was geweest. Dat hij die lui aan mootjes had gehakt alsof hij ervan genoot. Dat hij die onderwijzeres echt goed te grazen had genomen. Halstead had haar vastgehouden en Earl had het mes gebruikt.'
Twee mannen, misschien drie, had Melody gezegd.
'Jij was er ook bij, Tim.'
'Nee. Ja. Ik heb hen erheen gereden. De koplampen waren uit. Het was een donkere nacht, geen maan, geen sterren. Ik heb eerst rondjes gereden over het parkeerterrein. Omdat ik bang was dat iemand me zou zien, heb ik later in de Palisades rondgereden en ben toen weer teruggegaan. Ze waren nog niet klaar en ik kan me herinneren dat ik me afvroeg waarom ze er zo lang over deden. Ik ben nog een eindje gaan rijden en zag ze net aankomen toen ik terug was. Ze hadden zwarte kleding aan, als duivels. Zelfs op dat zwart kon ik bloed zien. Ze roken naar bloed. Ze zaten onder het bloed, even zwart als hun kleren, maar wel glanzend en nat.'

Donkere mannen. Twee, misschien drie.
Hij zweeg.
'Dat is nog niet het eind van het verhaal, Tim.'
'Dat is het wel. In de auto hebben ze die zwarte kleren uitgetrokken en het mes in een duffelse tas gedaan. Toen hebben we de kleren, de tas, alles, in een ravijn verbrand. De laatste spullen hebben we vanaf de pier in Malibu in de oceaan gedumpt.' Hij zweeg opnieuw, buiten adem. 'Ik heb niemand vermoord.'
'Hebben ze in de auto iets gezegd?'
'Halstead deed zijn mond niet open. Het zat me dwars dat hij er zo afwezig uitzag, want hij is een gemene vent. Dat verhaal dat hij door een jongen met een mes is bedreigd is onzin. Hij is op straat gezet toen hij een paar studenten behoorlijk in elkaar had getimmerd. Daarvóór was hij al oneervol als marinier uit militaire dienst ontslagen. Hij vond het heerlijk om geweld te gebruiken. Maar wat hij in dat appartement had gezien had hem kennelijk geraakt, want hij deed zijn mond niet open.'
'En Earl?'
'Earl was anders. Alsof hij er echt van had genoten. Hij likte zijn lippen en wiegde heen en weer als een autistisch kind. Telkens weer mompelde hij: ''Rotzak.'' Vreemd. Krankzinnig. Uiteindelijk zei Halstead dat hij zijn bek moest houden en hij brulde iets terug, in het Spaans. Toen begon Halstead te schreeuwen en ik dacht dat ze elkaar ter plekke aan stukken zouden scheuren. Het leek alsof ik met twee gekooide wilde dieren in een auto zat. Ik probeerde ze te bedaren, noemde Gus' naam, want dat had bij Halstead altijd succes. Ik wilde die avond zo snel mogelijk bij ze uit de buurt komen. Het zijn alle twee prototypes van een psychopaat.'
'Bespaar me een wetenschappelijke verhandeling en vertel me hoe je Bruno hebt vermoord.'
Hij keek me opnieuw heel bang aan.
'Jij weet alles, hè?'
'En wat ik niet weet, zul jij me vertellen.' Ik zwaaide met het wapen door de lucht. 'Bruno.'
'Wij... Zij hebben dat gedaan op de avond nadat ze de psychiater en de onderwijzeres om zeep hadden gebracht. Halstead wilde Earl er niet bij hebben, maar Gus hield voet bij stuk. Hij zei dat het beter was als het door twee mensen werd gedaan. Ik ben er helemaal niet bij ge-

weest. Halstead heeft gereden en de moord gepleegd. Hij heeft er een honkbalknuppel voor gebruikt. Ik was er wel toen hij terugkwam en Gus verslag uitbracht. Ze hadden die man aangetroffen terwijl hij zat te eten en hem aan tafel doodgeslagen. Earl heeft de rest van de maaltijd opgegeten.'

Twee moorden, door twee inmiddels eveneens dode mannen gepleegd. Heel netjes. Het stonk en dat zei ik ook tegen hem.

'Toch is het zo gegaan. Ik zeg niet dat ik volkomen onschuldig ben. Ik wist wat ze zouden gaan doen toen ik ze naar het huis van die zieleknijper reed. Ik heb hun de sleutel gegeven. Maar ik heb niemand vermoord.'

'Hoe was je aan die sleutel gekomen?'

'Die had neef Will me gegeven. Ik weet niet waar hij hem vandaan had gehaald.'

'Oké. We hebben gesproken over het wie. Nou mag je me alles vertellen over het waarom van die slachtpartijen.'

'Ik nam aan dat je wist...'

'Je moet verdomme helemaal niets aannemen.'

'Oké. Oké. Het gaat om de Herenbrigade. Dat is een dekmantel voor lui die kinderen seksueel misbruiken. De zieleknijper en die jonge vrouw hadden dat ontdekt en ze waren hem aan het chanteren. Stom om te denken dat ze dat ongestraft konden doen.'

Ik herinnerde me de foto's die Milo me die eerste dag had laten zien. Ze hadden een te hoge prijs voor hun stommiteit moeten betalen.

'Zijn alle Heren pervers?'

'Nee, ongeveer een kwart. De rest zijn nette mensen. Ze konden het makkelijker geheimhouden door de geperverteerde kerels tussen die normale lui in te zetten.'

'En de kinderen doen er nooit een mond over open?'

'Nee, totdat... We zoeken de kinderen die mee naar huis worden genomen altijd heel zorgvuldig uit. Voornamelijk types die heel gedwee zijn. Zwakzinnige kinderen, kinderen die geen Engels spreken of spastisch zijn. Gus heeft het liefst wezen, omdat die geen familieleden hebben die zich om hen bekommeren.'

'Was Rodney een van de uitverkorenen?'

'Hmmm.'

'Had zijn angst voor de dokter daar iets mee te maken?'

'Ja. Een van die gekken had hem iets te hardhandig aangepakt. Een

chirurg. Gus zegt altijd dat ze het rustig aan moeten doen. Dat de kinderen niet gewond moeten raken, omdat ze dan minder waard zijn. Maar het gaat niet altijd goed. Die kerels zijn niet normaal, weet je.'
'Dat weet ik.' Van woede en walging kon ik niet scherp meer zien. Het zou me erg veel genoegen hebben gedaan hem een trap tegen zijn hoofd te geven, maar dat genoegen zou ik mezelf moeten ontzeggen...
'Ik hoor er niet bij,' hield hij vol en het klonk bijna alsof hij zichzelf daarvan had overtuigd. 'Ik vind het eigenlijk walgelijk.'
Ik bukte en pakte hem bij zijn keel. 'Je hebt eraan meegedaan, klootzak!'
Zijn gezicht werd paars en zijn ogen puilden uit. Ik liet hem los. Zijn hoofd viel weer op de grond, zo hard dat hij een bloedneus kreeg. Hij lag te kronkelen.
'Ga niet zeggen dat je gewoon bevelen hebt opgevolgd.'
'Je begrijpt het niet!' zei hij snikkend. Echte tranen vermengden zich met de snor van bloed op zijn bovenlip, waardoor hij even een hazelip leek te hebben. Ik zou er misschien van onder de indruk zijn gekomen wanneer ik niet had geweten dat hij een volleerd toneelspeler was.
'Gus heeft me aangenomen toen de anderen – mijn zogenaamde vrienden en familieleden, iedereen – me volkomen links lieten liggen vanwege die Saxon. Je kunt ervan denken wat je wilt, maar dat was geen moord. Saxon was geen onschuldig slachtoffer. Hij wilde míj vermoorden en dat is de zuivere waarheid.'
'Hij kan niet meer voor zichzelf pleiten.'
'Verdomme! Niemand geloofde me. Behalve Gus. Hij wist hoe het op zo'n college kon zijn. Ze dachten allemaal dat ik een mislukkeling was, die mijn familie te schande maakte en al dat geouwehoer. Hij heeft me een verantwoordelijke taak gegeven en ik heb aan zijn verwachtingen voldaan. Ik heb laten zien dat ik goed was, al had ik er niet voor gestudeerd. Alles was perfect. Ik leidde La Casa even soepel als...'
'Tim, je bent een geweldige aanwinst voor de stormtroepen geweest. Nu wil ik antwoorden op mijn vragen.'
'Vraag maar op,' zei hij zwak.
'Hoe lang dient de Herenbrigade al als dekmantel voor lui die kinderen seksueel misbruiken?'
'Vanaf het begin.'
'Net als in Mexico?'

'Ja. Als je hem erover hoort vertellen heb je het idee dat de politie daar er alles van af wist. Hij hoefde alleen een paar handen te smeren. Hij mocht rijke zakenlui uit Acapulco laten overkomen – Japanners, veel Arabieren – om met de kinderen te spelen. Het tehuis heette het Christelijke Tehuis van Pater Augustino, maar dan natuurlijk in het Spaans. Het ging lang goed, tot er een nieuwe commissaris van politie werd benoemd, de een of andere religieuze fanaat, die er niet mee akkoord wenste te gaan. Gus beweert dat hij die man duizenden dollars heeft betaald om hem om te kopen, waarna het tehuis alsnog werd gesloten. Toen is hij hierheen gegaan om een nieuw kamp op te zetten. Hij heeft gekke Earl meegenomen.'
'Earl werkte in Mexico ook al voor hem?'
'Ja. Hij zal de rotklussen wel hebben opgeknapt. Liep als een schoothondje achter Gus aan. Die man sprak Spaans met een prima accent, maar wat hij zei was nonsens. We hebben het over hersenletsel, man. Een robot waaraan een schroefje los was.'
'Toch heeft McCaffrey hem laten vermoorden.'
Kruger probeerde zijn schouders op te halen, zo goed en zo kwaad als dat ging door het touw waarmee hij was vastgebonden. 'Je zou Gus moeten kennen. Een ijskouwe vent, dol op macht. Als je hem voor de voeten loopt, heb je het gehàd. Die stommelingen hadden geen schijn van kans.'
'Hoe kon hij in L.A. zo snel van start gaan?'
'Door connecties.'
'Neef Willie?'
Hij aarzelde. Ik gaf hem een por met de .38.
'Hij, rechter Hayden en nog een paar anderen. Van het een kwam het ander. Iedereen kende wel minstens één andere vent die ziek was. Verbazingwekkend hoeveel van die lui er zijn. Neef Will verbaasde me, omdat ik hem goed kende. Hij leek altijd zo preuts. Heiliger dan wie dan ook. Mijn familie hield hem mij voor als een voorbeeld dat ik moest volgen. Mijn rechtschapen neef de arts.' Hij lachte schor. 'En die vent neukt kinderen.' Nog meer gelach. 'Al kan ik niet zeggen dat ik hem een kind mee naar huis heb zien nemen. Ik regelde het rooster, maar voor hem heb ik nooit iets hoeven te doen. Ik weet wel dat hij gewonde kinderen oplapte wanneer we hem belden. Toch moet hij even ziek zijn als de rest, want waarom zou hij anders Gus' kont likken?'

Ik negeerde de vraag en stelde er zelf een.
'Hoe lang werd hij al gechanteerd?'
'Een paar maanden. Zoals ik je al heb verteld kozen we de kinderen zorgvuldig uit om zeker te weten dat ze hun mond zouden houden. Een keer ging het mis. Er was een jongen, een wees. Hij leek perfect. Iedereen dacht dat hij stom was, want tegenover òns deed hij zijn mond nooit open. We hebben hem gehoor- en spraaktesten laten afnemen – daar betaalt de staat voor – en uit alles bleek dat hij niet kon praten. We meenden zeker van onze zaak te zijn, maar we hadden het mis. Het kind kon wel degelijk praten en heeft zijn schooljuf heel veel verteld. Dat maakte haar woedend en ze meldde het aan neef Will, die de behandelend kinderarts van dat joch was. Ze wist niet dat hij er zelf bij betrokken was en hij heeft het Gus verteld.'
En Gus had hem laten vermoorden. Cary Nemeth.
'En toen?'
'Ik... Moeten we daarover praten?'
'Reken maar, verdomme! Hoe is het gebeurd?'
'Ze hebben hem met een vrachtwagen aangereden. Ze hebben hem midden in de nacht uit zijn bed gehaald, letterlijk rond middernacht. Op dat uur is er niemand buiten. Toen hebben ze hem op de weg gezet, in zijn pyjama. Ik kan me die pyjama nog goed herinneren. Geel, met honkballen en honkbalhandschoenen erop. Ik... ik had kunnen proberen er een stokje voor te steken, maar het zou geen verschil hebben gemaakt. De jongen wist te veel en moest dood. Zo eenvoudig lag het. Als ik me ertegen had verzet, hadden ze hem later vermoord en mij waarschijnlijk ook. Het was fout om een jong joch zoiets aan te doen. Koelbloedig. Ik wilde iets zeggen. Gus kneep hard in mijn arm en zei dat ik mijn waffel moest houden. Ik wilde schreeuwen. Dat kind liep op de weg, helemaal alleen, half in slaap, alsof hij aan het slaapwandelen was. Ik hield mijn mond. Halstead stapte de vrachtwagen in en reed een eindje de weg af. Ik kon hem het gaspedaal horen intrappen, vlak voor een bocht. Toen kwam hij snel teruggereden, met groot licht aan. Hij raakte het kind van achteren. Het joch heeft nooit geweten wat er is gebeurd. Hij was half in slaap.'
Hij zweeg, hijgde en deed zijn ogen dicht.
'Gus had het erover om die onderwijzeres ook maar meteen om zeep te helpen, maar besloot toch daarmee te wachten om na te gaan of ze er nog met iemand anders over had gesproken. Hij liet haar door Hal-

stead volgen. Die hield haar huis in de gaten. Daar was zij niet, maar haar huisgenote wel. Halstead wilde háár ontvoeren en mishandelen om te kijken of zij iets wist. Toen zag hij die schooljuffrouw met iemand terugkomen – dat was Handler – om wat spullen op te halen. Alsof ze van plan was bij die man in te trekken. Halstead meldde dat aan Gus. Nu werd het ingewikkelder. Ze hielden die twee in de gaten en zagen op een gegeven moment dat zij Bruno ontmoetten. We kenden Bruno, want hij had in La Casa vrijwilligerswerk gedaan en leek een aardige vent. Heel extravert. De kinderen waren dol op hem. Op dat moment was het duidelijk dat hij een spion was geweest. Nu moesten drie mensen uitgeschakeld worden.
De telefoontjes kwamen een paar dagen later. Het was Bruno, die zijn stem had vervormd. Maar we wisten toch dat hij het was. Hij zei dat hij bandjes had waarop de jonge Nemeth alles vertelde. Hij heeft een zo'n bandje zelfs een paar seconden over de telefoon afgespeeld. Ze waren amateurs en wisten niet dat Gus hen meteen doorhad. Het was zielig.'
Zielig was inderdaad het juiste woord voor het scenario. Kies een aardige jonge vrouw uit. Elena Gutierrez, aantrekkelijk, blakend van levenslust, afkomstig uit de Spaanse wijk. Een beetje materialistisch, maar met een warm hart. Een begenadigd onderwijzeres. Wanneer haar baan haar depressief maakt en ze opgebrand dreigt te raken, zoekt ze hulp en laat zich behandelen door Morton Handler, psychopaat annex psychiater. Ze duikt op een gegeven moment met Handler de koffer in, maar blijft met hem over haar problemen praten, met name over een jongen die nooit een woord over zijn lippen had laten komen, maar haar nu afschuwelijke dingen was gaan vertellen over vreemde mannen die slechte dingen met hem deden. Het joch begint tegen Gutierrez te praten omdat zij aardig en begrijpend is. Een echt talent om contact met die kinderen te maken, had Raquel Ochoa gezegd. Een talent om te werken met kinderen die op niemand anders reageerden. Een talent dat Elena haar leven had gekost. Omdat iets dat in haar ogen een menselijke tragedie was, voor Morton Handler naar geld had geroken. Verboden dingen die hooggeplaatste lieden deden. Wat zou sappiger kunnen zijn?
Natuurlijk denkt Handler in die trant, maar hij houdt tegenover Elena zijn mond. Het is uiteindelijk mogelijk dat het kind het allemaal heeft verzonnen. Misschien reageert Elena er te sterk op; Latijns-Ameri-

kaanse vrouwen doen dat wel meer. Dus zegt hij dat ze haar oren open moet houden, stelt met klem dat ze uitstekend werk doet en zo'n grote steun voor het kind is. Hij wacht het juiste moment af.
Ze vraagt hem of ze het aan iemand zou moeten melden. Daar kun je beter mee wachten, schatje. Wees voorzichtig tot je meer weet. Maar het kind schreeuwt om hulp en die slechte mannen nemen hem nog steeds mee... Elena belt de behandelend arts van Cary en tekent op die manier zijn doodvonnis.
Wanneer Elena hoort dat het kind dood is vermoedt ze de afschuwelijke waarheid en stort in. Handler dwingt haar kalmerende middelen te slikken, brengt haar tot bedaren. Al die tijd draait zijn psychopathische geest overuren, omdat hij nu wéét dat er geld binnen te halen valt.
Opkomst Maurice Bruno, medepsychopaat, ex-patiënt, nieuwe makker. Een echte gladjanus. Handler rekruteert hem en biedt hem een deel van de buit aan wanneer hij de Herenbrigade infiltreert en zoveel mogelijk te weten komt. Namen, plaatsen, data. Elena wil de politie bellen. Handler brengt haar opnieuw tot bedaren met nog meer pillen en mooie praatjes. De politie zal er niets aan doen, schat. Dat weet ik uit ervaring. Geleidelijk aan haalt hij haar ertoe over aan de chantage mee te werken. Dat is de allerbeste manier om ze te straffen, zegt hij. Ze treffen op de plaats waar het het meest pijn doet. Ze luistert naar hem, is zo onzeker, zo in de war. Het lijkt niet juist om te profiteren van de dood van een hulpeloos joch, maar niets zal hem naar het land van de levenden kunnen terugbrengen en Morton lijkt te weten waar hij het over heeft. Hij is heel overtuigend en bovendien heeft ze aldoor al een Datsun 280 zx willen hebben. En de kleren die ze de vorige week bij Neiman-Marcus heeft gezien, kan ze niet betalen van het salaris dat die ellendige school haar uitbetaalt. En wie heeft er verdomme trouwens ooit iets voor haar gedaan? Misschien heeft Morton wel gelijk.
'Earl en Halstead gingen op zoek naar de bandjes nadat ze die twee hadden vastgebonden,' zei Kruger. 'Ze hebben hen gemarteld om te horen te krijgen waar ze ze hadden verstopt, maar ze hielden alle twee hun mond. Halstead deed zijn beklag tegenover Gus. Hij had het best uit ze kunnen peuteren, maar Earl was te snel met het mes geweest. Handler verloor het bewustzijn zodra hij zijn keel had doorgesneden en het meisje begon toen zo hard te krijsen dat ze iets in haar mond

moesten proppen. Daardoor was ze gestikt, waarna Earl voor de lol gehakt van haar had gemaakt.'
'Maar jij hebt die bandjes uiteindelijk wel gevonden, hè, Timmy?'
'Ja. Ze had ze naar haar moeder gebracht. Ik heb ze van haar verslaafde broertje gekregen, in ruil voor heroïne.'
'Ga door.'
'Dat is alles. Ze hadden geprobeerd Gus te chanteren. Hij heeft twee keer gedokt – veel geld, want ik heb grote rollen bankbiljetten gezien – maar dat was alleen om hun een onterecht zelfvertrouwen te geven. Ze hebben van het begin af aan geen schijn van kans gehad. Dat geld hebben we nooit teruggekregen, maar ik geloof niet dat dat belangrijk was. Gus lijkt niet op geld te geilen. Hij leeft eenvoudig en eet goedkoop, terwijl er elke dag scheppen geld binnenkomen. Van de regering van deze staat en van de federale regering. Om nog maar te zwijgen over de duizenden die die perverse kerels hem betalen voor hun pleziertjes. Hij zet een deel van dat geld opzij, maar ik heb hem nog nooit iets extravagants zien doen. Hij hongert naar macht, niet naar brood.'
'Waar zijn die bandjes?'
'Ik heb ze aan Gus gegeven.'
'Dat zal wel.'
'Het is echt waar. Hij liet me ze halen en ik heb het spul afgeleverd.'
'Die knie ziet er behoorlijk sterk uit. Zonde om hem te vermorzelen.'
Ik zette een voet op de achterkant van zijn been en drukte hard. Zijn hoofd schoot omhoog. Het moest hem zeer doen.
'Hou op! Oké. Ik heb er kopieën van gemaakt. Dat moest ik wel doen, om iets achter de hand te hebben voor mezelf. Stel dat Gus mij op een dag uit de weg geruimd wilde hebben? Ik bedoel... Ik sta nu bij hem in de gratie, maar je weet het maar nooit, nietwaar?'
'Waar zijn ze?'
'In mijn slaapkamer. Vastgeplakt tegen de onderkant van de matras.'
'Niet weggaan.' Ik trok mijn voet terug.
Hij knarsetandde als een haai die in een net gevangen zit.
Op de door hem aangegeven plaats vond ik drie cassettebandjes. Ik stopte ze in mijn zak en liep terug.
'Noem me nu maar eens een paar namen van de lui van de Herenbrigade die zich aan kinderen vergrijpen.'
Hij dreunde ze op. Automatisch. Zenuwachtig. Kennelijk vaak gerepeteerd.

'Nog meer?'
'Is dit niet voldoende?'
Daar zat iets in. Hij had een bekende filmregisseur genoemd, een hulpofficier van justitie, een politieke zwaargewicht – een man die achter de schermen werkte maar wel in de voorhoede wist te blijven. Juristen, artsen, bankiers, makelaars. Mannen die meestal bij name door de media werden genoemd wanneer ze geld aan een liefdadigheidsinstelling gaven of een prijs wonnen voor humanitaire dienstverlening. Mannen die stemmenwinst betekenden als hun naam op een lijst voor een campagne voerende politicus voorkwam. Ned Biondi zou de high society van L.A. geruime tijd rode oortjes bezorgen.
'Tim, je bent toch niet van plan dit alles stante pede te vergeten wanneer de politie je ernaar vraagt?'
'Nee. Waarom zou ik? Misschien kan ik de dans ontspringen als ik met de politie samenwerk?'
'Dat zal je niet lukken en dat moet je nu maar gewoon accepteren. Maar in elk geval zul je niet eindigen als mest voor de groentetuin van McCaffrey.'
Daar dacht hij even over na. Het moet hem niet zijn meegevallen om zich in zijn lot te schikken terwijl het touw in zijn polsen en enkels sneed.
'Luister,' zei hij. 'Ik heb jou geholpen. Help me een deal te sluiten. Ik zal meewerken. Ik heb niemand vermoord.'
De macht die hij me toebedeelde was fictief. Toch maakte ik er gebruik van.
'Ik zal doen wat ik kan,' zei ik grootmoedig. 'Maar een groot deel hangt van jezelf af. Als het meisje Quinn dit gezond en wel overleeft, ben ik bereid mijn best voor je te doen. Zo niet, dan zul je door de plee worden gespoeld.'
'Ga dan in godsnaam iets doen! Haal haar daar weg! Ik geef haar niet meer dan een dag. Will kan Gus eventjes tegenhouden, maar dat zal niet lang duren. Ze zal een ongeluk krijgen en dan zullen ze het lijk nooit vinden. Het is een kwestie van tijd. Gus is er zeker van dat ze te veel heeft gezien.'
'Zeg me wat ik moet doen om haar daar veilig weg te halen.'
Hij keek een andere kant op.
'Ik heb gelogen over waar ze is. Ze is niet in de bunker het dichtst bij het bos, maar in het gebouw ervoor, met die blauwe deur. Een metalen

deur. Een sleutel daarvan zit in mijn bruine broek in de kast in mijn slaapkamer.'
Ik liep weg, pakte de sleutel en kwam daarmee terug.
'Tim, ik hoop dat je de waarheid hebt gesproken.'
'Ik heb open kaart met je gespeeld. Help me alsjeblieft.'
'Is er iemand bij haar?'
'Nee, dat hoeft niet, want Will heeft haar kalmerende middelen gegeven. Meestal is ze helemaal van de kaart of aan het slapen. Ze sturen af en toe iemand naar haar toe om haar te eten te geven en te wassen. Ze is op het bed vastgebonden. De ruimte is van massief beton en je kunt die alleen betreden via de deur. Er is wel een dakraam, dat altijd openstaat. Als je dat dichtdoet, stikt iemand daar binnen achtenveertig uur.'
'Zou Will Towle La Casa in kunnen komen zonder achterdocht te wekken?'
'Beslist. Ik heb je al verteld dat hij vierentwintig uur per etmaal bereikbaar is wanneer de Heren een van de kinderen te hard hebben aangepakt. Meestal is het niets ernstigs: krabben, zwellingen. Soms stort een kind in en dan schrijft hij valium of Mellaril voor, of een snelwerkende dosis Thorazine. Ja, hij zou zich daar elk moment kunnen laten zien.'
'Goed. Dan ga jij hem bellen. Je gaat hem zeggen dat jullie hem dringend nodig hebben. Ik wil dat hij zich daar een halfuur nadat het donker is geworden, meldt. Even kijken... om halfacht. Zorg ervoor dat hij op tijd is. En alleen. Laat het overtuigend klinken.'
'Ik zou overtuigender kunnen klinken wanneer ik me een beetje kon bewegen.'
'Je zult het moeten doen met wat je hebt. Ik heb vertrouwen in je. Gebruik je toneelopleiding. Je was behoorlijk goed als Bill Roberts.'
'Hoe weet jij d...'
'Dat wist ik niet, maar nu weet ik het wel. Ik kon er wel naar raden. Die rol was je op het lijf geschreven. Hoorde de moord op Hickle er ook bij?'
'Dat is oude koek,' zei hij. 'Ik heb dat telefoontje inderdaad gepleegd. Hayden vond het wel een leuke grap om het in jouw kantoor te laten gebeuren. Hij is een gemene vent. Ziek gevoel voor humor. Maar zoals ik je al eerder heb gezegd, heb ik niemand vermoord. Toen ze Hickle pakten, was ik niet eens in de buurt. Dat hebben Hayden en

neef Will geregeld. Zij, en Gus, besloten hem definitief de mond te snoeren. Hetzelfde verhaal, neem ik aan. Hickle behoorde tot de Herenbrigade, was een van de eerste leden. Maar op het kinderdagverblijf van zijn vrouw was hij op eigen houtje dingen met kinderen gaan doen.
Ik kan me herinneren dat ze het erover hadden nadat Hickle was gearresteerd. Gus was aan het tieren. ''Verdomde klootzak!'' schreeuwde hij. ''Ik zorg dat die stommeling voldoende onbehaarde kutjes heeft om hem de rest van z'n leven goedgehumeurd te houden en dan gaatie zoiets stoms doen!'' Ik denk dat ze Hickle altijd een slappe, stomme vent hebben gevonden, die zich makkelijk liet beïnvloeden. Wanneer hij eenmaal ging bekennen wat hij in dat kinderdagverblijf had gedaan, dachten ze, zou hij iedereen in zijn val meeslepen. Dus moest hij uit de weg worden geruimd.
Ze hebben hem door Hayden laten opbellen met de mededeling dat hij goed nieuws had. Hickle had Hayden namelijk gevraagd bij de openbaar aanklager aan een paar touwtjes te trekken, wat maar weer eens duidelijk maakt hoe stom hij was. Ik bedoel, Hickle was in die tijd voorpaginanieuws. Het kènnen van hem stond al gelijk met de kus des doods. Toch belde hij Hayden en vroeg hem zijn invloed te gebruiken. Hayden deed net alsof hij bereid was te helpen. Een paar dagen later belde hij Hickle terug en zei dat hij goed nieuws had, dat hij kon helpen. Ze spraken af bij Hayden thuis, in het geheim, zonder dat er iemand in de buurt was. Ik geloof dat Will iets in Hickles thee heeft gedaan. De man dronk geen alcohol. Iets dat je precies kon timen en dat snel uit het lichaam verdween, zodat er moeilijk sporen van te vinden waren, tenzij je er speciaal naar op zoek was. Will regelde de dosering. Daar is hij goed in. Toen Hickle bewusteloos was hebben ze hem meegenomen naar jouw praktijk. Hayden maakte het slot open. Hij is goed met zijn handen. Hij goochelt vaak voor de kinderen in La Casa, verkleed als Blimbo de clown.'
'In goochelen ben ik niet geïnteresseerd. Ga door over Hickle.'
'Dat is alles. Ze hebben hem daarheen gebracht en een zelfmoord geënsceneerd. Ik weet niet wie de trekker heeft overgehaald, want ik was er niet bij. Ik weet er alleen wat van omdat ik voor Bill Roberts speelde en Gus me een paar dagen later vertelde waar het allemaal om ging. Hij was in zo'n sombere stemming, waarin hij altijd praat als iemand die aan grootheidswaanzin lijdt. ''Denk maar niet dat je neef de

dokter zo'n ongelooflijk nobele vent is, jongen,'' zei hij. ''Ik kan zijn kont en die van een heleboel andere nobele kerels met een enkel telefoontje laten roosteren.'' Hij oreert wel meer zo wanneer hij terugdenkt aan de tijd toen hij nog arm was en al die rijke mensen hem slecht behandelden. Die avond zaten ze, nadat ze Hickle hadden vermoord, in Gus' kantoor. Hij dronk gin en begon herinneringen op te halen over de tijd toen hij voor de vader van Hickle werkte, over de tijd toen hij nog een jonge jongen was. Hij was een wees en een of ander bureau heeft hem in wezen aan de Hickles verkocht, als een slaaf. Hij zei dat de oude Hickle een monster was geweest. Een heel opvliegende man die zijn personeel graag een lel verkocht. Hij vertelde me dat hij had geleerd dat te accepteren en dat hij ook had geleerd zijn ogen open te houden. Daardoor had hij alle smerige familiegeheimen ontdekt, zoals Stuarts afwijking en nog een paar andere dingen. Daar had hij later gebruik van gemaakt om van Brindamoor weg te komen en de baan op het Jedson College te krijgen. Ik kan me herinneren dat hij halfdronken naar me glimlachte; hij zag eruit als een krankzinnige. ''Ik heb al vroeg geleerd dat kennis macht is,'' zei hij. Toen sprak hij over Earl, zei dat die man beschadigd was, maar bereid was alles voor hem te doen. ''Hij zou mijn stront nog opeten en het kaviaar noemen,'' zei hij. ''Dat is macht.'''

Onder het praten had Kruger zijn rug gekromd en zijn hoofd met een stijve nek opgetild. Nu ging hij uitgeput weer plat op zijn buik op de grond liggen.

'Ik denk dat hij op ons allemaal wraak wil nemen,' zei hij.

Hij lag op een gele vlek opgedroogde urine en zag er meelijwekkend uit.

'Tim, heb je me verder nog iets te vertellen?'

'Ik kan niets meer bedenken. Wanneer je me nog wat wilt vragen, zal ik je antwoord geven.'

Ik zag de spanning door de spieren van zijn vastgebonden armen en benen trekken, als een lorrie over een kronkelend spoor, en bleef afstand bewaren.

Iets verderop op de grond stond een telefoon. Ik zette die wat dichter bij hem en legde de hoorn naast zijn mond. Terwijl ik het wapen tegen zijn voorhoofd drukte, toetste ik het nummer van Towles praktijk in en deed een stap naar achteren.

'Maak er wat moois van.'

Dat deed hij. Ik zou overtuigd zijn geweest. Ik hoopte dat Towle dat ook was. Hij gaf me een teken dat het gesprek ten einde was door met zijn ogen te rollen. Ik legde neer en liet hem nog eens bellen, ditmaal naar de bewakingsdienst van La Casa, om de komst van Towle aan te kondigen.
'Hoe ging dat?' vroeg hij toen hij klaar was.
'Ik zou je een heel lovende recensie geven.'
Het was merkwaardig, maar dat scheen hem genoegen te doen.
'Tim, vertel me eens hoe het met jouw sinussen is?'
Die vraag leek hem niet te verbazen. 'Prima,' zei hij. 'Ik ben nooit ziek.' Hij zei het met de bravade van een ervaren atleet die gelooft dat regelmatig trainen en stevige spieren onsterfelijkheid garanderen.
'Uitstekend. Dan moet je hier geen last van hebben.' Ik propte een handdoek in zijn mond. Hij maakte woedende, gedempte geluiden door de badstof heen.
Ik sleepte hem naar de slaapkamer, haalde alles wat als werktuig of wapen zou kunnen worden gebruikt uit de kleerkast en duwde hem daarin. Ik boog zijn lichaam tot hij in de kleine ruimte paste.
'Als ik samen met het kind gezond en wel weer uit La Casa kom, zal ik tegen de politie zeggen waar ze je kunnen vinden. Als dat niet gebeurt, zul je hier waarschijnlijk stikken. Heb je me verder nog iets te vertellen?'
Een hoofdschudden. Smekende ogen. Ik deed de deur dicht en schoof er een zware ladenkast voor. Toen stopte ik het wapen weer achter mijn broekriem, sloot alle ramen van het appartement, trok de gordijnen voor de ramen van de slaapkamer dicht, sloot de deur en blokkeerde hem met twee op hun kop gezette stoelen. Met een keukenmes sneed ik het telefoonsnoer door, trok de gordijnen in de huiskamer zo ver dicht dat de oceaan niet meer te zien was en keek nog een laatste keer aandachtig om me heen. Tevreden over het resultaat liep ik de gang op en trok de deur met een keiharde klap achter me dicht.

28

De Seville reed nog wel, maar niet al te best meer als gevolg van de Grand Prix-race met Halstead. Ik vond hem ook te opvallend voor hetgeen ik moest doen. Ik liet hem achter op een parkeerterrein in Westwood Village, liep twee huizenblokken verder naar een autoverhuurbedrijf en zocht een donkerbruine, Japanse auto uit: zo'n vierkant doosje dat van plastic gemaakt lijkt, met als extraatje een laagje metaal eroverheen. Het kostte me een kwartier om van de ene kant van Westwood naar de andere te komen. Toen reed ik de Bullocks-garage in, borg het wapen in het handschoenenvakje op, deed de auto op slot en ging boodschappen doen.

Ik kocht een spijkerbroek, dikke sokken, schoenen met crêpezolen, een marineblauwe coltrui en een even donker windjack. Alles wat in de winkel werd verkocht, was met zo'n plastic plaatje beveiligd en nadat ik had betaald kostte het de verkoopster een paar minuten om de kledingstukken daarvan te ontdoen.

'Geweldige wereld,' mompelde ik.

'Als u dit al erg vindt, kan ik u vertellen dat we de echt dure spullen – leer en bont – achter slot en grendel bewaren. Anders lopen ze er gewoon de deur mee uit.'

We loosden beiden een rechtschapen zucht en toen ik te horen kreeg dat de winkel ook door middel van monitoren werd bewaakt, besloot ik geen gebruik van de kleedkamer te maken.

Het was even na zessen, en toen ik weer buiten stond, was het donker. Tijd genoeg om een broodje met biefstuk, een Griekse salade en een vanille-ijsje te eten. Ik dronk er veel zwarte koffie bij en keek van achter een tafeltje bij het raam van het eethuisje aan West Pico naar een lucht zonder sterren. Om halfzeven betaalde ik de rekening en liep naar het herentoilet om me om te kleden. Terwijl ik dat deed, zag ik een opgevouwen papiertje op de grond liggen. Ik pakte het op. Het was de fotokopie van het artikel over het ongeluk van Lilah Towle, dat Margaret Dopplemeier me had gegeven. Ik probeerde het nogmaals te lezen, maar ook nu met weinig succes. Ik kon iets ontcijferen over de kustwacht en hoog tij, maar daar bleef het bij. Ik stopte het in de zak van mijn jack en trof verdere voorbereidingen om naar Malibu te gaan.

Achter in het café zag ik een telefoon en die gebruikte ik om Milo op het politiebureau te bellen. Ik dacht erover een ingewikkelde boodschap voor hem achter te laten, maar bedacht me en vroeg naar Delano Hardy. Na vijf minuten wachten kreeg ik te horen dat hij er niet was. Ik liet de ingewikkelde boodschap voor hem achter en ging op weg.

De rit duurde lang, maar daar had ik bij mijn planning al rekening mee gehouden. Even voor zevenen had ik Rambla Pacifica bereikt en om tien over zeven zag ik het bord dat naar La Casa de los Niños wees. De lucht was leeg en donker, als een bodemloze put. Een prairiewolf jankte ergens in een dal. Nachtvogels en vleermuizen fladderden en piepten. Ik deed mijn koplampen uit en reed de volgende twee kilometer vrijwel op mijn gevoel. Erg moeilijk was dat niet, maar de kleine auto had problemen met elke barst en kuil in het wegdek en de schokken werden via de carrosserie rechtstreeks doorgegeven aan mijn lichaam.

Ik stopte zeshonderd meter voor de afslag naar La Casa. Het was kwart over zeven. Er waren geen andere voertuigen op de weg. Ik bad dat dat zo zou blijven en zette de auto dwars, om beide rijbanen te blokkeren. Mijn achterwielen stonden bij het ravijn dat aan de snelweg grensde, mijn voorwielen raakten het dichte struikgewas aan de westkant. Ik bleef in de donkere auto zitten wachten, met het wapen in mijn hand.

Om zeven minuten voor halfacht hoorde ik het geluid van de motor van een naderende auto. Een minuut later zag ik de vierkante koplampen van de Lincoln een meter of vierhonderd van me vandaan. Ik sprong de auto uit, zocht dekking in de struiken, ging op mijn hurken zitten en hield mijn adem in.

Hij zag de verlaten auto pas heel laat en moest keihard op de rem trappen. Hij liet de motor lopen en het licht aan, liep de lichtbundel in en vloekte. Zijn witte haar had een zilveren glans. Hij droeg een donkergrijze, double-breasted blazer over een wit shirt met een open hals, een zwarte flanellen broek en zwart-witte golfschoenen met kwastjes. Geen enkele valse plooi, niets gekreukt.

Hij streek met een hand langs de zijkant van de kleine auto, raakte de motorkap aan, mompelde iets en boog zich door het geopende linkerportier naar binnen.

Op dat moment sprong ik op, waarbij ik dank zij de crêpezolen geen enkel geluid maakte, en drukte het wapen tegen zijn onderrug.

Ik haatte vuurwapens uit principe. Mijn vader was er dol op geweest en had ze verzameld. Eerst had hij alleen de Lugers gehad die hij als herinnering aan de Tweede Wereldoorlog mee naar huis had genomen. Daarna kwamen er jachtgeweren, gewone geweren, automatische pistolen die hij uit lommerds had gehaald, een oude, verroeste

Colt .45, gevaarlijk uitziende Italiaanse pistolen met lange lopen en gegraveerde kolven, .22-ers van blauw staal. Ze werden allemaal keurig opgepoetst en in de studeerkamer tentoongesteld achter het glas van een kast van kersehout. De meeste waren geladen en mijn vader speelde ermee wanneer hij naar de televisie keek. Hij riep me vaak om me op details van een ontwerp of een bepaald ornament te wijzen, of om me te vertellen over vuursnelheid, de ziel, de loop of de kolf. De geur van olie. De stank van afgebrande lucifers aan zijn handen. Als klein kind had ik nachtmerries over wapens die van hun plank af kwamen, als huisdieren die uit hun kooi glippen, een eigen instinct kregen, blaften en gromden...

Een keer had hij hevig ruzie gemaakt met mijn moeder. Woedend was hij naar de wapenkast gelopen en had daar het eerste het beste wapen dat voor het grijpen lag, uit gehaald: een Luger. Duits efficiënt. Hij had het op haar gericht. Ik kon het ook nu weer voor me zien. 'Harry!' schreeuwde zij. Hij besefte wat hij aan het doen was en liet het wapen vol afschuw op de grond vallen, alsof het een gemeen zeemonster was. Hij had zijn handen naar haar uitgestoken en excuses gemompeld. Zoiets had hij later nooit meer gedaan, maar de herinnering eraan had hem veranderd, plus het feit dat ik als vijfjarig kind met een dekentje in mijn hand, half verborgen achter de deur, had toegekeken. Sinds die tijd haat ik wapens. Maar op dat moment vond ik het heerlijk de .38 te voelen die tegen Towles blazer drukte.

'Ga achter het stuur zitten en maak verder geen enkele beweging, want anders schiet ik je aan barrels,' fluisterde ik.

Hij gehoorzaamde. Snel liep Ik naar het andere voorportier en ging naast hem zitten.

'Jij,' zei hij.

'Start de motor.' Ik drukte het wapen in zijn zij, harder dan nodig was. De kleine auto kwam hoestend tot leven.

'Naar de rand van de weg rijden, zodat het portier aan jouw kant tegen die rots aan staat. Dan de motor afzetten en het contactsleuteltje naar buiten gooien.' Hij deed wat hem was opgedragen, het nobele profiel onbewogen.

Ik stapte weer uit en beval hem hetzelfde te doen. Hij kon aan zijn kant de auto niet uit vanwege de twaalf meter hoge granieten wand. Dus stapte hij aan mijn kant uit en bleef bewegingloos en stoïcijns aan de rand van de verlaten weg staan.

'Handen omhoog.'
Hij zond me een hooghartige blik toe en gehoorzaamde. 'Dit is krankzinnig,' zei hij.
'Pak met één hand je eigen autosleutels en gooi die daar zachtjes op de grond.' Ik wees op een plek een meter of vijf verderop. Terwijl ik het wapen op hem gericht hield, raapte ik ze op.
'Nu naar jouw auto lopen en op de bestuurdersplaats gaan zitten. Leg je beide handen op het stuur, zodat ik ze kan zien.'
Ik liep achter hem aan naar de Lincoln. Ik ging recht achter hem op de achterbank zitten en drukte het wapen in het holletje van zijn nek.
'Je kent je eigen anatomie,' zei ik zacht. 'Een kogel in de medulla oblongata en het licht wordt voor altijd gedoofd.'
Hij zei niets.
'Je hebt jouw leven en dat van veel anderen goed verknald en nu zul je daar de prijs voor moeten betalen. Ik bied je de kans op gedeeltelijke verlossing. Red nu maar eens een keer een leven in plaats van er een te verwoesten.'
'Ik heb heel wat mensenlevens gered. Ik ben arts.'
'Ja, je bent een heilige genezer. Maar waar was je toen het leven van Cary Nemeth kon worden gered?'
Diep uit zijn binnenste kwam een droog, schor geluid. Toch verloor hij zijn zelfbeheersing niet.
'Ik neem aan dat je alles weet.'
'Zo ongeveer wel, ja. Onder de juiste omstandigheden kan neef Tim heel spraakzaam zijn.' Ik gaf hem een paar voorbeelden van wat ik wist. Hij bleef er stoïcijns onder. Zijn handen omklemden nog altijd het stuur: een witharige etalagepop.
'Voordat wij elkaar ontmoetten kende je mijn naam al door de affaire-Hickle,' zei ik. 'Toen ik je opbelde, nodigde je me uit naar jouw praktijk te komen, om te kijken of je kon achterhalen hoeveel Melody me had verteld. Ik begreep er toen niets van dat een druk bezette kinderarts tijd vrijmaakte voor een gezellig praatje onder vier ogen. Alles wat we toen hebben besproken, hadden we ook over de telefoon kunnen afhandelen. Maar jij wilde weten wat ik wist en toen heb je geprobeerd me een verder onderzoek onmogelijk te maken.'
'Je genoot de reputatie een vasthoudende jongeman te zijn,' zei hij. 'En de dingen waren zich aan het opstapelen.'
'De dingen? Bedoel je de lijken?'

'Het is echt niet nodig om zo melodramatisch te doen.' Hij sprak als een robot uit Disneyland: vlak, zonder stembuigingen, zonder een spoor van twijfel aan zichzelf.
'Dat probeer ik ook helemaal niet. Wel is het zo dat meerdere moorden me nog steeds niet onberoerd laten. Die jongen, Nemeth. Elena Gutierrez. Morry Bruno. Nu Bonita Quinn en die goeie ouwe Ronnie Lee.'
Toen ik die laatste naam noemde, schrok hij licht maar wel merkbaar.
'Zit de dood van Ronnie Lee je in het bijzonder dwars?'
'Ik ken die naam niet. Dat is alles.'
'Ronnie Lee Quinn. De ex van Bonita. De vader van Melody. R.L. Blonde vent, lang. Hij zag er krankzinnig uit en de linkerhelft van zijn lichaam functioneerde slecht. Hemiparese. Gegeven het zuidelijke accent van McCaffrey kan het erop hebben geleken dat hij hem Earl noemde.'
'Aha,' zei hij, blij omdat hij het weer begreep. 'Earl. Walgelijke kerel. Waste zich nooit. Ik kan me herinneren dat ik hem een paar keer heb ontmoet.'
'Armzalig protoplasma, nietwaar?'
'Je zegt het.'
'Hij was een van McCaffrey's maatjes in Mexico en is met hem meegekomen om hier ook een paar smerige klussen op te knappen. Hij wilde waarschijnlijk zijn kind wel weer eens zien, dus heeft McCaffrey haar en Bonita voor hem gezocht. Toen kreeg hij plannen met háár. Bonita was een slimme tante, nietwaar? Ze zal je wel een soort Sinterklaas hebben gevonden toen je haar die baan als manager in het appartementengebouw van Minassian bezorgde.'
'Dat kon ze waarderen,' zei Towle.
'Je bewees haar er een grote dienst mee, hè? Je hebt haar die baan bezorgd om toegang te kunnen krijgen tot het appartement van Handler. Als manager kreeg zij een loper. Wanneer ze dan weer een keer in jouw praktijk is om Melody te laten nakijken, is haar tas opeens ''zoek''. Zoiets kan gebeuren, want de dame is een warhoofd. Ze had ze niet allemaal op een rijtje staan. Raakte altijd dingen kwijt, zei een van de meisjes in jouw praktijk. In die tussentijd steel jij de loper en kunnen de monsters van McCaffrey naar binnen wanneer ze dat willen om op zoek te gaan naar cassettebandjes en wat hak- en snijwerk te verrichten. Die arme Bonita wordt met rust gelaten, tot ze haar verder

kunnen missen als kiespijn en dan eindigt ze als voedsel voor de volgende groenteoogst. Een saaie vrouw. Nog meer beroerd protoplasma.'
'Het was niet de bedoeling dat het zo zou gaan. Dat was niet het plan.'
'Je weet dat zelfs de beste plannen wel eens kunnen worden gewijzigd.'
'Je bent een sarcastische jongeman. Ik hoop dat je je tegenover je patiënten anders opstelt.'
'Ronnie Lee vermoordt Bonita. Misschien omdat McCaffrey hem daar opdracht toe had gegeven. Misschien omdat hij alleen een oude rekening wilde vereffenen. Maar nu moet McCaffrey zich ook van Ronnie Lee ontdoen, omdat die er, ook al is hij nog zo'n rotzak, nog wel eens bezwaar tegen zou kunnen hebben om te moeten toekijken hoe zijn eigen dochter sterft.'
'Alex, je bent heel intelligent,' zei hij. 'Maar dat sarcasme is echt een onhebbelijk trekje van je.'
'Dank voor die wijze opmerking. Ik weet dat je daar een expert in bent.'
'Dat ben ik inderdaad en daar ben ik trots op. Zorg ervoor dat je het goed met het kind en de familie kunt vinden, hoeveel jouw achtergrond ook van die van hen verschilt. Dat is de eerste stap op weg naar een goede zorgverlening. Dat zeg ik ook altijd tegen de eerstejaars studenten wanneer ik de inleidende colleges klinische kindergeneeskunde voor mijn rekening neem.'
'Fascinerend.'
'De studenten geven me hoge cijfers voor mijn colleges. Ik ben een uitstekend docent.'
Ik zette iets meer kracht achter de .38. Zijn zilvergrijze haar kreeg er een scheiding door, maar hij vertrok geen spier. Ik rook zijn haarwater: klaverblad en citroen.
'Start de auto en rij hem naar de kant van de weg, tot vlak achter die grote eucalyptus.'
De Lincoln reed een eindje vooruit en kwam toen weer tot stilstand.
'Het contactsleuteltje omdraaien.'
'Doe niet zo onbeleefd,' zei hij. 'Het is niet nodig om te proberen mij te intimideren.'
'Will, draai dat sleuteltje om.'
'Dokter Towle.'

'Dokter Towle.'
De motor gaf geen geluid meer.
'Is het echt nodig om dat ding tegen mijn achterhoofd aan te houden?'
'Ik ben degene die de vragen stelt.'
'Het lijkt zo zinloos, zo overbodig. Dit is niet een goedkope western.'
'Het is nog erger. Het bloed is echt en niemand kan opstaan en weglopen wanneer de rook is opgetrokken.'
'Nog meer melodrama.'
'Hou op met dat spelletje,' zei ik boos.
'Spelletje? Zijn we een spelletje aan het spelen? Ik dacht dat alleen kinderen dat deden. Touwtjespringen en zo.' Zijn stem werd hoger.
'Volwassenen spelen ook spelletjes,' zei ik. 'Smerige spelletjes.'
'Spelletjes helpen kinderen een integer ego te behouden. Dat heb ik ergens gelezen. Wie heeft dat gezegd? Erikson? Piaget?'
Ofwel Kruger was niet de enige acteur in de familie, of er was iets aan het gebeuren waarop ik niet voorbereid was geweest.
'Anna Freud,' zei ik fluisterend.
'Ja, Anna. Goed mens. Ik zou haar dolgraag hebben ontmoet, maar omdat we het alle twee zo druk hebben... Jammer... Het ego moet integer blijven. Ten koste van alles.' Hij zweeg een minuut en zei toen: 'Deze stoelen moeten worden schoongemaakt. Ik zie vlekjes op het leer. Tegenwoordig hebben ze een goed middel waarmee je leer kunt reinigen... dat heb ik bij de autowasserij gezien.'
'Melody Quinn,' zei ik, in een poging hem naar het heden terug te halen. 'We moeten haar redden.'
'Melody. Mooi meisje. Een mooi meisje is als een melodie. Mooi meisje. Bijna bekend...'
Ik bleef tegen hem praten, maar hij ging met de minuut verder achteruit. Zijn gerebbel werd steeds onsamenhangender en onbegrijpelijker. Hij leek te lijden. Het aristocratische gezicht drukte pijn en verdriet uit. Om de paar minuten zei hij: 'Het ego moet integer blijven.' Alsof het een geloofsbelijdenis was.
Ik had hem nodig om La Casa in te komen, maar ik had niets aan hem zoals hij nu was. Ik raakte in paniek. Zijn handen lagen nog steeds op het stuur, maar ze trilden nu wel.
'Pillen,' zei hij.
'Waar?'
'Zak...'

‘Pak ze dan maar,’ zei ik niet zonder achterdocht. ‘De pillen en verder niets. Neem er niet te veel in.’
‘Nee… twee pillen… aanbevolen dosis… nooit meer… nooit meer… zei de Raaf… nooit meer.’
‘Pak ze.’
Ik hield het wapen op hem gericht. Hij liet een hand zakken en pakte een buisje dat leek op dat waarin Melody’s Ritalin had gezeten. Voorzichtig schudde hij er twee tabletten uit, sloot het toen weer af en legde het neer.
‘Water?’ vroeg hij, als een kind.
‘Slik ze zo maar door.’
‘Dat zal ik doen… wel lastig.’
Hij slikte de pillen door.

Kruger had gelijk gehad. Hij was goed in het bepalen van een juiste dosis. Binnen twaalf minuten zag hij er al veel beter uit en klonk ook zo. Ik dacht aan de zware belasting die het voor hem moest zijn om zich voor de buitenwereld strikt onder controle te houden. Het leed geen twijfel dat het praten over de moorden zijn toestand snel had verslechterd.
‘Stom van me om die pillen vanmiddag niet in te nemen. Dat vergeet ik normaalgesproken nooit.’
Ik sloeg hem met een morbide fascinatie gade, zag de veranderingen in zijn manier van spreken en zijn gedrag toen de psycho-actieve chemicaliën zijn zenuwstelsel in hun greep kregen, merkte dat hij zijn aandacht weer langer ergens bij kon houden, minder onsamenhangend en meer volwassen begon te praten. Het was alsof ik door een microscoop een primitief organisme in iets veel complexers zag veranderen. Toen het middel nog maar net aan begon te werken, zei hij:
‘Ik heb veel… slechte dingen gedaan. Gus heeft me slechte dingen laten doen. Heel verkeerd voor iemand… iemand van mijn status. Voor iemand met mijn achtergrond, opvoeding en opleiding.’
Daar reageerde ik niet op.
Toen werd hij weer helder van geest. Alert, ogenschijnlijk onbeschadigd.
‘Wat heb je geslikt? Thorazine?’ vroeg ik.
‘Een variant daarop. Ik zorg nu al geruime tijd voor mijn eigen medicijnen. Heb een aantal fenothiazines geprobeerd… Thorazine was

goed, maar maakte me te slaperig. Dat kon ik niet gebruiken wanneer ik patiënten moest onderzoeken. Ik moet er niet aan denken dat ik een baby zou laten vallen. Dit is een nieuw middel, dat met kop en schouders boven de andere uitsteekt. Een experimenteel middel. Is me door de fabrikant toegestuurd. Vraag om monsters, vermeld dat je arts bent en dan wordt er geen nadere verklaring gevraagd. Ze zijn je maar al te graag ter wille... Ik heb er een fikse voorraad van in huis. Maar ik moet niet vergeten die pillen 's middags in te nemen, want anders raak ik in de war. Dat is daarnet ook gebeurd, hè?'
'Ja. Hoe lang duurt het voordat die pillen werken?'
'Voor een man van mijn grootte twintig tot vijfentwintig minuten. Verbazingwekkend, nietwaar? Inslikken, even wachten en dan kun je de dingen weer helder zien. Het leven is dan zo veel makkelijker te verdragen en alles doet lang zo'n pijn niet meer. Zelfs nu voel ik het werken, alsof modderwater opeens weer kristalhelder wordt. Waar hadden we het over?'
'Over de smerige spelletjes die de geperverteerde lui van McCaffrey met kleine kinderen spelen.'
'Ik ben niet een van hen,' zei hij snel.
'Dat weet ik. Maar je hebt die lui wel geholpen zich aan honderden kinderen te vergrijpen. Je hebt tijd en geld aan McCaffrey gegeven en hem Handler, Gutierrez en Hickle op een presenteerblaadje aangeboden. Je hebt Melody Quinn een overdosis voorgeschreven om ervoor te zorgen dat ze haar mond hield. Waarom?'
'Het is allemaal voorbij, hè?' vroeg hij opgelucht.
'Ja.'
'Ze zullen me mijn vergunning om praktijk uit te oefenen ontnemen.'
'Zeker. Denk je niet dat dat het beste is?'
'Dat denk ik wel,' zei hij aarzelend. 'Al heb ik het gevoel dat ik nog genoeg goed werk kan doen.'
'Daar zul je beslist de kans toe krijgen,' verzekerde ik hem, terwijl ik besefte dat de pillen niet helemaal perfect waren. 'Ze zullen je voor de rest van je leven naar een plaats sturen waar je weinig last zult hebben van stress. Geen administratie, geen rekeningen die uitgeschreven moeten worden, niets van de rompslomp die normaal met het uitoefenen van een medische praktijk gepaard gaat. Geen Gus McCaffrey die tegen je zegt wat je moet doen, hoe je je leven moet leven. Alleen jij. Je zult er goed uitzien en je lekker voelen omdat je je pillen mag blij-

ven slikken en andere mensen mag blijven helpen. Mensen die hulp nodig hebben. Jij bent een genezer en je zult mensen kunnen helpen.'
'Kunnen helpen,' herhaalde hij.
'Zeer beslist.'
'Van mens tot mens. Ongehinderd.'
'Ja.'
'Als ik me goed voel kan ik prima met andere mensen omgaan. Maar als ik me niet goed voel raak ik in de war en doet alles zeer. Dan doen zelfs ideeën zeer. Gedachten kunnen pijnlijk zijn, weet je. Ik ben niet op mijn best wanneer dat gebeurt. Maar als ik goed functioneer, kan ik beter dan wie dan ook andere mensen helpen.'
'Dat weet ik. Ik ken je reputatie.'
McCaffrey had het gehad over een aangeboren neiging tot altruïsme. Ik wist op wiens knoppen hij daarmee had gedrukt.
'Ik sta bij Gus in de schuld,' zei hij. 'Niet omdat ik een ongebruikelijke seksuele voorkeur heb. Dat is zijn band met de anderen, met Stuart en Eddie. Toen we nog jong waren, wisten we al dat zij... vreemd waren. We zijn allemaal opgegroeid in een geïsoleerde omgeving, op een vreemde plaats. We werden als orchideeën gecultiveerd. Privé-lessen voor dit en voor dat. We moesten ons passend kleden en ons passend gedragen. Soms vraag ik me af of die sfeer ons niet meer kwaad dan goed heeft gedaan. Kijk maar eens wat er van ons is geworden. Ik met mijn toevallen – ik weet dat die tegenwoordig een naam hebben, maar die vermijd ik liever – Stuart en Eddie met hun vreemde seksuele gewoonten.
Het was zomer toen ze met elkaar begonnen te rommelen. Toen ze negen of tien jaar waren. Daarna gingen ze dat ook met andere kinderen doen. Kleine, veel jongere kinderen. Ik besteedde er weinig aandacht aan, wist alleen dat ik er geen belangstelling voor had. Gezien de manier waarop wij waren opgevoed leek het besef van goed en kwaad lang niet zo belangrijk als wat passend en wat niet passend was. "Dat is niet passend, Willie," zei mijn vader vaak. Als de vader van Stuart of Eddie hen met die kleine kinderen had betrapt, zou de hele kwestie waarschijnlijk als "niet passend" zijn afgedaan. Net zoiets als tijdens een diner de verkeerde vork gebruiken.'
Zijn beschrijving van het opgroeien op Brindamoor leek opvallend veel op die welke Van der Graaf me had gegeven. Op dat moment leek hij veel op de fraaie goudvis in het aquarium in Oomasa: mooi,

opvallend, ontstaan door mutaties en eeuwen inteelt, grootgebracht in een beschermd milieu. Maar uiteindelijk onvolgroeid en niet in staat de realiteit van het leven aan te kunnen.
'In dat opzicht, in seksueel opzicht, was ik heel normaal,' zei hij. 'Ik trouwde en kreeg een kind, een zoon. Stuart en Eddie bleven mijn makkers en gingen door met hun geperverteerde spelletjes. Het was leven en laten leven. Zij hadden het nooit over mijn... toevallen. Ik liet hen hun gang gaan. Stuart was een aardige vent, niet al te intelligent, maar hij bedoelde het goed. Het was jammer dat hij... Met uitzondering van die ene afwijking was hij een goeie jongen. Eddie was, is anders. Gevoel voor humor, maar wel van een gemeen soort. Hij heeft valse trekjes. Hij is altijd bijtend sarcastisch. Daarom ben ik daar gevoelig voor. Misschien komt het door zijn postuur...'
'Je band met McCaffrey,' zei ik indringend.
'Kleine mannen worden vaak zo. Jij bent... Ik kan je nu niet zien, maar ik meen me te herinneren dat je een gemiddelde lengte hebt. Klopt dat?'
'Ik ben een meter tachtig,' zei ik.
'Dat is een gemiddelde lengte. Ik ben altijd lang geweest. Mijn vader was een grote vent. De voorspelling van Mendel is uitgekomen: grote erwten, kleine erwten. Fascinerend terrein, de genetica, hè?'
'Dokter...' zei ik, in de hoop hem door die formele aanspreektitel weer naar het heden terug te halen.
'Ik heb me vaak afgevraagd welke invloed je genen op allerlei zaken hebben. Op het intellect, bijvoorbeeld. Het liberale dogma wil ons doen geloven dat het milieu de grootste bijdrage levert aan de intelligentie. Dat is een premisse die gelijkheid veronderstelt, maar niet klopt. Grote erwten, kleine erwten. Slimme ouders, slimme kinderen. Domme ouders, domme kinderen. Ik ben zelf een heterozygoot. Mijn vader was briljant. Mijn moeder was een Ierse schoonheid, maar had een heel simpele geest. Ze leefde in een wereld waarin die combinatie een perfecte gastvrouw schiep. Papa kon met haar pronken.'
'Je band met McCaffrey,' zei ik scherp.
'Mijn band? Niets serieuzers dan leven en dood.'
Hij lachte. Het was de eerste keer dat ik zijn lach hoorde en ik hoopte dat het ook de laatste keer zou zijn. Het was een hol geluid: een opvallende wanklank midden in een symfonie.
'Ik woonde met Lilah en Willie junior op de tweede verdieping van

een van de gebouwen van Jedson. Stuart en Eddie deelden een kamer op de eerste verdieping. Als gehuwd student kreeg ik meer woonruimte toebedeeld. Het was eigenlijk best een aardig appartementje. Twee slaapkamers, een badkamer, een huiskamer en een kleine keuken. Maar geen bibliotheek of werkkamer, dus studeerde ik aan de keukentafel. Lilah had het gezellig en vrouwelijk ingericht met vrolijke gordijnen en zo. Willie junior was in die tijd net twee, herinner ik me. Het was mijn laatste jaar. Ik had wat problemen met een aantal vakken: fysica, organische scheikunde. Echt briljant ben ik nooit geweest. Maar als ik me inzet en mijn aandacht erbij hou, kan ik best presteren. Ik wilde dolgraag op eigen kracht medicijnen gaan studeren. Mijn vader en zijn vader waren briljante studenten geweest en arts geworden. Achter mijn rug werd voor de grap gezegd dat ik het uiterlijk en de hersens van mijn moeder had geërfd. Ze dachten dat ik dat niet hoorde, maar ik hoorde het wel. Ik wilde zo graag laten zien dat ik op eigen kracht iets kon halen en niet doordat ik de zoon van Adolf Towle was.

Op de avond dat het gebeurde voelde Willie junior zich niet lekker en kon hij niet in slaap komen. Hij was aan het krijsen en Lilah was de uitputting nabij. Ik negeerde haar verzoeken om hulp, begroef me in mijn studieboeken en probeerde al het overige buiten te sluiten. Ik moest betere cijfers in de exacte vakken halen. Dat móest. Hoe meer zorgen ik me maakte, hoe minder ik mijn aandacht erbij kon houden. Ik probeerde me een soort van tunnelvisie eigen te maken.

Lilah had altijd veel geduld met me gehad, maar die avond werd ze woedend en leek een zenuwinzinking nabij. Ik keek op en zag haar naar me toe komen. Ze had haar handen – ze was een tengere vrouw met kleine handen – tot vuisten gebald. Haar mond stond open – ik denk dat ze aan het schreeuwen was – en in haar ogen lag een blik vol haat. Ze leek wel een roofvogel, die elk moment in mij kon gaan pikken. Ik duwde haar met mijn arm weg. Ze viel achterover en sloeg tegen de hoek van een bureau, een afschuwelijk lelijk, antiek bureau dat ze van haar moeder had gekregen. Toen bleef ze daar gewoon liggen.

Ik kan alles nu nog duidelijk voor me zien, alsof het gisteren pas is gebeurd. Lilah ligt daar, bewegingloos. Ik kom uit mijn stoel overeind, alsof ik droom. Alles zwaait heen en weer, alles is verwarrend. Een kleine vorm komt van rechts naar me toe, als een muis, een rat. Ik duw hem weg. Maar het is geen rat. O nee. Het is Willie junior, die om zijn moeder huilt en mij slaat. Ik ben me zijn aanwezigheid slechts vaag bewust en haal opnieuw naar hem uit, raak hem tegen de zijkant van zijn hoofd. Te hard. Hij valt op de grond en blijft liggen. Zonder zich te bewegen. Bij zijn slaap zit een grote blauwe plek... Mijn vrouw, mijn kind... dood door mijn toedoen. Ik ga op zoek naar mijn scheermes om mijn polsen door te snijden en zo ook een eind aan mijn leven te maken.

Dan hoor ik achter me de stem van Gus. Hij staat in de deuropening, immens, dik, zwetend, in werkkleding, met een bezem in zijn hand. De conciërge, die 's avonds de gebouwen schoonmaakt. Ik ruik hem: ammoniak, lichaamsgeur, schoonmaakmiddelen. Hij heeft het lawaai gehoord en is komen kijken wat er aan de hand is. Hij kijkt mij lang en doordringend aan, kijkt dan naar de lichamen. Hij knielt bij ze neer, voelt naar een polsslag. ''Ze zijn dood,'' zegt hij met vlakke stem tegen me. Een seconde lang denk ik dat hij glimlacht en wil ik hem aanvallen, en zo bijna een derde moord plegen. Dan verandert de glimlach in een frons. Hij is aan het nadenken. ''Ga zitten,'' beveelt hij me. Ik ben er niet aan gewend dat iemand van zijn stand me bevelen geeft, maar ik ben zwak en misselijk van verdriet, mijn knieën knikken en mijn hele wereld lijkt te vergaan. Ik draai me om, weg van Lilah en Willie junior, ga zitten, druk mijn handen tegen mijn gezicht. Ik begin te huilen en raak steeds meer in de war... ik zal een toeval krijgen. Alles begint pijn te doen. Ik heb geen pillen, althans niet de pillen die ik jaren later, wanneer ik arts ben, tot mijn beschikking heb. Nu ben ik een machteloze student, die overal pijn heeft.

Gus pleegt een telefoontje. Minuten later staan mijn vrienden Stuart en Eddie in de kamer, als figuren die midden in een afschuwelijk toneelstuk opeens het podium opkomen... Ze praten met z'n drieën, mompelen, kijken soms even naar mij. Stuart komt als eerste naar me toe en legt een hand op mijn schouder. ''Will, we weten dat het een ongeluk was,'' zegt hij. ''We weten dat het jouw schuld niet was.'' Ik wil iets zeggen, maar de woorden blijven in mijn keel steken... Door die toeval is het zo moeilijk en zo pijnlijk om te praten... Ik schud mijn hoofd. Stuart troost me, zegt dat alles in orde zal komen. Zij zullen alles regelen. Hij loopt weer terug naar Gus en Eddie.

Ze wikkelen de lichamen in een deken en zeggen dat ik de kamer niet uit moet gaan. Op het laatste moment besluiten ze dat Stuart bij mij moet blijven. Gus en Eddie vertrekken met de lichamen. Stuart geeft me koffie. Ik huil. Ik huil mezelf in slaap. Later komen ze terug en zeggen me welk verhaal ik aan de politie moet vertellen. Ze repeteren dat met me. Zulke goede vrienden. Ik doe het prima. Dat zeggen ze tegen me. Daar voel ik me een beetje opgelucht door. In elk geval ben ik in één ding goed. Acteren. Geef het publiek waar het om vraagt... Mijn eerste publiek bestaat uit politiemensen. Daarna iemand van de kustwacht, een vriend van mijn familie. Ze hebben Lilahs auto gevonden. Haar lichaam heeft geruime tijd in het water gelegen en is opgezwollen. Ik hoef het niet te identificeren wanneer dat een te grote kwelling voor me zou zijn. In haar handen hebben ze stukjes van Willies kleren gevonden. Zijn lichaam was door het water meegenomen. Een gevolg van het tij, zei de man. Ze zullen blijven zoeken... Ik stort in en bereid mezelf voor op de volgende show met de mensen die me komen condoleren, de pers...'

Het tij, de kustwacht, dacht ik. Iets daaraan...

'Een paar maanden later kan ik medicijnen gaan studeren,' zei Towle. 'Ik verhuis naar Los Angeles. Stuart gaat met me mee, hoewel we alle twee weten dat hij die studie nooit zal kunnen afmaken. Eddie gaat in Los Angeles rechten studeren. De Hoofden zijn weer herenigd. Zo noemden ze ons: de Drie Staatshoofden.

We leven ons nieuwe leven en er wordt nooit gesproken over de gunst die ze me hebben bewezen. Noch over die avond en nacht. Maar ze zijn wel veel opener ten aanzien van hun seksuele perversiteiten, laten smerige foto's slingeren op plaatsen waar ik ze zal zien, nemen de moeite niet meer iets verborgen te houden. Ze weten dat ik er niets van kan zeggen, zelfs niet wanneer ik een tienjarig kind in mijn bed zou aantreffen. We zijn nu met elkaar verbonden door een verdorven wederzijdse afhankelijkheid.

Gus is in die tussentijd verdwenen. Jaren later, wanneer ik ben afgestudeerd en druk bezig ben om naam te maken, komt hij opeens mijn praktijk binnen wanneer er geen patiënten meer zijn. Hij is nog dikker geworden, gaat goed gekleed, werkt niet langer als conciërge. Nu is hij een man van God, grapt hij. Hij laat me een diploma zien, dat moet bewijzen dat hij theologie heeft gestudeerd. Hij is gekomen om me om een paar gunsten te vragen. Om een paar oude schulden ingelost te krijgen, zijn de woorden die hij gebruikt. Die avond heb ik hem betaald en sinds die tijd ben ik hem op de een of andere manier altijd blijven betalen.'

'Het wordt tijd om daarmee op te houden,' zei ik. 'Laten we Melody Quinn niet aan hem opofferen.'
'Dat kind is verdoemd. Ik heb er bij Gus op aangedrongen om dat zogenaamde ongeluk uit te stellen. Ik heb tegen hem gezegd dat het helemaal niet vaststond dat ze iets had gezien of gehoord. Maar hij zal er niet veel langer meer mee wachten. Wat betekent een leven meer of minder voor een man zoals hij?' Hij zweeg even. 'Is ze echt een gevaar voor hem?'
'Niet werkelijk. Ze zat bij het raam en heeft schaduwen van mannen gezien.' En een van hen heeft ze als haar vader herkend. Ze kende hem niet, maar ze had een foto van hem. Op de dag dat ik haar had gehypnotiseerd, was ze meteen daarna spontaan over hem gaan praten. Ze had me de foto laten zien, en het souvenirtje dat hij haar had gegeven. Toen ze die nachtmerries kreeg had ik het moeten weten. Ik dacht dat de hypnose niets bij haar wakker had gemaakt, maar dat was wel degelijk gebeurd. Er waren herinneringen aan haar vader naar boven gekomen, die bij haar voor het raam had gestaan en Handlers appartement in was gelopen. Ze wist dat er in dat appartement iets slechts was gebeurd. Ze wist dat haar vader iets vreselijks had gedaan. Ze had het onderdrukt. En toen was het in haar slaap weer naar boven gekomen.
Ik begreep het zodra ik de aanwijzing zag die ze had achtergelaten toen Ronnie Lee was gekomen om haar en haar moeder te ontvoeren. Een verschrompeld hoofd, tot dat moment kostbaar als symbool van haar vader. Dat ze dat dingetje had achtergelaten betekende dat ze hem had afgedankt, dat ze bereid was onder ogen te zien dat hij een slechte man was die niet was teruggekomen om haar op te zoeken, maar om haar kwaad te doen. Misschien had ze gezien hoe hardhandig hij Bonita aanpakte. Misschien was het gekomen omdat hij ruw, zonder een spoor van liefde tegen haar had gesproken. In elk geval had het kind het geweten.
Nu ik op dat alles kon terugzien, leek het zo logisch, maar op dat moment waren de associaties zo vaag geweest.
'Het is ironisch,' zei Towle. 'Ik heb Ritalin voorgeschreven om haar gedrag onder controle te houden en datzelfde middel heeft ervoor gezorgd dat ze last kreeg van slapeloosheid en op het verkeerde moment wakker was.'
'Ironisch, inderdaad,' zei ik. 'Nu gaan we haar daar weghalen. Jij gaat

me daarbij helpen. Wanneer we alles achter de rug hebben zal ik ervoor zorgen dat je de juiste verzorging krijgt.'
Hij zei niets. Hij zat gewoon kaarsrecht achter het stuur en deed zijn uiterste best er nobel uit te zien.
'Verzoek je mij om hulp?'
'Ja.'
'Verzoek ingewilligd.'

29

Ik lag onder een deken op de vloer van de Lincoln.
'Mijn wapen is op je ruggegraat gericht,' zei ik. 'Ik verwacht geen problemen, maar we kennen elkaar nog niet zo lang dat vertrouwen veel waard is.'
'Ik begrijp het,' zei hij. 'Ik voel me niet beledigd.'
Bij de oprit naar La Casa draaide hij linksaf en reed snel en soepel door naar het hek en de slagboom. Hij meldde over de intercom wie hij was en werd binnengelaten. Een stop bij het hokje van de bewaker, een gezellig praatje met veel 'dokters' en 'meneers' van die laatste. Toen waren we echt binnen.
Towle reed door tot het verste eind van het parkeerterrein.
'Niet in het licht parkeren,' fluisterde ik.
De auto kwam tot stilstand.
'De kust is veilig,' zei hij.
Ik kroop onder de deken vandaan, stapte uit en gaf hem een teken dat hij achter me aan moest komen. We liepen naast elkaar het pad op. Begeleiders passeerden ons in paren, groetten Towle heel beleefd en liepen weer verder. Ik probeerde er als een collega van hem uit te zien. Het was 's avonds rustig in La Casa. Er werden liedjes rond een kampvuur gezongen, die door de bomen werden gefilterd: 'Een potje met vet' en 'O, Susanna'. Kinderstemmen. Een gitaar die niet goed was gestemd. Volwassen bevelen door een microfoon. Muggen en motten bij de lampjes in de lage struiken. De zoete lucht van jasmijn en oleander in de lucht. Af en toe een vleugje zoute oceaanlucht, zo dichtbij, maar niet te zien. Rechts de grijsgroene, open weide. Een redelijk aangenaam kerkhof... Het bos, donker, een toevluchtsoord vol pijnbomen...
We liepen langs het zwembad en zorgden ervoor niet uit te glijden op

het natte cement. Towle bewoog zich als een oude krijger die zijn laatste gevecht tegemoet gaat, kin omhoog, armen langs het lichaam, marcherend. Ik hield de .38 binnen handbereik.
Het lukte ons de bunkers ongemerkt te bereiken.
'Die daar,' zei ik. 'Met de blauwe deur.'
We liepen het pad erheen af. De sleutel werd omgedraaid en we waren binnen.

De bunker was in twee ruimten opgesplitst. De voorste ruimte was leeg, met uitzondering van een enkele klapstoel onder een aluminium bridgetafel. De muren waren van onbeschilderd baksteen en roken naar schimmel. De vloer was van beton, net als het plafond. Het enige licht kwam van een enkel peertje.
Ze lag in de ruimte daarachter, op een legerbrits, onder een ruwe donkergroene deken, met leren riemen vastgebonden bij haar enkels en haar borst. Haar armen waren onder de deken vastgebonden. Ze ademde langzaam, met open mond, slapend, haar hoofd was naar opzij gedraaid, haar lichte, door tranen bevlekte gezicht was in het halfdonker bijna doorschijnend. Om haar gezicht hingen piekjes haar. Klein, kwetsbaar, verloren.
Bij het voeteneind stond een plastic dienblad met een koud geworden gebakken ei, slappe frietjes, sla met bruine puntjes en een geopend pak melk.
'Maak haar los.' Ik wees met het wapen.
Towle boog zich over haar heen en maakte de riemen los.
'Wat heb je haar laten toedienen?'
'Een hoge dosering valium, in combinatie met Thorazine.'
Het magische elixer van dokter Towle.
De riemen waren nu los en Towle trok de deken terug. Ze had een smerige spijkerbroek aan en een rood-wit gestreept T-shirt met Snoopy op de voorkant. Hij tilde het shirtje op, klopte op haar buik, mat haar polsslag, voelde haar voorhoofd, speelde doktertje.
'Ze ziet er mager uit, maar ze is verder gezond,' verklaarde hij.
'Wikkel die deken weer om haar heen. Kun je haar dragen?'
'Zeker,' reageerde hij, gepikeerd omdat ik aan zijn kracht twijfelde.
'Oké, dan gaan we.'
Hij nam haar in zijn armen en zag eruit als de Grote Blanke Vader. Het kind zuchtte, rilde, klemde zich aan hem vast.

'Hou haar volledig onder die deken zodra we buiten zijn.'
Ik wilde me omdraaien. Een zachte, muzikale stem achter me zei: 'Verroer je niet, Delaware, want anders zul je het verder zonder je hoofd moeten stellen.'
Ik bleef staan.
'Will, leg dat kind terug en pak zijn wapen.'
Towle keek me aan. Ik haalde mijn schouders op. Hij legde Melody voorzichtig neer en dekte haar toe. Ik gaf hem de .38.
'Tegen de muur gaan staan, Delaware, met je handen omhoog. Will, fouilleer hem.'
Dat deed Towle.
'Omdraaien.'
McCaffrey stond grinnikend in de deuropening tussen de twee kamers, met een Magnum .357 in zijn ene hand en een polaroidcamera in zijn andere. Hij had een lichtgevende groene jumpsuit aan, met allerlei zakken en gespen, en bijbehorende lakschoenen. In het vage licht leek zijn huid ook een groene kleur te hebben.
'Mijn hemel, Willie. Wat voor ondeugends zijn we vanavond aan het uithalen?'
De arts liet zijn hoofd hangen en schuifelde zenuwachtig heen en weer.
'Ben je vanavond niet zo spraakzaam, Willie? Dat hindert niet. Dan praten we later wel met elkaar.' De kleurloze ogen werden kleiner. 'Nu moeten er een paar zaken geregeld worden.'
'Is dit jouw idee van altruïsme?' Ik keek naar de slappe gestalte van Melody.
'Hou je waffel!' zei hij nijdig. Tegen Towle: 'Kleed dat kind uit.'
'Gus... ik... waarom?'
'Doe wat ik je zeg, Willie.'
'Niet meer, Gus,' zei Towle smekend. 'We hebben genoeg gedaan.'
'Nee, idioot. We hebben helemaal nog niet genoeg gedaan. Deze slimme kerel kan ons – jou èn mij – in grote moeilijkheden brengen. Ik had plannen gemaakt om hem te laten elimineren, maar kennelijk zal ik dat zelf moeten doen.'
'Plannen,' zei ik snierend. 'Halstead ligt op een eenzame bouwplaats met een stuk metaal door zijn keel. Hij was een stuntel, net als de rest van je slaven.'
McCaffrey tuitte zijn dikke lippen.

'Ik waarschuw je,' zei hij.
'Dat is jouw specialiteit, hè?' ging ik door, om tijd te winnen. Ik zag zijn massieve silhouet verschuiven toen hij probeerde me in het vizier te houden. Maar dat viel door het donker niet mee en bovendien was Towle al schuifelend tussen ons in komen staan. 'Je bent handig in het vinden van stuntels en verliezers, emotioneel verminkte mensen, lui die nergens bij lijken te horen. Vliegen zijn net zo handig in het lokaliseren van stront. Je zoemt in op hun open wonden, zet je tanden erin en zuigt ze leeg.'
'Wat literair,' zei hij zangerig. Hij wilde duidelijk zijn zelfbeheersing niet verliezen. Omdat we zo dicht bij elkaar stonden, kon een impulsieve handeling riskant zijn.
'Haar kleren, Will,' zei hij. 'Trek ze allemaal uit.'
'Gus...'
'Doe wat ik je zeg, verdomde flapdrol!'
Towle hield een arm voor zijn gezicht, als een kind dat een klap wil afweren. Toen die klap niet kwam, liep hij naar Melody toe.
'Jij bent arts,' zei ik. 'Een gerespecteerde arts. Luister niet naar hem.'
Snel, sneller dan ik mogelijk had geacht, liep McCaffrey naar voren, haalde met een olifantsarm uit en sloeg met zijn wapen tegen de zijkant van mijn hoofd. Ik viel op de grond en had het gevoel dat mijn gezicht zou exploderen van de pijn. Ik probeerde me met mijn handen tegen een volgende aanval te beschermen en zag bloed tussen mijn vingers door stromen.
'Jij blijft daar liggen en verder hou je verdomme je bek.'
Towle trok Melody's T-shirt uit. Haar borstkasje was wit, de ribben twee rijtjes grijsblauwe schaduwen.
'Nu de broek, de onderbroek, alles.'
'Gus, waarom doen we dit?' vroeg Towle. In mijn oren, die verre van perfect waren omdat het ene was gescheurd en bloedde en het andere suisde, leek zijn stem onduidelijk te klinken. Ik vroeg me af of stress door de biochemische barrière heen kon breken die hij om zijn zieke geest had opgeworpen.
'Waarom?' McCaffrey lachte. 'Willie, je bent er niet aan gewend iets als dit met eigen ogen te zien, hè? Tot nu toe heb je de kinderen alleen opgelapt, kon je genieten van de luxe om afstand te kunnen bewaren. Dat doet er eigenlijk niet toe. Ik zal het je uitleggen.'
Hij trok minachtend een wenkbrauw richting Towle op, nam mij van

top tot teen op en lachte opnieuw. Dat geluid werd pijnlijk in mijn gewonde schedel weerkaatst. Het bloed bleef over mijn gezicht stromen. Ik had het gevoel dat mijn hoofd op mijn nek wiebelde. Ik werd misselijk en duizelig en de vloer leek omhoog te komen. Doodsbang vroeg ik me af of hij me hard genoeg had geslagen om hersenletsel te veroorzaken. Ik wist wat een subduraal hematoom kon doen met de kwetsbare grijze gelei die het leven de moeite van het leven waard maakt... Ik vocht om wat kracht te krijgen en helder te kunnen nadenken. Ik probeerde te bepalen waar ik was gewond. Het wapen was met de linkerkant van mijn hoofd in aanraking gekomen – de dominante hersenhelft, omdat ik rechtshandig ben – en dat was beroerd. De dominante helft oefende controle uit op de logische processen: redeneren, analyseren, deduceren, dingen waaraan ik in drieëndertig levensjaren verslaafd was geraakt. Ik dacht aan de mogelijkheid dat alles te verliezen, in de war te raken... Toen herinnerde ik me opeens de tweejarige Willie junior, die op een soortgelijke manier tegen de grond was geslagen. Hij had daarbij de dood gevonden en dat kon nog wel eens gelukkig voor hem zijn geweest. Want als hij in leven was gebleven, zou de schade heel groot zijn geweest. Linkerkant/rechterkant... het tij...

'We gaan een toneelstukje opvoeren, Willie,' zei McCaffrey. 'Ik ben de producent en de regisseur. Jij bent mijn assistent en helpt me met de rekwisieten.' Hij zwaaide de camera met een boog door de lucht. 'De sterren van het toneelstuk zijn die kleine Melody en onze vriend Alex Delaware. *Dood van een zieleknijper* wordt de titel van het stuk, met als ondertitel: *Op heterdaad betrapt.* Een zinnespel.'

'Gus...'

'De plot gaat als volgt: Delaware, onze boef, staat bekend als een zorgzame, gevoelige kinderpsycholoog. Maar zijn collega's en patiënten weten niet dat hij niet uit een groot gevoel van altruïsme voor dat beroep heeft gekozen. Nee. Delaware wilde kinderpsycholoog worden om dichter in de buurt van kindertjes te kunnen zijn. Om aan hun geslachtsorganen te zitten. Om kort te gaan: iemand met een afwijking, een opportunist van het allerlaagste allooi. Een boosaardige en ernstig zieke man.' Hij zweeg en keek naar mij. Hij grinnikte en haalde luid adem. Hoewel het koud was in de bunker, zweette hij. Zijn bril gleed steeds verder over zijn neus omlaag. Boven op zijn hoofd een kransje van vocht. Ik keek naar de .38 in de hand van Towle en mat de afstand tussen het wapen en de plaats waar ik op de grond lag. McCaffrey zag

me kijken, schudde zijn hoofd, vormde met zijn lippen het woord nee en liet zijn tanden zien.
'Om die reden meldt Delaware zich aan als potentieel lid van de Herenbrigade. Hij brengt een bezoek aan La Casa. Wij geven hem een rondleiding. We screenen hem en uit onze testen blijkt dat hij niet geschikt is om te worden opgenomen in onze eerbiedwaardige broederschap. We wijzen hem af. Uit woede en frustratie omdat hij de kans niet krijgt om zijn hele leven lang van haarloze kutjes en kleine piemeltjes te worden voorzien, begint het bij hem te gisten.'
Hij zweeg en maakte luide, slurpende geluiden. Melody bewoog zich in haar slaap.
'Het broeit bij hem,' ging McCaffrey verder. 'Wanneer zijn zieke woede het kookpunt heeft bereikt, breekt hij op een avond in La Casa in en zwerft rond tot hij een slachtoffer vindt. Een arm weesmeisje dat zich niet kan verdedigen en alleen in een kamer ligt omdat ze griep heeft. De krankzinnige man verliest zijn zelfbeheersing. Hij verkracht haar, scheurt haar vrijwel aan flarden. De autopsie zal ongewoon gewelddadig gedrag aantonen. Hij neemt foto's van zijn afschuwelijke daad. Een afzichtelijke misdaad. Terwijl het kind schreeuwt voor haar leven, lopen wij – jij en ik, Will – toevallig langs. We schieten haar te hulp, maar het is al te laat. Het kind heeft de geest gegeven.
Vol afschuw en walging bekijken we het bloedbad. Delaware, die zich betrapt weet, komt met een wapen in de hand op ons af. We weren ons heldhaftig en het lukt ons hem op de grond te krijgen. Terwijl we proberen hem het wapen afhandig te maken, gaat dat af en raakt de moordenaar dodelijk gewond. De goeie jongens winnen en er heerst weer vrede in het dal.'
'Amen,' zei ik.
Hij negeerde me.
'Niet slecht, hè, Will?'
'Gus, dat zal je niet lukken.' Towle ging weer tussen ons in staan. 'Hij weet alles. Die onderwijzeres en de jongen Nemeth...'
'Hou je mond. Dit zal wèl goed gaan. Het verleden is de beste toekomstvoorspeller. Iets dergelijks is ons al eens eerder gelukt en we zullen weer zegevieren.'
'Gus...'
'Hou je bek! Ik vraag je niks. Ik geef je een opdracht. Trek al haar kleren uit.'

Steunend op mijn ellebogen kwam ik iets overeind en sprak tussen pijnlijke, opgezwollen kaken door, vechtend om iets zinnigs te maken van de woorden die over mijn lippen kwamen.
'Wat zou je denken van een ander scenario, met als titel *De grote leugen*? Het gaat over een man die denkt dat hij zijn vrouw en kind heeft vermoord en daardoor zijn leven aan een chanteur verkoopt.'
'Hou je bek!' McCaffrey liep dichter naar me toe. Towle blokkeerde zijn pad, richtte de .38 op de in het groen geklede dikzak.
'Ik wil horen wat hij te zeggen heeft, Gus. Ik ben in de war. Ik heb pijn. Ik wil dat hij uitlegt...'
'Denk eens na,' zei ik, zo snel pratend als de pijn me toeliet. 'Heb jíj gekeken of het lichaam van Willie nog levenstekenen vertoonde? Nee. Dat heeft híj gedaan. Híj heeft tegen je gezegd dat de jongen dood was. Dat jij de jongen had gedood. Maar is het lichaam ooit gevonden? Heb je het lijkje ooit gezien?'
Towles gezicht werd strak van concentratie. Hij was zijn greep op de werkelijkheid aan het verliezen, maar zette er zijn nagels in, probeerde niet verder weg te zakken.
'Ik... Ik weet het niet. Willie was dood. Dat hebben ze me verteld. Het tij...'
'Misschien. Maar denk je eens in wat een schitterende kans dit voor McCaffrey was. Vanwege Lilahs dood had je op zijn hoogst veroordeeld kunnen worden wegens doodslag zonder voorbedachten rade. In die tijd werd geweldpleging tussen echtelieden nog niet eens serieus genomen. De advocaten die jouw familie in de arm had kunnen nemen, zouden het misschien wel voor elkaar hebben gekregen dat je alleen voorwaardelijk werd veroordeeld. Maar twee doden, zeker als één daarvan een kind is, hadden niet onder tafel geveegd kunnen worden. Jij moest geloven dat junior dood was, zodat hij je in zijn macht kon krijgen.'
'Will,' zei McCaffrey dreigend.
'Ik weet het niet. Zo lang geleden...'
'Denk eens goed na! Heb je hem hard genoeg geslagen om hem te doden? Misschien niet. Gebruik je verstand. Je hebt een goed stel hersens. Je hebt je al eerder dingen herinnerd.'
'Ik hàd een goed stel hersens,' mompelde hij.
'Die heb je nog steeds. Graaf in je geheugen. Je hebt Willie een klap tegen de zijkant van zijn gezicht gegeven. Aan welke kant?'

'Dat weet ik niet meer.'
'Will, het zijn allemaal leugens. Hij probeert je geest te vergiftigen.' McCaffrey zocht naar een manier om mij het zwijgen op te leggen. Maar Towle bracht het wapen omhoog, naar de plaats waar het hart van een normaal persoon zou zitten.
'Welke kant?' vroeg ik nadrukkelijk.
'Ik ben rechtshandig,' zei hij, alsof dat pas voor het eerst tot hem doordrong. 'Ik gebruik mijn rechterhand. Ik sla hem met mijn rechterhand... Ik zie het voor me... Hij komt vanuit zijn slaapkamer naar me toe. Huilend om zijn moeder. Zij komt van rechts op me af. Ik... ik sla hem... rechts. De rechterkant.'
De pijn in mijn hoofd maakte het praten tot een marteling, maar ik ging door.
'Inderdaad. Denk na! Stel dat McCaffrey je een rad voor ogen heeft gedraaid en je Willie níet hebt gedood. Je hebt hem verwond, maar hij leefde nog. Wat voor schade, welke symptomen zouden een trauma in de rechter hersenhelft bij een kind hebben veroorzaakt?'
'Rechter hersenhelft... hersenletsel. De rechter hersenhelft bestuurt de linkerkant. Letsel aan die kant heeft een dysfunctie van de linkerkant tot gevolg.'
'Perfect. Een zware klap op het rechterdeel van de hersenen kan een verlamming aan de linkerkant veroorzaken. Een slecht functionerende linker lichaamshelft.'
'Earl...'
'Ja. Het lichaam is nooit gevonden omdat het kind niet dood is gegaan. McCaffrey controleerde de pols, voelde een hartslag, zag dat jij in shock was door wat je had gedaan en heeft je schuldgevoelens uitgebuit. Hij heeft de twee lichamen in een deken gewikkeld, met wat hulp van jouw makkers. Lilah werd achter het stuur van de auto gezet en is toen de Evergreen Bridge afgeduwd. McCaffrey heeft het kind meegenomen. Hij zal waarschijnlijk wel medische hulp voor hem hebben gehaald, maar niet de beste, omdat een goede arts het incident aan de politie zou hebben gemeld. Na de begrafenis verdween McCaffrey, zoals je me zelf hebt verteld. Hij verdween omdat hij niet anders kon. Hij had het kind bij zich. Hij heeft hem meegenomen naar Mexico – God weet waar precies heen – hem een andere naam gegeven en hem veranderd van jouw zoon in de persoon die iemand kan worden wanneer hij door een monster wordt grootgebracht. Hij heeft een robot van hem gemaakt.'

'Earl... Willie junior.' Towle fronste zijn wenkbrauwen.
'Belachelijk. Will, doe een paar stappen opzij. Dat beveel ik je!'
'Het is de waarheid,' zei ik, dwars door het bonzen van mijn hoofd heen. 'Voordat je vanavond je pillen innam zei je dat Melody je vaag bekend was voorgekomen. Draai je voorzichtig om, zonder hèm uit het oog te verliezen, en kijk nog eens goed naar haar. Zeg me dan waarom.'
Towle deed een stap naar opzij, bleef het wapen op McCaffrey gericht houden, keek even naar Melody en toen nog eens wat langer.
'Ze lijkt op Lilah,' zei hij zacht.
'Haar grootmoeder.'
'Ik kon niet weten...'
Natuurlijk kon hij dat niet weten. De Quinns waren arm, analfabeet, de droesem van de maatschappij, beroerd protoplasma. Zijn ideeën over de genetische superioriteit van de hoogste stand zouden hebben voorkomen dat hij ook maar ging fantaséren over een band tussen hen en zijn familie. Nu was de verdedigingsmuur om hem heen neergehaald en drong alles geleidelijk aan tot hem door, als druppels zuur die de ene na de andere psychische wond veroorzaakten. Zijn zoon een moordenaar, een man die zo was geconditioneerd dat hij als een wild beest 's nachts op jacht ging. Dood. Zijn intellectueel niet al te begaafde schoondochter: een hulpeloos, pathetisch wezen. Dood. Zijn kleindochter, een kind waarmee hij aan het dokteren was geweest en die hij door medicijnen volledig had verdoofd. Nog in leven. Maar niet lang meer.
'Hij wil haar vermoorden. Haar aan stukken scheuren. Dat heb je hem zelf horen zeggen. De autopsie zal "ongewoon gewelddadig gedrag" aantonen.'
Towle draaide zich om naar de man in het groen.
'Gus...' zei hij snikkend.
'Stil nou maar, Will,' zei McCaffrey geruststellend. Toen schoot hij Towle met de .357 dood. De kogel ging zijn buik in en kwam er door zijn rug weer uit met een fijne mist van bloed, huid en wol. Towle smakte achterover op de grond. Het geluid van het schot werd door de betonnen ruimte als een donderslag weerkaatst. Het kind werd wakker en begon te krijsen.
McCaffrey richtte in een reflex het wapen op haar. Ik dook op hem af en trapte tegen zijn pols. Het wapen vloog naar achteren, de voorste

ruimte van de bunker in. McCaffrey krijste woest. Ik trapte nogmaals, nu tegen zijn scheenbeen, dat een grote homp rundvlees leek. Hij liep achteruit de voorste ruimte in om het wapen te pakken. Ik ging achter hem aan. Hij dook, rollend met zijn immense gestalte, op het wapen af. Ik gaf hem met mijn beide handen een duw tegen zijn onderrug, waar ze eenvoudig wegzonken in het vlees. Het had nauwelijks effect. Zijn hand was nog een paar centimeter van het wapen vandaan. Ik schopte het weg en trapte toen met mijn voet tegen zijn ribben, met weinig effect. Hij was verdomme veel te groot en te lang om hem een dreun op zijn smoel te kunnen geven. Ik dook op zijn benen af en bracht hem ten val.

Hij smakte op de grond en sleepte mij met zich mee. Grommend, vloekend en kwijlend liet hij zich boven op mij rollen en sloeg zijn handen om mijn keel. Hij hijgde en ik rook zijn zure adem. Het dikke gezicht was knalrood, de visseogen waren door de huidplooien bijna niet te zien. Ik vocht om onder hem vandaan te komen, maar dat lukte me niet. Ik voelde de paniek van iemand die opeens verlamd is. Hij kneep mijn keel nog verder dicht. Hulpeloos probeerde ik hem van me af te duwen.

Zijn gezicht werd donkerder. Door de krachtsinspanning, dacht ik. Van knalrood tot donkerrood tot roodzwart. Toen allerlei kleuren. Het haar leek te exploderen. Felrood, vers bloed spoot uit zijn neus, zijn oren en zijn mond. De ogen gingen wijd open, de oogleden knipperden hevig. Op het groteske gezicht lag een heel beledigde uitdrukking. Gorgelende geluiden. Naalden en driehoekjes van gebroken glas die op ons neerdaalden. Zijn bewegingloze lijk beschermde mij tegen die regen.

Het dakraam was nu een open wonde. Een gezicht keek omlaag. Zwart, ernstig. Delano Hardy. Iets anders dat ook zwart was: de loop van een geweer.

'Hou het nog even vol, adviseur,' zei hij. 'We komen u halen.'

'Jouw gezicht ziet er lelijker uit dan het mijne,' zei Milo toen hij McCaffrey van me af had getrokken.

'Dat zal best,' zei ik, pogend te articuleren door een mond die aanvoelde alsof ik op scheermesjes had gezogen. 'Maar het mijne zal er over een paar dagen wel weer beter uitzien.'

Hij grinnikte.

'Met het kind lijkt alles in orde te zijn,' zei Hardy vanuit de andere ruimte. Hij kwam te voorschijn met Melody in zijn armen. Ze trilde. 'Aangeslagen maar ongedeerd, zoals ze altijd in de krant schrijven.'
Milo hielp me te gaan staan. Ik liep naar Melody toe en aaide haar over haar bolletje.
'Schatje, alles zal in orde komen.' Gek dat clichés op moeilijke momenten altijd van stal lijken te worden gehaald.
'Alex,' zei ze. Ze glimlachte. 'Jij ziet er mal uit.'
Ik kneep in haar hand en ze deed haar ogen dicht. Droom lekker.
In de ambulance trapte Milo zijn schoenen uit en ging in yogahouding naast mijn brancard zitten.
'Mijn held,' zei ik, beslist onverstaanbaar.
'Makker, je zult heel lang bij mij in de schuld blijven staan. Vrij gebruik van de Caddy zodra ik daarom vraag, geldleningen zonder rente, gratis therapie.'
'Met andere woorden: terug naar de normale gang van zaken.' Ik moest mijn best doen om me door mijn opgezette kaken verstaanbaar te maken.
Hij lachte, gaf me klopjes op mijn arm en zei dat ik mijn mond moest houden. Dat was de ziekenbroeder met hem eens.
'Die man heeft misschien ijzerdraad nodig,' zei hij. 'Hij zou zijn mond niet moeten opendoen.'
Ik wilde protesteren.
'Stil,' zei de ziekenbroeder.
Zeshonderd meter verder keek Milo me aan en schudde zijn hoofd.
'Je hebt verdomd veel mazzel gehad, man. Ik was anderhalf uur geleden terug in de stad en zag toen Ricks briefje met het verzoek je te bellen. Ik bel je thuis. Robin neemt op. Jij bent er niet en ze maakt zich zorgen. Jullie hadden afgesproken om zeven uur samen een hapje te gaan eten, maar je was niet komen opdagen. Ze zegt dat het niks voor jou is om te laat te zijn. Zou ik alsjeblieft iets kunnen doen? Ze vertelt me ook wat jij zoal hebt gedaan. Toen ik er niet was ben je een behoorlijk bezig baasje geweest, hè? Ik bel het bureau – op een vakantiedag, mag ik daar wel aan toevoegen – en krijg die schizofrene boodschap over Kruger, die Del Hardy in fraai schuinschrift heeft genoteerd. Ik lees ook dat hij naar La Casa gaat. Ik ga naar het appartement van Kruger, weet door jouw barricade heen te breken en tref hem vastgebonden en doodsbang aan. Hij is een wrak en begint zijn

hart al te luchten voordat ik hem daar om heb gevraagd. Verbazingwekkend wat er gebeurt wanneer je je zintuigen enige tijd niet kunt gebruiken, hè? Ik piep Del op, die met zijn auto over de Pacific Coast Highway blijkt te rijden, waar het nog altijd druk is omdat producenten en aankomende sterretjes onderweg zijn naar huis, zeg dat dit een spoedgeval is en dat hij met de sirene aan over de berm moet racen. Hij roept de noodzakelijke assistentie op en de rest is geschiedenis.'

'Ik wilde geen grootscheepse aanval,' zei ik met heel veel moeite omdat ik zo'n pijn had. 'Ik wilde niet dat er iets met het kind zou gebeuren...'

'Meneer, hou alstublieft uw mond,' zei de ziekenbroeder.

'Stil nu verder maar,' zei Milo vriendelijk. 'Je hebt het geweldig gedaan. Bedankt. Oké? Maar niet nog eens doen, idioot.'

De ambulance stopte bij de Spoedopname van een ziekenhuis in Santa Monica. Dat kende ik, omdat ik voor de staf een paar lezingen had gehouden over de psychische aspecten van trauma's bij kinderen. Deze avond zou ik geen lezing houden.

'Alles met jou oké?' vroeg Milo.

'Hmmm.'

'Oké. Dan laat ik je nu overnemen door de witte jassen. Ik moet ervandoor om een rechter te arresteren.'

30

Robin bekeek me één keer, zag mijn blauwe ogen en mijn dichtgenaaide kaak en barstte in snikken uit. Ze knuffelde me, bemoederde me en ging naast me zitten om me soep en mineraalwater te voeren. Dat duurde een dag. Toen werd ze kwaad en gaf me ervan langs omdat ik zo gek was geweest mijn leven op het spel te zetten. Ik was niet in staat me te verdedigen. Ze probeerde zes uur lang niets tegen me te zeggen en gaf dat toen op. Daarna begon alles weer normaal te worden.

Zodra ik weer kon praten belde ik Raquel Ochoa.

'Hallo,' zei ze. 'Je stem klinkt vreemd.'

Ik vertelde haar het verhaal, hield het kort vanwege de pijn.

Even zweeg ze. Toen zei ze zacht: 'Er wáren dus monsters.'

'Ja.'

De stilte tussen ons was ongemakkelijk.

'Je bent een principiële man,' zei ze uiteindelijk.
'Dank je voor het compliment.'
'Alex... die avond... wij samen... Ik heb er geen spijt van. Het heeft me wel aan het denken gezet en me doen beseffen dat ik op zoek moet gaan naar iets... iemand voor mezelf.'
'Neem geen genoegen met minder dan het beste.'
'Ik... Bedankt. Pas goed op jezelf en word snel weer beter.'
'Ik zal mijn best doen. Tot ziens.'
'Tot ziens.'
Daarna belde ik Ned Biondi, die die middag langskwam en met me bleef praten tot de verpleegsters hem de deur uitzetten. Dagenlang las ik zijn verhalen. Hij maakte overal melding van: de tijd die McCaffrey in Mexico had doorgebracht, de moord op Hickle, de Herenbrigade, de zelfmoord van Edwin Hayden op de avond dat hij was gearresteerd. De rechter had zich een kogel door de mond gejaagd terwijl hij zich aankleedde om met Milo naar het bureau te gaan. Dat leek passend in het licht van wat hij Hickle had aangedaan en Biondi liet de kans om filosofisch te worden niet lopen.
Ik belde Olivia Brickerman en vroeg haar Melody onder haar hoede te nemen. Twee dagen later had ze een wat ouder, kinderloos echtpaar in Bakersfield gevonden, mensen die ze kende en vertrouwde, die veel geduld hadden, plus een grote lap grond waarop het kind naar hartelust kon rondrennen. Bij hen in de buurt woonde een getalenteerde kinderpsychologe, die ik nog uit mijn studietijd kende en die ervaring had met stressbehandeling en het verwerken van verdriet om een verloren dierbare. Aan hen zou de taak worden toevertrouwd het meisje te helpen de brokken van haar leven weer aan elkaar te lijmen.
Zes weken na de val van La Casa de los Niños gingen Robin en ik samen met Milo en Rick Silverman dineren in een rustig, fraai ingericht visrestaurant in Bel Air.
De amant van mijn vriend was een kerel die zo weggelopen had kunnen zijn uit een sigarettenreclame: een meter drieëntachtig lang, brede schouders, smalle heupen, mannelijk, knap gezicht met een paar lijntjes erin, een kop met goudbruin, krullend haar en een bijpassende borstelige snor. Hij had een maatpak van zwarte zijde aan, een zwartwit gestreept overhemd en een zwarte, gebreide das.
'Milo heeft mazzel gehad,' fluisterde Robin me toe toen ze aan ons tafeltje plaatsnamen.

Naast Rick zag Milo er slordiger uit dan ooit, hoewel hij had geprobeerd zich op te kalefateren en zijn ingevette haar glad had gekamd, als een kind dat naar de kerk gaat.
Milo stelde iedereen aan elkaar voor. We bestelden iets te drinken en leerden elkaar kennen. Rick was rustig en gereserveerd, had zenuwachtige chirurgenhanden die iets vast leken te moeten houden: een glas, een vork, een roerlepel. Hij en Milo wisselden liefhebbende blikken uit. Een keer zag ik dat ze elkaars hand aanraakten, een seconde lang. Naarmate de avond vorderde werd Rick opener en praatte over zijn werk, waarom hij het leuk vond als arts te werken en waarom niet. Het eten werd geserveerd. De anderen aten kreeft en biefstuk. Ik moest genoegen nemen met een soufflé. We praatten honderduit en de avond verliep plezierig.
Nadat er was afgeruimd, maar voor de komst van de dessertwagen en de koffie, gaf Ricks pieper geluid. Hij excuseerde zich en liep naar de telefoon.
'Als jullie er geen bezwaar tegen hebben ga ik even naar het toilet.' Robin depte haar lippen met haar servet en stond op. Ik keek naar haar wiegende heupen tot ze uit mijn gezichtsveld was verdwenen.
Milo en ik keken elkaar aan. Hij plukte een stukje vis van zijn das.
'Hallo, makker,' zei ik.
'Hallo.'
'Aardige kerel, die Rick. Ik mag hem wel.'
'Ik wil dat deze relatie een blijvertje wordt. De manier waarop wij leven is niet makkelijk.'
'Jullie zien er gelukkig uit.'
'Dat zijn we ook. In heel wat opzichten verschillen we van elkaar, maar we hebben ook veel gemeen. Hij gaat een Porsche 928 kopen,' zei hij lachend.
'Gefeliciteerd. Het goede leven is voor jou aangebroken.'
'Hij die het geduld heeft om te wachten, zal alles krijgen.'
Ik gaf de ober een teken en we bestelden nog iets te drinken. Toen de glazen voor onze neus stonden zei ik: 'Milo, er is iets dat ik met je wil bespreken.'
Hij nam een grote slok whisky.
'Zeg het maar.'
'Het gaat over Hayden.'
Zijn gezichtsuitdrukking werd ernstig.

‘Jij bent mijn zieleknijper, dus neem ik aan dat dit gesprek vertrouwelijk is?’
‘Nog beter. Ik ben je vriend.’
‘Oké.’ Hij zuchtte. ‘Stel dan maar de vraag die ik verwacht.’
‘Die zelfmoord. Om twee redenen is die onzinnig. In de eerste plaats vanwege het type dat Hayden was. Iedereen heeft me eenzelfde beeld van hem geschetst. Een arrogante, vervelende, sarcastische rotzak. Was stapel op zichzelf, geen spoortje gebrek aan zelfvertrouwen. Dat soort lui pleegt geen zelfmoord. Ze zoeken naar manieren om anderen ergens de schuld van te geven en gaan hun eigen verantwoordelijkheden uit de weg. In de tweede plaats ben jij heel goed in je vak. Hoe kon je zo slordig zijn om hem die kans te geven?’
‘Het verhaal dat ik Interne Zaken heb gedaan, luidt dat ik hem met respect heb behandeld omdat hij een rechter was. Ik heb hem de kans gegeven zich aan te kleden. In zijn studeerkamer. Dat hebben ze geslikt.’
‘Vertel me er alsjeblieft meer over.’
Hij keek om zich heen. Er zat niemand aan de tafeltjes bij ons in de buurt. Rick en Robin kwamen nog niet terug. Snel dronk hij de rest van zijn glas leeg.
‘Meteen nadat ik bij jou was weggegaan ben ik naar hem toe gereden. Het moet na tienen zijn geweest. Hij woonde in een van die immense Engelse tudorpaleizen in Hancock Park. Oud geld. Groot gazon. Bentley op de oprijlaan. Vormsnoeisel. Een deurbel uit een Karloff Flick. Hij deed open, een sulletje, misschien ongeveer een meter zestig. Vreemde, griezelige ogen. Hij had een zijden kamerjas aan en een glas cognac in zijn hand. Ik zei hem waarom ik was gekomen. Het deed hem niks.
Hij gedroeg zich keurig, afstandelijk, alsof de reden waarom ik daar was niets met hem te maken had. Ik liep achter hem aan naar binnen. Veel familieportretten. Bewerkt plafond, kroonluchters. Dat vertel ik je omdat ik je een indruk van de sfeer wil geven. Heer des landhuizes. Hij nam me mee naar zijn studeerkamer aan de achterkant van het huis. De obligate eikehouten panelen, in leer gebonden boeken van muur tot muur, van die boeken die mensen verzamelen maar nooit lezen. Een open haard met twee porseleinen hazewindhonden, fraai bewerkt houten bureau, blablabla.
Ik fouilleer hem, vind een .22 en neem die in beslag. ‘‘Dat is om me-

zelf 's avonds en 's nachts te beschermen, rechercheur,'' zegt hij. ''Je weet maar nooit wie er opeens voor je deur kan staan.'' Hij lachte, Alex. Ik zweer je dat ik mijn ogen en oren niet kon geloven. Het leven van die vent staat op instorten, hij zal de voorpagina's halen als iemand die met kinderen rotzooit en hij làcht.
Ik wijs hem op z'n rechten, dreun het verhaal op. Hij kijkt verveeld. Gaat achter zijn bureau zitten, alsof ik er ben om hem om een gunst te vragen. Dan begint hij tegen me te praten, lacht me in mijn gezicht uit. ''Wat amusant,'' zegt hij, ''dat ze jou voor deze zaak naar mij hebben toe gestuurd. Een flikker. Jij zou het beter moeten kunnen begrijpen dan wie dan ook.'' Zo gaat hij een tijdje door, meesmuilend, insinuerend. Dan zegt hij me recht in mijn gezicht dat we sigaren uit dezelfde doos zijn. Partners in de misdaad. Geperverteerde kerels. Ik sta daarnaar te luisteren en word steeds bozer. Hij lacht nog wat en ik begrijp dat hij de controle over de situatie wil behouden. Dus neem ik gas terug en glimlach ook. Ik fluit. Hij begint me te vertellen over de dingen die ze met de kinderen hebben gedaan, alsof dat me zou moeten opwinden. Alsof we makkers zijn op een hengstenbal. Mijn maag draait zich om en hij plaatst ons in hetzelfde schuitje.
Terwijl hij praat kan ik hem psychisch steeds beter doorgronden. Het is alsof ik dwars door die griezelige ogen heen in zijn kop kan kijken. Ik zie alleen duistere, slechte dingen. Niets goeds. Deze kerel zal nooit iets goeds kunnen doen. Hij is een mislukkeling. Ik oordeel over de rechter. Ik speel voor profeet. Intussen praat hij door over de feesten die ze vroeger met de kinderen hadden en zegt hoe erg hij die zal missen.'
Hij zweeg en schraapte zijn keel. Ik pakte mijn glas en dronk dat leeg.
'Ik kijk nog steeds door hem heen, naar zijn toekomst, en ik weet wat er zal gebeuren. Ik kijk in die grote kamer om me heen. Ik weet hoeveel geld die kerel achter zich heeft. Hij zal ontoerekeningsvatbaar worden verklaard en worden afgevoerd naar de een of andere club. Daar zal hij door omkoping op een gegeven moment weer uit komen en dan van voren af aan beginnen. Dus neem ik een beslissing. Daar ter plaatse.
Ik ga achter hem staan, pak zijn broodmagere kop vast en trek die naar achteren. Ik pak de .22 en ram die in zijn mond. Hij verzet zich, maar hij is een ouwe sul. Het lijkt wel alsof ik een insekt vast hebt, zo'n goor stuk ongedierte. Ik zet hem in de juiste positie, ik heb genoeg

rapporten van de lijkschouwer gezien om te weten hoe het eruit moet zien. Ik zeg: ''Een goeie avond verder, edelachtbare'' en haal de trekker over. De rest weet je. Oké?'

'Oké.'

'Wil je nog een glas? Ik sterf van de dorst.'